ספר
הלכות
פסח

Halachos of Pesach

Rabbi Shimon D. Eider

FELDHEIM PUBLISHERS
JERUSALEM • NEW YORK

ISBN 0 87306-864-5

FELDHEIM PUBLISHERS
POB 35002 / Jerusalem, Israel

202 Airport Executive Park
Nanuet, NY 10954

www.feldheim.com

Distributed in Europe by

J. Lehmann
20 Cambridge Terrace
Gateshead Co. Durham
England NE 81 RP

Typography by
Simcha Graphic Associates
Brooklyn, New York

Printed in Israel

לעילוי נשמת

ר׳ יוסף ב״ר ישראל ע״ה

פדר

איש תמים וירא ה׳

במצותיו חפץ מאד

מוקיר ורחים רבנן ותלמידיהון

ותומך אורייתא ומוסדותיה

נלב״ע כ״ט אדר ב׳ תשד״מ

תנצב״ה

This sefer is dedicated
In everlasting memory of
Mr. Joseph Feder ע״ה
Our eternally beloved and devoted
head and heart of the family.
A G-d fearing man of unusual integrity
whose preoccupation with the meticulous
observance of mitzvos was only paralleled
by his whole-hearted and loving support of the
scholars, students and institutions of Torah learning
so dear to him.
His was a rich legacy of compassion
to the poor and less fortunate
and the satisfaction of nurturing a generation
committed to emulating the eternal righteous path
he so personified.

dicated by his wife Lilly שתחי׳
his children and grandchildren
Toronto, Canada

ספר הלכות פסח

HALACHOS OF PESACH

Table of Contents

Section One חודש האביב — The Month of Nissan

- A. The Month of Nissan 1
  - Why was the month of Nissan chosen? 1
  - Fasting during the month of Nissan 6

Section Two תערובות חמץ — A Discussion of Products, Medications, and Cosmetics

Section Five ערב פסח — Erev Pesach

Section Eight — The First Days Of Pesach

Section Ten — Chol Hamoed and the Last Days of Pesach

Chapter XXX Halachos Concerning Chol Hamoed and the Last Days

Section Eleven — After Pesach

Section Twelve ערב פסח שחל בשבת — When Erev Pesach Falls On Shabbos

משה פיינשטיין
ר"מ תפארת ירושלים
בנוא יארק

RABBI MOSES FEINSTEIN
455 F. D. R. DRIVE
New York, N. Y. 10002
—
ORegon 7-1222

בע"ה

הנה ידידי הנכבד מאד כש"ת הרב הגאון מוהר"ר שמעון איידער שליט"א, מבית מדרש גבוה בליקוואוד, עומד כעת להדפיס מהדורה חדשה מקונטרסיו שכבר הדפיס על הלכות פסח, מהדורה מורחבת עם הוספות נחוצות, ועיקר ספר זה נכתב בשפת אנגלית המדוברת במדינה זו, ונתתי לנכדי הרה"ג מוהר"ר מרדכי טנדלר שליט"א ששיבחו מאוד, לבהירות לשונו והסדרתו באופן שקל למצוא הלכה.

והספר כולל גם כן מקורות ארוכות בכל דף ודף, למה שכתב באותו דף, וזה יכול להועיל ליתן חשק לאלו שמעונינים להעמיק יותר בהלכות אלו לעיין במקור הדברים וטעמם ונמוקם, שבודאי יהי' לתועלת גדולה ללומדי תורה והלכה למעשה. וכפי שידוע לי עמל ויגע על כל הלכה והלכה, לעיין בדברי רבותינו, וגם יש דברים ששמע ממני או ששמע בשמי או שראה בספרי. והספר מברר כמה דברים מסובכים שלכן הוא דבר טוב ונכון שטרח לבארם בבאור נכון בשפה שיבינו לידע איך לעשות.

והריני מברכו שיצליחהו השי"ת בספרו זה, כמו שזכה להצליח בספריו הקודמים, ויזכה על ידי ספר זה להגדיל תורה ולהאדירה. וגם הריני מברך את כת"ר כפי שאני מכירו לת"ח גדול הראוי להיות מחבר ספרי הלכה.

ועל זה באתי על החתום בעש"ק לשבת שירה ביום י' לחודש שבט תשמ"ה בנוא יארק.

משה פיינשטיין

פתיחה

יתברך הבורא ויוצר הכל ששם חלקי מיושבי בית המדרש ושהחייני וקיימני לסדר ולהוציא לאור עולם **ספר הלכות פסח**.

לא נאריך כאן בדברי הקדמה, מכיון שביארנו באריכות בהקדמה הכללית לספר הלכות שבת כוונתינו ומטרתינו והצורך והתכלית לחיבורינו, והדרך שנכתב ואופן לימודו משתייך גם כאן, והקורא הנכבד מתבקש לעיין שמה. וגם לא חזרנו והדפסנו ההסכמות שזכינו לקבלם מגדולי ישראל על הספרים הקודמים שכבר נדפסים בספר הלכות שבת ח״א וספר הלכות נדה ח״א וספר הלכות תפילין וספר הלכות עירובין.

כבר מלתינו אמורה בהקדמה הכללית לספר הלכות שבת והננו חוזרים ומגידים „שאין מטרת ספר זה לפסוק הלכות — כי אם ללקטם, להסבירם, ולסדרם באופן שנקל ללמדם. וחלילה לי לאמר קבלו דעתנו והכרעתנו. ולכן במקום שיש ספק או פקפוק במה שכתבנו, ובפרט אם מנהג קהילה או עיר שונה ממה שכתבנו, וכן במקרה ששונה קצת מהציור או המשל שהבאנו בפנים [דהלא ידוע שבהלכות אלו בהבדל קל עלולה להתהפך ההלכה לאיסור או להיתר] ישאלו את פי מורה הוראה, ויסמכו על דעתו״.

ובקשתי שטוחה לפני הקוראים שמי שיש לו הערה או תיקון או הוספה להודיע לי ואהיה לו אסיר תודה, ואם יזכני הבורא להוציא מהדורא שניה אתקננו שם.

ראשית המחשבה לחיבור ספר זה נתעוררה מתוך לימוד הלכות פסח בדיבוק חברים, שומעי לקחי בביהכ״נ בני יוסף בברוקלין בשיעור הנוסד ע״י צעירי אגודת ישראל דאמריקה, וביחוד בלימוד בחבורה בבית מדרש גבוה בלייקוואוד.

באשר ראיתי שסיום כל הלכות פסח היא עבודה קשה וארוכה, והרגשתי שיש בינתיים צורך לרבים, ומה גם כדי להקל מעלי עול ההוצאות המרובות, גמרתי אומר להוציא חיבור זה קונטרסים קונטרסים, קונטרס א׳ המכיל ענין א׳ לשנה. קונטרס הראשון נדפס בס״ד בשנת תשל״ז, וקונטרס השביעי האחרון בשנת תשמ״ג. בינתיים נתחדשו המצאות חדשות שלא נכללו בקונטרסים אלו, וגם נתקבלו הערות והוספות ממקורות שונות. ואף שכל קונטרס נכתב באופן מסודר ראיתי ושמעתי שמרוב הקונטרסים קשה למצוא פרטי דינים. לפיכך גמרתי אומר להוציא מהדורא חדשה ומורחבת נסדר באופן כרונולוגי ושכלי, להתחיל מהלכות חדש ניסן, לבאר איסור חמץ וביעור חמץ, הגעלת כלים לפסח, והלכות ע״פ ולילי הפסח, הלכות הסדר, והלכות ימים הראשונים של פסח, ספירת העומר, הלכות ימים האחרונים של פסח ואחר הפסח, והלכות המיוחדות כשע״פ חל בשבת. אף שבד׳ הקונטרסים הראשונים קצרתי בהערות ומראה מקומות מסיבות שונות, במהדורא זה השלמתי בס״ד זה הבנין.

מקום אתי להביע תודתי העמוקה לבעלי בית הדפוס „שמחה גראפיק״ כבוד האדונים התורניים ר׳ נחום קארנפעלד נ״י ור׳ אברהם וואלצער נ״י בעד התמסרותם ופעולתם הנמרצה וסבלותם המרובה והצליחו בחסדי ה׳ להוציא ספר מהודר דבר נאה ומתקבל. ישלם ה׳ משכורתם כפולה מן השמים.

מחוייב אני בזה לברך על הטובה, על אשר זיכני ה׳ יתברך להיות אף מקטני התלמידים שזכו להסתופף בצלו ולהתאבק באפר רגליו של הרב הדומה למלאך ה׳ צבקות רבן של ישראל וקברניטו של הדור רשכבה״ג הגאון מרן ר׳ אהרן קוטלר זצוק״ל זי״ע ראש ישיבת עץ חיים בקלעצק ובית מדרש גבוה בלייקוואוד, ולהמשיך את למודי ועבודתי בישיבה הק׳ תחת ראשותה של בנו ממלא מקומו הרה״ג הגדול שר התורה מוהר״ר יוסף חיים שניאור זצ״ל שעזרתו והמרצתו איפשרו לי להתמסר לעבודה זו. הנני מביע גם תודה וברכה נמרצת להנהלה החדשה של הישיבה הק׳ ממלאי מקומו של הגר״ש זצ״ל, בנו הרה״ג ר׳ ארי׳ מלכיאל שליט״א והרה״ג ר׳ ירוחם אלשין שליט״א והרה״ג ר׳ דוד צבי שוסטל שליט״א והרה״ג ר׳ ישראל ניומאן שליט״א שיצליחו בתפקידם הנשגב ולראות בהרמת הבית הגדול הזה עד יבא שילה. ובכלל לחבורת החכמים חברי **בית מדרש גבוה** בלייקוואוד, שיצרו אוירת התורה שגדלתי בתוכה. כן אני מחוייב להכיר תודה לכמה ידידים נאמנים שעברו על חלקים מסויימים של הספר ושיפרו אותו בכמה הערות והצעות נכונות.

אביע בזה תודתי וברכתי לכבוד אמי מורתי מרת ברכה שתחי׳ שעזרה וסעדה אותי למען אוכל לישב באהלה של תורה ולהרביץ תורה ברבים. יעזור השי״ת שתזכה לרוות רוב נחת מתוך הרחבה מיוצאי חלציה ומזרעם וזרע זרעם, ושתזכה לאריכות ימים ושנים טובים מתוך בריאות הגוף עד ביאת משיח צדקנו בב״א.

ותפלתי ליוצרי כשם שזכיתי בסייעתא דשמיא לברך על המוגמר בהשלמת ספר זה כך יזכני להתחיל ספרים אחרים ולסיימם ללמוד וללמד לשמור ולעשות ולקיים. ושלא אכשל בדבר הלכה ושאזכה לאסוקי שמעתתא אליבא דהלכתא לאמיתה של תורה. ויה״ר **שספר הלכות פסח** יעלה על שלחן מלכים — מאן מלכי רבנן, ושיתרבה על ידו לימוד הלכות פסח ושמירתה כראוי, ושאזכה להיות ממזכי הרבים. וזכות שמירת וקיום הלכות פסח יעמוד לי עם זוגתי נות ביתי מנשים באוהל תבורך מרת שפרה שתחי׳ ולזרעינו, ונזכה לראות כל יוצאי

חלצינו עוסקים בתורה ובמצוות לשמה מתוך נחת והרחבה, ושלא תמוש התורה מפינו ומפי זרעינו עד עולם, ושנזכה לחג הגאולה האמיתי וכמאמרם „בניסן נגאלו בניסן עתידין ליגאל" (ר"ה י"א:) לראות ולקבל פני משיח צדקינו במהרה בימינו אכי"ר.

לייקוואוד, נ. דז.
שבט תשמ"ה
ש.ד.א.

כללים אחדים ב„הערות ומראה מקומות"

א) ייחסנו את הפירושים ומקורי הדינים בדרך כלל אחרי אחרוני הפוסקים [כגון חיי"א, הגר"ז, קש"ע, ערה"ש, כה"ח וכד'] שמהם לוקחו, אף שמפורשים כבר בגמ' או בראשונים, כדי להראות שנתקבל אצל הפוסקים לדינא.

ביאור הנמצא בין במפרשי הש"ס בין בספרי הפוסקים הובא מקורו על הרוב על שם הפוסקים.

הבאנו בדרך כלל המקורות על שם המ"ב וכד' בתורת בתראה, אף שכבר נמצא בפוסק קדום כגון המ"א או שארי אחרונים.

כשענין מסויים נמצא בין ברמב"ם בין בתוס' וכד' ושניהם לדינא אז במקרה שלא הבאנו לשון שניהם, העתקנו בדרך כלל לשון הרמב"ם היותר נקל ומסודר.

ב) כיון שאין תכלית החיבור הנוכחי להערות, קצרנו בהם בכל האפשר, ולהרבה דברים מועילים הסתפקנו ברמיזה. כמו כן, אף שלא חסרנו מקור כמעט לשום דבר, לא הבאנו כולם, אך מקצתם. המקורות שכן הבאנו, יספיקו בדרך כלל לפתוח פתח למי שרוצה לחפש יותר ולהרחיב העיון. לדבר פשוט ומוסכם ציינו אחת או שתי מקורות, לדברים מחודשים ולדברים שיש בהם שאלות אצל הפוסקים הרבינו מקורות וראיות. לדברים שכתבנו מדעתינו הקדמנו מלת „נראה" וכו'.

כשמציינים אנו שתי אותיות תכופות בהפסק שתי נקודות, כמו למשל ב:ג וכד' אזי האות הראשון מורה על המדור הכללי שבמקור, והאות השני על המדור הפרטי. דרך משל, פרק ב' פסוק ג' (בפסוקי תנ"ך), או כלל ב' סימן ג' (בחיי אדם), או סימן ב' אות ג' (באג"מ) וכד'.

ג) לפעמים הצגנו המראה מקום בתחלת הענין או בסופו, ולא חזרנו להעתיקו אצל כל פרט ופרט בהמשך הענין.

ד) כשהבאנו שם הפוסק וכד' לבד, בלי תוספת, אזי הדין מפורש בדבריהם. כשהקדמנו ציון „עיין" (ע') או „על פי" (ע"פ) כגון „ע' מ"ב" או „ע"פ המ"ב" — הכוונה שאין הדין נמצא מפורש בפנים באותה צורה, אלא שכתבתיו על פי דעתו או ששניתי מהמקור למען תוספת ביאור או ייחוס הדין לעובדא מעשיית. ולפעמים הוא בא כדי להעיר לקורא לעיין יותר בענין בעצמו. הערה: לפעמים ה„וע'" מורה על שיטה מחולקת.

ה) לפעמים יצאנו בהערות מענין לענין באותו ענין, ובמקומות אלו בדרך כלל סימנתי ע"י הדפסת אותיות יותר גדולות בתחלת הענין.

ו) „חי' הר"ן" הם חידושים המיוחסים לר"ן. „הר"ן" סתם הוא הר"ן שסביבות הרי"ף.

Preface

"שואלין ודורשין בהלכות הפסח קודם הפסח שלשים יום"

(פסחים ו')

During the time the *Beis Hamikdosh* existed, חז"ל enacted that the laws of Pesach should be studied during the thirty day period before the festival. The reason for this requirement is in order that each and every Jew should be proficient in the laws of the festival and know how to conduct himself.

Proper observance of any mitzvah is contingent upon the knowledge of its laws. One who has not studied all of Hilchos Pesach thoroughly and diligently cannot fulfill them properly or avoid their desecration. Situations may arise where a mere perfunctory study could even contribute to the inadvertent violation of its laws. One may assume that he is performing the mitzvah properly, yet because of the complexity of the halachos and the fine distinctions between seemingly similar cases, he may actually be committing a major transgression. Therefore, a careful, thorough, and orderly study of these halachos is vital for the proper observance of the halachos of Pesach.

Yet, as we have mentioned, proper observance of any mitzvah is contingent upon the knowledge of its laws, and during the thirty day period before Pesach, people who are normally meticulous in their observance of mitzvos, are occupied with other preparations for the festival. Therefore, it was evident that there was a need for a comprehensive, organized text on Hilchos Pesach in English — written in a clear and concise manner. This was our goal in the seven sections of A SUMMARY OF HALACHOS OF PESACH — even keeping the מראה מקומות to a minimum. Yet, precisely because they were presented in this manner, we have discovered that people found it difficult to locate specific halachos, or to know the source of a halacha, or to comprehend them properly. In addition, in the interim, new products were introduced on the market, and new information was received on older products — therefore, necessitating a new revised edition. Also, it was felt that by reorganizing the halachos chronologically, it would make the *sefer* more accessible and usable. For this reason, the type size and format were changed to conform to the style of HALACHOS OF NIDDAH and HALACHOS OF TEFILLIN — to assist both in readability and comprehension.

Although this work has been formulated so that it may be used by itself, it is the author's opinion that its maximum benefit will be realized when the *sefer* will be used in conjunction with a study of the *Shulchan Aruch* and *Mishna Berurah*. Since it has been geared to serve as a text — and not as a compilation of halachic decisions, where there is any question concerning a specific halacha or difference in minhag — a מורה הוראה should be consulted.

Since knowledge of the basic terms and concepts found in Hilchos Pesach is essential for an understanding of the halachos, each term or concept is translated and defined at its point of introduction. Therefore, this work should be studied in the sequence of its arrangement.

Precise terminology is crucial in a work of this kind. Therefore, great pains have been taken to trace each halacha to its source in order to assure accuracy in translation. A special effort has been made to maintain clear, simple, and terse language throughout. Although conciseness has been an objective, in halacha, thoroughness and comprehensiveness must be maintained (because slight differences in cases can alter the halacha). Therefore, occasionally, brevity has been sacrificed for accuracy and clarity.

An appendix — comprising a list of the abbreviations used, and three indexes — one in English, one for the Hebrew terms, quotations and concepts which have been introduced in the English text, and one for the topics discussed in the Hebrew footnotes — has been included. Sources for each halacha are printed on the same page as the material discussed — instead of as part of the appendix — in order to encourage and facilitate their use.

The author would like to express his gratitude and appreciation to the administration of **Beth Medrash Govoha,** Lakewood, N.J. and especially to the Roshei Yeshiva שליט״א whose encouragement and assistance have enabled him to devote himself to the preparation of works of this nature, and whose community of תלמידי חכמים and environment of Torah and יראת שמים have made it possible.

Rabbi and Mrs. Eliyahu Back, Mr. and Mrs. Frank Grebenau, Rabbi and Mrs. Zev Gottlieb, and Rabbi Shmuel Rayman deserve special recognition for their dedication and technical assistance in preparing this work for publication.

Special gratitude is due to those individuals who, as sponsors, have eased the burden of the publication of this work.

It is the author's fervent hope and *Tfilah* that this work should contribute to the proper study and observance of Hilchos Pesach. The Talmud says ״בניסן נגאלו בניסן עתידים ליגאל״ "in Nissan they were redeemed, in Nissan they are destined to be redeemed." We should be worthy to merit this in the near future.

S.D.E.

Lakewood, N.J.
Shevat 5745

ספר
הלכות
פסח

hALAChOS
OF
pesach

Section One
חודש האביב

THE MONTH OF NISSAN

ספר הלכות פסח

HALACHOS OF PESACH

Chapter I Halachos Concerning the Month of Nissan

A. THE MONTH OF NISSAN

The Torah calls Nissan "the first month of the year"

1. The Torah calls the month of Nissan "the first month of the year", as it says in the Torah "החדש הזה לכם ראש חדשים ראשון הוא לכם לחדשי השנה" "this month shall be to you the beginning of months; it shall be to you the first month of the year" (א). Although we count years from Tishrei, because of the greatness and significance of Nissan, we count months of the year from Nissan (ב).

What is the reason for the special nature of this month, which accounts for its distinction? *Hashem* ordained that the great historical experience of the Jewish nation, the exodus from Egypt, should take place in Nissan (ג). Through the exodus, *Hashem* demonstrated to the entire world His Divine Providence over His creations (ד). With His miracles and wonders He established that He repays the wicked for their evil and rewards the righteous for their good; this was evident as He punished Pharaoh for his evil deeds and redeemed the children of Israel (ה). Therefore, all months are counted from Nissan, in order to recall the great miracles which occurred to the Jewish people during that month (ו).

Why was the month of Nissan chosen?

2. Why was the month of Nissan chosen? The Egyptians worshipped the lamb—the first constellation in the zodiac; the lamb is the symbol of Nissan (ז). Pharaoh relied on his strength and his constellation to overcome Hashem (ח). His stubborn heart was subdued during the plague of hail, culminating with his confession "*Hashem* is the righteous one, and I and my people are the wicked" (ט). Yet during the plague of locusts he reverted to his former audacity and chutzpah, driving Moshe and Aharon from his presence (י), with the

---

(א) שמות י״ב:ב.

(ב) ע׳ רמב״ן שמות י״ב:ב וערה״ש ס׳ תכ״ט ס״א, וכ׳ בדרשת הרמב״ן לר״ה „כי מה שאומר בתורה בניסן, החדש הזה לכם ראש חדשים ראשון הוא לכם לחדשי השנה, אין פירושו שיהיה ניסן ראש אלא שיהא נקרא ראשון לנו, כלומר ראשון לגאולתינו שנמנה החדשים לגאולתינו שיצאנו ממצרים וכו׳״.

(ג) ע׳ שם.

(ד) ע׳ ערה״ש שם ורמב״ן סוף פרשת בא.

(ה) שם.

(ו) רמב״ן שם.

(ז) ע׳ ערה״ש שם ס״ב.

(ח) שם.

(ט) שמות ט:כ״ז.

(י) שם י:י״א.

admonishment during the plague of darkness "you shall see my face no more" (יא).

The reason he exhibited this behavior was that since the month of Nissan was approaching—which was represented by the symbol of Egypt, the lamb—he relied on this constellation to come to his aid (יב). Therefore, *Hashem* told Moshe "this month" which Pharaoh is awaiting anxiously "shall be to *you* the beginning and head of months", for in this month it will be demonstrated that there is no basis or foundation for belief in astrology and constellations, and *Hashem* is the G-d and sole ruler in the heavens above and the earth below, and the children of Israel are his chosen people (יג). Therefore, the month of Nissan shall be to you the first month of the year (יד).

The Mishkan was dedicated during Nissan

3. Because of the greatness and significance of this month, the *Mishkan* (tabernacle) was inaugurated on Rosh Chodesh Nissan (טו), and the נשיאים (princes) of the tribes of Israel offered sacrifices in this month for the dedication of the *Mishkan* (טז). Each נשיא (prince) established the day that he offered his sacrifices as a Yom Tov (יז).

The month of Nissan is destined to be the month of the forthcoming redemption, as it says "בניסן נגאלו בניסן עתידין ליגאל" "in Nissan they were redeemed, in Nissan they are destined to be redeemed" (יח). The third *Beis Hamikdosh*, as well, is destined to be inaugurated during the month of Nissan (יט)—we should be worthy of this in the near future.

B. STUDYING THE LAWS OF PESACH

The requirement during the time of the Beis Hamikdosh

1. During the time the *Beis Hamikdosh* existed, חז"ל enacted that Torah scholars should lecture publicly on the laws related to each festival, thirty days before the festival (כ). That is, beginning from Purim, they should teach the laws of Pesach, [according to some Poskim, from the fifth of Iyar they should teach the laws of Shavuos], and from the fourteenth day of Elul they should teach the laws of Sukkos (כא). The reason for this requirement was that all Jews living in Eretz Yisroel were required to bring offerings to the *Beis Hamikdosh* on the festival (כב), and every sacrifice had to be clear of any imperfection (כג).

(יא) שם כ"ח.

(יב) ערה"ש שם וע' רמב"ן שמות י"ב:ג.

(יג) ערה"ש שם.

(יד) שם. וע' מ"ב (ס' תרפ"ה ס"ק א') „הרביעית פרשת החדש בשבת הסמוך לר"ח ניסן כדי לקדש חודש ניסן וכו'" נראה דמשום חשיבותו קבעו ענין זה.

(טו) ערה"ש שם ס"ג משמות מ:ב.

(טז) ערה"ש שם מבמדבר ז.

(יז) ערה"ש שם.

(יח) ר"ה י"א:

(יט) ערה"ש שם מפ' בתרא דמס' סופרים.

(כ) גר"ז ס' תכ"ט ס"א מתוס' ע"ז ה: ד"ה והתנן.

(כא) ע' שם מרש"י ר"ה ז. ד"ה אתי, וע' ב"י (ס' תכ"ט ד"ה תניא) די"א דזה רק לפסח ולגר"א (ס' תכ"ט ס"ק א') גם לסוכות אבל לא לשבועות דסגי מיום א' בסיון וע' במ"ב ס' תכ"ט ס"ק א'.

(כב) ע' ב"י וגר"ז שם.

(כג) שם.

Therefore, חז״ל enacted that these laws should be taught publicly thirty days before each festival, to remind the people not to forget to prepare animals suitable for these offerings, and to allow them sufficient time to perform this preparation properly (**כד**).

This enactment was not abolished

2. Although the *Beis Hamikdosh* was destroyed, this requirement, that Torah scholars should begin teaching their students the laws of the festival thirty days before the festival, was not abolished from Israel (**כה**). This was enacted in order that one be proficient in the laws of the festival and know how to conduct himself (**כו**).

"שואלים ודורשים"

3. Therefore, it is a mitzvah to study the halachos of Pesach during the thirty day period before Pesach (**כז**), in order to review its basic laws (**כח**) (e.g. *kashering, biyur chometz,* baking matzos) (**כט**). Therefore, the Poskim say that it is proper that one should begin the study of these halachos the day of Purim itself (**ל**).

The Shabbos Hagadol Drosho

4. The Shabbos before Pesach is called *Shabbos Hagadol* (the great Shabbos) (**לא**) (see F 1 for the reason). The minhag is for the Rav to deliver a *drosho* (discourse) on this day (**לב**). The primary purpose of this *drosho* is to review with the congregation the essential halachos of Pesach (**לג**).

The halachos of Shabbos Hagadol are discussed later (see F).

C. MAOS CHITIM

The minhag of Maos Chitim

1. It was a minhag in Jewish communities throughout the world to place a tax upon its members in order to purchase wheat for distribution to the poor

---

(כד) שם.
(כה) ב״י שם וגר״ז שם ס״ב.
(כו) שם.
(כז) בגמרא (פסחים ו.) ובטור איתא „שואלין ודורשין בהלכות הפסח קודם הפסח שלשים יום״ ובמחבר (ס׳ תכ״ט ס״א) כ׳ „שואלין בהלכות הפסח וכו׳״ ע׳ ב״ה (ד״ה שואלין).
(כח) ע׳ מ״ב ס׳ תכ״ט ס״ק א׳.
(כט) שם.
(ל) שם ס״ק ב׳. ע׳ מ״ב (שם ס״ק א׳) „ועכ״פ ביו״ט גופא לכו״ע צריך לשאול ולדרוש בכל יו״ט בהלכותיה וכדאיתא בסוף מגילה [דף לב] משה תיקן להם לישראל שיהו שואלין ודורשין בענינו של יום הלכות פסח בפסח הלכות עצרת בעצרת והלכות חג בחג״.
(לא) כ׳ המחבר ס׳ ת״ל ס״א „שבת שלפני הפסח קורין אותו שבת הגדול מפני הנס שנעשה בו״ והטעם יתבאר לקמן בפנים בס״ד.
(לב) מ״ב ס׳ תכ״ט ס״ק ב׳ וע׳ בב״ח בס׳ תכ״ט (ד״ה כתב ב״י) „לזה נקרא שבת הגדול לחד טעמא לפי שמתקבצות קהילות גדולות לשמוע הלכות גדולות״.
(לג) מ״ב שם.

for their Yom Tov needs (לד). This is an early minhag which dates back to the time of the Talmud (לה). Some communities have the custom to distribute flour (לו) and other food supplies which are necessary for Pesach (לז). In most communities, the minhag nowadays is to supply the needy with funds to purchase their necessities for Pesach (לח).

Who is required to contribute Maos Chitim?

2. Who is required to contribute towards this fund? A person living in a city twelve months is required to participate (לט). The minhag, however, is that even one who lives in a community only thirty days contributes (מ). One who moved into a city with the intention of remaining is required to participate immediately (מא). Even a Torah scholar, normally exempt from many other communal financial responsibilities, is required to participate is this essential fund (מב). The amount one is required to contribute is based upon a person's financial status (מג).

Nowadays, that we lack the ability to tax, all should contribute to *Maos Chitim* according to the best of their ability. Those who are capable of contributing to this vital cause and neglect their responsibilities are considered as transgressors (מד).

Who receives Maos Chitim?

3. To whom is one required to give *Maos Chitim?* Although some Poskim hold that *Maos Chitim* must be supplied only to needy individuals residing in the city for at least a year (מה), the minhag is that even those residing in the city for at least thirty days are eligible (מו). One in need, however, who moves into a city with the intention of remaining should be supplied immediately (מז). There is no requirement to supply a destitute person who is not residing in the city for thirty days [and does not intend to remain there permanently (מח)], with flour and other needs for the entire Pesach at one time, in advance. One is, however, required to supply him with his daily food needs (e.g. two meals for each weekday and three meals for Shabbos), as throughout the rest of the year (מט).

(לד) כ׳ הרמ״א (ס׳ תכ״ט ס״א) „ומנהג לקנות חטים לחלקן לעניים לצורך פסח וכל מי שדר בעיר י״ב חודש צריך ליתן לזה״ וע׳ גר״ז ס׳ תכ״ט ס״ה.

(לה) מ״ב שם ס״ק ג׳.

(לו) שם ס״ק ד׳.

(לז) כך ראיתי נוהגים בכמה מקומות.

(לח) כך ראיתי נוהגים בכ״מ אבל ע׳ בשעה״צ שם ס״ק ז׳.

(לט) רמ״א שם.

(מ) גר״ז שם ס״ה ומ״ב שם ס״ק ה׳.

(מא) גר״ז שם ס״ו ומ״ב ס״ק ה׳.

(מב) גר״ז שם ס״ה ומ״ב ס״ק ו׳.

(מג) מ״ב שם.

(מד) כ׳ מ״ב שם „והנה ידוע שעיני העניים נשואות לזה וכשהם ישארו בדוחק וברעבון והוא יעלים עין בזה ידוע מה שאמר הגמרא וכו׳״ וע׳ בשעה״צ ס״ק י׳.

(מה) מ״ב שם ס״ק ה׳ ממ״א וש״א מהירושלמי.

(מו) מ״ב שם מהגר״ז ס״ה ובשעה״צ ס״ק ט׳ כ׳ „ובפמ״ג מסתפק קצת בזה״.

(מז) מ״ב שם וגר״ז ס״ו.

(מח) ע׳ מ״ב שם וגר״ז ס״ז.

(מט) שם. כתב בב״ה (ס״א ד״ה י״ב חודש) „ונותנין זה אף למי שיש לו מזון י״ד סעודות אף שלאיש כזה אין נותנין מקופה כמבואר ביו״ד בהלכות צדקה״ [מקו״ח].

D. TFILOS AND TORAH READING DURING NISSAN

Tfilos which are omitted

1. During the entire month of Nissan, תחנון is omitted* (נ). Similarly, the יהי רצון, which are normally said on Mondays and Thursdays after reading the Torah, are omitted (נא).

אב הרחמים, which is usually said on Shabbos morning and צדקתך צדק which is usually said on Shabbos during Mincha, is omitted during the month of Nissan (נב). [Concerning the saying of אב הרחמים after Pesach, see Chapter XXXI A 5].

* Note: The reason *tachanun* and certain *tfilos* are omitted and fasting and eulogies are not permitted (see 4 and E 1) is as we have learned previously (see A 3) that beginning from Rosh Chodesh Nissan the נשיאים (princes) of the tribes of Israel began offering their sacrifices to dedicate the altar in the *Mishkan* (tabernacle). From Rosh Chodesh through the twelfth of the month, each day, one נשיא would offer his sacrifices. The day a נשיא would offer his sacrifices was a Yom Tov for him; Erev Pesach was a Yom Tov for all Israel, because the *Korbon Pesach* (Pesach offering) was brought then. [The only day which was not a Yom Tov was the thirteenth of the month] (נג). This is followed by the eight days of Pesach—and אסרו חג (the day following Pesach). Since the majority of the month passed in holiness, the minhag is to consider the entire month holy (נד).

Parshas Haneseeim

2. During the first thirteen days of the month of Nissan some communities have a minhag to read after the davening פרשת הנשיאים in a Sefer Torah, that is, the portion of the Torah in *Parshas Naso* which deals with the offerings brought by the prince of a tribe on that day. On the thirteenth of Nissan, the reading consists of the beginning of *Parshas B'haaloscha* until "כן עשה את המנורה" (נה). Some Poskim question the validity of the minhag of the public reading of this portion in a Sefer Torah, since *Birchas Hatorah* is not recited (נו).

Erev Pesach

3. On Erev Pesach, the davening should begin early, in order that one complete his meal before four hours (נז) (see Chapter XVII C).

מזמור לתודה* (נח), קל ארך אפים [which is said on Mondays and Thursdays

* See Note on page 6.

(נ) מחבר ס׳ תכ״ט ס״ב וגר״ז ס״ח.

(נא) מ״ב שם ס״ק ח׳ וגר״ז שם.

(נב) מחבר וגר״ז שם וע׳ שערי אפרים (שער י׳:כ״ח,כ״ט).

(נג) ע׳ מ״ב ס״ק ז׳ וגר״ז ס״ט.

(נד) שם ממ״א (ס״ק ג׳). ובערה״ש (שם ס״ג) כ׳ „ובאמת א״צ לזה דכל חודש ניסן קדוש מפני הטעמים שבארנו״.

(נה) כ׳ המ״ב (שם ס״ק ח׳) „וטוב לקרות בניסן בכל יום הנשיא שלו וביום י״ג פרשת בהעלותך עד כן עשה את המנורה [אחרונים]״. ובגר״ז (שם ס׳ ט״ו) וקש״ע (ס׳ ק״ז ס״א) כ׳ לענין קריאה ביום י״ג „שהוא נגד שבט לוי״.

(נו) ע׳ שו״ת תורת יקותיאל (או״ח סי׳ מ״ו), נימוקי או״ח סי׳ תרס״ט, ובתורת רפאל (או״ח ס״ב) כ׳ דלקרות בציבור בלי ברכת התורה אסור מה״ת.

(נז) מ״ב שם ס״ק י״ג וגר״ז שם ס׳ ט״ז.

(נח) רמ״א ס׳ תכ״ט ס״ב.

before reading the Torah] and למנצח (after אשרי) are omitted on Erev Pesach and during Pesach (נט).

* Note: The reason *Mizmor Lesodah* is omitted on Erev Pesach is that the *Korbon Todah* (the thanksgiving offering) consisted, in part, of chometz (i.e. the *Todah* consisted of forty loaves, thirty of matzah, ten of chometz—aside from the animal offering). The time for consuming the offering was the day it was brought and the following night. If the offering would be brought on Erev Pesach, there would be insufficient time to complete its consumption before chometz becomes prohibited. This would cause the offering to become נותר (leftover of an offering, which must be burned). Any action which will create נותר is prohibited. Nowadays, since there is no *Beis Hamikdosh*, our saying *Mizmor Lesodah* is in place of offering the *Todah*. Since the *Korbon Todah* was not offered on Erev Pesach, we do not say *Mizmor Lesodah* on Erev Pesach (ס).

Fasting during the month of Nissan

4. During the entire month of Nissan one is not permitted to fast even on a Yahrzeit (anniversary of death) (סא). One may, however, fast a תענית חלום (a fast when one is disturbed by a bad dream) (סב).

Many Poskim write that the minhag is that a bride and groom fast on their wedding day—even on Rosh Chodesh Nissan (סג).

We will learn later (see Chapter XVII B) that בכורים (first born) fast on Erev Pesach (סד)—unless they attend a *Siyum* (סה).

The brocho upon seeing fruit trees in blossom

5. Upon seeing fruit trees in blossom one should recite the brocho "ברוך אתה ה׳ אלקינו מלך העולם שלא חיסר בעולמו כלום וברא בו בריות טובות ואילנות טובות ליהנות בהם בני

(נט) שם וגר״ז שם ס׳ י״ב.

(ס) מ״א ס׳ תכ״ט ס״ק ז׳ ומחה״ש שם.

(סא) כ׳ המחבר (ס׳ תכ״ט ס״ב) „ואין מתענין בו להזכיר בצבור וכו׳״ ופי׳ המ״ב (ס״ק ט׳) „להזכיר בצבור. פי׳ דאין מזכירין התענית בצבור אבל מ״מ היחיד שנהג להתענות בה״ב מותר להתענות בו לדעת המחבר ומנהגנו שאין להתענות כלל [אחרונים]״ וכוונתו דכ׳ הרמ״א שם „ונהגו שאין מתענין בו תענית כלל אפילו יום שמת בו אביו או אמו אבל תענית חלום מתענין״ וכ׳ המ״ב (ס״ק י׳) „אפילו יום וכו׳. היינו בכל החודש ניסן וכן ער״ח אייר ג״כ אין מתענין אפילו הנוהגים להתענות בכל ער״ח אבל החתן והכלה ביום חופתם נוהגים להתענות אפילו בר״ח ניסן מטעם שיתבאר בסימן תקע״ג [אחרונים]״ ועי׳ שם ובס׳ תק״פ ס״ב שכ׳ המחבר „באחד בניסן מתו בני אהרן״.

(סב) רמ״א ס׳ תכ״ט ס״ב וכ׳ במ״ב (ס״ק י״א) „ואין צריך למיתב תענית לתעניתו בחודש אייר כדי שיכופר לו על מה שהתענה בחודש ניסן על חלומו וכו׳״.

(סג) מ״ב שם ס״ק י׳, גר״ז שם ס״ט, ערה״ש שם ס״ג וחיי״א כלל קי״ט ס״א ורוב האחרונים אבל בתוספות חיים על חיי״א (כלל קי״ט ס״ק ג׳) כ׳ „ובספר מגן אלף למהר״ל מפלאצק בעל תשו׳ משיבת נפש הוכיח בראיות דאין להתענות כלל בר״ח ניסן אפילו חתן וכו׳״ וע׳ בת׳ יד הלוי ס׳ ק״ז וע׳ בכה״ח (ס׳ תכ״ט אות ל״ד) מס׳ עמודי שמים וס׳ חקת הפסח.

(סד) ס׳ ת״ע וס׳ תכ״ט ס״ב.

(סה) מ״ב ס׳ ת״ע ס״ק י׳.

אדם'' (**סו**). This brocho is recited only once a year—even if he saw other trees in blossom (**סז**). The brocho is only recited upon fruit-bearing trees (**סח**). Normally, in warmer climates, this brocho is recited during the month of Nissan (**סט**). It may, however, be recited during any other month in which one sees fruit trees in blossom (**ע**). If one saw trees in blossom but neglected to recite the brocho, he still may recite it, as long as the fruit have not fully ripened (**עא**).

E. MOURNING DURING THE MONTH OF NISSAN

Eulogy during Nissan

1. One may not deliver a *hesped* (eulogy) during the month of Nissan (**עב**). However, a eulogy for a *talmid chacham* (a Torah scholar) in his presence is permissible (**עג**). There is a view which holds that the *onen* (a mourner from the time of death until interment) may be permitted to eulogize his deceased even during Chol Hamoed (**עד**).

''קל מלא רחמים''

2. קל מלא רחמים—which is said during the funeral service—is not said during the month of Nissan (**עה**).

מעמדות

3. It is a minhag that upon arriving at the cemetery, those carrying the deceased make seven stops while the *p'sukim* ''יושב בסתר'' are said (**עו**). During the month of Nissan, these stops are not required and ''יושב בסתר'' is omitted (**עז**).

(סו) ס' רכ"ו ס"א וכ' במ"ב (ס"ק ב') „דוקא פרח הא עלים לחודיה לא ואף בפרח דוקא באילני מאכל שמזה הפרח עתיד להתגדל פרי אבל אילני סרק לא [אחרונים]". [כך גירסת המחבר אבל יש שאומרים „שלא חיסר בעולמו כלום"].

(סז) מחבר שם ומ"ב ס"ק ג'.

(סח) מ"ב שם ס"ק ב'.

(סט) שם ס"ק א'.

(ע) שם.

(עא) ע' מחבר שם ומ"ב ס"ק ד'.

(עב) כ' המחבר (ס' תכ"ט ס"ב) „ואין מספידין בו".

(עג) ע' מ"ז ס' תקמ"ז ס"ק ד' דלת"ח בפניו אפילו בע"פ מספידין.

(עד) ע' אג"מ או"ח ח"א ס' קס"ה שכ' „אולי יש להתיר".

(עה) כ' במ"ב (ס' תכ"ט ס"ק ח') „ואין מזכירין בו נשמות" וע' במ"ב (ס' תקמ"ז ס"ק ח') ושעה"צ (ס"ק ו') דמה שהולכין על הקבר ומזכירין נשמות ואומר שם קל מלא רחמים הוי בכלל הספד שאסור ודוקא לאחר תשלום השנה מותר ע"ש. וע' מ"ב (ס' תקמ"ז ס"ק ח') שמתיר אמירת קל מלא אפילו ביו"ט וכן נהגו באמירת יזכור.

(עו) רמ"א יו"ד ס' שנ"ח ס"ג, קש"ע ס' קצ"ח ס' י"ב ובכל בו פ"א:ח,י"ט.

(עז) ע' שם ובש"ך ס"ק ד' הטעם.

(עח) רמ"א ס' תכ"ט ס"ב.

צידוק הדין

4. צידוק הדין (the portion of the funeral service which declares *Hashem*'s justice and righteousness, even at a time when one suffers most from the loss of a loved one) is omitted during the month of Nissan (**עח**).

Special Kaddish

5. The special funeral Kaddish is also not said during the month of Nissan (**עט**). Instead, a regular mourner's Kaddish is said (**פ**).

שורה

6. After the Kaddish, those present move away four cubits (approximately 7½ feet) from the graves and form two parallel lines facing each other (**פא**). The mourners pass between these lines and are consoled by those present who say "המקום ינחם וכו'" (**פב**). This is also done during the month of Nissan, and even during Chol Hamoed (**פג**).

Shiva

7. During the month of Nissan, Shiva is observed normally (**פד**)—with the exception of Pesach (**פה**).

F. SHABBOS HAGADOL

Why is it called Shabbos Hagadol?

1. We have learned (see B 4) that the Shabbos before Pesach is called *Shabbos Hagadol* (the great Shabbos) (**פו**). There are many reasons why it is called Shabbos Hagadol (**פז**). The primary reason is because of the great miracle* which occurred then (**פח**).

* Note: In Egypt, we were commanded to take a lamb on the tenth of Nissan, for the *Korbon Pesach* (**פט**). That day was a Shabbos [because the fifteenth was on Thursday] (**צ**). On that Shabbos when the Jews took their *Korban Pesach*, the

---

(עט) ע' מ"ב ס' תכ"ט ס"ק ח' ושו"ע יו"ד ס' שע"ו ס"ד וגשר החיים פ' ט"ז ו:ד.

(פ) שם, ובכל בו (פ"ג ס"ד אות כ"א) כ' שלא לומר קדיש כלל אבל מהמ"ב (ס' תרצ"ו סס"ק ט"ז) משמע כגשר החיים.

(פא) ע' יו"ד ס' שנ"ג ס"ה.

(פב) גשר החיים פ' ט"ז ז:ב.

(פג) שם.

(פד) ע' ס' תקכ"ו, תקמ"ז, תקמ"ח וביו"ד ס' שצ"ט וס' ת"א ואכמ"ל.

(פה) ע' שם. כתב במ"ב (ס"ס תע"א) ואין מברין האבל בערב פסח וע' בשעה"צ ס"ק כ"ו.

(פו) ע' תוס' שבת פ"ז: ד"ה ואותו וכו' ומחבר ס' ת"ל.

(פז) ע' תוס' שם וטור וב"י ס' ת"ל, וכ' המחבר שם „מפני הנס שנעשה בו" וע' בב"ח בס' ת"ל, ובס' תכ"ט (ד"ה כתב ב"י) כ' לזה נקרא שבת הגדול לחד טעמא לפי שמתקבצות קהילות גדולות לשמוע הלכות גדולות" וע' כה"ח (ס' ת"ל אות א') ובש"א עוד טעמים ואכמ"ל.

(פח) מחבר שם.

(פט) שמות י"ב:ג.

(צ) תוס' שם ובטור כ' זה ע"פ סדר עולם.

Egyptians gathered near the Jews and asked them, "why are you doing this?" They answered them "*Hashem* commanded us to slaughter the lamb as a sacrifice." Although the Egyptians worshipped the lamb, they were forced to remain silent (**צא**).

In addition, the Jews informed the Egyptians that *Hashem* will kill their first-born. The first-born went to their parents and Pharaoh to request that they send the Jews out of Egypt, but they refused. The first-born then attacked them, and many Egyptians were killed (**צב**). The day designated to recall this miracle was the Shabbos before Pesach, and it was called *Shabbos Hagadol* (**צג**). [The reason it was not designated on the tenth of Nissan, regardless of whether it is a weekday or Shabbos—as were all other festivals—is that on the tenth of Nissan was the demise of Miryam] (**צד**).

The Piyutim of Shabbos Hagadol

2. There are special *piyutim* which are added during the davening on Shabbos Hagadol (**צה**). There is special significance to these *piyutim*, since they contain a synopsis of the basic laws of Pesach.

The Haftorah on this Shabbos

3. The Haftorah which is read on Shabbas Hagadol is "וערבה לה'" (**צו**). We have learned (see D 1) that *"Av Horachamim"* is omitted (**צז**).

The Shabbos Hagadol Drosho

4. We have learned (see B 4) that the minhag is for the Rav to deliver a *drosho* on this Shabbos (**צח**).

Mincha on Shabbos Hagadol

5. We have learned (see C 1) that צדקתך צדק which is usually said on Shabbos during Mincha, is omitted during the entire month of Nissan (**צט**). From after Sukkos until Pesach, in some communities, ברכי נפשי is normally said on Shabbos after Mincha (**ק**). On Shabbos Hagadol, however, instead of saying ברכי נפשי, many have a minhag to say the Haggadah from "עבדים היינו" until

---

(צא) מ״ב ס׳ ת״ל ס״ק א׳ והוא כטעם הטור שם ובב״י (ס׳ ת״ל) כ׳ דכ״כ הכלבו ושה״ל ובתוס׳ שם כ׳ בענין אחר והוא הטעם השני שכתבנו.

(צב) תוס׳ שם וכ׳ „הה״ד למכה מצרים בבכוריהם״ והובא בב״י ובגר״ז ס׳ ת״ל ס״א.

(צג) גר״ז שם.

(צד) שם וע׳ בב״ח ובערה״ש ובש״א עוד טעמים לזה.

(צה) מנהג קדום כבר הובא בתוס׳ פסחים וכ׳ בערה״ש (ס׳ ת״ל ס״ה) „וכל הדינים אומרים בהפיוט של שה״ג״.

(צו) ע׳ גר״ז ס׳ ת״ל ס״ג ובערה״ש ס׳ ת״ל ס״ה.

(צז) ע׳ רמ״א ס׳ רפ״ד ס״ז.

(צח) מ״ב ס׳ תכ״ט ס״ק ב׳.

(צט) ס׳ תכ״ט ס״ב.

(ק) מנהגים, הובא ברמ״א סי׳ ת״ל ודוק.

"לכפר על כל עונותינו" (**קא**). The reason is that the redemption began on Shabbos Hagadol (**קב**).

Motza'ai Shabbos Hagadol

6. On Motza'ai Shabbos Hagadol after the Shmone Esray for Maariv, "ויהי נועם" and "ואתה קדוש" are omitted (**קג**). If the first day of Pesach occurs on Shabbos, "ויהי נועם," and "ואתה קדוש" are said (**קד**).

(קא) ס׳ ת״ל ס״א.

(קב) כ״כ הגר״ז (ס׳ תכ״ט ס״ב) הטעם „לפי שבשבת הגדול היתה התחלת הגאולה והנסים".

(קג) ס׳ רצ״ה בהגה קודם ס״א.

(קד) ע׳ גר״ז שם ס״ג.

סימנים וסעיפים שבשולחן ערוך המשתייכים לפרק זה

רכ״ו:א

תכ״ט:א,ב

ת״ל:א

Section Two
תערובת חמץ
A DISCUSSION OF PRODUCTS, MEDICATIONS
AND COSMETICS

Chapter Two — The Issurim of Chometz
A. The Mitzvos of Pesach
B. What is Chometz?
C. Practical Applications — Medications, Cosmetics, and Toiletries
D. When is Chometz Prohibited?

Chapter Three — Mixtures of Chometz
A. General Principles of Mixtures
B. Commercial Products and Certification

Chapter Four — Minhagim for Pesach
A. קטניות
B. Eating Gebrukt
C. Special Minhagim For Pesach

Chapter II The Issurim of Chometz

A. THE MITZVOS OF PESACH

Introduction

1. The Rambam in his introduction to *Hilchos Chometz U'Matzah* enumerates eight mitzvos which apply nowadays, three מצות עשה (positive commandments) and five מצות לא תעשה (prohibitory commandments) (**א**). During the time of the *Beis Hamikdosh*, there were sixteen additional mitzvos which were associated with the *Korbon Pesach* (the Passover sacrifice) (**ב**).

Three Mitzvos עשה

2. The three מצות עשה which apply nowadays are:

a) "להשבית שאור ביום ארבעה עשר" — to dispose of leaven on the fourteenth day of the month of Nissan, as it says in the Torah "אך ביום הראשון תשביתו שאור מבתיכם" (**ג**).

b) "לאכול מצה בליל הפסח" — to eat matzah on the first night of Pesach, as it says "בערב תאכלו מצות" (**ד**).

c) "לספר ביציאת מצרים באותו הלילה" — to relate the story of the exodus from Egypt on the first night of Pesach, as it says "והגדת לבנך ביום ההוא לאמר" (**ה**).

(א) כ׳ הרמב״ם (בהקדמתו להל׳ חמץ ומצה) „הלכות חמץ ומצה יש בכללן שמונה מצות. שלש מצות עשה. וחמש מצות לא תעשה. וזהו פרטן: א) שלא לאכול חמץ ביום ארבעה עשר מחצות היום ולמעלה. ב) להשבית שאור ביום ארבעה עשר. ג) שלא לאכול חמץ כל שבעה. ד) שלא לאכול תערובת חמץ כל שבעה. ה) שלא יראה חמץ כל שבעה. ו) שלא ימצא חמץ כל שבעה. ז) לאכול מצה בלילי הפסח. ח) לספר ביציאת מצרים באותו הלילה״.

(ב) כ׳ הרמב״ם (בהקדמתו להל׳ קרבן פסח) „הלכות קרבן פסח יש בכללן שש עשרה מצות. ארבע מצות עשה. ושתים עשרה מצות לא תעשה: וזה הוא פרטן: א) לשחוט את הפסח בזמנו. ב) שלא לזבוח אותו על החמץ. ג) שלא תלין אימוריו. ד) לשחוט פסח שני. ה) לאכול בשר הפסח על מצה ומרור בליל חמשה עשר. ו) לאכול פסח שני על מצה ומרור בליל חמשה עשר לחדש השני. ז) שלא יאכל נא ומבושל. ח) שלא יוציא מבשר הפסח חוץ לחבורה. ט) שלא יאכל ממנו מומר. י) שלא יאכל ממנו תושב ושכיר. יא) שלא יאכל ממנו ערל. יב) שלא ישבור בו עצם. יג) שלא ישבור עצם בפסח שני. יד) שלא ישאיר ממנו עד בקר. טו) שלא ישאיר מפסח שני לבקר. טז) שלא ישאיר מבשר חגיגת ארבעה עשר עד יום שלישי״.

(ג) שמות י״ב:ט״ו ונכ׳ לקמן בפנים (אצל הערה קיג) דהוכיחו חז״ל ד״ביום הראשון״ האמורה בתורה היינו ערב פסח.

(ד) שמות י״ב:י״ח.

(ה) שמות י״ג:ח, וכ׳ הרמב״ם (פ״ז דהל׳ חו״מ ה״א) „ומנין שבליל חמשה עשר תלמוד לומר והגדת לבנך ביום ההוא לאמר בעבור זה בשעה שיש מצה ומרור מונחים לפניך״.

Five Mitzvos לא תעשה

3. The five מצות לא תעשה which apply nowadays are:

a) ״שלא לאכול חמץ ביום ארבעה עשר מחצות היום ולמעלה״ — not to eat chometz from noon of the fourteenth day of Nissan, as it says ״לא תאכל עליו חמץ״ (ו).

b) ״שלא לאכול חמץ כל שבעה״ — not to eat chometz all seven days of Pesach, as it says ״ולא יאכל חמץ״ (ז).

c) ״שלא לאכול תערובת חמץ כל שבעה״ — not to eat mixtures containing chometz all seven days of Pesach, as it says ״כל מחמצת לא תאכלו״ (ח).

d) ״שלא יראה חמץ כל שבעה״ — chometz should not be seen [in your possession] the entire Pesach, as it says ״ולא יראה לך חמץ״ (ט).

e) ״שלא ימצא כל שבעה״ — chometz should not be found [in your possession] the entire Pesach, as it says ״לא ימצא בבתיכם״ (י).

The issur of chometz is unique

4. We see that the *issur* (prohibition) of chometz is unique. Not only is there an *issur* against eating chometz, there is a specific מצות לא תעשה against eating mixtures containing chometz (**יא**). Not only is eating chometz prohibited, there are even two *issurim* against possessing chometz (בל יראה ובל ימצא) and a מצות עשה (positive commandment) to dispose of chometz (the עשה of תשביתו) (**יב**). We will learn later (see D 3,4, Chapter III A 5) that chometz is אסור

(ו) דברים ט״ז:ג. **כתב** הרמב״ם (בפ״א מהל׳ חו״מ ה״ח) „**אסור לאכול חמץ ביום ארבעה עשר מחצות היום ולמעלה שהוא מתחלת שעה שביעית ביום. וכל האוכל בזמן הזה לוקה מן התורה שנאמר לא תאכל עליו חמץ, כלומר על קרבן הפסח. כך למדו מפי השמועה בפירוש דבר זה לא תאכל חמץ משעה שראויה לשחיטת הפסח שהוא בין הערבים והוא חצי היום״ והראב״ד משיג וז״ל „וכל האוכל בזמן הזה לוקה מן התורה. א״א מלקות מחצות ואילך אינו מחוור דכיון דקי״ל כר״ש בלפני זמנו ואחר זמנו דלא דריש הנך קראי וכו׳״ וכ״כ הסמ״ג ובעה״מ (פסחים ז. ד״ה והא) [אבל במש״כ „ואי אכיל ליה מיכל משש שעות ולמעלה עד הערב אינו עובר באכילתו שאין לך השבתה גדולה מזו וכו׳״ הראב״ד שם משיג עליו] וכתב בשעה״צ (ס׳ תמ״ג ס״ק א׳) דביארו „כמה אחרונים והגר״א מכללם דדעת המחבר לפסוק כהרמב״ם שהעתיק להלכה כר׳ יהודה [וכן סתם במ״ב]. ודע דמ״מ לאו פסיקא היא דלכמה פוסקים אין עובר על זמן זה בלאו כ״א בעשה דתשביתו וכו׳״**

(ז) שמות י״ג:ג.

(ח) שמות י״ב:כ.

(ט) שמות י״ג:ז.

(י) שמות י״ב:י״ט.

(יא) היינו לאו דכל מחמצת לא תאכלו.

(יב) כ׳ הרמב״ם (בפ״א דחו״מ ה״ב) „והמניח חמץ ברשותו בפסח אע״פ שלא אכלו עובר בשני לאוין שנאמר לא יראה לך שאור בכל גבולך ונאמר שאור לא ימצא בבתיכם. ואיסור החמץ ואיסור השאור שבו מחמיצין אחד הוא״ וכ׳ הכ״מ (שם ה״ג) „והנראה בעיני דלא יראה לא משמע אלא כשהוא נראה לעינים דוקא וכו׳״ ולכן מסיק שם דחמץ שהוא טמון אינו עובר אלא משום בל ימצא אבל על בל יראה אינו עובר אלא כשהחמץ מגולה. וע׳ רמב״ם שם (בפ״ב ה״א) „מצות עשה מן התורה להשבית החמץ קודם זמן איסור אכילתו שנאמר ביום הראשון תשביתו שאור מבתיכם וכו׳״.

בהנאה, that is, one may not even derive benefit from chometz or from mixtures containing chometz (יג).

B. WHAT IS CHOMETZ?

Five types of grain

1. The *issur* of chometz on Pesach applies only to articles made from the five types of grain, which are wheat (חטה), spelt (כוסמת), barley (שעורה), oats (שבולת שועל) and rye (שיפון) (יד).

Legumes (קטניות), such as rice, millet, beans, lentils and the like cannot become chometz, [unless mixed with other chometz] (טו). Even if a person kneaded a dough of rice flour or the like with hot water [which speeds-up the process of becoming chometz in the five types of grain] and covered it with garments so that it swelled and appeared like a dough of the five types of grain, this is not chometz (טז). It may be eaten by Sefardim on Pesach (יז). However, the minhag of Ashkenazim is not to eat legumes on Pesach (יח) (see Chapter IV A).

What makes grain into chometz?

2. We have learned (see 1) that the *issur* of chometz on Pesach applies only to articles made from the five types of grain. What makes these grains into chometz?

Flour of the five types of grain which has been in contact with water and has remained together 18 minutes or longer without manipulation is considered

---

(יג) כ׳ הרמב״ם (שם) „החמץ בפסח אסור בהנייה שנאמר לא יאכל חמץ לא יהא בו היתר אכילה״ כחזקיה בפסחים (כ״א:).

(יד) כ׳ הרמב״ם (שם פ״ה ה״א) „אין אסור משום חמץ בפסח אלא חמשת מיני דגן בלבד. והם שני מיני חטים שהן החטה והכוסמת. ושלשה מיני השעורים שהן השעורה ושבולת שועל והשיפון״ וכ״פ המחבר בס׳ תנ״ג ס״א.

(טו) כ׳ הרמב״ם שם „אבל הקטניות כגון אורז ודוחן ופולים ועדשים וכיוצא בהן אין בהן משום חמץ אלא אפילו לש קמח אורז וכיוצא בו ברותחין וכסהו בבגדים עד שנתפח כמו בצק שהחמיץ הרי זה מותר באכילה שאין זה חמוץ אלא סרחון״. ומש״כ אם לא ערבום עם שאר חמץ פשוט הוא.

(טז) רמב״ם שם. ומש״כ „אפילו לש קמח אורז וכיוצא בו ברותחין״ ע׳ ס׳ תנ״ה ס״ג.

(יז) רמב״ם שם וכ״פ המחבר בס׳ תנ״ג ס״א וע׳ כה״ח שם אות י׳.

(יח) רמ״א שם.

chometz (**יט**). If constant activity is done with the dough, the process of חימוץ (becoming chometz) is impeded (**כ**).

If the dough became heated after the kneading has begun, the process of חימוץ is more rapid and may be immediate (**כא**). The presence of crevices is the sign that the process of חימוץ has been completed (**כב**). One who eats this chometz is חייב כרת (liable to premature death) (**כג**).

Minimum shiur for חיוב כרת

3. How much must a person eat of chometz in order to be חייב כרת? The minimum shiur of chometz on Pesach to be חייב כרת is a כזית (the size of an olive) (**כד**). However, eating even a minimal amount is also prohibited by the Torah (**כה**).

(יט) כ׳ המחבר (ס׳ תנ״ט ס״ב) „לא יניחו העיסה בלא עסק ואפילו רגע אחד וכל זמן שמתעסקים בו אפילו כל היום אינו מחמיץ ואם הניחו בלא עסק שיעור מיל הוי חמץ ושיעור מיל הוי רביעית שעה וחלק מעשרים מן השעה״. וע״ש שכ׳ הרמ״א „ויש להחמיר למהר בענין עשיית המצות כי יש לחוש שהשהיות יצטרפו לשיעור מיל או שיהיה במקום חם שממהר להחמיץ״. **בענין** שיעור מיל ע׳ בגר״א (שם ס״ק ה׳) שהאריך בזה ומ״ב שם (ס״ק ט״ו) ובה״ה (שם ד״ה הוי) וכה״ח (שם אות ל׳) ודברי חמודות (על הרא״ש במס׳ חולין פ״ח אות קצ״ז) וש״פ ומבואר שישנם ג׳ שיטות בראשונים: א) שיטת תרומת הדשן (בס׳ קס״ז ובהגה״ה בס׳ קכ״ג) י״ח מינוט. ב) שיטת רש״י (פסחים צ״ד. בביאור הסוגיא ודוק) כ״ב מינוט וחצי. ג) שיטת הרמב״ם (בפיהמ״ש שם צ״ג: וע׳ במאירי שם ודוק) כ״ד מינוט. במחבר שם פסק כשיעורו של תה״ד וע׳ בב״ה שם שכ׳ „ולכתחלה במקום שאין הפסד מרובה משהה י״ח מינוטין הוי חמץ ואסור בהנאה וכדעת השו״ע וכ״כ הגר״ז אמנם בהפסד מרובה אפשר דיש לסמוך על הני פוסקים דפליגי וכל שלא שהה עכ״פ כ״ב מינוטין וחצי אין לאסור אם לא ראינו בה סימני שיאור וסידוק וכו׳״ אבל ע׳ בחזו״א (ס׳ קכ״ג ס״ק א׳) שכ׳ „אין לנו לזוז מדברי השו״ע דשיעור מיל י״ח מינוט וכו׳ לכ״נ שאין להקל גם בהפ״מ בשהה י״ח מינוט וכו׳״ (ולענין שיעור מליחה בדיעבד ע׳ יו״ד ס׳ ס״ט ס״ו ובמ״ב וחזו״א שם).

(כ) כ׳ המחבר (ס׳ תנ״ט ס״ב) „וכל זמן שמתעסקים בו אפילו כל היום אינו מחמיץ״ וע׳ במ״ב שם (ס״ק י״ב) מה איקרי עסק.

(כא) כ׳ המחבר שם „ואחר שנתעסקו בבצק ונתחמם בידים אם יניחוהו בלא עסק מיד מחמיץ״ וע׳ במ״ב (ס״ק י״ח) שכ׳ „ואפשר דמיד דקאמר המחבר לאו דוקא אלא ר״ל שיעור מועט ומ״מ לכתחלה בודאי יש ליזהר מלהניחה כך אפילו רגע אחד אם אפשר וכו׳״ וע׳ חזו״א (ס׳ קכ״א ס״ק ט״ז) ובמועדים וזמנים (ח״ג ס׳ רס״א אות א׳) . **עיין** במ״ב (שם ס״ק י׳) עוד כמה דברים נחוצים שיש ליזהר עליהם באפיית מצה.

(כב) כ׳ המחבר שם „ואם החמיצה עד שיש בה סדקים אפילו לא נתערבו הסדקים זה בזה אלא אחד הולך הנה ואחד הולך הנה הוי חמץ גמור והאוכלו חייב כרת ואם אין בו סדק אלא הכסיפו (פי׳ נשתנה מראיתו ללובן ערוך) פניו כאדם שעמדו שערותיו האוכלו פטור״.

(כג) שם.

(כד) כ׳ הרמב״ם (פ״א מהל׳ חו״מ ה״א) „כל האוכל כזית חמץ בפסח מתחלת ליל חמשה עשר עד סוף יום אחד ועשרים בניסן במזיד חייב כרת שנאמר כי כל אוכל חמץ ונכרתה״.

(כה) דקיי״ל כר׳ יוחנן (יומא ע״ג:) דחצי שיעור אסור מן התורה וכ׳ הרמב״ם (שם פ״א ה״ז) „האוכל מן החמץ עצמו בפסח כל שהוא הרי זה אסור מן התורה שנאמר לא יאכל״ וע׳ בכ״מ ומל״מ שם.

Mixtures containing chometz

4. Even if the chometz is mixed with other food, one who eats this mixture may also be חייב כרת (**כו**). This will depend upon the ratio of chometz to the other food (**כז**). This will be discussed later (see Chapter III A 2).

"Chometz Nuksheh"

5. In our discussion of chometz and its practical application to products, medications and cosmetics, we find the term חמץ נוקשה (**כח**). *Chometz nuksheh* may not be eaten on Pesach (**כט**) and one must dispose of it before Pesach (**ל**). What is *chometz nuksheh*? There are two types of *chometz nuksheh* (**לא**):

a) Where the process of חימוץ has started but was stopped or impeded (**לב**).

b) Spoiled chometz, which although unfit to be eaten normally, is suitable to be eaten with difficulty (**לג**).

(**כו**) ע׳ רמב״ם (שם ה״ו) וכ״מ שם ומ״ב ס׳ תמ״ב ס״ק א׳ וש״פ ונכ׳ מזה לקמן בס״ד בפ״ג.

(**כז**) שם.

(**כח**) פסחים מ״ג. ופרש״י (ד״ה מאן תנא) „חמץ נוקשה רע וכו׳ דאינו ראוי לאכילה״ (וע׳ לקמן הערה לג) וע׳ במ״ב (ס׳ תמ״ב ס״ק ב׳) דהיינו „שאינו ראוי לאכילה רק קצת״ וביאר בשעה״צ (שם ס״ק י״ג) „דאי אינו ראוי לאכילה כלל איננו בכלל נוקשה דאסרו להשהותו משום דלמא אתי למיכליה [מ״א]״ וכ׳ בתפ״י (בכללא חמץ ונוקשה) „ונ״ל דנוקשה לשון כשלון הוא, כמו נוקשת באמרי פיך, ר״ל נכשלת, וה״נ ר״ל שכשל כח החמץ״.

(**כט**) ע׳ שם וס׳ תמ״ב ס״א וס״ד ומ״ב ס״ק ב׳,ה׳ (ושעה״צ ס״ק י״ג), כ׳ ובכ״מ.

(**ל**) כ׳ המ״ב (ס׳ תמ״ב ס״ק ב׳) „אבל חמץ נוקשה אינו עובר עליו משום בל יראה ובל ימצא ורק מדרבנן צריך לבערו״ וכ״כ בתפ״י שם „כל אלו הב׳ אופני׳ [שיתבארו בסמוך] נוקשה הן, ואסור להשהותן בפסח, מדאסורים באכילה מדרבנן, וגזרינן שמא יאכלם. מיהו בעבר והשהן מותרים מדלא עבר עליהן בבל יראה. ובנתערב בפסח בטל בס׳ (מג״א תמ״ז ה׳ וט״ז שם י״ט)״.

(**לא**) כ׳ בתפ״י „וב׳ מיני כשלון אפשריים בחמץ״ וכמו שיתבאר.

(**לב**) כ׳ בתפ״י שם „א) נוקשה באופן א׳, הוא עיסה שלא החמיץ כל צרכה, והוא הנקרא שיאור בש״ס, והוא עיסה שהכסיף פניה ולא גמרה חמוצה (רש״י פסחים דמ״ג א׳ ד״ה מאן תנא), או שלש עיסה במי פירות עם מים, שגם עיסה כזאת אי אפשר שתגמר חמוצה [טור, ולדידן מי פירות עם מים יחד ממהר להחמיץ ביותר (ס׳ תס״ב ב׳)] וכו׳״ וע׳ ב״ה (ס׳ תס״ב ס״ב ד״ה ממהרים) וע׳ מ״ב (ס׳ תמ״ב שם) „ונוקשה מקרי דבר שאינו חמץ גמור כמו אותן שהסופרין מדבקין בו ניירותיהם שעושין מקמח ומים או עיסה שלא נמצא בה עדיין שום סדק רק שהכסיפו פניה וכו׳״.

(**לג**) כ׳ בתפ״י שם „ב) נוקשה באופן הב׳, היינו חמץ שמעולם לא הי׳ ראוי לאכילת אדם (דבהי׳ ראוי פעם א׳ לאדם, אסור כחמץ ממש עד שיפסל מאכילת כלב קודם זמן אסורו [תמ״ב מג״א סק״ג)] וכו׳״ ע״ש וע׳ מ״ב שם „או שאינו ראוי לאכילה רק קצת וכו׳״ ומש״כ לעיל (בהערה כח משעה״צ).

The first type of "Chometz Nuksheh"

6. The first type of *chometz nuksheh* is where the process of חימוץ has started but was not completed; it was stopped or impeded along the way (**לד**). This is called שֵׂיאוֹר in the Talmud (**לה**), [not to be confused with שְׂאוֹר, leaven], where a dough started the fermentation process (**לו**). The dough became pale white in color, but did not complete the process (**לז**). That is, there are no crevices in the dough (**לח**) (see 2).

Egg Matzah

7. Included in this type of chometz is the problem of egg matzah (**לט**), which many people incorrectly assume may be eaten by everyone (**מ**).

Egg matzos are usually baked from a dough in which fruit juice (apple cider) is used in place of water (**מא**). Even if they would be kneaded only with eggs, they are considered in halacha like matzos kneaded with fruit juice (**מב**).

The Poskim say that the minhag is not to permit kneading matzos with fruit juice for Pesach (**מג**). Even if it was kneaded and immediately baked, it may not be eaten on Pesach, but it may be held until after Pesach (**מד**).

According to Rashi, egg matzos can become *chometz nuksheh* (**מה**).

(לד) ע׳ לעיל הערה לב.

(לה) פסחים מ״ח:.

(לו) ע׳ לעיל הערה לב.

(לז) שם וכ״כ במ״ב (ס׳ תמ״ב ס״ק ב׳) „ונוקשה מקרי דבר שאינו חמץ גמור וכו׳ או עיסה שלא נמצא בה עדיין שום סדק רק שהכסיפו פניה וכו׳״.

(לח) ע׳ שם וס׳ תנ״ט ס״ב.

(לט) ע׳ לעיל הערה לב וס׳ תס״ב ס״ד.

(מ) ע׳ ערה״ש ס׳ תס״ב ס״ה. **ורע עלי המעשה איך שבמדינה זו אופים מצה הנילוש במי פירות ומי ביצים ומוכרים בהכשר לפסח כמצה כשרה, וקונים ההמון ביודעים ובלא יודעים, כי רואים על הקופסא ההכשר. ואף שיש מאפיות מצות כיום שכותבים על הקופסא בלשה״ק דמותר רק לחולים וזקנים או שמראים מקום לרמ״א בשו״ע שם** (הובא לקמן בהערה מג) **מ״מ אין זה מספיק לעמי הארץ ונשים שאינם מבינים לשה״ק. ונראה דההנהגה זו אף מכשיל כיון שנכתב בלשה״ק חושבים שזה הכשר ולא איסור. ומי שיש בידו הכח ומתקן זה יזכה לרב טוב הצפון לצדיקים בג״ע** (כל׳ ערה״ש ס׳ תס״ב סס״ה).

(מא) כך נוהגים מאפיות מצות כיום.

(מב) כ׳ בתוס׳ (ל״ה: ד״ה ומי פירות) „ובמי ביצים נסתפק רש״י אי חשיב מי פירות או לא לפי שאנו רואים שהעיסה נעשה עבה בהן יותר מבמים אבל ר״ת וכו׳״ וע׳ ס׳ תס״ב ס״ד.

(מג) כ׳ הרמ״א שם „ובמדינות אלו אין נוהגין ללוש במ״פ ואפילו לקטוף המצות אין נוהגין רק לאחר אפייתן בעודן חמין ואין לשנות אם לא בשעת הדחק לצרכי חולה או זקן הצריך לזה״ וכ׳ בערה״ש (ס׳ תס״ב ס״ד) „וטעם המנהג הוא משום דמי פירות עם מים ממהר להחמיץ וא״א לשומרה מחימוץ ולכן חששו שמא יערבו מים ג״כ וכו׳״ (וע׳ במ״ב ס׳ תס״ב ס״ק ט״ו הובא לקמן בהערה מו) וע׳ בכה״ח (שם ס״ק מ״א) לענין מנהג בני ספרד.

(מד) מ״ב שם ס״ק י״ח.

(מה) כ׳ רש״י (ל״ו. ד״ה אין לשין את העיסה) „אין לשין את העיסה של מצות ביין ושמן ודבש מפני שקרובה וממהרת להחמיץ ואין אדם יכול לשומרה לפיכך אם לש תשרף מיד ובמועד קאמר ולא ביום טוב דהבערה שלא לצורך היא [ולריש לקיש] דאמר לעיל מי פירות אין מחמיצין לא קשיא הך דאיהו אין חייבין על חימוצו כרת קאמר ולא הוי חמץ גמור אלא חמץ נוקשה הוי כלומר רע ואותו חימוץ הן ממהרין להחמיץ ואי אפשר לשומרן״.

According to ר״ת we are afraid that water may get mixed in and thereby become *chometz nuksheh* (**מו**). Other Poskim hold that if water is mixed in, it can become חמץ גמור (actual chometz) (**מז**).

The רמ״א says that one should not deviate from the minhag except in case of great need — for a person who is ill or old and requires it (**מח**). However, a healthy person may *not* eat egg matzos on Pesach (**מט**).

Note: Many whole wheat and chocolate-covered matzos are made with eggs and fruit juice (**נ**). Therefore, their halacha is the same as egg matzos (**נא**).

It is unfortunate, how matzah companies sell egg matzos, whole wheat and chocolate-covered matzos with the words "Kosher for Passover" on the labels — implying that they may be eaten by everyone — without restrictions. As we have learned, this is not so. Even where the restrictions are printed on the box in Hebrew or a reference is made to the רמ״א in the Shulchan Aruch who limits their use, it is insufficient; because people who cannot read or understand Hebrew assume that it is a "hechsher" instead of a restriction.

The second type of "Chometz Nuksheh"

8. The second type of *chometz nuksheh* is spoiled chometz which was never fit for normal human consumption (**נב**). An example of this is paste made

---

(מו) כ׳ בתוס׳ (ל״ה: ד״ה ומי) „ומי פירות אין מחמיצין. היינו להתחייב כרת כדאמרינן בהדיא אין חייבין על חימוצו כרת אבל לאו אית ביה וכו׳ וכן פי׳ ר״ת דאין מחמיצין כל עיקר והא דאמר [ל״ו.] תשרף מיד כשעירב עמהן מים דאז ממהרות יותר להחמיץ ועל הא אמר דאין בהן כרת אבל לאו אית ביה וכו׳״ וכ׳ במ״ב (ס׳ תס״ב ס״ק ט״ו) בטעם המנהג דאין לשין במי פירות „דחוששין לכתחלה לסברת הני פוסקים דס״ל דמי פירות בלחודייהו ג״כ מחמיצים וממהרין ג״כ להחמיץ. וגם חוששין שמא נתערב בהם מעט מים דלכו״ע מחמיץ״.

(מז) ע׳ ב״י (ס׳ תס״ב ד״ה מי פירות) בדעת רש״י והרי״ף והרמב״ם (פ״ה ה״ב) וע׳ ב״ה ס׳ תס״ב ס״ב ד״ה ממהרים.

(מח) ס׳ תס״ב ס״ד (הובא לעיל בהערה מג) ובערה״ש (שם ס״ד) הוסיף „וה״ה למי ששיניו מקולקלים ואינו יכול לאכול דבר קשה״ וע׳ אג״מ (או״ח ח״ד ס׳ צ״ח) שכ׳ בסוף „ולכן פשוט וברור שלעקאך וטרטן וקעיקס אף הנעשין ממי פירות לבד אסור במקומותינו אף לחולה וזקן כמו הנעשים בתערובות מים ואין יכולת אף לכל גדולי דורנו להתיר״.

(מט) כ׳ הרמ״א שם „ואין לשנות״ וכ׳ בערה״ש (שם ס״ה) „והנה עכשיו בעונותינו מזלזלים במנהג זה ולשין במי בצים ואוכלין אפילו אנשים בריאים והנה לבד שעתידים ליתן את הדין שעוברים על מנהג שנהגו אבותינו ואבות אבותינו זה הרבה מאות בשנים והוה כנדר ולבד זה הא לדעת רש״י הוה חמץ נוקשה כששוהין בה ומירושלמי שהבאנו כמה אמוראים שפסקו כן להלכה ואיך תתעורר תאוה נמבזה לעבור על המנהג ועל דברי רש״י והירושלמי שפסקו כן לדינא וע״כ שומר נפשו ירחק מזה אם לא לחולה ולזקן ומקולקלי שינים והנזהר מזה יזכה לרב טוב הצפון לצדיקים בג״ע״.

(נ) כך נוהגים מאפיות מצות כיום.

(נא) פשוט.

(נב) ע׳ תפ״י הובא לעיל בהערה לג.

of flour and water which began fermenting (**נג**). Although it was never fit for *normal* human consumption, one is capable of eating it with difficulty (**נד**).

נפסל מאכילת כלב

9. We mention that this chometz was *never* fit for normal human consumption, because if a food was ever fit for normal human consumption (ראוי לאכילת אדם) and it has deteriorated it is still prohibited, unless it becomes נפסל מאכילת כלב — unfit even for animal consumption (**נה**). This requirement for the chometz to be unfit for animal consumption must take place *before* the sixth hour [of the day] on Erev Pesach, that is, from the time that chometz becomes prohibited (**נו**) (see D 4). If it was fit for normal human consumption at this time and became נפסל מאכילת כלב afterwards, one is required to dispose of it (**נז**).

(נג) שם וכ׳ „(כקלייסטער) של אוגדי הספרים, (ושטערקע) של כובסין, וכדומה" וע׳ במ"ב (ס׳ תמ"ב ס"ק ב׳) „ונוקשה מקרי דבר שאינו חמץ גמור כמו אותן שהסופרים מדבקין בו ניירותיהם שעושין מקמח ומים וכו׳" וע׳ בערה"ש (שם ס׳ י"ז).

(נד) ע׳ מ"ב שם „או שאינו ראוי לאכילה רק קצת" ובשעה"צ שם (ס"ק י"ג) כ׳ „דאי אינו ראוי לאכילה כלל איננו בכלל נוקשה דאסרו להשהותו משום דלמא אתי למיכליה [מ"א]".

(נה) כ׳ במ"ב שם „ודוקא שמעולם לא היה ראוי לאכילה אבל אם נתקלקל בעינן עד שיפסל מלאכול לכלב וכדלקמן בס"ב" ושם כ׳ המחבר „הפת עצמה שעיפשה ונפסלה מלאכול הכלב ומלוגמא שנסרחה אינו חייב לבער". **הטעם** דבחמץ בעינן עד שיפסל מלאכול לכלב ואילו בנבילה ושאר מאכלות אסורות סגי בנפסל מאכילת אדם כדתניא (ע"ז ס"ז:) „לא תאכלו כל נבילה לגר אשר בשעריך כל הראויה לגר קרויה נבילה שאין ראויה לגר אינה קרויה נבלה" היינו משום דלענין חמץ „אם לא נפסל מאכילת כלב אף שלאדם נתקלקל ואינו ראוי מ"מ עדיין חייב לבער כחמץ גמור מפני שראוי לחמע בה עיסות אחרות" (מ"ב שם ס"ק י׳) ומקורו מדברי הר"ן (ריש פ"ג סד"ה ת"ר הפת) וראייתו „דהא שאור לא חזי לאכילה ואפ"ה אסריה רחמנא מהאי טעמא". **עיין בשו"ת אחיעזר** (ח"ג ס"ה) **דלראב"ד אף אם אינו ראוי** לאכילה ואינו ראוי לחמע בו חייב לבער וז"ל (שם אות ג׳) „ונראה בשי׳ הראב"ד דס"ל דחיוב ביעור דתשביתו ודאיסור בל יראה אינם איסורים התלויים בדין מאכלות אסורות ודוקא בדין אכילה ילפי׳ מקרא דנבלה הראוי׳ לגר קרוי׳ נבלה ושא"ר לגר אינה קרוי׳ נבלה משום דילפינן מדרשא לגר אשר בשעריך תתננה ואכלה, משא"כ באיסור שאינו תלוי באכילה דמי לטומאה דקיי"ל דטומאה חמורה עד לכלב וכמש"פ כן הרמב"ם בפ"א מה׳ אה"ט הי"ג, וקרא איצטריך למעוטי סרוחה מעיקרא דסרוחה מעיקרא טהור וכו׳" ופליג אהרמב"ם ע"ש.

(נו) כ׳ המ"ב (שם ס"ק ט׳) „ודוקא שעיפשה קודם זמן איסורו דאם עיפשה אחר זמן איסורו אף שעיפשה כ"כ עד שאינו ראוי לכלב מ"מ חייב לבער כיון שנתחייב בה קודם שנתעפשה" וע׳ בשעה"צ (ס"ק י"ט) דלפמ"ג הוא רק מדרבנן ולגר"ז הוא מן התורה. **ומה שכתבנו** דזמן איסורו הוא מתחילת שעה ששית כן משמע מגר"ז (שם ס׳ כ"א) ודלא כמ"ש בכה"ח משמו (באות כ"ה) וע׳ במקו"ח (ס"ק ג׳) דס"ל דעד הלילה מקרי קודם זמן איסורו וע׳ שעה"צ (שם ס"ק כ׳) שכ׳ „עיין במקו"ח שכתב דדוקא אם נתעפשה בפסח גופא אבל קודם פסח אף שהוא לאחר שש מותר לקיימן ומותר ליהנות לאחר פסח ועיין שו"ע הגר"ז".

(נז) מ"ב שם.

One may keep and use chometz which is נפסל מאכילת כלב

10. Chometz which has become נפסל מאכילת כלב before the time that chometz becomes prohibited, one may keep and *even use* on Pesach (**נח**).

Example: Ink or paint made from chometz may be used to write or paint with on Chol Hamoed (**נט**) (where writing or painting on Chol Hamoed is permissible) (**ס**). Similarly, certain cosmetics and toiletry items which are נפסל מאכילת כלב may be used during Pesach (**סא**) (see C 8-12).

אחשביה

11. We have learned (see 10) that one may keep and even use chometz which has become נפסל מאכילת כלב before the time that chometz becomes prohibited. Is one permitted to *eat* on Pesach chometz which is נפסל מאכילת כלב?

Some Poskim hold that eating chometz which is נפסל מאכילת כלב is permissible (**סב**). Most Poskim, however, hold like the רא״ש that even though according to the Torah one may eat chometz which is נפסל מאכילת כלב — since it is not fit to be eaten it is not considered as a food, yet it is prohibited מדרבנן (**סג**). The reason is that although it is not considered as a food, since he is consciously eating it *he* is elevating it to the status of a food; therefore, it is prohibited מדרבנן

(נח) ״אמר רבא חרכו קודם זמנו מותר בהנאה אפילו לאחר זמנו״ (פסחים כ״א:) וע׳ רש״י (שם ד״ה לא צריכא) „וכגון שחרכו באור יפה קודם זמנו שבטל טעמו ומראיתו״ ובתוס׳ (ד״ה חרכו) „וכגון שנפסל מלאכול לכלב דבענין אחר לא הוה שרי דומיא דפת שעיפשה״ וכ״כ המחבר (ס׳ תמ״ב ס״ט) „חמץ שנתעפש קודם זמן איסורו ונפסל מאכילת הכלב או ששרפו באש (קודם זמנו) (ר״ן) ונחרך עד שאינו ראוי לכלב או שייחדו לישיבה וטח אותו בטיט מותר לקיימו בפסח״ וכ׳ במ״ב (שם ס״ק מ״ג) „מותר לקיימו בפסח. וה״ה דמותר בהנאה וכו׳״.

(נט) כ׳ המחבר (ס׳ תמ״ב ס״י) „דיו שהוא מבושל בשכר שעורים מותר לכתוב בו״ וע׳ במ״ב שם ס״ק מ״ד.

(ס) ע׳ בס׳ תקמ״ה.

(סא) כמו שיתבאר.

(סב) ע׳ מימרא דרבא (פסחים כ״א: הובא לעיל בהערה נח) „חרכו קודם זמנו מותר בהנאה אפילו לאחר זמנו״ ופליגי הראשונים אי באכילה נמי שרי דכ׳ הר״ן „בדין הוא דאפילו באכילה נמי שרי כיון שיצא מתורת פת קודם שיחול בו איסור חמץ״ וכ״כ המאירי וההשלמה, א״כ אמאי לא אמר רבא „מותר באכילה״ כ׳ הר״ן שם „אלא לפי שאין דרך אכילה בלחם חרוך נקט לישנא דמותר בהנאתו דאפי׳ אכיל ליה לאו אכילה היא אלא דמיתהני מיניה״.

(סג) כ׳ הרא״ש (פ״ב ס״א) „יש שרוצים לומר לאו דוקא הנאה דהוא הדין נמי אכילה דעפרא בעלמא הוא. ולא מסתבר דאע״פ דבטלה דעת האוכל אצל כל אדם מ״מ כיון דאיהו קאכיל ליה אסור״ וכ״כ בשם ה״ר יהודה אברצלוני (וכן הביאו דבריו בב״י שם ד״ה ומ״ש וי״א) וע׳ במחבר (ס׳ תמ״ב ס״ט) שכ׳ „מותר לקיימו בפסח״ ולא אמר דמותר באכילה וכ״פ הט״ז (ס״ק ח׳) ומ״ב (ס״ק מ״ג) וש״פ.

(סד). This concept is called אחשביה (סה). The halacha is according to these Poskim (סו).

C. PRACTICAL APPLICATIONS — MEDICATIONS, COSMETICS, AND TOILETRIES

Medicine tablets

1. Many Poskim hold that one may take medicine* containing chometz which is נפסל מאכילת כלב (סז). According to these Poskim, taking a bitter tablet or liquid should be permissible even if it contains chometz — since it is נפסל מאכילת כלב (סח). The reason of these Poskim is that the principle of אחשביה (see B 11) does not apply for medicines (סט). Since a person would take something bitter and repulsive and out of the realm of food if it would cure him — he is not elevating it to the status of a food (ע). Another reason this should be permissible is that since this is not the normal manner of eating (שלא כדרך אכילתו) in case of illness it should be permissible (עא).

However, since various factors may affect application of these principles (e.g. where cooking or soaking can make it edible it is not considered as נפסל

*See Note on page 23.

(סד) כ׳ הט״ז שם „אבל באכילה אסור אע״ג דאינו ראוי לאכילה מ״מ איהו אחשביה ליה לאכילה כ״כ הרא״ש. ונראה לדידיה דודאי אין חיוב דאורייתא בזה דהא ביה״כ כי אכל אכילה שאינה ראויה פטור״ וכ״כ במ״ב שם וגר״ז (שם ס׳ ל״ב) וערה״ש (שם ס״ל) וע׳ בשו״ת אחיעזר (ח״ג ס׳ פ״ג סוף אות ד׳) ועיין אג״מ (יו״ד ח״ב ס״ל).

(סה) ט״ז ומ״ב וערה״ש שם.

(סו) שם וגר״ז שם ויד אברהם (יו״ד ס׳ קנ״ה ס״ג בהגה) ושאגת ארי׳ (ס׳ ע״ה) וכ״מ מחזו״א (או״ח ס׳ קט״ז ס״ק ז׳) ומאג״מ שנכ׳ בסמוך.

(סז) כ׳ ביד אברהם שם „כשאכלו לרפואה מותר דאז לא שייך לומר דמדאכלי׳ אחשבי׳ דחליו מוכיח עליו שאינו אוכלו מחמת חשיבותו רק משום רפואה״ וכ״כ בשד״ח (מערכת יוה״כ ס״ג אות ח׳ ד״ה ולענין) בשם ערך השלחן וכ״כ באג״מ (או״ח ח״ב ס׳ צ״ב) בענין רפואה שיש בה חמץ „דכבר נבטל קודם הפסח משם אוכל, ואחשביה לא שייך בדבר שלוקח לרפואה דאף דברים מרים ומאוסים נוטלין לרפואה״ וכ׳ החזו״א (או״ח ס׳ קט״ז ס״ק ח׳ ד״ה טבלאות) לענין רפואה שמעורב בה קמח להעמידו „ואם הן מעורבין בדברים שאינן ראוין לאכילת אדם אין בהן משום חמץ כדין נפסל מאכילת אדם, כיון דאי אפשר להפריד הקמח וגם אינו ראוי לחמע בו ומותר לבולען בפסח לרפואה, ואף למאי דמשמע מאחרונים ז״ל דלאכול לכתחלה אסור אפי׳ חמץ שנפסל מאכילת כלב וכמש״כ סק״ז, מ״מ ע״י תערובות שאר דברים מותר דלא שייך כאן אחשבי׳ דדעתו על הסמים וכו׳״ וע׳ שאג״א (ס׳ ע״ה).

(סח) ע״פ הנ״ל.

(סט) שם.

(ע) אג״מ שם.

(עא) ע׳ יו״ד ס׳ קנ״ה ס״ג וע׳ אג״מ (או״ח ח״ג ס״ס צ״א).

מאכילת כלב (**עב**), also see 7), before using medicine containing actual chometz, a Rav should be consulted.*

*Note: Where a person's condition is serious and not taking a specific medicine in its present form may affect his condition and cause danger to life, any medicine may be taken on Pesach — *even actual chometz* — where no equivalent medicine is available (**עג**). Where actual chometz is required, a Rav should be consulted, preferably before Pesach — wherever possible (**עד**) (see Chapter III A 15, also see Note after 8).

Coated tablets

2. Medicine tablets which are coated often consist of chometz which may be fit for normal human consumption (**עה**). Therefore, where needed, a Rav should be consulted (**עו**).

If the condition is not serious but the medicine is required*, it should be ground into a powder and mixed before Pesach (see Chapter III A 15) with permissible food matter (e.g. juice, apple sauce. Where this affects the potency or safety of the medicine, a Rav should be consulted). It may then be placed

*See Note after 1.

(**עב**) ע׳ חזו״א (ס׳ קט״ז ס״ק י״ד ד״ה כתב) „דאם נפסל לכלב מחמת יובש אינו מתבטל מדין חמץ כל שיכול לשרותו ולעשותו פת או תבשיל וכו׳״ וע׳ שו״ת אחיעזר (ח׳ יו״ד ס׳ י״א), וע׳ חת״ס (או״ח ס׳ פ״ט ד״ה לכאורה) „דהיכא דיכול לשולקן ולהחזירן לכמות שהן וכו׳״ ודוק ואכמ״ל וע׳ במקראי קודש (ס׳ נ״ד) וחזון נחום (ס׳ מ״ו) לענין כשאפשר לתקנו ע״י כימיקאלים. ונכ׳ לקמן בהערה צ׳ לענין alcohol דיש דברים שחושבים קצת אנשים בטעות שנפסלים מאכילת כלב ובאמת אף ראוים לאכילת אדם וע׳ לקמן בהערה עה לענין טבליות העשויות מחמץ.

(**עג**) ע׳ יו״ד שם וע׳ אג״מ ח״ב שם.

(**עד**) דיכול ליעצו איך לבטלו.

(**עה**) דעשוין הציפוי מסוכר (צוקר) ויש מהם שהצוקר הוא מה שקורין בלע״ז (dextrose) הבא מקטניות דשרי במקום חולי כמו שכ׳ במ״ב (ס׳ תנ״ג ס״ק ז׳) ומעדני שמואל (ס׳ קי״ז ס״ק ל״ט אות ב׳) משד״ח בשם שו״ת מהר״ם שי״ק (ח״א ס׳ רמ״א) וע׳ ברדב״ז (ח״א ס׳ רמ״א). אבל ישנם שהצוקר ההוא עשוי מחמץ וכן ישנם שמשתמשים בצוקר שקורין maltose שבא משעורים וחשיב חמץ גמור. מש״כ הרמ״א (ס׳ תס״ז ס״ח) „וצוקר אסור לאכלו אפי׳ להשהותו אסור״ איירי היכא שיש חשש שמערבין בו קמח ואין זה נוגע לצוקר שלנו שמוכרים לאכילה דאותם יש להם כתב הכשר (ע׳ מ״ב שם ס״ק כ״ט) או עדים נאמנים שהם כשרים לפסח וכמו שיתבאר לקמן בפ״ג וע׳ ביסו״י ח״ו דף רטו־ריז. **ואם אין בו** צוקר אלא שהטבליות נעשין בסטארט״ש שמעתי שעל פי רוב הסטארט״ש נעשה מקטניות ואף אם נעשה מחמשת מיני דגן נראה דאם הם מרים ואינם ראוים לאכילה כאספארי״ן נפסלים מאכילת כלב. ואף שכתבנו לעיל בהערה סב דפליגי הראשונים בחרכו קודם זמנו אי מותר באכילה וקיי״ל (בהערה סג) דמותר לקיימו אבל באכילה אסור, ה״מ אי כוונתו לאכלו דאחשביה אבל כתבנו לעיל בהערה סז דאחשביה לא שייך בדבר שלוקח לרפואה וע׳ ביסו״י (ח״ו דף רכ״א).

(**עו**) דמותרים רק במקום סכנה או ע״י תערובת קודם פסח.

into capsules (**עז**) (see 3). Concerning the ratio of food matter to medicine or if this is not feasible, a Rav should be consulted (**עח**).

Capsules

3. Some Poskim hold that where gelatine capsules are required, the medicine should be removed and swallowed without the capsule — since the gelatine is not kosher (**עט**). Most Poskim hold that gelatine capsules may be taken in cases of illness — since this is not the normal manner of eating (**פ**) (see 1).

Vitamins

4. Vitamin tablets may be taken in case of illness if they are bitter tasting (**פא**) — if none with supervision for Pesach is available (or those available are not potent enough for the condition the vitamins are required) (**פב**). Those which are coated or pleasant tasting often contain chometz (see 1 paragraph beginning "However" which applies here also). Liquid vitamins may contain grain alcohol (see 5,6) or other chometz in the flavoring (**פג**).

Liquid medicines

5. Liquid medicines are usually a more serious problem. Many liquid medicines contain grain alcohol in high percentages. Grain alcohol may be חמץ גמור (actual chometz) (**פד**) (see 6,7). Liquid medicines may also contain chometz in the flavoring. This is especially true for cough medicines. Where one knows before Pesach that a liquid medicine will be required, a Rav should be consulted for advice how to mix it — in order to use it during Pesach (**פה**) (see Chapter III A 15).

If a medicine contains chometz and it was not mixed properly before Pesach, it may be used only if the condition is serious (**פו**). Where there is any question, a Rav should be consulted.

(עז) ואף דמשמע דיש אוסרים אם עושה כן כדי לאוכלו [ע׳ חזו״א שם (סס״ק ח׳) „דכל שמערב בידים ע״מ לאכול החמץ בפסח אף שנפסל קדם הפסח אסור" והטעם כ׳ שם (בס׳ קי״ז ס״ק ה׳) „ואמנם כל זה בנפל מעצמו אבל הכא קיימינן שהוא מערבו בידים וניחא ליה בתערובתו והלכך כשאוכל את התערובת חשיב כאחשבי׳ גם לחמץ והלכך אסור מדרבנן לאוכלו" ע״ש] מ״מ אם מניחו בתוך כמוסה שקורין בלע״ז (capsule) דחשיב כאכילת סיב נראה להתיר והכמוסה עצמה חשיב שלא כדרך אכילתו דמותר במקום חולי אף אם נעשה מדברים אסורים ע׳ שו״ע (ס׳ תע״ה ס״ג) ומשל״מ (פי״ד מהל׳ מאכ״א ה׳ י״ב) ובבינת אדם (שער או״ה ס׳ ע״ב).

(עח) יתבאר לקמן בס״ד.

(עט) ע׳ בשו״ת אחיעזר (ח״ג ס׳ ל״ג אות ה׳) ואוסף חידו״ת (ממו״ר הגר״א קוטלר זצ״ל ס׳ מ״ג) ואג״מ (יו״ד ח״ב ס׳ כ״ז) ונועם (ח״ח) וש״א לענין כשרות הדזעלאטין. יש שסוברים שבאופן זה עדיין נחשב ראוי לאכילה ויש שסוברים שנפסל מאכילה.

(פ) ע׳ שו״ת מהרי״א הלוי (ח״א ס׳ נ״ב) וש״א.

(פא) פי׳ דנפסלים לאכילה.

(פב) כך נראה.

(פג) כידוע מדרישה אצל מומחים בזה.

(פד) כמו שיתבאר.

(פה) ע׳ לעיל הערה עז.

(פו) ע׳ יו״ד ס׳ קנ״ה ס״ג ואג״מ או״ח ח״ב ס׳ צ״ב.

Ethyl and Isopropyl alcohol

6. Alcohols used in distilling most whiskeys and other spirits is considered חמץ גמור and one who drinks it on Pesach is חייב כרת (פז). The reason is that whiskeys and other spirits are made of ethyl alcohol distilled from grain. However, not all alcohol used in other products is chometz (פח).

Isopropyl alcohol may be used on Pesach. It usually comes from petroleum. Ethyl alcohol is made by fermentation of starch, sugar and other carbo-hydrates. Therefore, it *may* be made from grains which are chometz. However, not all grains used to manufacture ethyl alcohol are chometz. It could be made from corn or other legumes (see B 1 and Chapter IV A). It can also be produced synthetically. Since common industrial practice is to use either ethyl alcohol produced from grain or synthetic alcohol, wherever, a product contains ethyl alcohol, unless one is certain to the contrary, one must assume that it may be actual chometz (פט).

Denatured alcohol

7. Denatured alcohol, which is ethyl alcohol to which there has been added some substance which renders it unfit for consumption as a beverage, should be considered נפסל מאכילת כלב. However, there are many Poskim who hold that it is *not* considered נפסל מאכילת כלב, since there are individuals who drink it by diluting it or by other minor improvements (צ).

Therefore, if something contains denatured alcohol, unless one is certain that it is not produced from the five types of grain (see B 1), one should not use it on Pesach and it should be sold with the chometz before Pesach (צא) (see Chapter XI).

Which products have this problem of alcohols?

8. Many Poskim hold that this problem of alcohol only concerns medica-tions, cosmetics, toiletries and the like which are in liquid form (צב). Those

(פז) כ' המ"ב (ס' תמ"ב ס"ק ד') „ויין שרף הנעשה מחמשה מיני דגן הסכימו האחרונים דהוי חמץ גמור וגרע מתערובות חמץ ועיין בח"י ובמקו"ח דה"ה אם נעשה משמרי שכר ועיין בפמ"ג" וע' שע"ת ס' תמ"ב ס"ק ג' וס' תמ"ח ס"ק ח' ובמעדני שמואל ס' קי"ב ס"ק א' אות ט' וביסו"י ח"ו דף רכ"ב ובש"פ. ומש"כ ברוב יי"ש דישנם הנעשים מתירס ושאר קטניות כמו שכתבנו בפנים.

(פח) כמו שיתבאר.

(פט) דהוי ספק דאורייתא.

(צ) כ' באג"מ (או"ח ח"ג ס' ס"ב) „ואלקאהאל עצמו כשהוא בעין לא נחשב נפסל מאכילה שיש מנכרים ששותין אותו ע"י תערובות ותיקון קצת" וכהוראה זו שמעתי בשם הגאון ר' איסר זלמן מלצר זצ"ל ומו"ר הגר"א קטלר זצ"ל ויבדל"ח הגר"י קמנצקי שליט"א וכן נוהג הגרמ"פ שליט"א וכך כתב הגרצ"פ פראנק זצ"ל במקראי קודש (ס' נ"ד) ומסיק „ובעינינו ראינו כי ההמון הגס שתה ספירט זה בלי תיקון" ע"ש שהביא דברי האחרונים בזה. ומה שהממשלה פוגמת אותו לשתיה ע"י שמערבת בו סם ורעל ע' מקראי קודש שם (ואחרונים שהביא שם) ובשו"ת לבושי מרדכי (ס' פ"ו) ודברי מלכיאל (ח"ד ס' כ"ב אות ו') וע' שעהמ"ב (ס' קי"ב אות ז',ח').

(צא) ע' לעיל הערה פט.

(צב) דבאלקאהאל שייך ביה טעם ששותין אותו ע"י תערובות ותיקון קצת.

which are in solid form or are creams, ointments,* salves and powders may be used even if they contain grain alcohol (**צג**).

[Some Poskim hold that where chometz was added to a product for fragrance (e.g. scented tobacco) it should not be used (**צד**). Certain perfumed powders may be edible (e.g. those made from corn starch and aroma exclusively) and should not be used unless one is certain that there is no chometz in the fragrance (**צה**)].

*Note: Products are mentioned here only in relation to their problem of chometz. Concerning their use on Shabbos and Yom Tov, a Rav should be consulted (**צו**).

Which liquids may not be used?

9. Perfumes often contain ethyl alcohol and are to be considered as actual chometz (**צז**). Therefore, not only may they not be used during Pesach, but they must be sold with the chometz before Pesach (**צח**) (see Chapter XI). Similarly, cologne, toilet water, hair spray, hair tonic, pre and after shave lotion, mouthwash, liquid, spray and roll-on deodorants are to be considered as chometz unless the specific brand was approved for use during Pesach (**צט**).

Which liquids may be used?

10. The following liquids may be used on Pesach: Nail polish, nail polish remover, hand lotion, cold cream and other hand creams, baby lotion, baby cream, shampoo, shoe polish, ink, paint, air freshener and similar liquids not fit to be consumed (**ק**) (see brackets in 8, also see Note after 8).

Powders and other cosmetics

11. Powders such as talcum powder and baby powder are permissible (**קא**). Even medicated or perfumed talcum powders are permitted by many Poskim (**קב**) (see 8). Face powder, foot powder, powdered or stick deodorants, eye shadow, eye liner, mascara, blush and rouge may be used during Pesach (**קג**). A

(צג) בדברים אלו לא שייך בהו טעם הנ״ל וע׳ באג״מ שם שהתיר משיחה שיש בה אלקאהאל משום דנפסל מאכילת כלב וגם דן שם אודות סיכה כשתי׳.

(צד) כ׳ במ״א (ס׳ תס״ז ס״ק י׳) „מ״כ וטוב״ק דרך לשרותו בשכר וצריך לסוגרו בחדר או לעשות מחיצה לפניו״ והביאו המ״ב (שם ס״ק ל״ג) וע׳ במקראי קודש (ס׳ נ״ד ד״ה ויעויין) וביסו״י ח״ו דף ר״ה ושער המלך (פ׳ י״א מהל׳ מאכ״א ה׳ י״ג). ואף שכ׳ בערה״ש (ס׳ תס״ז ס׳ י״ז) „ועכשיו ידוע שליכא חשש זה״ שמעתי שבזמן הזה נתחדשו עוד הפעם באיזה מיני טוב״ק הנעשה למקטרת שקורין פיי״פ.

(צה) ע״פ הנ״ל.

(צו) דלמרח במשחה אסור משום ממרח. ומש״כ לקמן בפנים לענין ליפסטיק ושאר דברים הצובעים הגוף ע׳ אג״מ או״ח ח״א ס׳ קי״ד.

(צז) דשייך בהו טעם שכתבנו לעיל בהערה צ׳ וע׳ בשו״ת דברי מלכיאל (ח״ד ס׳ כ״ד אות מ״ג) וחזון נחום (ס׳ מ״ו).

(צח) ע״פ הנ״ל.

(צט) שם.

(ק) שם וע׳ ס׳ תמ״ב ס״י.

(קא) ע׳ לעיל הערה צב.

(קב) שם וע׳ לעיל בהערה צד.

(קג) ע׳ לעיל הערות צב, צו.

fresh stick of lipstick is recommended for Pesach (קד). Flavored lipsticks may *not* be used on Pesach (קה). Concerning which make-up may be used on Shabbos or Yom Tov, a Rav should be consulted.

Soap, toothpaste

12. Although there are meticulous individuals who use only kosher hand soap for Pesach [and for the entire year], since our hand soap is נפסל מאכילת כלב many Poskim hold that its use is permissible — even if it were to contain chometz (קו). For dishes, however, one should use only soap which is approved for use during Pesach (קז).

Concerning the use of toothpaste on Pesach. Although it may be considered as נפסל מאכילת כלב, many Poskim hold that since toothpaste approved for use during Pesach is available, one should not use any containing alcohol or other chometz (קח) (see Note after 8).

D. WHEN IS CHOMETZ PROHIBITED?

Introduction

1. We know that chometz is prohibited on Pesach. Chometz is also prohibited on Erev Pesach (קט). When does this prohibition begin?

The Mishna says: ״רבי מאיר אומר אוכלים כל חמש ושורפין בתחלת שש״ (קי), Rabbi Meir says one may eat chometz on Erev Pesach until the end of the fifth hour and it is burned at the beginning of the sixth hour.*

*See Note after 3.

(קד) כך יש לנהוג בדברים שמשתמשים במשך השנה עם חמץ ונכנס לפה.

(קה) דיש חשש חמץ במידי דעבידא לטעמא וע׳ רמ״א יו״ד (ס׳ ק״ח ס״ה) דאף טעימה באיסורים בלא בליעה אסור.

(קו) לענין סיכה כשתיה בשאר איסורים ע׳ בב״ה (ס׳ שכ״ו ס״י ד״ה בשאר) שכ׳ „עיין בביאור הגר״א שדעתו כדעת הרבה מגדולי הפוסקים דאף בחול אסור דסיכה כשתיה ועכ״פ מדרבנן אסור ודלא כר״ת וסייעתו שהתירו בזה לגמרי. מיהו מנהג העולם לרחוץ בבורית שלנו הנעשים מחלב ורק איזה מדקדקים זהירין בזה. ואם מצוי להשיג בורית שנעשים שלא מחלב בודאי נכון לחוש לדעת המחמירין בזה״ וע׳ בכה״ח (שם אות מ״ה) שכ׳ „ומיהו בורית שעושין מחלב אינו נכנס בכלל זה דכיון שמערבין בו סיד ושאר דברים הפוגמין אותו הו״ל טעם פגום וטעם פגום אינו אוסר כמ״ש ביו״ד סי׳ ק״ד [צ״ל ק״ג] וא״כ כ״ש לענין רחיצה דשרי אפי׳ לכתחלה״ ואף שכ׳ זה לענין חלב ה״ה לענין חמץ ושאר איסורים וע׳ בשו״ת שו״מ (מהד״ג ח״ב ס׳ קמ״ח) ואג״מ (או״ח ח״ג ס׳ ס״ב).

(קז) כך נוהגים אף שיש בו טעם פגום ונפסל לאכילה, ואפשר הטעם דאולי לא נבלל יפה דברים הפוגמים בכל התערובת וע״י החום נבלע האיסור בכלי וע׳ באג״מ (יו״ד ח״ב ס״ל).

(קח) אע״פ ששמעתי מפי הגרמ״פ שליט״א דמשחת שינים נחשבת נפסל מאכילת כלב [ואף אם בולעו בטעות אין בזה אחשביה (ע׳ מ״ב ס׳ תמ״ב ס״ק מ״ה) ודוק] מ״מ אמר כיון שאפשר להשיג משחת שינים בלי אלקאהאל ושאר חשש חמץ אין להשתמש במשחת שינים שיש בה חשש חמץ וכן שמעתי בשם מו״ר הגר״א קטלר זצ״ל.

(קט) ע׳ לעיל הערה ו׳.

(קי) פסחים י״א:

"רבי יהודה אומר אוכלים כל ארבע ותולין כל חמש ושורפין בתחלת שש", Rabbi Yehuda says one may eat chometz on Erev Pesach until the end of the fourth hour, during the fifth hour although one may not eat chometz, he may derive benefit from it, and it is burned at the beginning of the sixth hour (**קיא**).

Why is chometz prohibited on Erev Pesach?

2. Shabbos and Yom Tov all begin at nightfall (**קיב**). Why does the *issur* of chometz begin on Erev Pesach during the day?

The Torah says (**קיג**) "אך ביום הראשון תשביתו שאור מבתיכם" but on the first day, you should dispose of leaven from your houses. חז"ל prove that "ביום הראשון" referred to in the Torah means Erev Pesach (**קיד**). The Torah says "**אך**" — *but*, חז"ל tell us that wherever the Torah says "אך" or "רק" it comes to limit or qualify (**קטו**). Therefore, חז"ל have determined that "אך" here means "אך חלק" divide the day of Erev Pesach into two parts (**קטז**). According to Torah law, during the first half of the day one may eat chometz, during the second half eating chometz is prohibited (**קיז**). Since a halachic day has twelve hours (**קיח**), during the first six hours eating chometz is permissible according to the Torah, during the second six hours it is prohibited (**קיט**).

The issur d'rabonon

3. Since a person may assume, in error, that it is before the end of the sixth hour when in fact it may be afterwards, חז"ל prohibited eating chometz earlier than noon* (**קכ**).

According to Rabbi Meir, one may not eat chometz from an hour before noon (**קכא**). According to Rabbi Yehuda, one may not eat chometz from two hours before noon, that is, one may eat chometz until the end of the fourth hour* (**קכב**). During the fifth hour, one may derive benefit from it (e.g. he can sell it or feed it to his animals) (**קכג**). During the sixth hour, eating and deriving benefit are both prohibited מדרבנן (**קכד**). This is the halacha (**קכה**).

*Note: Wherever we refer to noon, this is determined by dividing the total amount of minutes from עלות השחר (halachic dawn) until צאת הכוכבים (when the stars are visible) or according to some Poskim, from sunrise until sunset, in half (**קכו**). Similarly, the length of each hour is determined by dividing this period into twelve equal portions (**קכז**).

(קיא) שם ופרש"י שם ד"ה תולין.
(קיב) ע' בספר הלכות נדה (פ"ב הערה כד).
(קיג) שמות י"ב:ט"ו.
(קיד) ע' פסחים ד:,ה.
(קטו) ע' רש"י שם ה. ד"ה אך חלק.
(קטז) ע' גמ' ורש"י שם.
(קיז) שם.
(קיח) ע' ערה"ש (או"ח ס' נ"ח ס' י"א,י"ד ובכ"מ).
(קיט) גמרא ורש"י שם.
(קכ) ע' גמ' י"א:.
(קכא) משנה שם.
(קכב) שם.
(קכג) רש"י שם ד"ה תולין
(קכד) רש"י שם.
(קכה) ס' תמ"ג ס"א.
(קכו) ע' ערה"ש שם ומ"ב ס' תמ"ג ס"ק ח'.
(קכז) ערה"ש שם.

The six time periods

4. Therefore, there are six time periods regarding chometz (**קכח**). Four of these time periods are on Erev Pesach (the fourteenth day of Nissan):

a) The first four hours on Erev Pesach — one may eat chometz and derive benefit from it (**קכט**).

b) The fifth hour on Erev Pesach — eating chometz is prohibited מדרבנן. However, one may derive benefit from it (**קל**).

c) The sixth hour on Erev Pesach — one may neither eat chometz nor derive benefit from it מדרבנן (**קלא**).

d) From noon on Erev Pesach — one may not eat chometz nor derive other benefit from it according to Torah law (**קלב**). However, the חיוב כרת (the penalty of premature death) for eating chometz does not begin until evening (**קלג**).

e) Beginning from the evening of the fifteenth of Nissan — one who eats chometz is חייב כרת (**קלד**), one who possesses chometz violates the *issurim* of בל יראה and בל ימצא (**קלה**) [aside from violating the עשה of תשביתו which begins on Erev Pesach at noon] (**קלו**). Some Poskim hold that one violates the *issurim* of בל יראה and בל ימצא also from noon] (**קלז**).

f) After Pesach — One may not derive any benefit from chometz possessed by a Yisroel during Pesach (חמץ שעבר עליו הפסח) (**קלח**). This is pro-

---

(קכח) כמו שיתבאר.

(קכט) כר׳ יהודה שם י״א:.

(קל) רש״י שם ד״ה תולין ומחבר שם.

(קלא) רש״י שם.

(קלב) ע׳ גמ׳ ה. ורש״י ד״ה אך חלק וע׳ רמב״ם פ״א מהל׳ חו״מ ה״ח. **כתב** המחבר (ס׳ תמ״ג ס״א) „חמץ משש שעות ולמעלה ביום י״ד אסור בהנאה וכו׳״ וכ׳ המ״ב (שם ס״ק א׳) „אסור בהנאה. מדאורייתא ויליף בגמרא מדכתיב לא תאכל עליו חמץ כלומר על קרבן הפסח וקבלו חז״ל דר״ל לא תאכל חמץ משעה שראויה לשחיטת הפסח דהיינו מחצות היום ואילך שהוא בין הערבים ומשעה שאסור באכילה אסור בהנאה אכן עדיין אין על אכילתו חיוב כרת עד הלילה״ וכ׳ בשעה״צ (שם ס״ק א׳) „כן ביארו כמה אחרונים והגר״א מכללם דדעת המחבר לפסוק כהרמב״ם שהעתיק להלכה כר׳ יהודה. ודע דמ״מ לאו פסיקא היא דלכמה פוסקים אין עובר על זמן זה בלאו כ״א בעשה דתשביתו עיין בראב״ד ומלחמות וסמ״ג ולפ״ז אין ברור אם אסור אז בהנאה מדאורייתא וכו׳״.

(קלג) ע׳ רמב״ם שם ה״א ומ״ב שם.

(קלד) שם.

(קלה) כ׳ במ״ב שם „וכן לענין בל יראה ובל ימצא הסכימו כמה פוסקים דאין עובר במה שמשהה החמץ משש שעות ומעלה כ״ז שלא הגיע ימי הפסח גופא מדכתיב שבעת ימים שאור לא ימצא בבתיכם וגו׳ ולא יראה לך שאור בכל גבולך שבעת ימים ומ״מ אף שאינו עובר בבל יראה עובר בכל רגע ורגע שמשהה החמץ בביתו על מ״ע דתשביתו שאור מבתיכם דקאי על ע״פ משש שעות ולמעלה כמבואר בש״ס״ וע׳ שעה״צ שם.

(קלו) שם.

(קלז) ע׳ שעה״צ שם ס״ק ב׳. **גר שמת קודם** פסח והניח חמץ כ׳ המ״ב (ס׳ תמ״ח ס״ק ב׳) „כל הקודם וזוכה בו אחר פסח מותר לו החמץ אף באכילה״ וע׳ בנוב״י (מה״ק ס׳ ט״ו) לענין מי שלא ביטל חמצו ומת בע״פ אחר חצות אין היורשים עוברים בב״י וממילא אחר הפסח חמץ זה חוזר להיתרו ומותר אפילו באכילה.

(קלח) ע׳ משנה (כ״ח.) וגמ׳ (כ״ט.) „ורבי שמעון קנסא קניס הואיל ועבר עליה בבל יראה ובל ימצא״ וכ׳ המחבר (ס׳ תמ״ח ס״ג) „חמץ של ישראל שעבר עליו הפסח אסור בהנאה וכו׳״.

hibited מדרבנן as a penalty — since he violated the *issurim* of בל יראה and בל ימצא (קלט) (see 5-7).

חמץ שעבר עליו הפסח

5. Since one may not derive any benefit from חמץ שעבר עליו הפסח (see 4 f), even if many months or even years have passed it is prohibited (קמ). Therefore, after Pesach one may not purchase chometz or mixtures containing chometz (see Chapter III A 7-9) from a Jew who had chometz in his possession during Pesach [and did not sell it to a gentile before Pesach] (קמא), unless we can reasonably assume that *this* chometz was not in his possession during Pesach (קמב).

Chometz owned by corporations

6. Nowadays, many companies who manufacture or own chometz are controlled by corporations. Regarding חמץ שעבר עליו הפסח, how is the corporation considered in halacha?

Some Poskim hold that if the majority of the ownership of the corporation is Jewish, we consider chometz owned by it during Pesach as חמץ שעבר עליו הפסח (קמג). Other Poskim hold that even if the majority of the ownership is not Jewish, if there is a Jew in the management who can decide policy, the chometz is considered as חמץ שעבר עליו הפסח (קמד). However, since many factors may be involved, where there is any question, a Rav should be consulted (קמה).

חמץ נוקשה שעבר עליו הפסח

7. *Chometz nuksheh* (see B 5-8) which was owned by a Jew on Pesach, may be used after Pesach (קמו). The reason is that the penalty for חמץ שעבר עליו הפסח (chometz owned by a Jew on Pesach) applies only where one violated the Torah prohibitions of בל יראה and בל ימצא (קמז) (see 4 f). Since by possessing *chometz*

(קלט) שם.
(קמ) פשוט דכיון שאסור בהנאה אסור לעולם וע׳ בס׳ תמ״ט ובמ״ב ס״ק ה׳ לענין חמץ שנמצא אחר הפסח ולא ידעינן אם של עכו״ם או של ישראל.
(קמא) ע׳ מחבר (ס׳ תמ״ח ס״ג) ואם מכרו או נתנו לאינו יהודי וכו׳ מותר וכו׳״.
(קמב) ע׳ שו״ע ס׳ תמ״ט.
(קמג) שמעתי בשם מו״ר הגר״א קטלר זצ״ל ונראה דחשיב כנתערב יבש ביבש דכ׳ המ״ב (ס׳ תמ״ז ס״ק ק״ה) דחד בתרי בטל ומותר לאחר הפסח אף באכילה וע׳ בשאג״א (מס׳ פ״ט־צ״א).
(קמד) שמעתי מפי הגרמ״פ שליט״א ופשוט דאיירי שאותו ישראל יש לו חלק כשותף (אם מעט אם הרבה) באותו קאמפאנ״י וע׳ בשו״ת מנחת יצחק (ח״ג ס״א).
(קמה) פשוט.
(קמו) כ׳ המחבר (ס׳ תמ״ז ס׳ י״ב) „חמץ נוקשה אפילו בעיניה אינו אסור בהנאה אחר הפסח״.
(קמז) מ״ב שם ס״ק ק״ז.

nuksheh he violated an *issur d'rabonon* (a rabbinical prohibition) — but not the Torah prohibitions of **בל יראה** and **בל ימצא** — he was not penalized (**קמח**). However, most Poskim hold that it may not be eaten after Pesach (**קמט**).

(**קמח**) שם.
(**קמט**) כ׳ במ״ב שם „וכתב המ״א דה״ה **דאפילו** באכילה שרי אך מפני שנוקשה אינו ראוי לאכילה לפיכך נקט הנאה אבל רוב אחרונים סברי דבאכילה אסור דמ״מ שם חמץ שעבר עליו פסח ע״ז החמץ״ ע׳ שעה״צ (שם ס״ק קפ״ג). **חמץ נוקשה שנפל לתוך המאכל ויש** ששים כנגדו ע׳ מ״ב (שם ס״ק ק״ח) **דאף דיש** דעות בין האחרונים אם אוסר במשהו, להשהותו עד אחר הפסח לכו״ע שרי, ובשעה״צ (שם ס״ק קפ״ד) כ׳ הטעם „דנוקשה ע״י תערובות לכו״ע מותר לשהותו וכנ״ל בריש סימן תמ״ב״.

סימנים וסעיפים שבשלחן ערוך המשתייכים לפרק זה

תמ״ב:א,ד,י	**תנ״ט:ב**
תמ״ג:א	**תס״ב:ד**
תמ״ז:י״ב	**תס״ז:ח**
תמ״ח:ג	

Chapter III Mixtures of Chometz

A. GENERAL PRINCIPLES OF MIXTURES

Introduction

1. We have learned (see Chapter II B 2) that one who eats chometz on Pesach is חייב כרת, that is, he is liable to premature death (**א**). We have also learned (see Chapter II B 4) that this applies even to mixtures containing chometz with non-chometz as well (**ב**). However, this will depend upon the ratio of the chometz to the other food (**ג**).

Four categories of mixtures

2. There are four categories of mixtures containing chometz (**ד**):

a) חמץ בעין — The chometz is by itself or even if it is mixed with permissible food, but the amount of chometz in the mixture is greater than the amount of permissible food or at least equal to it (**ה**). One who intentionally eats of this mixture on Pesach is חייב כרת (**ו**).

b) כזית בכדי אכילת פרס — A כזית (the size of an olive) or more of chometz was added to a mixture containing permissible food with the combined volume of four eggs [according to Rashi] or three eggs [according to the

---

(א) ע׳ לעיל פ״ב הערה כב, כד.

(ב) ע׳ רמב״ם פ״א מהל׳ חו״מ ה״ו וכ״מ שם וש״פ שנכ׳ לקמן.

(ג) כמו שיתבאר בפנים בסמוך.

(ד) כמבואר בכ״מ שם וב״י ס׳ תמ״ב ע״ש.

(ה) כתב הרמב״ם (פ״א מהל׳ חו״מ ה״ו) „אין חייבין כרת אלא על אכילת עצמו של חמץ אבל עירוב חמץ כגון כותח הבבלי ושכר המדי וכל הדומה להן מדברים שהחמץ מעורב בהן אם אכלן בפסח לוקה ואין בו כרת שנאמר כל מחמצת לא תאכלו. במה דברים אמורים בשאכל כזית חמץ בתוך התערובת בכדי אכילת שלש ביצים הוא שלוקה מן התורה. אבל אם אין בתערובת כזית בכדי אכילת שלש ביצים אע״פ שאסור לו לאכול אם אכל אינו לוקה אלא מכין אותו מכת מרדות״ ומקורו מברייתא (פסחים מ״ג.) „על חמץ דגן גמור ענוש כרת על עירובו בלאו דברי ר׳ אליעזר וחכמים אומרים על חמץ דגן גמור ענוש כרת על עירובו בלא כלום״ וכ׳ הרה״מ שם מהרי״ף „ואע״ג דאמור רבנן ולא כלום מלקא לא לקי אבל איסורא איכא וכי אמרינן דלא לקי הנ״מ היכא דליכא כזית בכדי א״פ כגון כותח הבבלי וכיוצא בזה אבל היכא דאיכא כזית בכדי אכילת פרס אפילו לרבנן חייב״ וכ׳ דזה דעת הרמב״ם. וע׳ בכ״מ שם שהקשה אדברי הרמב״ם „באמת כי הלשון הזה קשה ההבנה מאד דאי אמרינן דס״ל דבשיש בו כזית בכדי אכילת פרס כ״ע מודו דחייב כי פליגי באין בו כזית בכדי אכילת פרס קשה דא״כ משמע דלכ״ע כזית בכדי אכילת פרס כאוכל כזית חמץ בלא תערובת הוא וא״כ כרת נמי ליחייב וכו׳״ ע״ש שהאריך בזה וע׳ לקמן בהערה יא.

(ו) שם.

Rambam] (ז). That is, a כזית or more of chometz within a mixture not exceeding a פרס per כזית of chometz (ח) (a פרס is half the size of the loaf used for עירובי תחומין (ט) is considered a כזית בכדי אכילת פרס (י).

One who eats a כזית בכדי אכילת פרס* is חייב כרת according to most Poskim (יא), according to the Rambam he is חייב מלקות (liable to lashes) (יב). כזית בכדי אכילת פרס is also called טעמו וממשו (the taste *and* the substance of the chometz) (יג).

*Note: We are discussing here only mixtures of מין בשאינו מינו, where dissimilar substances are mixed together (יד).

(ז) דעת רש״י בכא״פ הוא שיעור ד׳ ביצים כמש״כ בפסחים (מ״ד. ד״ה ומשני) שנכ׳ בסמוך ויומא (פ:) ודעת הרמב״ם בכזית בכא״פ הוא שיעור ג׳ ביצים כמש״כ הרמב״ם הובא לעיל (בהערה ה׳) ובהל׳ מאכלות אסורות (פ׳ ט״ו ה״ג), וע׳ ב״י ס׳ תרי״א ד״ה ומה. **בביאור** ענין כא״פ כ׳ רש״י (פסחים מ״ד. ד״ה ומשני) „ומשני מאי לוקה בכזית דקאמר כזית בכדי אכילת פרס שאם אכל פרס ממנו שיעור ארבעה ביצים יש בו כזית תרומה וקי״ל דכל שיעורי אכילת איסור בין כזית של חלב ודם ובין כותבת דיום הכפורים מצטרפין אכילת השיעור בכדי שהייה זו שאם אכל כחרדל חלב וחזר ואכל כחרדל עד שהשלים לכזית אם אין מתחילת האכילה ועד סופה יותר משהיית כדי אכילת פרס באכילה בינונית מצטרף והוי כמו שאכלו בבת אחת וחייב והכא נמי יש כאן תרומה כדי להצטרף כזית באכילת פרס ממנו״.

(ח) ע׳ רמב״ם שם.

(ט) ע׳ עירובין פ״ב:.

(י) רמב״ם שם.

(יא) ע׳ לעיל הערה ה׳ וכ׳ הרמב״ם בסה״מ (לאוין מצוה קצ״ח) „הזהירנו מלאכול דברים שיש בהם תערובת חמץ ואע״פ שאינן לחם כגון המורייס והכותח והשכר והדומה להם והוא אמרו כל מחמצת לא תאכלו לרבות כותח הבבלי ושכר המדי וחומץ האדומי יכול יהיו חייבין עליהן כרת ת״ל כי כל אוכל חמץ ונכרתה מה חמץ מיוחד שהוא מין חמץ גמור יצאו אלו שאינן חמץ גמור ולמה באו לעבור עליהן בלא תעשה וכבר התבאר בפסחים שענין היותם אסורים ומוזהר מאכילתם לא נתחייב באכילתם מלקות אלא אם היה בהן כזית חמץ בכדי אכילת פרס אמנם אם היה בהן עירוב חמץ פחות מזה השיעור אין חייבים על אכילתן מלקות״. וע׳ ברמב״ן שם שהשיג אדברי הרמב״ם וכ׳ „והאמת בזה הענין כולו הוא הפך מדבריו שהחמץ כשיש בו כזית בכדי אכילת פרס חייבין עליו כרת לדברי הכל ואינו בא בריבוי הזה [״כל מחמצת״] אבל הוא עיקר חמץ שבתורה למלקות ולכרת לפי שהוא כחמץ גמור בפני עצמו וכו׳״ וכ׳ בערה״ש (ס׳ תמ״ב ס״ח) **דהוא** שיטת רוב הפוסקים. **כתב** בערה״ש (שם ס״ט) „וכל זה הוא בתערובת שאין החמץ נותן טעם בהתערובת כמו יבש ביבש אבל כשנותן טעם תלוי בהמחלוקת שביו״ד סי׳ צ״ח אי טעם כעיקר דאורייתא או דרבנן ושם נתבאר דרש״י והרמב״ם ס״ל טעם כעיקר דאורייתא וכן הוא דעת הרא״ש והטור ע״ש ולפיכך כתב כאן הטור וז״ל ודווקא שאין בתערובת טעם חמץ וכו׳ אבל אם יש בו טעם חמץ מחייבין עליו דטעם כעיקר דאורייתא עכ״ל וגם בכזית בכא״פ סובר כהרמב״ן והמ״מ שכתב ומיירי נמי שאין בהם כזית בכא״פ אבל אם יש בהם כזית בכא״פ חייבין עליהם עכ״ל״ וע׳ במ״ב (ס׳ תמ״ב ס״ק א׳).

(יב) רמב״ם שם.

(יג) כ׳ הרמב״ם (פ׳ ט״ו מהל׳ מ״א ה״ב) „ואם נמצא בהם טעם חלב והיה בהן ממשו וכו׳״ וכ׳ שם (בה״ג) „כיצד הוא ממשו כגון שהיה מן החלב כזית בכל שלש ביצים מן התערובת. אם אכל מן הגריסין האלו כשלש ביצים הואיל ויש בהן כזית מן החלב לוקה שהרי טעם האיסור וממשו קיים״.

(יד) דכ׳ הרמב״ם (פ׳ ט״ו מהל׳ מ״א ה״א) „דבר אסור שנתערב בדבר מותר מין בשאינו מינו בנותן טעם. ומין במינו שאי אפשר לעמוד על טעמו יבטל ברוב״. ולענין חמץ בפסח כ׳

c) טעמו ולא ממשו (the taste of the chometz but *not* its substance) — The mixture contains a larger proportion of permissible food than in the second category — yet one can still taste the chometz (**טו**). According to Rashi, this category starts from where the ratio is one כזית of chometz to more than the combined volume of four eggs, and extends until a ratio of one כזית of chometz to less than sixty **כזיתים** of permissible food (**טז**). According to the Rambam, it starts from where the ratio is one כזית of chometz to more than the combined volume of three eggs and extends until a ratio of one כזית of chometz to less than sixty כזיתים of permissible food (**יז**). [Many Poskim hold that according to the חכמים it is prohibited by the Torah (because of חצי שיעור) but is not punished by lashes] (**יח**).

Eating food in this category — according to the Rambam — is an issur d'rabonon (**יט**). According to most Poskim, this is the מחלוקת (dispute) in *Pesochim* (**כ**), ר. אליעזר says that it is prohibited by the Torah and, therefore, he is liable to lashes, while the חכמים say that it is an issur d'rabonon (**כא**).

d) ביטול בששים (משהו) — The permissible matter is sixty times greater in volume than the chometz (**כב**). In other areas of halacha (e.g. mixtures containing non-kosher food) the prohibited matter is generally nullified in

---

המחבר (ס׳ תמ״ז ס״א) „חמץ בפסח אוסר תערובתו בין במינו בין שלא במינו במשהו אפילו בהנאה״ וכ׳ במ״ב (ס׳ תמ״ב ס״ק א׳) „ודוקא מין בשאינו מינו דאינו בטל מדאורייתא ברובא לדעת הסוברין דטעם כעיקר מדאורייתא אבל מין במינו כגון קמח של תבואה חמוצה שנתערב בתוך קמח שאינה חמוצה דמדאורייתא ברובא בטל וכו׳״ ע״ש.

(טו) כ׳ הרמב״ם (שם ה״ב) „נמצא בהן טעמו ולא היה בהן ממשו הרי אלו אסורין מדברי סופרים״.

(טז) ע׳ לעיל הערה ז׳.

(יז) שם.

(יח) ע׳ דעת הרמ״ך הובא ברה״מ וכ״מ (פ״ד דהל׳ חו״מ ה״ח) דאע״ג דללקות על אכילתו בעיא כזית בכא״פ לעבור עליו בב״י וב״י בבציר מהכי סגי ופי׳ בכ״מ הטעם „משום דלענין אכילה כל שהוא פחות מכזית בכדי אכילת פרס ה״ל כאילו אכל חצי זית היום וחצי זית למחר ואינו לוקה שכלל הוא בידינו שכל שאכל כזית איסור ושהה באכילתו יותר מכדי א״פ אין לוקין עליו וכו׳״ לפי דבריו משמע דמילקא הוא דלא לקי אבל איסורא מיהא איכא כדין חצי שיעור וע׳ מהרש״א (פסחים מ״ד. ד״ה לענין) דלא אמרינן ח״ש בב״י וב״י בחמץ ע״י תערובת, ובדעת הרמב״ם ע׳ בכ״מ (פ״א שם ה״ו) ושד״ח (מערכת ח׳ כלל ט״ו).

(יט) כ׳ המ״ב (ס׳ תמ״ב ס״ק א׳) „הנה המחבר לא איירי כ״א לענין הלאו דבל יראה ובל ימצא דלענין זה ס״ל דעובר על לאו זה אפילו אין בו כזית בכדי אכילת פרס ואף דלענין אכילה אינו חייב כרת לכולי עלמא אלא אם כן יש בו כזית בכדי אכילת פרס ויש דסבירא ליה דאפילו לאו אין בו כ״כ דליכא בתערובות שיעור כזית בכדי אכילת פרס וכו׳״ ובשעה״צ (שם ס״ק ב׳) כ׳ דדעה זו הוא „הרי״ף והרמב״ם״ וע׳ לעיל (הערה ה׳) דכתבנו מרה״מ בשם הרי״ף דאף דלאו אין בו אבל איסורא איכא.

(כ) מ״ג. וע׳ בכ״מ וב״י ס׳ תמ״ב שם.

(כא) ע׳ לעיל הערה ה׳. ומש״כ דאסור מדרבנן היינו משום דכ׳ הרמב״ם שם „מכין אותו מכות מרדות״ ויש מקום לומר דאסור מדאורייתא משום חצי שיעור כמ״ש הרמב״ם (פ״ב מהל׳ שביתת עשור ה״ג וע׳ רה״מ שם) אבל כיון דכ׳ המ״ב שם „ויש דסבירא ליה דאפילו לאו אין בו וכו׳״ משמע דהוי דרבנן אם לא דנילף מכל מחמצת ואכמ״ל.

(כב) לענין שאר איסורים כ׳ רש״י (חולין צ״ז:) „בפרק בתרא דמסכת ע״ז (ס״ט.) פסקינן הלכתא בכל איסורין שבתורה בין בשר בחלב ובין שאר איסורין בששים״ וכ״פ המחבר והרמ״א ביו״ד (ס׳ צ״ח ס״א).

mixtures of this proportion and usually one may even eat it (**כג**). For chometz which became mixed *before Pesach* the halacha is the same (**כד**). [These halachos apply only to mixtures of לח בלח. We will discuss later the differences between לח בלח and יבש ביבש (see 10-14) and the principle of חוזר וניעור (see 12)].

[Many Poskim hold that the principle of ביטול בששים does not apply where chometz is an essential ingredient in the normal manufacturing process (**כה**). Where this is involved, a Rav should be consulted].

However, for chometz which became mixed with permissible food *on Pesach* the halacha is different (**כו**). Chometz on Pesach is prohibited במשהו (a minimal amount) (**כז**). That is, even if the permissible matter is a thou-

---

(כג) ע׳ שם.

(כד) כ׳ המחבר (ס׳ תמ״ז ס״א) „חמץ בפסח אוסר תערובתו בין במינו בין שלא במינו במשהו וכו׳״ ובס״ב שם כ׳ „חמץ שנתערב משש שעות (ולמעלה) עד הלילה אינו אוסר במשהו אלא דינו כשאר איסורין״ וכ׳ המ״ב (שם ס״ק ט״ז) „כשאר איסורין. ועי״כ אם נתערב לח בלח מתבטל בששים ואם נתערב יבש ביבש מתבטל חד בתרי אך צריך לאכלו קודם הפסח דבפסח חוזר וניעור כמבואר בהג״ה לקמן בס״ד״.

(כה) כ׳ הגר״ז (ס׳ תמ״ב ס״ה) „אבל לכתחלה אסור לבטל חמץ בששים קודם הפסח במתכוין כדי לאכלו בתוך הפסח מפני שהוא כמבטל איסור בידים ואע״פ שקוה״פ עדיין שעת היתר מ״מ כיון שהוא עושה כן כדי לאכלו בשעת איסורו דהיינו בתוה״פ ה״ז כמבטל איסור אבל מותר לבטל החמץ בס׳ קוה״פ כדי להשהותו עד אחה״פ דכיון שהוא מבטלו בשעת היתר כדי לאכלו בשעת היתר אין כאן מבטל איסור״ ובס״ו כ׳ „בד״א בדבר שאין דרך תיקון עשייתו ע״י תערובת חמץ רק שהוא רוצה לערב בו חמץ באקראי בעלמא כדי שלא יצטרך לבערו אבל דבר שדרך עשייתו הוא ע״י תערובת חמץ כגון מורייס (פי׳ שומן דגים) שמשימין בו לחם קלוי אע״פ שיש בו ס׳ כנגד הלחם מ״מ כיון שדרך תיקון המורייס הוא ע״י לחם הרי הוא חשוב ואינו בטל במורייס אפילו באלף וכו׳״ ובקו״א (שם ס״ק ה׳) הביא מקורו מהרשב״א בתשובה בשם הראב״ד והרא״ש בשם הראב״ד ורי״ו ע״ש והביאם המ״ב (בס׳ תמ״ז ס״ק י״ד) וז״ל „ואם עירבו במזיד כגון שצריך הדבר לעשותו ולתקנו עם חמץ כגון מורייס (פי׳ שומן דגים) שמשימין בו לחם קלוי אע״פ שיש בו ס׳ כנגד הלחם אסור וחייב לבערו מד״ס קודם הפסח וכו׳״ וע׳ שעה״צ (שם ס״ק י״א).

(כו) כמו שיתבאר.

(כז) ע׳ גמ׳ (כ״ט:) „אמר רב חמץ בזמנו בין במינו בין שלא במינו אסור שלא בזמנו במינו אסור שלא במינו מותר וכו׳״. בשאר איסורים שבתורה „רב ושמואל דאמרי תרוייהו כל איסורין שבתורה במינו אסורין במשהו שלא במינו בנותן טעם וכו׳ ר׳ יוחנן ור״ל דאמרי תרוייהו כל איסורין שבתורה בין במינן בין שלא במינן בנותן טעם שלא בזמנו בין במינו בין שלא במינו מותרין כר״ש״ וע׳ שם (ל.) „אמר רבא הלכתא חמץ בזמנו בין במינו בין שלא במינו אסור במשהו כרב שלא בזמנו בין במינו בין שלא במינו מותר כר״ש״ דעת ר״ת (ל.) והשאלתות דל״ש חמץ משאר איסורים כר׳ יוחנן אבל דעת הרי״ף הרמב״ם והרא״ש דחמץ בפסח אסור במשהו כרב וכ״פ המחבר (ס׳ תמ״ז ס״א) „חמץ בפסח אוסר תערובתו בין במינו בין שלא במינו במשהו אפילו בהנאה״. **האם** סמכינן אשיטת ר״ת והשאלתות? הנה התוס׳ (שם ל. סד״ה רבא) והמרדכי כ׳ (פ״ב ס׳ תק״נ) דר״ת בעצמו „לא רצה להקל לעשות מעשה״ ואף דכ׳ המרדכי (הובא בד״מ שם ס״ק א׳ וערה״ש שם ס״ה) „דבכל מקום שיש בלא זה צד להתיר אע״פ שאנו מחמירין ואסרי׳ במשהו מ״מ בכה״ג סומכין אדברי שאלתות דפוסק שהוא בטל״ מ״מ כ׳ המ״ב (שם ס״ק ב׳) „והיכא דאיכא עוד הרבה **צדדים** להקל סמכינן אשאלתות דס״ל דחמץ בפסח שוה לשאר איסורין דבששים [אחרונים]״ כגון ריח ונטל״פ ממשהו (ע׳ מ״ב שם ס״ק צ״ט) וע׳ שעה״צ

sand or more times greater than the chometz, eating it is prohibited (**כח**).

Why is chometz prohibited במשהו?

3. Why is chometz different from other issurim, that other issurim are בטל בששים while chometz on Pesach is prohibited במשהו?

There are two explanations given:

a) Rashi explains that the reason חז״ל prohibited chometz במשהו, is that since one who eats chometz is חייב כרת, חז״ל — as an added precaution prohibited chometz במשהו (**כט**). Although one who eats חלב or דם (prohibited fat or blood) is also חייב כרת, yet concerning these issurim no additional precaution was made, and, therefore, they are בטל בששים (**ל**). Chometz is more stringent, because it has the additional disadvantage of ״לא בדילי מיניה״ (**לא**). That is, since chometz is permissible the rest of the year, we are afraid that a person will forget — out of habit — that it is Pesach and eat it in error (**לב**).

b) The Rambam considers chometz as a דבר שיש לו מתירין (**לג**). That is, since chometz is prohibited *only* during Pesach, and once Pesach has passed it may be eaten, חז״ל said why eat chometz when it is prohibited and have to rely on ביטול בששים, when one could wait until after Pesach and

---

(שם ס״ק כ׳) וע׳ ח״י (שם ס״ק א׳). **לענין חמץ** נוקשה תוך הפסח אם אסור במשהו ע׳ לקמן בהערה מא ושם בפנים.

(**כח**) ע״פ הנ״ל ורמב״ם פ׳ ט״ו מהל׳ מ״א ה״ט וכ׳ הגר״ז (ס׳ תמ״ז ס״ד) „אבל חמץ בפסח אינו מתבטל אפילו באלפי אלפים״. **כתב** בערה״ש (ס׳ תמ״ז ס״ז) „לא החמירו בחמץ יותר מבכל האיסורים רק בכמות הביטול שכל שבשאר איסורים בטל בששים בחמץ אוסר במשהו אבל באיכות האיסור לא החמירו כגון שבשאר תערובות לא היה צריך ששים אלא קליפה או נטילת מקום אף בחמץ כן הוא וכו׳״ וכ״כ המחבר (ס׳ תמ״ז ס״א) „ודין תערובתו וכו׳״ ע״ש.

(**כט**) פסחים כ״ט: רש״י ד״ה שלא במינו וכ״כ הרא״ש (פ״ב דפסחים ס״ס ה׳).

(**ל**) ע׳ רמב״ם פ״ו מהל׳ מ״א ה״א ופ״ז שם ה״א.

(**לא**) רש״י שם וכ״כ הרא״ש בפרק בתרא דע״ז (ס׳ כ״ט) וע׳ במ״א (ס׳ תמ״ז ס״ק ה׳) וק״נ על הרא״ש בפסחים (פ״ב ס״ה בק״נ ס״ק צ׳).

(**לב**) ע׳ שם.

(**לג**) כ הרמב״ם (פ׳ ט״ו מהל׳ מ״א ה״ט) „חמץ בפסח אע״פ שהוא מאיסורי תורה אינו בכללות אלו. לפי שאין התערובת אסורה לעולם שהרי לאחר הפסח תהיה כל התערובת מותרת כמו שביארנו. לפיכך אוסר בכל שהוא בין במינו בין שלא במינו״ וכ״כ הרמב״ן במלחמות (והביאו הר״ן בפסחים כ״ט: ד״ה ומדלא). **כתב בערה״ש** (ס׳ תמ״ז ס״א) „ואע״ג דכל דבר שיל״מ הוא שהאיסור עצמו יהא מותר ובכאן החמץ כשהוא בעין אסרוהו משום קנסא מפני שעבר בב״י כמו שיתבאר ובאמת יש שהשיגו עליו מטעם זה (הר״ן כמ״ש הכ״מ בפ״א) מ״מ ס״ל להרמב״ם דגם זה מקרי דשיל״מ ואע״ג דכל דשיל״מ שאינו בטיל אינו אלא במינו ולא שלא במינו כמ״ש ביו״ד סי׳ ק״ב כתב הרמב״ם שם דבחמץ החמירו אף שלא במינו ע״ש״.

eat it without question (**לד**). [Note: This is not the only explanation of דבר שיש לו מתירין] (**לה**).

What differences are there between these two explanations?

4. What differences are there between these two explanations of why chometz is prohibited במשהו?

a) Chometz on Erev Pesach from noon until nightfall (**לו**) — We learned earlier (see Chapter II D 4 d) that although one who eats chometz after noon on Erev Pesach has violated an *issur d'oraysa,* he is not חייב כרת (**לז**). According to Rashi (see 3 a), since one who eats chometz on Erev Pesach is not חייב כרת, therefore, chometz on Erev Pesach is not prohibited במשהו, but is בטל בששים like other issurim (**לח**). However, according to the Rambam (see 3 b) who holds that chometz is considered as דבר שיש לו מתירין, there is no difference between a mixture of chometz on Erev Pesach or on Pesach itself — both are prohibited במשהו (**לט**). The halacha is according to Rashi (**מ**).

b) *Chometz nuksheh* on Pesach (**מא**) — One who eats *chometz nuksheh*

(לד) איתא בגמרא (ביצה ג:) „וכל דבר שיש לו מתירין אפילו באלף לא בטיל" וכ' רש"י שם (ד"ה אפילו) „ואע"ג דמדאורייתא חד בתרי בטיל דכתיב (שמות כג) אחרי רבים להטות אחמור רבנן הואיל ויש לו מתירין לאחר זמן לא יאכלנו באיסור על ידי ביטול" וכה"ג כ' בנדרים (נ"ח. ד"ה כגון) „דהא אפשר להו בתקנתא" (וע' פי' הרא"ש שם ד"ה כל דשיל"מ) וכעין זה כ' הרמב"ם (שם ה"י) „שהרי יש דרך שיותר בה" וע' ערה"ש (יו"ד ס' ק"ב ס' כ"ו). **עיין** יו"ד (ס' ק"ב ס"ד) דכתב הרמ"א „דבר שיש לו היתר וחוזר ונאסר כגון חמץ בפסח לא מקרי דבר שיש לו מתירין (מרדכי פרק כ"ש) ויש חולקין בזה (רמב"ם פט"ו מהמ"א)" וע' בנו"כ שם.

(לה) ע' ר"ן בנדרים נ"ב. ד"ה וקשיא וט"ז ס' ק"ב ס"ק ה' וש"ך שם ס"ק ד'.

(לו) כ' המחבר (ס' תמ"ז ס"ב) „חמץ שנתערב משש שעות (ולמעלה) עד הלילה אינו אוסר במשהו אלא דינו כשאר איסורין" וע' ש"ך (יו"ד שם ס"ק י"ג) ומ"ב ס' תמ"ז ס"ק ט"ו וב"ה שם ד"ה חמץ וע' בערה"ש ס' תמ"ז ס"ג.

(לז) ע' רמב"ם פ"א דחו"מ ה"א וה"ח.

(לח) ע' ש"ך שם וב"ה (ס' תמ"ז ס"ב ד"ה חמץ) וכ' במ"ב (שם ס"ק ט"ו) „אע"ג דלוקין עליו בזמן ההוא על אכילתו וגם אסור בהנאה מן התורה מ"מ כיון דאין חיוב כרת על הזמן ההוא לא החמירו בו חכמים לאסור במשהו".

(לט) שם.

(מ) ע' ס' תמ"ז ס"ב (הובא לעיל בהערה לו) וכ' המ"ב (שם ס"ק ט"ו) „משש שעות ולמעלה וכו'. אע"ג דלוקין עליו בזמן ההוא על אכילתו וגם אסור בהנאה מן התורה מ"מ כיון דאין חיוב כרת על הזמן ההוא לא החמירו בו חכמים לאסור במשהו" וכ' בערה"ש (שם) „ורוב הפוסקים הזכירו רק טעם הרא"ש מפני שגם רש"י ס"ל כן" וכ' בב"ה שם „ולא מקרי חמץ דשל"מ מטעם דלשנה הבאה חוזר ונאסר וכו'" (והוא סברת המרדכי בפ"ב דפסחים ס' תקע"ג בשם רבינו חיים כ"צ).

(מא) ע' ערה"ש (ס' תמ"ז ס"ג) שהביא נ"מ זה וכ' במ"ב (שם ס"ק ט"ו) „ולענין חמץ נוקשה תוך הפסח יש שמחמירין לאסור במשהו אבל דעת המ"א ועוד הרבה אחרונים כיון דאין בו כרת לכו"ע ולדעת הרבה פוסקים אין בו רק איסור דרבנן בטל בששים אפילו תוך הפסח ויש לסמוך עליהם בשעת הדחק". **כתב המ"ב שם** „חדע דביו"ט האחרון אף שהוא ג"כ מדרבנן מ"מ כיון שנתקן משום ספיקא דיומא אסור באכילה ע"י תערובות משהו כמו בפסח כדמוכח לקמן בסי' תס"ז ס"י".

on Pesach is not חייב כרת (מב). Therefore, according to Rashi — it should be בטל בששים and not prohibited במשהו (מג). However, since *chometz nuksheh* is permissible after Pesach (מד), according to the Rambam it should also be prohibited במשהו (מה). Regarding this halacha, although some Poskim hold that *chometz nuksheh* during Pesach is prohibited במשהו (like the Rambam), other Poskim hold that during Pesach it is בטל בששים (like Rashi) (מו). One may rely on these Poskim only in case of great necessity (מז).

We have given two examples of differences between Rashi and the Rambam, however, there are others (מח).

May one derive benefit from chometz which is בטל בששים?

5. We have learned earlier (see Chapter II A 4) that not only is eating chometz on Pesach prohibited, but one may not even derive benefit from it (מט). We have also learned (see 2 d) that if chometz became mixed with permissible food *during Pesach*, eating it is prohibited — even if the permissible matter is a thousand or more times greater than the chometz (נ). Not only may one not *eat* this mixture containing chometz which has been mixed with permissible food on Pesach [although the permissible matter is a thousand or more times greater than the chometz], one may not even *derive benefit* from it (נא).

בל יראה ובל ימצא בתערובות חמץ

6. We have been speaking until now about eating and deriving benefit from mixtures containing chometz. We have learned (see Chapter II A 4) that the issur of chometz is unique. Not only is there an issur against eating chometz and mixtures containing chometz, but one who possesses chometz on Pesach violates the issurim of בל יראה and בל ימצא (נב). Not only does one violate the issurim of בל יראה and בל ימצא for owning chometz which is discernible, one violates these issurim even for mixtures containing chometz (נג), as we will explain (see 7-9).

One who violates בל יראה and בל ימצא is penalized

7. We have learned (see Chapter II D 4 f) that חז"ל penalized a person who owned chometz during Pesach in violation of the issurim of בל יראה and בל ימצא

(מב) שם.
(מג) ע"פ הנ"ל.
(מד) ע' ס' תמ"ז ס' י"ב.
(מה) ע"פ טעמו דדשיל"מ.
(מו) ע' מ"ב שם.
(מז) שם.
(מח) ע' ערה"ש ס' תמ"ז ס"ג.
(מט) רמב"ם פ"א מהל' חו"מ ה"ב.
(נ) ע' לעיל הערה כז, כח.
(נא) בזה פליגי הראשונים ע' ערה"ש (ס' תמ"ז ס"ה) דדעת הראב"ד והרמב"ן והרשב"א (בת' ס' נ"ג וס' תשל"ז) דאיסור משהו אינו אלא באכילה, ודעת רש"י ותוס' והרי"ף והרמב"ם דגם בהנאה אסור במשהו כמ"ש הרא"ש והר"ן (בפ"ה דע"ז) ופסק המחבר (ס' תמ"ז ס"א) „חמץ בפסח אוסר תערובתו בין במינו בין שלא במינו במשהו אפילו בהנאה".
(נב) ע' לעיל פ"ב הערה יב.
(נג) כמו שיתבאר.

(**נד**). We also learned before (see 2) that there are four categories of mixtures containing chometz. For which of these mixtures does one violate בל יראה and בל ימצא?

For which mixtures does one violate בל יראה ובל ימצא?

8. For the first category of a mixture — חמץ בעין (see 2 a) — where the amount of chometz in the mixture is greater than the amount of permissible food, [or at least equal to it] one who possesses it, unquestionably violates the issurim of בל יראה and בל ימצא [and, therefore, he would be penalized] (**נה**).

For the fourth category (see 2 d) — where chometz is בטל בששים (this is called משהו) *before Pesach*, if even eating it on Pesach is permissible, one certainly cannot violate the issurim of בל יראה and בל ימצא [and, therefore, he would *not* be penalized (**נו**). The question applies only to the two middle categories כזית בכדי אכילת פרס (see 2 b) and טעמו ולא ממשו (**נז**) (see 2 c). [This halacha applies for לח בלח, regarding יבש ביבש, see 11].

כזית בכדי אכילת פרס וטעמו ולא ממשו

9. The מגיד משנה says that one violates the issurim of בל יראה and בל ימצא only if the mixture contains a כזית בכדי אכילת פרס (2 b), but does not violate them for טעמו ולא ממשו (see 2 c) (**נח**). The רמ״ך and כסף משנה hold that one violates these issurim even for טעמו ולא ממשו (**נט**). Their reason is that a כזית בכדי אכילת פרס is required only where one eats the mixture, because less than this would be comparable to eating part of the כזית today and the rest of the כזית the next day (**ס**). However, concerning the issurim of בל יראה and בל ימצא, as long as the chometz is not בטל בששים and the vessel contains a כזית of chometz, he violates these issurim; because a כזית of chometz is the *shiur* (minimum quantity) to violate the issurim of בל יראה and בל ימצא. [Therefore, one who owned mixtures of chometz during Pesach of these two categories would also be penalized] (**סא**). The halacha is like the כסף משנה and the רמ״ך (**סב**) [see Note after 2 b].

(**נד**) ע׳ לעיל פ״ב הערה קלח ומ״ב ס׳ תמ״ז ס״ק ק״א.

(**נה**) ע׳ במשנה (מ״ב.) „ואלו עוברין בפסח וכו׳״ לרש״י „בבל יראה ובל ימצא״ ולר״ת עוברין מעל השולחן דאסורים באכילה אבל בל יראה ליכא, הרמב״ם (שם פ״ד ה״ח) פסק כרש״י וכ״פ המחבר (ס׳ תמ״ב ס״א) „תערובת חמץ עוברים עליו משום ב״י וב״י״ וע׳ מ״ב שם ס״ק א׳ שהאריך בביאור הענין.

(**נו**) מ״ב שם.

(**נז**) כמו שיתבאר.

(**נח**) שם פ״ד ה״ח. **כתב** הגר״ח (פ׳ ט״ו מהל׳ מ״א ה״א) „שאני תערובת דדין ב״י שלה הוא מדין טעם כעיקר ע״כ לא חל זאת כ״א בראוי לאכילה וכו׳״ ובסברת הרה״מ כ׳ „ואע״ג דגבי ב״י לא שייך כלל לדין צירוף של אכילת פרס, אלא משום דזה שייך לחלות שם של טכע״ק על עיקר החפצא, וע״כ שפיר שייך הך שיעורא גם לגבי ב״י וכו׳״ ע״ש.

(**נט**) ברה״מ וכ״מ שם.

(**ס**) כ״מ שם.

(**סא**) שם.

(**סב**) ע׳ מ״ב (ס׳ תמ״ב ס״ק א׳) ושעה״צ (ס״ק א׳) וערה״ש שם ס׳ י״ב וכה״ח שם אות ג׳.

לח בלח

10. We have been discussing the halacha of **משהו**, and we said that where other issurim would be **בטל בששים**, chometz on Pesach is prohibited even **במשהו** (**סג**). Does the issur of **משהו** apply for all types of mixtures?

It applies for **לח בלח** (**סד**) — which in these halachos means not only liquids mixed with other liquids, but also chometz flour mixed with Pesach flour (**סה**). This halacha applies to similar finely ground foods which mix with each other and blend together (**סו**).

יבש ביבש

11. Does it also apply for **יבש ביבש** (**סז**), foods which do not blend together?

In other areas of halacha — aside from chometz on Pesach — **יבש ביבש** is **בטל ברוב** (**סח**).* This means that if a piece of non-kosher meat got mixed with kosher meat we do *not* require sixty pieces of kosher meat to nullify the non-kosher meat (**סט**). If the kosher meat is in the majority, the Torah says the entire mixture may be eaten (**ע**). [Note: Where this may occur, a Rav should be consulted, because there are numerous exceptions to this halacha] (**עא**).

What's an example of **יבש ביבש** on Pesach? If a piece of chometz matzah got mixed in with pieces of Pesach matzos [and they are not discernible] — this is called **יבש ביבש** (**עב**).

What's the halacha concerning **יבש ביבש** on Pesach? Do we say that for other areas of halacha **יבש ביבש** is **בטל ברוב**, but for chometz on Pesach it is prohibited **במשהו**? This is the view of the **רי"ף** (**עג**). The **רא"ש** holds that the issur of **משהו** is only for **לח בלח**, but for **יבש ביבש** since in other areas of halacha it is **בטל ברוב** and **ביטול בששים** is not required, for Pesach it is also **בטל ברוב** (**עד**). The halacha is like the **רי"ף** (**עה**).

Therefore, if any type of actual chometz (see 4 b for *chometz nuksheh*) got mixed with permissible food *on Pesach* even if a thousand or more times of the permissible food is present in the mixture — not only may one not eat it on

*See Note on page 41.

(סג) ע' לעיל הערה כד.
(סד) ע' מ"ב ס' תמ"ז ס"ק צ"ג ובכ"מ.
(סה) ע' ב"י ס' תמ"ז ד"ה ובפסח בשם הסמ"ג וע' ש"ך יו"ד ס' ק"ט ס"ק ג' ומ"ב ס' תמ"ז ס"ק ל"ב וס' תנ"ג ס"ק י"ז וע' שעה"צ שם ס"ק כ"ה.
(סו) ע' רמ"א יו"ד ס' ק"ט ס"א ומ"ב ס' תמ"ז ס"ק צ"ד ודוק.
(סז) ע' שם ולקמן.
(סח) ע' יו"ד שם וס' תמ"ז ס"ט.
(סט) ע' יו"ד שם.
(ע) ע' רש"י ביצה הובא לעיל הערה לד.
(עא) כגון חתיכה הראויה להתכבד ביו"ד שם ושאר דברים חשובים (שם ס' ק"י ס"ו) ובריה (שם ס' ק') ודבר שיש לו מתירין (שם ס' ק"ב) וכדומה ואכמ"ל.
(עב) ע"פ מ"ב ס' תמ"ז ס"ק צ"ב.
(עג) בס"פ בתרא דע"ז והמרדכי בפ"ב דפסחים והרשב"א בת"ה והוא דעה ראשונה בס' תמ"ז ס"ט וכ' המ"ב (שם ס"ק צ"ג) הטעם „לא בטיל. כיון דאם נתערב לח בלח איסורו במשהו גם ביבש החמירו".
(עד) רא"ש בע"ז שם והוא דעה שניה (י"א) במחבר שם.
(עה) כ' המ"ב (שם ס"ק צ"ה) „והסכימו אחרונים דהלכה כדעה קמייתא.

Pesach — he may not even keep it in his possession during Pesach (**עו**); it must be disposed of (**עז**).

*Note: The halacha that for other issurim יבש ביבש is בטל ברוב only applies for מין במינו, but for מין בשאינו מינו — two dissimilar foods which became mixed together — ביטול בששים is required (**עח**).

חוזר וניעור

12. We have discussed the halachos of mixtures containing chometz which became mixed with permissible food *on Pesach* (see 2 d) and we have learned that they are prohibited במשהו (**עט**). We have also learned (see 4 a) that if chometz became mixed with permissible food *before Pesach* its halacha is the same as for other issurim (**פ**).

If chometz was mixed together with permissible food before Pesach [in a proportion that we consider it nullified], do we say that once Pesach arrives and chometz is prohibited במשהו the issur is חוזר וניעור, that is, the issur in the mixture awakens again and is now prohibited במשהו?

The רא"ש holds that it is not חוזר וניעור (**פא**); the רמב"ם holds that it is חוזר וניעור (**פב**). The halacha is like the רא"ש for a mixture which is לח בלח (**פג**). As we explained earlier (see 10) in these halachos, לח בלח includes not only liquids mixed with other liquids (e.g. beer mixed with wine) but even chometz flour mixed with Pesach flour (**פד**). However, יבש ביבש — foods which do not blend together — is חוזר וניעור (**פה**).

If a piece of bread fell into a liquid

13. If a piece of bread fell into a liquid, even if the bread was removed before Pesach, the liquid may not be consumed on Pesach (**פו**). The reason is

---

(**עו**) ע' מחבר שם וס' תמ"ז ס"א ומ"ב ס' תמ"ב ס"ק א' ועי"ש לענין הקנס אם עבר ושהה. ואם אין בו חמץ בעין אלא טעם חמץ ע' מ"ב שם.

(**עז**) שם.

(**עח**) יו"ד ס' ק"ט ס"א.

(**עט**) ע' לעיל הערה עו.

(**פ**) ס' תמ"ז ס"ב ובכ"מ.

(**פא**) כ' הרא"ש (פ"ב דפסחים סס"ה) „וחמץ משש שעות ולמעלה אע"פ שלוקין עליו מן התורה כיון שאין בו כרת הרי הוא כשאר איסורין ובטל בששים ומותר אף בפסח כיון שנתבטל קודם הפסח" והוא דעה ראשונה בס' תמ"ז ס"ד.

(**פב**) ע' רמב"ם פ"ד מהל' חו"מ ה' י"ב וברה"מ שם והוא דעה שניה (ויש חולקים) במחבר שם.

(**פג**) רמ"א שם מתה"ד.

(**פד**) ע' רמ"א שם ומ"ב שם ס"ק ל"ב ולעיל הערה סה. **כתב** המ"ב שם „כתבו האחרונים דבדבר שהוא לח בלח אפילו לא נודע התערובות עד הפסח ג"כ אמרינן דכבר נתבטל".

(**פה**) רמ"א שם וכ' במ"ב (שם ס"ק ל"ג) „ועי"כ צריך לאכלו קודם פסח. ואם היה חד בתרי אסור אף להשהות מדרבנן ואם היה ששים יכול לבשלו קודם פסח עד שיהא נימוח ויהיה חשיב כלח ואז מותר אף לאוכלו בפסח ויש כמה אחרונים שסוברין דאף יבש ביבש דאמרינן דחוזר וניעור אינו אא"כ יאפה או יבשל אותם בפסח דאז חוזר החמץ ונותן טעם בהשאר אבל לאכול כך שרי".

(**פו**) שם.

that we are afraid that crumbs may have remained in the liquid and will add taste during Pesach (**פז**). Therefore, the principle that chometz is not חוזר וניעור during Pesach applies only where the chometz is a *liquid* or something else which blends (**פח**).

"18 Minute Matzos"

14. Because of the view of the רמב"ם, (see 12) many Poskim hold that if one is using machine matzos one should preferably use only "18 minute matzos" (**פט**). That is, where the machines are stopped every 18 minutes for cleaning, there is no need to rely on ביטול בששים for the dough which is caught in the machine (**צ**). Therefore, there is no question of whether it is חוזר וניעור (**צא**). [Hand matzos generally are "18 minute matzos"] (**צב**).

> Note: Proper baking of matzah — either by hand or machine — requires great skill and caution (**צג**). Therefore, when purchasing matzah or matzah products, one should be certain that they meet the most stringent requirements necessary (**צד**).

Mixing in order to use on Pesach

15. Most Poskim hold that one may not mix chometz before Pesach even with permissible matter of sixty times its volume (ביטול בששים) — in order to *eat it* on Pesach (**צה**). However, one may mix chometz before Pesach with sixty times of permissible matter in order to *hold it* until after Pesach (**צו**). Some

---

(פז) שם.

(פח) רמ"א שם וכ' ב"ה (שם ד"ה בלח) „עיין בחמד משה שהוכיח דמה שכתב הרמ"א לח בלח לאו דוקא ששניהם היו לחים אלא אם רק החמץ היה לח אפי' ההיתר יבש ג"כ אין חוזר וניעור ע"ש". **כתב** בב"ה (שם ד"ה שמא) „ונראה פשוט דהאי דינא דרמ"א לא שייך לפלוגתא דחוזר וניעור דאפילו אם נסבור דבעלמא אין חוזר וניעור ג"כ אסור הכא וכו'" ע"ש.

(פט) ע' ס' תנ"ט ס"ב ולעיל בפ"ב הערה יט דשיעור חימוץ בעיסה הוי כדי הילוך מיל ויש מאפיות שמכוניותיהם לאפיית מצות עובדות כל היום ומתדבק בכותליהן ובסדקיהן בצק ומתערב בעיסות ובמצות הבאות אחריהן והם סומכין דקמח בקמח מקרי לח בלח כמו שכתבנו בפנים לעיל בהערה סה. אבל יש לעורר דלפי דעות הפוסקים דקמח בקמח מקרי יבש ביבש חוזר וניעור בפסח והאוכלן אוכל חמץ בפסח ר"ל. ולפי מש"כ המ"ב (בס' תנ"ג ס"ק י"ז) „מיהו בעל נפש יחמיר לעצמו לאפות קודם פסח כשיש מצומחים" ובשעה"צ (שם ס"ק כ"ה) כ' הטעם „לחוש לדעת הפוסקים דקמח בקמח מקרי יבש ביבש וחוזר וניעור" וכ"ש בצק בבצק דבדרך כלל מקרי יבש ביבש נראה דה"ה הכא ודוק.

(צ) ע"פ הנ"ל.

(צא) שם.

(צב) כך נוהגים.

(צג) ע' ס' תנ"ג-תס"ב ואכמ"ל.

(צד) ע' שם.

(צה) כ' המ"ב (ס' תמ"ז ס"ק ק"ב) „כתבו האחרונים דאסור לערב חמץ לכתחלה קודם הפסח בששים כדי לאכלו בפסח אבל מותר לערב בששים כדי להשהותו עד אחר פסח" וע' שעה"צ שם (ס"ק קס"ז) שכ' הטעם שנראה כמבטל איסור.

(צו) מ"ב שם וע' שעה"צ (שם ס"ק קס"ט) שכ' „פשוט דהוא באופן שאחר שנתערב מותר באכילה בפסח אבל מין במינו ברובא אף דמן

Poskim hold that one may even mix chometz before Pesach in order to eat it on Pesach (צז). In case of great necessity one may possibly rely on their view (צח). We rely on these Poskim to permit mixing medicines containing chometz for use on Pesach (צט). Concerning the ratio of permissible matter to the chometz, a Rav should be consulted [see Chapter II Note after C 1] (ק).

B. COMMERCIAL PRODUCTS AND CERTIFICATION

Introduction

1. We have learned (see A 2 d) the principle of ביטול בששים. That is, if *before Pesach*, the permissible matter is sixty times greater in volume than the chometz, the chometz becomes nullified (קא). We have also learned (see A 12, 13) that chometz which became mixed with permissible food before Pesach, unless it is a liquid or something else which blends, is חוזר וניעור during Pesach (קב). Using these principles we will offer some guidelines to keep in mind when purchasing products for Pesach.

Please Note: These are only guidelines based upon existing industrial conditions prevalent in the United States at the time of publication. These conditions may vary in other countries and manufacturing procedures may change in the future. Therefore, for any specific product in your area, a Rav should be consulted.

Juices, Fruit drinks

2. Fresh or unsweetened concentrated frozen juices (i.e. orange, grapefruit,

---

התורה בטל כיון דמדרבנן אסור לאכלו אסור להשהותו דלמא יבוא לאכלו ואפשר דאף יבש ביבש שנתבטל למ״ד חוזר וניעור בפסח וכו׳ וצ״ע״

(צז) כ׳ המ״ב (ס׳ תנ״ג ס״ק כ׳) „ואם לא היה ס׳ נגד המצומחים י״א שמותר להוסיף עליהם עוד חטים כשרים כדי לבטלן בששים ולטחנן קודם פסח ולא מקרי זה מבטל איסור לכתחלה שאסור כיון דהוא קודם פסח ועדיין לא הגיע זמן איסורו ורוב הפוסקים אוסרין דכיון דמערב אדעתא דלאכול אותם בפסח הו״ל כמבטל בזמן איסורו. ומ״מ בשעת הדחק אפשר דיש לסמוך על המקילין״ ופשוט דאיירי הכא בלח בלח אבל יבש ביבש קיי״ל דחוזר וניעור.

(צח) שם.

(צט) כך נוהגים מורי הוראה בזמנינו. ונראה דהיינו דוקא לאכילה אבל אם נפסלים מאכילת כלב כהרבה מהטבליות בזמנינו מותרים בלא ביטול.

(ק) ע׳ מ״ב ס׳ תמ״ב ס״ק א׳ ואכמ״ל.

(קא) ע׳ לעיל הערה כב.

(קב) ס׳ תמ״ז ס״ד.

pineapple) may be purchased before Pesach with minimal supervision (קג).* These usually have no prohibited ingredients. However, even if a questionable ingredient would be added, supervision would determine that it is nullified.

Reconstituted and canned juices require proper supervision*, in order to guarantee that the machinery used for processing were not used previously for products containing chometz (קד).

Prune juice, apple juice, tomato juice and other processed juices require proper supervision because of the processing. In addition, questionable ingredients (e.g. enzymes from chometz) may have been added (קה).

Fruit drinks require proper supervision because of the processing and additives (e.g. flavoring and oils).

*Note: Unfortunately, the field of kashrus lends itself to the exploitation of unscrupulous individuals. Most Rabbis and organizations who give הכשרים (certification of supervision) are יראי שמים, reliable and responsible individuals and are meticulous and thorough in their investigations of a product for certification. However, there may be individuals who are superficial in their investigations or are not יראי שמים and would certify a product even though it would not meet minimum standards of kashrus. Therefore, one should not purchase a product the entire year — *but especially not for Pesach* — because it has the name of a Rabbi or an organization certifying its kashrus, unless the Rabbi or organization are known to be reliable. Where there is any question, a Rav should be consulted (קו).

(קג) הטעם בזה דכיון דעושים הכל באופן אחד ואינם משנים אופן עשייתו לא חיישינן לאחלופי דיש פקוח הממשלה ואם יערבו דברים אחרים יענשו וגם יסגירו את העסק שלהם שלכן ודאי נוכל לומר בזה דמירתתי מלערב ועדיפי מחלב הקאמפאניעס באג״מ (יו״ד ח״א ס׳ מ״ז־מ״ט) דכ׳ דידיעה ברורה נחשבת כראיה דאם בחלב ליכא להו די חלב כשר ויערבו מעט חלב בהמה טמאה אפשר דלא יהא ניכר טעם חלב טמאה אבל כאן אם יוסיפו דברים אחרים יהא ניכר בטעם וגם ע״י בדיקה כימית ולכן לא חיישינן.

(קד) דאף דסתם כלים אינם בני יומם (ע׳ יו״ד ס׳ קכ״ב ס״ו, וס״ז) מ״מ בזה״ז במכוניות שבקאמפאניעס ידוע שיש הרבה שעובדים כתות שונות שקורין שיפט״ס כ״ד שעות מעל״ע ז׳ ימי השבוע ועושים פראדאקטי״ן שונות כגון ששמענו שיש שעושים מיץ תפוחים באותו כלים שעושים מיץ מדברים טמאים (קלא״ם דזו״ס) או מענבים ואף דבשאר איסורים בידיעה ברורה שנחשבת כראיה יש לסמוך עליהם כעין מש״כ בהערה קג [ואף בזה שתולין שהכלים אינם בני יומם כ׳ בערה״ש (יו״ד ס׳ קכ״ב ס׳ ט״ז) „ומימינו לא שמענו לסמוך על היתר זה ולא יעשה כן בישראל לאכול אף המותר מכליהם על סמך זה דאינם בני יומן וכו׳״ ובפרט דבזה״ז הרבה מהקאמפאניעס האלו עובדים כ״ד שעות מעל״ע] מ״מ לענין חמץ בפסח אין להקל וכן נהוג עלמא.

(קה) ע״פ הנ״ל.

(קו) אף דמורגל בפי ההמון מימרא דגמרא (ריש גיטין ב:,ג. ובכ״מ בש״ס) „עד אחד נאמן באיסורים״ וכ״פ בשו״ע (יו״ד ס׳ קכ״ז ס״ג) מ״מ בעוה״ר בזה״ז יש „רבנים״ המכשירים החשודים להאכיל דברים האסורים וכ׳ המחבר (שם ס׳ קי״ט ס״ח) „החשוד על הדבר אינו נאמן עליו אפילו בשבועה״. וידוע שיש „רבנים״ מכשירים הסומכים על „יוצא ונכנס״ דמירתתי הבעה״ב אבל אין לקאמפאניעס שום מורא דהמכשירים האלו יוצאים ואינם נכנסים רק לקבל תשלומיהם. ויש שמשתמשים במשגיחים שאינם יודעים בין ימינם לשמאלם ויש בהם אנשים תמים ואם אין הבעה״ב שומר תורה ומצוות מטעה אותם. יש שממנים משגיחים שצריכים להכשיר כלים ולא למדו

There are different degrees of supervision for הכשרים. Where we refer to *minimal supervision*, we mean that even if no משגיח is present at the manufacturing of the product, it may be used — where knowledge of the manufacturing process does not indicate a problem. In some instances a resident משגיח or a יוצא ונכנס (where the משגיח is not always present throughout the entire processing but could return suddenly) is required. Where we say that *proper supervision* is required, we are referring to one of these forms of supervision, minimal supervision does not suffice (קז).

Canned and frozen fruits and vegetables

3. Although fresh fruits and vegetables (i.e. those which are not קטניות, see Chapter IV A) need no supervision for Pesach, they must be washed prior to use* (קח). Canned and frozen fruits and vegetables require proper supervision for Pesach — because of the processing and because ingredients (e.g. corn syrup or dextrose) may have been added (קט).

*Note: Although at one time this was suggested as an added precaution for Pesach, at the present time it may be *required* for Pesach and it is advisable even the entire year. Many citrus fruits and apples are sprayed with 'Prima shine' or 'Sta-fresh' or the like which contain oleic acid — which is an animal product, or shellac (derived from the lac beetle). In addition, a small amount of alcohol may be used. Many potatoes are treated with 'Sprout-nip' — which may contain alcohol (see Chapter II C 5,6). Although, in some instances they are בטל בששים, in

---

מעולם הלכות הגעלת כלים. ויש מרבנים המכשירים בזה"ז אף מיראי שמים שאינם בקיאים בתהליך עשיית האוכל מפני שינוים וההמצאות החדשות שנתחדשו בדורות אלו או מפני חסרון בדייקנות בשמות הטכניים וכבר כ' בשו"ת דברי מלכיאל (ח"ג ס' כ"ב) לענין בדיקת החטים „ובזה ראיתי מבוכה רבה שכל מורה בודק חטים אף שאינו בקי בטיב חטים בקועות ובעיני ראיתי חטים עם הכשירים מרבנים. ונמצאו חמץ גמור. והיה ראוי למנות ע"ז אנשים מיוחדים שידוע שהם בקיאים היטב בזה וכו'. וכמה עמלים בני ישראל הכשרים לנקות ביתם מכל חשש חמץ ושומרים אפיית המצות. ולבסוף הם נכשלים באכילת חמץ גמור ר"ל באשמת נותני ההכשירים בלי עיון ודקדוק. ונתהוה זה בעוה"ר לפרנסה יותר מלזהירות. ד' יזכנו לראות באור האמת ובסדרים נכונים בכל דבר הנוגע לקיום דיני תוה"ק" וע' בשו"ת ערוגת הבושם (או"ח ס' צ"ה) שהאריך בענין הכשרים וכ' „אבל היכא דכבר אתילד בי' ריעותא כמו בכה"ג שטועמין בו טעם שפריט פשוט וברור דאין לסמוך על שום הכשר אפי' מרב מובהק וצדיק וכו'" וכמו"כ כ' בשו"ת דברי חיים (ח"א או"ח ס' כ"ב) „יקרת מכתבו הגיעני ואשר דרש ממני אודות היין מאי לשתות בפסח מפני חשש י"ש הנקרא שפירטיס וכתב מעכ"ת שהרב הגאון דק' ווארשא אמר שאין חשש כלל מטעם דהוי זוז"ג הנה באתי להודיע לכ"ת שהרב הגאון הנ"ל אינו בקי בדברים האלו כנראה מתשובתו וכו'" ע"ש וכן ע"ש בליקוטים והשמטות מח"ב (ס"מ). והוא רחום יכפר עון.

(קז) ע' לעיל הערה קג.

(קח) ע' אג"מ (או"ח ח"ג ס' ס"א) לענין ביצים ונראה דה"ה הכא דאם משתמשים בכימיות או אם נופלים עליהם חמץ מחמת העובדים הדחה זה מסירו.

(קט) ע' לעיל פ"ב הערה עה. **ובדבר השעלאק** ע' אג"מ (יו"ד ח"ב ס' כ"ד) והנה דאופן עשיית השעלאק לקענדי שונה קצת מאופן עשייתו לפירות דלקענדי משתמשים בהרבה אלקאהאל ולפירות משתמשים בקצת אלקאהאל ואפשר דבטל ואכמ"ל.

other instances they are not. Similarly, they may be נפסל מאכילת כלב (ibid. B 9-11) or permissible for other reasons, but this must be determined before using.

Ketchup, Mayonnaise, Vinegar

4. Ketchup and mayonnaise require proper supervision for Pesach, because of the processing and because vinegar is used. Vinegar usually is made from grain. Even cider vinegar needs proper supervision because of the processing and because chometz nutrients may have been added. Wine vinegar can be סתם יינם and may not be used the entire year without proper supervision (קי).

Sugar, Salt, Spices and Condiments

5. Although granulated cane sugar may be purchased before Pesach with minimal supervision,* confectioners sugar contains corn starch — which is קטניות (see Chapter IV A). Sugar substitutes may contain dextrose or other chometz or קטניות ingredients (where they are needed for a diabetic, a Rav should be consulted). Brown sugar may have yeast (produced from chometz) present (קיא).

Table and coarse (i.e. kosher) salts may be purchased prior to Pesach with minimal supervision. Some table salts (e.g. iodized salts) may contain dextrose (קיב).

Spices and condiments (e.g. mustard) require proper supervision, because they may contain chometz (see 4) or were manufactured on equipment which was used for chometz.

Coffee, Tea, Cocoa

6. Coffee may be purchased before Pesach with minimal supervision.*

This applies for instant, freeze-dried or for brewing (e.g. perculator drip) regular or decaffeinated. Postum, Mellow Roast and the like are *actual* chometz (קיג).

Tea or tea-bags may be purchased before Pesach with minimal supervision (קיד). Instant tea, however, requires proper supervision for Pesach because of the processing and because malt, dextrose and alcohol may be added to the flavoring.

*See Note after 2.

(קי) ע' יו"ד ס' קכ"ג ס"ו וש"ך ס"ק י"ג.
(קיא) ע' רמ"א ס' תס"ז ס"ח ומ"ב ס"ק כ"ט וע' פ"ב שם.
(קיב) כך יש נוהגים בבתי חרושת כיום.
(קיג) ע' מעדני שמואל ס' קי"ז ס"ק ל"ב אות א' [וע"ש שבימיו היו „מזייפין הקאפפע דהיינו שעושין גרעינים מחמץ וצובעים אותן ירוק כמראה הקאפפע" ב"ה בימינו כיון דמחמת פקוח הממשלה מירתתי מלערב בלי לרשום על הקופסא אין לחוש לזה אבל יש לחוש לקאמפאניעס שעושים קאפפע מעורב עם גרעיני חמץ ואח"כ באותו המכונית בן יומו עושים קאפפע וזה ידוע ומפורסם בזה"ז] וע' לקמן בפ"ד סוף הערה ב'.
(קיד) ע' מעד"ש שם אות ב'.

Although, pure cocoa may be purchased before Pesach with minimal supervision, foods containing chocolate require proper supervision throughout the entire year.

Soda

7. Although, at one time, the carbonization of seltzer and soda (i.e. sweetened carbonated beverage) was produced from carbon dioxide which was a by-product in the manufacturing of beer, nowadays, this is rarely the case. Therefore, seltzer and club soda may be purchased with minimal supervision. The main problem in soda for Pesach is the alcohol in the flavoring. In addition, many of the sweeteners are produced from corn. Therefore, proper supervision is required (קטו).

Grape flavoring can be סתם יינם and should not be used the entire year without proper supervision. Even cherry and raspberry flavors may contain castoreum [which is not kosher]. Some sodas — especially diet sodas — may contain glycerin (קטז).

Milk, Butter, Cheese and Cream

8. Vitamin D which is added to some milk can be made from grain. Although the percentage is minute, if it was added on Pesach it *may* be prohibited [usually it is נפסל מאכילת כלב]. In addition, milk may be processed in the same pasteurizer used for chometz (e.g. chocolate milk). Therefore, milk processed during Pesach requires proper supervision (קיז).

Purchasing milk before Pesach will also alleviate the problem of chometz feed eaten by the cows — which is prohibited by some Poskim (קיח).

Butter requires proper supervision because it may contain cultures (which can come from a chometz derivative) and coloring. Cheese and cream require proper supervision year round, because of the rennet (aside from the problem of גבינת עכו"ם). Since cheese and cream are often produced with stabilizers and microbial rennet of chometz origin, they require proper supervision for Pesach as well (קיט).

(קטו) כידוע מנסיון.

(קטז) כידוע מנסיון.

(קיז) כידוע מנסיון וע' לקמן פ"ד הערה מב.

(קיח) ע' שם.

(קיט) כידוע מנסיון.

Plastic tablecloths, Aluminum foil

9. Plastic tablecloths, plastic bags, aluminum foil, paper plates* and cups, plastic spoons and forks, freezer paper, toothpicks (not flavored) and the like need no supervision for Pesach (קכ).

*Note: The starch used in the manufacturing of paper plates in the United States at the present time, generally, is corn starch. Although it is a derivative of קטניות, its use is permissible. In other countries, however, it may either be from קטניות or from chometz grain and should not be used — without determining its source of origin. There are, however, some Poskim who prohibit the use of paper plates — unless they are "plastic coated." [These are generally coated with nitro cellulose acetate].

(קכ) דברים העשויים מפלסטיק שמעתי ממומחים שנעשים בלי חשש חמץ כלל. וקערות וכוסות העשוים מנייר שמעתי ממומחים דאף דבאמריקא עושים מסטארטש של קטניות מ"מ מעורב עם דברים הפוגמים ושמעתי מפי הגרמ"פ שליט"א דכה"ג שרי, אמנם יש כמה רבנים המחמירים בזה כל זמן שאינם מחופין בפלאסטיק.

סימנים וסעיפים שבשלחן ערוך המשתייכים לפרק זה

תמ"ב:א	תנ"ט:ב
תמ"ז:א,ב,ד,י"ב	תס"ז:ח

Chapter IV Minhagim for Pesach

A. קטניות

Reasons for minhag of not eating קטניות

1. We have learned previously (see Chapter II B 1) that קטניות (legumes) such as rice, millet, beans, lentils and the like (e.g. peas, corn, buckwheat) cannot become chometz (**א**). However, the minhag of Ashkenazim is not to eat legumes on Pesach (**ב**). What is the reason for this minhag?

The סמ"ק explains that the reason קטניות are not eaten on Pesach is because of a *gezerah* (**ג**) (a rabbinical restriction enacted as a preventative measure).

(א) כ' הרמב"ם (פ"ה מהל' חו"מ ה"א) „אין אסור משום חמץ בפסח אלא ה' מיני דגן בלבד וכו' אבל הקטניות כגון אורז ודוחן ופולים ועדשים וכיו"ב אין בהן משום חמץ וכו'" וכ"פ המחבר (ס' תנ"ג ס"א) „אלו דברים שיוצאים בהם ידי חובת מצה וכו' אבל לא באורז ושאר מיני קטניות וגם אינם באים לידי חימוץ ומותר לעשות מהם תבשיל". **כתב** המ"ב (שם ס"ק ג') „אבל לא באורז. וה"ה דוחן וכו'". וע"ש שכ' (בס"ק ד') „ושאר מיני קטניות. וטטרקי שקורין אצלנו (גריקע) (buckwheat) וקאקערוזי שקורין אצלנו (טירקישע ווייץ) (corn) ג"כ מיני קטניות הן (אחרונים)".

(ב) כ' הרמ"א שם „הגה ויש אוסרים (טור והג"מ פ"ה ומרדכי פ' כ"ש) והמנהג באשכנז להחמיר ואין לשנות מיהו פשוט דאין אוסרים בדיעבד אם נפלו תוך התבשיל וכו'". **כתב** המ"ב (שם ס"ק ט') „תוך התבשיל. ומיירי שיש עכ"פ רוב בהיתר דאל"כ לא מיקרי תערובות כלל והוי כאוכל תבשיל מקטניות עצמה". **מש"כ** הרמ"א שם „ואין לשנות" כ' המ"ב (שם ס"ק ז') „ואפילו באחרון של פסח ג"כ אין להקל בזה ומ"מ בשעת הדחק שאין לאדם מה לאכול מותר לבשל כל המינים חוץ מה' מיני דגן ומ"מ גם בכגון זה יקדים קטניות לאורז ודוחן ורעצקע שהם דומין יותר לה' מינים ושייך בהו טפי למיגזר [ופשוט דה"ה לחולה אף שאין בו סכנה דמותר לבשל לו אם צריך לזה] אלא דצריך לבדוק ולברור יפה יפה בדקדוק היטב שלא ימצאו בם גרעינים מה' מיני דגן וכתב החתם סופר בתשובה סי' קכ"ב דאפילו במקום שיש להתיר מ"מ יחלטנו לכתחלה ברותחין דכל מה דאפשר לתקן מתקנינן וכ"כ הח"א". **כתב** באג"מ (או"ח ח"ג ס' כ"ה ד"ה ובדבר כוסמת) „ובדבר כוסמת הנה מה שקורין בכאן קאשע הוא מין שקראו במדינותינו ביוראפ הרעצקע ואינו כוסמין אלא הוא מין קטנית ואינו ממיני דגן וצריך לברך עליו כשניכר הפרי בפה"א וכשלא ניכר שהכל וכו' וגם לענין פסח יש להרעצקע רק דין קטניות". **לענין** חרדל כ' הרמ"א (ס' תס"ד ס"א) „והמנהג שלא לאכול חרדל כלל בפסח אפי' נתערב קודם פסח דהוי כמיני קטניות שנוהגין בו איסור" וע' במ"ב (שם ס"ק ו') „דאע"ג דבשעת עירוב כותשין אותו ואינו נראה כקטניות כשנכנס הפסח אפ"ה אסור וכו'" וע"ש לענין להשהותו ולענין בדיעבד אם נפל לתבשיל. **לענין** שרביטי אפונה כשהם ירוקים ותרמילין של פולין ירוקין ע' יסו"י (ח"ו תי"ב-תי"ד) ושעהמ"ב (ס' קי"ז ס"ק ז' ד"ה ופולין) שהביאו מהאחרונים דגם הם בכלל הגזירה וע' מעד"ש (ס' קי"ז ס"ק כ"ה). **לענין** קאפע ע' בפמ"ג (א"א ס"ס תס"ד) שכ' „וקאווי נוהגין היתר וכו'", שע"ת (ס' תנ"ג ס"ק א') ושו"ת שבות יעקב (ח"ב ס"ה) ומעד"ש (שם ס"ק ל"ב) דשרי.

(ג) כ' המרדכי (פ"ב דפסחים ס' תקפ"ח) בשם הסמ"ק „לקיים המנהג ולאסור כל קטניות בפסח ולא מטעם חימוץ וכו' אלא משום גזירה הוא דכיון דקטניות מעשה קדירה היא ודגן נמי מעשה קדירה כדייסא אי הוה שרינן קטניות

Since cereals and other similar dishes are made both from קטניות and the five types of grain, a person could, in error, come to eat dishes from the five types of grain — which are chometz (ד). In addition, there are places where breads are baked from קטניות (e.g. some corn breads are from corn — קטניות (ה). Some corn breads are actually made from rye — which is one of the five types of grain) (ו). A person could, in error, assume that he is eating bread from קטניות while it may be from the five types of grain (ז).

The בית יוסף mentions another reason for the minhag, because kernels of legumes and grain may become mixed together on occasion and are difficult to differentiate (ח).

May one possess or derive benefit from קטניות?

2. Although Ashkenazim may not eat קטניות, they are permitted to possess and even use קטניות during Pesach. That is, קטניות are מותר בהנאה, one may derive benefit from קטניות (ט) (e.g. one may use baby powder containing corn starch).

Liquids and other derivatives

3. Concerning the question of whether liquids (e.g. corn syrup) and other derivatives of קטניות (e.g. lecithin which comes from soybeans is used in chocolates and other foods) are included in the *gezerah* of קטניות and whether peanuts [and peanut oil] are considered as קטניות, there are various opinions among the

---

דילמא אתי לאיחלופי להתיר דייסא וכו׳ וגם יש מקומות שרגילין לעשות מהן פת כמו מחמשת המינין ולכך אתי לאיחלופי לאותם שאינם בני תורה וכו׳ ומנהג הגון הוא ליזהר מכל קטניות ומכל דבר שקורין ליגו״ם״ וע״ש דה״ר יחיאל מפריי״ז היה רגיל לאכול פול הלבן ורבינו ברוך ור״ש מאויירא לא היו אוכלים מיני קטניות בפסח. וכ׳ הטור (ס׳ תנ״ג) „ויש אוסרין לאכול אורז וכל מיני קטניות בתבשיל לפי שמיני חטין מתערבין בהן וחומרא יתירא היא זו ולא נהגו כן״ וכ׳ הב״י (שם ד״ה ויש) „ויש אוסרין לאכול אורז וכל מיני קטניות וכו׳ וחומרא יתירא היא זו גם ר״י כתב אותם שנהגו שלא לאכול אורז ומיני קטניות מבושל בפסח מנהג שטות הוא זולתי אם הם עושין להחמיר על עצמם ולא ידעתי למה עכ״ל״ וע״ש שהביא דברי הגה״מ בשם הסמ״ק והוסיף טעם „וגם פעמים תבואה מעורבת בהם וא״א לבררו יפה״ והב״י מסיק „ולית דחש לדברים הללו זולתי האשכנזים״ והד״מ (שם ס״ק ב׳) כ׳ „ואנו בני האשכנזים נהגו להחמיר״ וכ״כ בהגה (הובא לעיל בהערה ב׳).

(ד) מרדכי שם בשם הסמ״ק.

(ה) שם והביא המ״ב טעם זה בס״ק ו׳.

(ו) כידוע מנסיון.

(ז) ע״פ המרדכי שם.

(ח) ב״י שם (המ״ב בס״ק ו׳ הביא גם טעם זה ומוסיף „ואתי לידי חמוץ כשיאפם או יבשלם״) וע׳ ב״ה (ס׳ תנ״ג ס״א ד״ה ויש) שכ׳ בשם רבינו מנוח שיש מיני חטים שבשנה שאינה כתיקונה משתנות ונראות כמיני זרעונים וע״כ אסרו כל מיני זרעונים. כתב המ״ב שם „ואפילו לבשל אורז וקטניות שלמות ג״כ אסרו משום לא פלוג וכו׳״.

(ט) כ׳ הרמ״א שם „וכן מותר להדליק בשמנים הנעשים מהם ואינן אוסרים אם נפלו לתוך התבשיל וכן מותר להשהות מיני קטניות בבית (ת״ה סימן קי״ג)״ וע׳ בת״ה שם שכ׳ „אינהו אכלי ואנן לא משהינן״.

Poskim (**י**). One should conduct himself according to his minhag (**יא**). If one is uncertain of his minhag, a Rav should be consulted.

Medicines containing קטניות

4. The *gezerah* of קטניות does not apply in case of illness (**יב**). Therefore, medicines containing קטניות may be used (**יג**). Most medicine tablets have a base or filler of starch (**יד**). Therefore, if the starch is from קטניות (e.g. corn starch) it is permissible in case of illness (**טו**). If it is from chometz, a Rav should be consulted (**טז**).

B. EATING GEBRUKT

What is Gebrukt?

1. Where matzah in any form (e.g. matzah meal, cake meal) came in contact with water [or other liquids], some communities have a minhag not to eat it on the first seven days of Pesach (**יז**) (see 2). We know that once matzah was baked

---

(י) ע׳ חיי״א (כלל קכ״ז ס״א), צ״צ ס׳ נ״ו, מרחשת ח״א ס״ג, באר יצחק (או״ח ס׳ י״א), מהרש״ם (ח״א ס׳ קפ״ג), אב״נ (או״ח ס׳ תקל״ג), מלמד להועיל (או״ח ס׳ פ״ז) מנחת יצחק (ח״ג ס׳ קל״ח), מעדני שמואל (ס׳ קי״ז ס״ק כ״ג־כ״ה), שד״ח (חו״מ ס״ו), אג״מ (או״ח ח״ג ס׳ ס״ג), יסו״י (ח״ו תט״ר־תכ״ה).

(יא) ע׳ אג״מ (או״ח ח״ג שם) שכ׳ „ובמקום שליכא מנהג אין לאסור כי בדברים כאלו אין להחמיר כדאיתא בח״י. ולאלו שיש להם מנהג ביחוד שלא לאכול פינאט אסור גם בפינאט אבל מספק אין לאסור״.

(יב) ע׳ לעיל פ״ב הערה עה וע׳ חיי״א כלל קכ״ז ס״ו.

(יג) ע״פ הנ״ל.

(יד) כידוע מנסיון.

(טו) ע׳ לעיל פ״ב הערה עה.

(טז) דשרי רק במקום סכנה ע׳ יו״ד ס׳ קנ״ה ס״ג ואג״מ (או״ח ח״ב ס׳ צ״ב). ואם שואל לחכם יכול להבחין אם הוי סכנה, ובלא סכנה יכול להבחין בין רפואה שנפסל מאכילת כלב (כמו שכתבנו לעיל בפ״ב הערה עה, ולית ברפואה משום אחשביה כמו שכתבנו שם בהערה סז) לרפואה הנחשב ראוי לאכילה.

(יז) איתא בגמרא (מ״א.) „רבי יוסי אומר יוצאין ברקיק השרוי אבל לא במבושל וכו׳״ וכ״כ המחבר (ס׳ תס״א ס״ד) „יוצא אדם במצה שרויה והוא שלא נימוחה וכו׳״ ואם יוצאין בה מצות מצה ברור הוא דאין בו שאלת חימוץ. אלא שיש נוהגים שלא לאכול מצה שרויה ויש שאומרים הטעם משום חשש חימוץ וע׳ בזה במ״ב (ס׳ תנ״ח ס״ק ד׳) „ופשוט דכשנאפה קודם פסח אפילו היה בו משהו חמץ בהקמח כבר נתערב ונתבטל ומותר אח״כ לבשל המצות בפסח דאין חימוץ אחר אפיה ויש אנשי מעשה שמחמירין על עצמן ואין שורין ואין מבשלין מצות בפסח מחשש שמא נשאר מעט קמח בתוך המצות מבפנים שלא נילוש יפה וע״י השריה יתחמץ. ועיין בשע״ת סימן ת״ס דמצד הדין אין לחוש לזה דאחזוקי איסורא לא מחזקינן ובפרט בימינו שנוהגין לעשות רקיקים דקים. ומ״מ מי שנוהג בחומרא זו אין מזניחין אותו וע״ש שהאריך בזה״ והשע״ת שם (בס״ק י׳) האריך בזה בכמה טעמים שנהגו במנהג הזה ע״ש [ונראה דיש עוד טעם שראיתי דיש מאפיות שמחזיקים מצות האפויות מגולות בלא כיסוי באותו החדר שמחזיקים קימחא דפיסחא. ובנשיאת ופתיחת שקי הקמח וכן כשממלאים הכלים בקמח פורחים קורטין של הקמח באויר (וזה אפשר להבחין בעיון על בגדי העובדים שם) ונופלים על מצות האפויות. נמצא בשרייתם אפשר לבא לידי חימוץ. ומחשש זה אפשר לתקן בנקל שיהיו מצות האפויות וקימחא דפסחא בב׳ חדרים רחוקים זה מזה וע׳ בשו״ת בסוף שו״ע הגר״ז ס״ו שכ׳ „ובמי פירות פשיטא דאין להחמיר כלל כל הפסח״]. והביא השע״ת שם

it can't become chometz again (**יח**). What is the reason for this minhag?

Reason for Gebrukt

2. The כנסת הגדולה says that it was made as a *gezerah*, that one should not, in error, come to use flour instead of matzah meal during Pesach (**יט**).

Another reason mentioned is that there is a possibility that some of the matzah flour was not kneaded well and when it will get wet it will become chometz (**כ**). Since the last day of Pesach is מדרבנן, many of those who accepted this minhag did not accept it for the last day of Pesach because of Simchas Yom Tov (**כא**).

Can one change his minhag?

3. Since *gebrukt* is not considered in halacha as chometz and this minhag was not accepted by most communities, there are Poskim who hold that in case of necessity one may change his minhag (**כב**). However, a Rav should be consulted whether התרת נדרים is required (**כג**).

רברי הבאה"ט (שם ס"ק י') מכה"ג [הובא לקמן בהערה יט] וכ' „ומי שרוצה לנהוג שלא לאכול מצה שרויה ומבושלת יש לעשות כמש"ל שיתנה בפירוש שאינו מקבל עליו שיעשה כן תדיר ואין בדעתו לנהוג כן רק באותו פעם או פעמים שירצה ולא לעולם עי' סי' רי"ב מיהו נראה דגם בזה בהתרה דחרטה סגי ליה כמש"ל סי' תנ"ג ואפשר דבזה א"צ התרה וכו' וממה דכתיבנא מבואר דבין המחמירין ובין המקילין אלו ואלו עושים כוונים לשמים אלו דעתם לפרוש משימצא דשימצא חימצא ובר חימצא בכדי להזהר מחמץ כל שהוא בכל חומר האפשר. ואלו משום מניעת שמחת יו"ט שלא ערב להם לחם מצה חריבה ובפרט למי שקשה לו הלעיסה ויש שמחמירין ביותר שאין אוכלים מצה כלל אחר ליל הראשון רק אוכלים למעדנים מיני תבשילין והרבה נמנעים לעשות כן משום שמחת יו"ט כי פתא סעדא דלבא ועל אלו ועל אלו שלבם לשמים קורא אני ועמך כולם צדיקים".

(יח) ע' גמ' ומחבר שם.

(יט) ז"ל כה"ג (ס' תס"א בבית יוסף ד"ה אנו) „אמר המאסף שמעתי בימי ילדותי שפעם אחת אשת חבר היתה מטגנת דגים בשמן במחבת והמנהג כשטוגנין דגים טחים אותם בקמח שלא ידבקו במחבת ולפי שבפסח אין יכולין לעשות כן לקחה האשה הנזכרת מצה אפויה וטחן אותה עד אשר דק הדק הטב ונעשית כקמח והטיח בה את הדגים ובעת ובעונה ההיא נכנסה השכנה וראתה לאשה הנזכרת שהיתה מטחת הדגים באותה הקמח וחשבה שהיתה קמח ממש למחר הביאו לה דגים לטגן וטחה אותם בקמח ממש ביני וביני נכנס בעלה וראה את אשתו שהיתה טוחה הדגים בקמח ויגער בה אף היא תשיב אמריה כזאת וכזאת עשתה אשת החכם אתמול ומה תצעק אלי ויחרד הבעל חרדה גדולה וירץ אל בית החכם ושאל לאשת החכם אם כנים הדברים שאמרה לו אשתו ותאמר לו חס ושלום מצה אפויה היתה ונשמעו הדברים לחכמי העיר גזרו שלא יעשו עוד כן מפני מראית העין וכך הוא המנהג עד היום הזה שאין עושין דבר זה מפני מראית העין וכו'" ע"ש.

(כ) שע"ת שם ושו"ת שבסוף שו"ע הגר"ז ס"ו.

(כא) כ' בת' הגר"ז שם „ומ"מ אין למחות בהמון עם המקילים כיון שיש להם על מה שיסמוכו והעיקר ע"ד רש"י והרמב"ם אבל לפמ"ש האריז"ל להחמיר כל החומרות בפסח פשיטא שיש להחמיר כהרשד"ם שבפר"ח ומ"מ בי"ט האחרון המיקל משום שמחת י"ט לא הפסיד וכו'".

(כב) ע' שע"ת שם ואג"מ או"ח ח"ג ס' ס"ד.

(כג) ע' שם וע' חיי"א (כלל קכ"ז ס"ז) ודוק.

A woman, upon marriage, assumes the minhag of her husband (**כד**).

C. SPECIAL MINHAGIM FOR PESACH

חומרא דחמץ

1. We find throughout Hilchos Pesach the term חומרא דחמץ (**כה**). Since chometz is punishable with כרת — premature death (**כו**), there are many חומרות — stricter practices — accepted in dealing with chometz on Pesach which are not used in dealing with other prohibited foods (**כז**) (e.g. we learned that chometz on Pesach is prohibited במשהו while other *issurim* are בטל בששים) (**כח**). Because of חומרא דפסח, many minhagim were accepted, most of these have a basis in halacha (**כט**).

Dried fruit

2. Some communities did not eat dried fruit (e.g. dried figs, raisins) during Pesach (**ל**). The basis for this minhag is that flour was spread on the fruit during the drying process (**לא**). In addition, the ovens used for drying were also used for chometz (**לב**). Where there is proper supervision, it is permissible (**לג**).

Garlic

3. Some communities did not eat garlic during Pesach (**לד**). Although the basis for this minhag is questionable (some say that the farmers would soak the

---

(כד) ע׳ אג״מ (או״ח ח״א ס׳ קנ״ח) שכ׳ „הנכון לע״ד דהאשה צריכה להתנהג כמנהג הבעל בין לחומרא בין לקולא״ ועי׳ יסו״י (ח״ו דף רל״ט־ר״מ).

(כה) ע׳ גר״א ס׳ תמ״ז ס״ק י״ח ומ״ב שם ס״ק נ״ח וש״א.

(כו) ע׳ לעיל פ״ב הערה כב,כד

(כז) כמו שנפרש בסמוך.

(כח) ע׳ ס׳ תמ״ז ס״א.

(כט) ע׳ לעיל (הערה כא) מש״כ משו״ת שבסוף שו״ע הגר״ז שם מה שהביא מהאר״י ז״ל.

(ל) כ׳ הרמ״א (ס׳ תס״ז ס״ח) „ותאנים יבשים וענבים יבשים שקורין רוזיני גדולים או קטנים תלוי במנהג המקומות כי יש מחמירין שלא לאכלן ויש מקילין ולכך נהגו במדינות אלו להחמיר שלא לאכול שום פירות יבשים אם לא שידוע שנתייבשו בדרך שאין לחוש לחמץ״ וכ׳ במ״ב (שם ס״ק כ״ו) הטעם „דיש חשש שמפזרים עליהם קמח בשעה שמיבשין אותן וענבים רגילין ליבשן בתנור אצל הפת או אחר שהוציאו הפת מן התנור ויש מקומות שאין מפזרין עליהם קמח ומיבשין אותן בשמש וזהו שכתב שתלוי במנהג המקומות״ וע׳ חיי״א (כלל קכ״ז ס״ב) וערה״ש (ס׳ תס״ז ס׳ ט״ז).

(לא) מ״ב שם.

(לב) שם.

(לג) ע׳ רמ״א שם.

(לד) כ׳ הפמ״ג (בא״א ס׳ תס״ד ס״ק א׳) „יש נוהגין שלא לאכול שום בפסח וא״י טעם למה ומ״מ עתה אין להקל בפני ע״ה ובצנעא לת״ח אין להחמיר״ וכ׳ החיי״א (כלל קכ״ז ס״ז) „ולפ״ז נ״ל פשוט, דמה שיש נוהגים שלא לאכול צנון ושומים שאין לזה שום טעם וריח וכו׳״ ומקור להתיר ע׳ מ״א (ס׳ תמ״ז ס״ק כ׳) שאסר שום שנחתך בסכין של חמץ משמע דרק מטעם שנחתך בסכין של חמץ אבל השום בעצם אינו אסור וכ״מ מט״ז (ס׳ ת״ס ס״ק ו׳) ודוק.

garlic in beer) (**לה**), where there is proper supervision, most Poskim hold that even ground garlic is permissible (**לו**).

Unwashed eggs

4. Some people use only unwashed eggs during Pesach (**לז**). Their reason is that since the eggs were washed with the chicken feed (which may contain chometz) and with questionable detergents, chometz may have been absorbed by the eggs during the washing (**לח**). Although most Poskim hold that it is permissible, the eggs should be rinsed before cooking (**לט**).

Various minhagim

5. Because the Jewish people are a nation of קדושים and צדיקים and the אר"י ז"ל said that one who is saved from violating even the most minute *issur* of chometz on Pesach is assured that the entire year he will not sin (**מ**), individuals have accepted upon themselves additional חומרות for Pesach (**מא**).

Some people would not eat dairy the entire Pesach, because they felt there was less of a chance of chometz in meat dishes (**מב**). Some people would not use silverware which fell on the floor during Pesach without kashering — for fear that it may have come in contact with chometz (**מג**). Some people would eat matzos only at the *Sedorim* [where there unquestionably is a mitzvah] but would not eat matzah the entire Pesach — because of a fear that it may not have been baked properly (**מד**).

(לה) שד"ח חו"מ (ס"ו אות ט' ד"ה ובמה).
(לו) ע"פ הפמ"ג וחיי"א הנ"ל וכן נוהגים בזמנינו.
(לז) שמעתי שיש מחמירים בזה.
(לח) כ' באג"מ (או"ח ח"ג ס' ס"א ד"ה ובדבר הביצים) „ובדבר הביצים שבאים מנוקים ומרוחצים שהפארמער מרחיץ אותם במים פושרים ומשים שם איזה סם, פשוט שאין שום חשש בזה דאינם נותנים אותם במים חמים שיכולין להבליע שאין רוצים לבשל הביצה אפילו במשהו, ומעולם לא נראה ביצה מאלו שמוכריה שבשולה אף במשהו. וכ"ש באלו שקוניה קודם הפסח כרובא דרובא אנשים שאף אם יהיו בחמין לא היה שייך לאסור דבליעה דנותינת טעם ודאי ליכא. והדחה יש להצריך בכל ביצים גם את אלו האינם רחוצים עוד ביותר, והוא דרכם של נשים להדיחן קודם שמבשלין משום מנקיותא ולכן אין לאסור".
(לט) ע' אג"מ שם.
(מ) ע' שעה"צ (ס' תמ"ב ס"ק נ"ב) „והענין דישראל קדושים הם ונהגו להחמיר אפילו במשהו" וכ' בבאה"ט (ס' תמ"ז ס"ק א') „האר"י ז"ל כתב הנזהר ממשהו חמץ בפסח מובטח לו שלא יחטא כל השנה" וע' לעיל הערה כא מש"כ מת' הגר"ז.
(מא) כמו שיתבאר.
(מב) האריכו האחרונים אי שרי לשתות חלב מבהמה שאוכלת חמץ בפסח ע' שו"ת אבני מלואים (ס"ו,ז') ושע"ת (ס' תמ"ח ס"ק י"ז) ואג"מ (או"ח ח"א ס' קמ"ז), וע' במעד"ש (ס' קי"ז ס"ק ס"א) שסידר דיעות האוסרים והמתירין ואכמ"ל וכ' המ"ב (ס' תמ"ח ס"ק ל"ג) „ולענין חלב של בהמה שאוכלת חמץ אפילו היא של נכרי נחלקו אחרונים בזה ודעת הפמ"ג להתיר החלב שחלבו אחר מעל"ע שאכלה חמץ ויש מקילין אפילו בו ביום אם אוכלת שחרית וערבית מדברים המותרים". ואם נחלב קודם הפסח לית דחש לזה לכן למעשה יש נוהגים לקנות חלב ומאכלי חלב שנגמרו עשייתן קודם הפסח.
(מג) שמעתי שיש נוהגים כן.
(מד) ע' שע"ת ס"ס ת"ס.

Although some of these minhagim have no firm basis in halacha (מה), one who conducts himself in this way and his intentions are purely לשם שמים, the שערי תשובה applies the *posuk* "ועמך כולם צדיקים" (מו).

(מה) כמו שכ׳ המ״ב (ס׳ תמ״ב ס״ק כ״ח) לענין מנהג אחרת וז״ל „דאין ללעוג על המנהג לומר שהוא מנהג שטות וחומרא יתירה אלא יש לזה סמך מן הירושלמי וכו׳״ ובשעה״צ (שם ס״ק נ״ב) כ׳ „ומ״מ ראיה גמורה ליכא וכו׳ והענין דישראל קדושים הם ונהגו להחמיר אפילו במשהו״.

(מו) שע״ת שם.

סימנים וסעיפים שבשלחן ערוך המשתייכים לפרק זה

תנ״ג:א	**תס״ד:א**
תס״א:ד	**תס״ז:ח**

Chapter V Introduction

A. THE MITZVAH OF DISPOSING OF CHOMETZ

Possessing chometz is prohibited

1. We have learned (see Chapter II A 4) that possession of chometz on Pesach is prohibited by the Torah (**א**). One who allows chometz to remain in his domain during Pesach violates two **לאוים** (negative commandments) (**ב**) — even if he does not eat any of it (**ג**); as it says in the Torah "**ולא יראה לך חמץ ולא יראה לך שאור בכל גבולך**" (**ד**) "chometz shall not be seen to you and leaven shall not be seen to you in all your borders," and it also says "**שבעת ימים שאור לא ימצא בבתיכם**" (**ה**) "seven days there shall be no leaven found in your houses." These are known as the issurim of **בל יראה** and **בל ימצא** (**ו**).

The mitzvah of תשביתו

2. In addition to these prohibitions against *possessing* chometz and leaven, we have learned (ibid.) that the Torah also commanded us to *dispose* of all chometz and leaven from our domain before Pesach, as it says, "**אך ביום הראשון תשביתו שאור מבתיכם**" (**ז**) "but on the first day you shall dispose of leaven from your houses." This mitzvah is known as the **מצות עשה** (positive commandment) of **תשביתו** (**ח**).

The Talmud (**ט**) determines that "**ביום ראשון**" "the first day" cannot refer to the first day of Pesach — because it says "**שבעת ימים שאור לא ימצא וגו׳**" (**י**), "*seven* days there shall be no leaven found," indicating that seven *complete* days should be void of chometz; and if one would wait until the first day of Pesach to dispose of his chometz, it would be lacking in the seven *complete* days (**יא**).

(א) ע׳ רמב״ם (פ״א דהל׳ חו״מ ה״ב) וכ״מ שם ה״ג הובא לעיל בפ״ב הערה יב.
(ב) שם.
(ג) שם.
(ד) שמות י״ג:ז.
(ה) שמות י״ב:י״ט.
(ו) פסחים ה: ובכ״מ.
(ז) שמות י״ב:ט״ו.
(ח) כ׳ הרמב״ם (פ״ב מהל׳ חו״מ ה״א) „מצות עשה מן התורה להשבית החמץ קודם זמן איסור אכילתו שנאמר ביום הראשון תשביתו שאור מבתיכם״. **כתב** בשע״ת (ס׳ תמ״ה ס״ק א׳ משאג״א) „דגם נשים חייבות במצות עשה דתשביתו ואפילו בחיוב השבתה שמשש ולמעלה״.
(ט) פסחים ד:־ה.
(י) שמות י״ב:י״ט.
(יא) ע״פ חיי״א (ס׳ קי״ט ס״ב) ומיוסד אגמ׳ (ד: וע׳ רש״י ד״ה הא כיצד), וע׳ רמב״ם (שם פ״ב ה״א) שכ׳ „ראיה לדבר זה מה שכתוב בתורה לא תשחט על חמץ דם זבחי כלומר לא תשחט הפסח ועדיין החמץ קיים. ושחיטת הפסח הוא יום ארבעה עשר אחר חצות״.

Therefore, when the Torah says ''אך ביום הראשון'' ''but on the first day'' the Talmud determines that it is as if the Torah is saying ''but on the *previous* day you shall dispose of your chometz (**יב**).'' [We find elsewhere in *Tanach* where the term ''ראשון'' is used in the same context — to refer to the previous (**יג**)].

When must this disposal take place?

3. When must this disposal take place on Erev Pesach? The Torah says ''**אך** ביום הראשון תשביתו'' (**יד**) ''*but* on the first day you shall dispose.'' חז"ל tell us that wherever the Torah says ''אך'' or ''רק'' it comes to limit or qualify (**טו**). Therefore, חז"ל have determined that ''אך'' here means ''אך חלק'' — divide the day of Erev Pesach into two parts (**טז**). According to Torah law, during the first half one may even *eat* chometz, during the second half even *possessing* chometz is prohibited (**יז**) (see Chapter II D 2-4). Therefore, according to the Torah, disposal of chometz should take place just before the seventh hour* on Erev Pesach — when chometz becomes prohibited (**יח**).

*Note: We have learned (see Chapter II D Note after 3) that the length of a halachic hour is determined by dividing the total amount of minutes from עלות השחר (halachic dawn) until צאת הכוכבים (when the stars are visible) or according to some Poskim from sunrise until sunset, into twelve portions (**יט**).

During the fifth hour

4. Since a person may make an error in time and assume, that it is before the seventh hour, when, in fact, it may be afterwards, חז"ל prohibited eating chometz after the end of the fourth hour (**כ**). During the fifth hour, one may derive benefit from the chometz (**כא**) [he can sell it or feed it to his animals (**כב**)

(יב) שם.

(יג) שם ע' איוב ט"ו:ז.

(יד) שמות י"ב:ט"ו.

(טו) ע' רש"י פסחים ה. ד"ה אך חלק.

(טז) גמרא שם.

(יז) ע' גמרא ורש"י שם. **והנה** מש"כ דמשש שעות ולמעלה אסור להשהות חמץ ע' במ"ב (ס' תמ"ג ס"ק א') ושעה"צ (שם ס"ק א') דפליגי הפוסקים. אם עוברים על זמן זה בלאו או רק בעשה דתשביתו וע' לעיל בפ"ב הערה קלב.

(יח) כ' הגר"ז (ס' תל"א ס"ה) „חמן בדיקה זו מן הדין היה ראוי לקובעה ביום י"ד בתחלת שעה ששית כדי שישלים כ"א בדיקתו בסוף שעה ששית ויבער החמץ בתחילת שעה ז' כמשפט האמור בתורה וכו'" וע"ש (בס' תמ"ה ס"א) וע' שעה"צ ס' תל"א ס"ק י"ג.

(יט) ע' לעיל פ"ב הערה קכו.

(כ) תנן (י"א:) „ר"מ אומר אוכלים כל חמש ושורפין בתחלת שש רבי יהודה אומר אוכלין כל ארבע ותולין כל חמש ושורפין בתחלת שש" וע' גמ' י"א:-י"ב: וכ' המחבר (ס' תמ"ג ס"א) „חמץ משש שעות ולמעלה ביום י"ד אסור בהנאה (אפי' חמצו של א"י אסור ליהנות ממנו) ואסרוהו חכמים שתי שעות קודם דהיינו מתחלת שעה ה' וכו'" וזהו כר"י.

(כא) כ' המחבר שם „ומיהו כל שעה ה' מותר בהנאה ורשאי למוכרו לא"י אפילו הרבה ביחד שודאי לא יאכלנו קודם פסח ויכול להאכילו לבהמה חיה ועוף ובלבד שיעמוד עליהם לראות שלא יצניעו ממנו".

(כב) שם.

— provided that he watches them to prevent them from hiding any of the chometz (כג)]. During the sixth hour, eating and deriving benefit are both prohibited מדרבנן (כד). Although one may fulfill the mitzvah of תשביתו at any time during the thirty days before Pesach (כה), chometz, preferably, should be disposed of during the fifth hour of Erev Pesach (כו).

B. METHODS OF DISPOSING OF CHOMETZ

Two methods

1. The Torah says "תשביתו", you shall dispose of leaven. According to Torah law, one of the following two methods can be employed (כז):

ביטול חמץ

a) The chometz may be nullified (ביטול חמץ) (כח). That is, he should resolve firmly — in his mind — that all chometz belonging to him, [in his domain, or of which he is responsible (see Chapter VIII B,C,D)] is to be considered as if it were dust, as something of no consequence and of no use whatsoever (כט). By nullifying the chometz it becomes הפקר (renounced property) and completely out of his domain (ל) (see Chapter IX A 3).

One can only violate the issurim of בל יראה and בל ימצא (see A 1) for his *own* chometz (לא) [or chometz for which he is responsible (לב) (see Chapter VIII ibid.)] The reason is that the Torah says "ולא יראה לך חמץ" (לג) chometz shall not be seen to you, and "חז"ל" explain this to mean "שלך אי אתה רואה אבל אתה רואה של אחרים", "your *own* chometz shall not be seen, but you may

---

(כג) שם.

(כד) כ׳ המחבר שם „ומתחלת שעה ו׳ ולמעלה אסרוהו גם בהנאה".

(כה) כ׳ המחבר (ס׳ תל"ו ס"א) „המפרש וכו׳ תוך שלשים יום זקוק לבדוק וכו׳" וכ׳ במ"ב (שם ס"ק ב׳) „תוך שלשים יום. וכו׳ דמאז והלאה חל עליו חובת הבדיקה" וכ׳ בשעה"צ (שם ס"ק ב׳) „דשואלין בהלכות הפסח קודם לפסח ל׳ יום [גמרא]" ובכ"מ. **כתב** הרמ"א (ס׳ תמ"ה ס"א) „וטוב לשורפו ביום דומיא דנותר שהיה נשרף ביום (ד"ע) אך אם רוצה לשורפו מיד אחר הבדיקה כדי שלא יגררנו חולדה הרשות בידו" וכ׳ המ"ב (שם ס"ק ח׳) „הרשות בידו. ואפ"ה מתקיים מצות תשביתו בזמנו שמשלשים יום ואילך קודם הפסח חל עליו חובת ביעור" ממהרי"ק. **עיין** במנחת חינוך (מצוה ט׳) שחוקר אם באמת יש קיום המצוה קודם זמנו או לא ואי יש חיוב להשהות חמץ על ערב פסח כדי לבערו בזמנו.

(כו) מ"ב שם ס"ק ז׳ וע"ש הטעם „שהרי צריך לבטל אח"כ ובשש לאו ברשותיה לבטלו".

(כז) כ׳ המ"ב (ס׳ תל"א ס"ק ב׳) „ומן התורה באחד מהן סגי דכשמבטלו בלבו ומפקירו שוב אינו שלו ואינו עובר עליו וכ"ש כשבודקו ומחפש אחריו ומבערו מן העולם אלא שחז"ל החמירו דלא סגי באחד מהן אלא בשניהם דוקא וכו׳".

(כח) מ"ב שם.

(כט) ע׳ גר"ז ס׳ תל"ד ס"ז.

(ל) שם.

(לא) ע׳ גמ׳ (פסחים ה:) „שלך אי אתה רואה אבל אתה רואה של אחרים ושל גבוה".

(לב) נכ׳ מזה לקמן בס"ד בפ"ח.

(לג) שמות י"ג:ז.

see chometz belonging to others" (לד). Therefore, according to Torah law, this method alone would suffice to absolve a person from responsibility for his chometz (לה).

ביעור חמץ

b) A second method is to search for all chometz in his domain (בדיקת חמץ) and destroy it to a point where no one can derive any benefit from it* (לו). The act of destroying the chometz is called ביעור חמץ (לז). Although, we will learn (see Chapter X A) that this may be accomplished by various methods (לח), the minhag is to burn the chometz (לט).

*Note: Before the time that chometz becomes prohibited on Erev Pesach, it is sufficient to destroy it to a point where it is unfit for animal consumption (נפסל מאכילת כלב) (מ). After this time and during Pesach, however, this is insufficient; it must be completely destroyed (מא).

Why are both methods required?

2. Although *either* of these methods would be adequate to effectively eliminate the chometz from his domain — thereby fulfilling the Torah obligation of "תשביתו," חז"ל, however, require *both* methods (מב). The reason that

---

(לד) גמ׳ שם.
(לה) חיי"א ס׳ קי"ט ס"ד, מ"ב ס׳ תל"א ס"ק ב׳ וש"א.
(לו) ע׳ מ"ב שם וגר"ז ס׳ תל"א ס"ב וע׳ מ"ב ס׳ תמ"ה ס"ק א׳.
(לז) ע׳ משנה כ"א.
(לח) ע׳ ס׳ תמ"ה ס"א.
(לט) רמ"א ס׳ תמ"ה ס"א.
(מ) ע׳ גר"ז ס׳ תמ"ה ס"ד ומ"ב ס׳ תמ"ה ס"ק א,ב וע׳ מ"ב ס׳ תמ"ב ס"ק ל"ט.
(מא) ע׳ שם ומ"ב ס׳ תמ"ב ס"ק מ׳.
(מב) במשנה (פסחים ב.) תנן „אור לארבעה עשר בודקין את החמץ לאור הנר" וכ׳ רש"י „בודקין. שלא יעבור עליו בבל יראה ובבל ימצא" וע׳ תוס׳ (שם ד"ה אור) „ונראה לר"י דאע"ג דסגי בביטול בעלמא החמירו חכמים לבדוק חמץ ולבערו שלא יבא לאכלו" וכ׳ הר"ן דמן התורה סגי בביטול או בדיקה וביעור, ולמי שמבטל סגי בהכי מדאורייתא „אלא מפני שביטול זה תלוי במחשבתן של בני אדם ואין דעותיהן שוות ואפשר שיקלו בכך ולא יוציאוהו מלבן לגמרי ראו חכמים להחמיר שלא יספיק בטול והצריכוהו בדיקה וביעור שהוא מספיק ג"כ מן התורה או מפני שחששו שאם ישהנו בתוך ביתו יבא לאכלו" וכ׳ המ"ב (ס׳ תל"א ס"ק ב׳) ביתר ביאור וז"ל „ומן התורה באחד מהן סגי דכשמבטלו בלבו ומפקירו שוב אינו שלו ואינו עובר עליו וכ"ש כשבודקו ומחפש אחריו ומבערו מן העולם אלא שחז"ל החמירו דלא סגי באחד מהן אלא בשניהם דוקא לפי שחששו אחר שהבטול תלוי במחשבתן של בני אדם ובדעותיהן אולי ירע בעיני האדם שיש לו חמץ בעד כמה אלפים להפקיר ואף שבפיו יאמר שיהיה בטל והפקר וחשיב כעפרא מ"מ לבו לא כן יחשוב ולא יבטלנו בלב שלם והרי הוא עובר בבל יראה שהרי לא הוציא מביתו ועוד שמא מתוך שרגילין בו כל השנה אם יהיה בביתו ורשותו גזרינן שישכח ויבוא לאכול ולכן תקנו חז"ל שאע"פ שמבטל לא סגי אלא צריך לבדוק לבערו מן העולם ומ"מ צריך לבטל ג"כ שמא לא יבדוק יפה וימצא חמץ בפסח ויעבור עליו" וכ"כ בחיי"א (כלל קי"ט ס"ד) ובגר"ז ס׳ תל"א ס"ד.

ביטול (nullifying) alone is not sufficient is that ביטול relies completely on a person's thoughts and feelings; and people differ in their attitudes (מג). חז"ל were concerned that a person may possess chometz of high financial value, and may not be prepared to renounce it (מד). Although he may *say* that it is בטל and הפקר and considered like dust, in his heart he may not resolve firmly to renounce it (מה). Since it is still in his domain, he would, thereby, be violating the issurim of בל יראה and בל ימצא (מו). Thus, the necessity for destroying the chometz (מז).

Another reason mentioned by the Poskim is that since one is accustomed to chometz the entire year, should it actually remain in his home during Pesach even after its renunciation, he may forget and eat it erroneously (מח). Therefore, חז"ל required that a person search for all chometz in his domain and destroy it (מט).

The reason that ביטול is still required even after בדיקת חמץ and ביעור חמץ is that we are afraid that, perhaps, he did not discover and eliminate *all* chometz (נ). Should he discover any chometz during Pesach and decide to retain it, he will then violate the issurim of בל יראה and בל ימצא (נא).

Why isn't it sufficient for him to destroy it on Pesach — if found?

3. Why can't he destroy the chometz on Pesach when he locates it?

The reason is that should he discover it on Pesach we are afraid that he may think — even for a moment — to retain the chometz and delay destroying it, and will then violate the issurim of בל יראה and בל ימצא (נב). Therefore, by nullifying the chometz before Pesach he does not violate any issurim until it is destroyed (נג).

The reason he cannot nullify chometz *during* Pesach, is that once chometz becomes prohibited on Erev Pesach, it is not his chometz to nullify (נד). The Torah *only* considers it his property — to violate the issurim of בל יראה and בל ימצא (נה) (see Chapter IX A 3).

(מג) שם.

(מד) שם.

(מה) שם.

(מו) שם.

(מז) שם.

(מח) תוס' ב. ד"ה אור ור"ן שם.

(מט) חיי"א, גר"ז ומ"ב שם.

(נ) מ"ב שם מגמ' (ו:) ורש"י ד"ה ודעתו.

(נא) שם.

(נב) גר"ז ס' תל"ד ס"ו ומ"ב ס' תל"ד ס"ק ו'
מגמ' שם.

(נג) שם.

(נד) ע' גמ' שם „אמר רבא גזירה שמא ימצא
גלוסקא יפה ודעתיה עילויה וכי משכחת ליה
לבטליה דילמא משכחת ליה לבתר איסורא ולאו
ברשותיה קיימא ולא מצי מבטיל דא"ר אלעזר
שני דברים אינן ברשותו של אדם ועשאן הכתוב
כאילו ברשותו ואלו הן בור ברשות הרבים וחמץ
משש שעות ולמעלה" וע' שעה"צ ס' תל"ד
ס"ק כ' וש"א.

(נה) שם.

מכירת חמץ

4. We will learn (see Chapter XI A) that there is a third method for disposing of chometz — מכירת חמץ — the sale of chometz to a gentile (**נו**). Since the chometz then no longer belongs to the Jew, he does not violate the issurim of בל יראה and בל ימצא (**נז**). We will discuss these halachos in detail later (see Chapter XI).

חמץ שעבר עליו הפסח

5. Wherever a person possessed chometz during Pesach in violation of the issurim of בל יראה and בל ימצא, the chometz is called חמץ שעבר עליו הפסח (**נח**). One is not permitted to derive any benefit from this chometz even *after* Pesach (**נט**). This halacha applies even if the owner was unaware that he possessed chometz (**ס**) or was unable to dispose of it before Pesach (**סא**). [The halachos of חמץ שעבר עליו הפסח were discussed in Chapter II D 4-7 and Chapter III A 7-9].

Maintaining vigilance for chometz within the thirty day period before Pesach

6. We will learn (see Chapter VIII A 3-9) that there are differences in halacha between the thirty day period before Pesach and the rest of the year — concerning the requirement for *bedikas chometz* (**סב**). The reason for these differences is that since חז״ל enacted that the laws of Pesach should be taught publicly within this thirty day period (**סג**) (see Chapter I B 1-3), the requirement for *bedikas chometz* commences from that period (**סד**).

Therefore, within these thirty days one should exercise caution — in whatever activities he is involved — [to remove any chometz, or] not to allow chometz to remain in a way in which it would be difficult to remove when Erev Pesach arrives (**סה**).

(נו) ע׳ ס׳ תמ״ח ס״ג וחיי״א ס׳ קי״ט סס״ד.
(נז) שם.
(נח) ע׳ משנה פסחים כ״ח.
(נט) כ׳ המחבר (ס׳ תמ״ח ס״ג) „חמץ של ישראל שעבר עליו הפסח אסור בהנאה ואפילו הניחו שוגג או אנוס״.
(ס) ע׳ מחבר שם וכ׳ במ״ב (שם ס״ק ח׳) „הניחו שוגג. שלא ידע מאותו חמץ״.
(סא) ע׳ מחבר שם וכ׳ המ״ב (שם ס״ק ט׳) „או אנוס. ר״ל שידע אלא שהיה אנוס שלא היה יכול לבערו ואע״פ דבזה לא עבר אבל יראה אפ״ה קנסינן התירא אטו איסורא וכו׳״.
(סב) ע׳ ס׳ תל״ו ס״א ומ״ב שם ס״ק ב׳ ושעה״צ ס״ק ב׳ וע׳ בס׳ תמ״ב ס״ג ברמ״א ובמ״ב שם ס״ק י״ז.
(סג) ע׳ שעה״צ שם ולעיל פ״א הערה כז.
(סד) ע׳ מ״ב ושעה״צ שם.
(סה) כ׳ הגר״ז (ס׳ תל״ו ס׳ כ״ג) „כל שלשי׳ יום לפני הפסח טוב ליזהר ולעיין בכל דבר שעושה שלא ישאר דבוק בו חמץ באופן שלא יוכל להסירו בנקל כשיגיע ע״פ״ וכ״כ המ״ב (ס״ס תל״ו) „כתבו האחרונים כל שלשים יום צריך לעיין בכל דבר שעושה שלא ישאר בו חמץ באופן שלא יוכל להסירו בנקל״.

סימנים וסעיפים שבשלחן ערוך המשתייכים לפרק זה

תמ״ג:א
תמ״ה:א
תמ״ח:ג

Chapter VI בדיקת חמץ — The Search for Chometz

A. WHEN MUST BEDIKAS CHOMETZ TAKE PLACE?

The night of the fourteenth

1. The Mishna (**א**) says: ״אור לארבעה עשר בודקין את החמץ לאור הנר״ "on the evening of the fourteenth [of Nissan] we [are required to] search for chometz by candlelight."

Why at night?

2. We have learned (see Chapter V A 3,4) that, according to Torah law, the mitzvah to dispose of chometz should really take place at the beginning of the seventh hour — when chometz becomes prohibited (**ב**). However, because of a fear that a person may, in error, assume that it is the sixth hour, while, in fact, it is the seventh, chometz should be disposed of before the sixth hour (**ג**).

Therefore, we should have been required to perform *bedikas chometz* on the fourteenth of Nissan in the *morning* — just before chometz becomes prohibited (**ד**). However, חז״ל ordained that it should be performed in the *evening* of the fourteenth, for two reasons (**ה**):

(א) פסחים ב.

(ב) כ׳ הגר״ז (ס׳ תל״א ס״ה) „וזמן בדיקה זו מן הדין היה ראוי לקובעה ביום י״ד בתחלת שעה ששית כדי שישלים כ״א בדיקתו בסוף שעה ששית ויבער החמץ בתחילת שעה ז׳ כמשפט האמור בתורה וכמ״ש בסי׳ תמ״ה וכו׳״ וכ״כ בשעה״צ (ס׳ תל״א ס״ק י״ג) „ואף דמדאורייתא אין החיוב לבדוק ולבער רק דוקא סמוך לחצות היום וכו׳ אלא שחכמים הקדימו לשעה שבני אדם מצויים בבתיהם וכו׳״ וכ״כ בערה״ש (שם ס׳ כ״ד) „אימתי היא שעת הבדיקה שנו חכמים במשנה אור לארבעה עשר בודקין את החמץ לאור הנר ופירשו בגמ׳ הטעם דאע״ג דהאיסור מתחיל מחצות היום וא״כ היה די לבדוק בשחרית כזריזין המקדימין למצות דכתיב וישכם אברהם בבקר ולא בלילה שלפניו אך הטעם הוא מפני שאור הנר יפה לבדיקה ואע״ג דלפ״ז הלא יכול לבדוק בלילה אימתי שירצה ולמה הצריכו בתחלת הלילה משום שאז בני אדם מצויים בבתיהם שבאים מעסקם לביתם להתפלל ערבית ולאכול והוי זמן מסוים לבדיקה״.

(ג) ע׳ גמ׳ י״א:־י״ב: וגר״ז (ס׳ תמ״ג ס״א) וכ׳ הגר״ז (ס׳ תמ״ה ס״א) „אלא מתחילת שעה ששית ואילך הוא שמחוייב לבערו (ומ״מ טוב לנהוג לבערו בסוף ה׳ כמו שנתבאר בסימן תל״ד)״ וכ׳ שם (בס׳ י״ב) „וכיון שהוא צריך לבטל בשעת הביעור (מטעם שנתבאר) צריך הוא ליזהר ולבער קודם שתגיע שעה ששית שמתחלת שעה ו׳ ואילך אין בידו לבטלו וכו׳״.

(ד) ע׳ גמ׳ (ד.) „ונבדוק בשית וכו׳״ וע׳ שעה״צ וערה״ש שם.

(ה) ע׳ גמ׳ (שם) „אמר רב נחמן בר יצחק בשעה שבני אדם מצויין בבתיהם ואור הנר יפה לבדיקה״ וכ״כ הרמב״ם (פ״ב מהל׳ חו״מ ה״ג) ובגר״ז (ס׳ תל״א ס״ה) כ׳ „אלא לפי שביום רוב בני אדם אינם מצוים בבתיהם אלא טרודין בעסקיהם בשווקים וברחובות וכשתגיע שעה ששית קרוב הדבר שישכחו חובת הבדיקה וכו׳״.

a) People are usually home in the evening [so they are able to perform the bedikah then, while in the morning people are usually at work and may forget (ו)].

b) Since חז"ל required bedikah by candlelight [because it facilitates searching in holes and crevices] a candle offers better illumination at night than by day(ז).

When at night should bedikah take place?

3. The search for chometz should commence in the very beginning of the evening of the fourteenth — at צאת הכוכבים — as soon as three medium-size stars appear (ח).

B. ACTIVITIES WHICH ARE PROHIBITED DURING THE TIME OF THE BEDIKAH

Engaging in work

1. Once the time for the bedikah arrives, one may not engage in any work (ט). Similarly, he may not take a haircut, bathe, or engage in any similar activity [which is prohibited during the time of Mincha or Maariv (י)].

One may not even begin any of these activities within the half hour before the time of *bedikas chometz*. This is prohibited as a gezerah "דלמא אתי לאמשוכי", one may become absorbed in his work and neglect to perform the bedikah (יא).

If a person was engaged in these activities *before* this time (i.e. more than a half hour prior to the time of *bedikas chometz*), he is not required to stop until three medium-size stars appear (יב).

(ו) ע' גמ' ורמב"ם שם וגר"ז שם ומ"ב ס' תל"א ס"ק ג'.

(ז) ע' גמ' ורמב"ם שם ומ"ב ס' תל"ג ס"ק א' וכ' המ"ב (שם ס"ק ג') „מפני שצריך לבדוק בחורין ובסדקין ואור היום לא יועיל לזה וכיון שצריך שתהיה לאור הנר קבעוה בלילה מפני שאז אורו מבהיק יותר מביום ואפילו במקום האפל וכו'", וע' גר"ז שם שכ' „לפיכך איחרו זמן הבדיקה עד זמן הבהקת הנר וכו'".

(ח) תנן (ב.) „אור לארבעה עשר בודקין את החמץ לאור הנר" וכ' המחבר (ס' תל"א ס"א) „בתחלת ליל י"ד בניסן בודקין את החמץ לאור הנר" וכ' המ"ב (שם ס"ק א') „בתחילת ליל וכו'. פי' תיכף אחר יציאת הכוכבים שיש עדיין קצת מאור היום ראוי להתחיל לבדוק כדי שלא יתרשל או שלא ישכח" וע' בט"ז (שם ס"ק א') דבעינן זמן „שיש שינוי באותו שעה ויש בה רושם" וע' בגר"א (שם ס"ק א') שהביא פי' הראב"ד „דמשום הכי נקט אור לומר בתחילת הלילה שיש עדיין אור שבלא"ה לא היה [לתנא] שם חשך לאור משום לישנא מעליא" וכן בערה"ש (ס' תל"א ס' כ"ה) הביא דעת הראב"ד וכ' דהעיקר כדעתו, וע' גר"ז (ס' תל"א ס"ה) ובקו"א שם ס"ק א'.

(ט) כ' המחבר (ס' תל"א ס"ב) „יזהר כל אדם שלא יתחיל בשום מלאכה ולא יאכל עד שיבדוק".

(י) גר"ז שם ס"ה ומ"ב שם ס"ק ה' מס' רל"ב וערה"ש (שם ס' כ"ו).

(יא) מ"ב שם.

(יב) כרמ"א ס"ב ודלא כמחבר שם וע' מ"ב שם ס"ק ט', י"ב.

Eating and drinking

2. Although partaking of some food (טעימה — a snack) is permissible, beginning a meal during this time is also prohibited (יג).

What is considered as a snack and not a meal? Eating bread the volume of an egg or less is considered as a snack (יד). Similarly, eating fruit [vegetables, meat, cereal and the like] is permissible — even in larger amounts [as long as he does not sit down to eat a complete meal (קובע סעודה)] (טו). However, even eating fruit and the like in large amounts is permissible only in the half hour prior to the time of *bedikas chometz*; because once the time of *bedikas chometz* arrives one should not delay the search (טז). Drinking during this time is permissible; an intoxicating beverage, however, may only be consumed in the above mentioned limited quantity (יז).

Learning Torah

3. Even learning Torah during the time of the bedikah is prohibited (יח). The reason is that we are afraid that he may become absorbed in his learning and neglect to perform the bedikah in its proper time (יט). Some Poskim hold that one may not learn at home* — even in the half hour before the time of *bedikas chometz* — unless he requests someone else [who is not learning (כ)] to remind him once the time for the bedikah arrives (כא). Other Poskim hold that during this half hour learning is permissible, but once the time arrives for the bedikah it is prohibited (כב).

*See Note on page 68.

(יג) כ' המחבר שם „ולא יאכל" ובערה"ש (שם) הוסיף „סעודה" וכ' המ"ב (שם ס"ק ו') „וטעימה בעלמא שרי והיינו פת כביצה ולא יותר או פירות אפילו הרבה וכו'" [ומש"כ בערה"ש (שם) „וזהו פת שמברכין עליו מזונות אבל ליטול ידיו ולאכול פת שמברך עליו המוציא אפילו כזית אסור" לא מצאתי לו חבר].

(יד) שם וכ' המ"ב (ס' רל"ב ס"ק ל"ד) מדה"ח דתבשיל העשוי מה' המינים ג"כ מותר אם אינו קובע עלייהו וכ"נ בירקות ובשר.

(טו) ע' מ"ב ס' תל"א שם. ומש"כ ירקות ובשר וכדו' הוא משום דכ' בערה"ש (ס' תל"א ס' כ"ו) „אבל פירות ושארי מאכלים וכו'" וע' מ"ב (ס' רל"ב שם).

(טז) מ"ב שם וע' ב"ה (ס' תל"א ס"א ד"ה ולא יאכל) שכ' דבבדיקת חמץ „השהייה גופא אף בלא אכילה אסור כשיגיע הזמן" ושאני מק"ש ותפלה וכדו' דאסור רק משום שכחה וע' בגר"ז

(שם ס"ו) וכ"מ מט"ז (שם ס"ק א') ודוק.

(יז) ע' מ"ב ס' רל"ב ס"ק ל"ה.

(יח) איתא בגמ' (שם ד.) „אמר אביי הילכך האי צורבא מרבנן לא לפתח בעידניה באורתא דתליסר דנגהי ארבסר דלמא משכא ליה שמעתיה ואתי לאימנועי ממצוה" והובא במחבר (ס' תל"א ס"ב) וז"ל „ואפי' אם יש לו עת קבוע ללמוד לא ילמוד עד שיבדוק" וע' שעה"צ (שם ס"ק ז') דיש להקל בחצי שעה שקודם הזמן [ואיירי שם בלימוד בביהמ"ד אבל בביתו תלוי במח' האחרונים במ"ב שם ס"ק ז', וכוונת השעה"צ הוא דאע"ג דפליגי בלימוד בביהמ"ד אחר צה"כ מ"מ תוך החצי שעה לכו"ע מותר].

(יט) מימרא דאביי שם וע' רמב"ם פ"ב ה"ג שכ' „בתחלת זמנה" וע' גר"ז שם ס"ה ודוק.

(כ) גר"ז שם ס' י"א.

(כא) מ"ב שם ס"ק ז' ממ"א וגר"ז.

(כב) מ"ב שם מח"י ומגן האלף ושר האלף.

*Note: The reason we mentioned that learning *at home* is prohibited is that if one is accustomed to attend a shiur in Shul after davening, he may do so even within the half hour prior to the time of the bedikah (כג). We are not afraid that he may forget, since he is compelled to return home and will then recall the obligation to perform the bedikah (כד). This halacha applies only if one attends a shiur in halacha and the like without engaging in פלפול (discussion and elucidation of the Talmud) (כה). Engaging in פלפול is prohibited, because of its deep involvement we are afraid that it may lead him to forget the requirement to perform the bedikah — even when returning home (כו).

If a person began before the time of the bedikah

4. If a person began one of these activities when it was prohibited, he is required to stop (כז). Even if a person began one of these activities *before* the proper time [and even before the half hour prior to this time] it must be interrupted once the time for the bedikah arrives (צאת הכוכבים) (כח).

Which comes first, Maariv or the Bedikah?

5. Which is one required to perform first: daven Maariv or *bedikas chometz?*

Most Poskim hold that davening with a minyan in the proper time (i.e. after צאת הכוכבים) takes precedence (כט). The reason is that since it will be difficult to gather a minyan later, the important mitzvah of תפלה בציבור (davening with a minyan) should not be thrust aside completely in exchange for performing the bedikah in the preferred time (ל). We are not afraid that his preoccupation with davening will cause him to forget to perform the bedikah, since davening is fixed in duration (לא). However, if he expects to daven privately at home, someone else should perform the bedikah for him (see C 1,2) and he should daven; thereby both Maariv and the bedikah are performed in their proper time (לב). If no one else is available to perform the bedikah for him, he should daven first (לג). One who is *accustomed* to daven privately at home, however, should perform the bedikah first; since he is accustomed, we are not afraid that he would forgot to daven (לד).

(כג) בגר"ז (ס' תל"א ס"ט) הביא דברי המ"א שמקיל אף בזמן הבדיקה אבל ע' בשעה"צ (שם ס"ק ז') שהביא כמה פוסקים שחלקו עליו ולכן ס"ל שאין להקל אלא בתוך החצי שעה קודם צה"כ.

(כד) מ"ב ס"ק ז' וגר"ז שם.

(כה) גר"ז שם ס"י ומ"ב שם.

(כו) שם.

(כז) מ"ב שם ס"ק י'.

(כח) ברמ"א ס' תל"א סס"ב וגר"ז ס"ו ומ"ב שם ס"ק י"א, י"ב.

(כט) מ"ב ס' תל"א ס"ק ח' ממ"א וש"א וכן דעת הגרמ"פ שליט"א.

(ל) ע' גר"ז שם ס"ח ומ"ב שם.

(לא) חיי"א כלל קי"ט ס"ז ומ"ב שם.

(לב) שם.

(לג) מ"ב שם.

(לד) שם.

Some Poskim hold that, in all instances, one should daven Maariv first (**לה**). Their reason is that we have a principle of ״תדיר ושאינו תדיר תדיר קודם״ (**לו**). That is, where a person has two mitzvos to perform. one which is more frequent (e.g. Maariv, which comes daily) and one which is infrequent (e.g. *bedikas chometz* which comes once a year), the more frequent mitzvah is performed first (**לז**).

C. WHO MAY PERFORM THE BEDIKAH?

Owner, tenant

1.The obligation to perform the bedikah rests on the owner of the house or property (**לח**), or on the tenant — if the premises are rented (**לט**). These halachos will be discussed in detail later (see Chapter VIII C).

A representative may perform the bedikah

2. The person who has the responsibility for the bedikah (i.e. owner or tenant) should, preferably, perform the bedikah himself — as all mitzvos (**מ**). However, if he is unable to perform the bedikah himself, he may appoint a שליח (representative) to assist him or to perform the bedikah for him (**מא**). The שליח may receive remuneration (**מב**).

Who can this שליח be?

3. Although it is preferable that this שליח should be an adult male above Bar Mitzvah, nevertheless, a woman and even a mature child (i.e. one who is responsible and knowledgeable) may perform the bedikah — if no adult male is available (**מג**).

(לה) מ״ב שם מח״י ובשעה״צ ס״ק י״א כ׳ דכ״כ הא״ר ומקו״ח.

(לו) פסחים קי״ד. ובכ״מ.

(לז) מ״ב שם ומסיק בשעה״צ שם „ודעבד כמר עביד וכו׳״.

(לח) כ׳ הגר״ז (ס׳ תל״ב ס״ח) „חובת הבדיקה היא על בעה״ב וכו׳״ ע״ש [וכוונתו הוא על ראש המשפחה לאפוקי שאר משפחתו] וע׳ בס׳ תל״ז ובכ״מ.

(לט) ס׳ תל״ז ס״א.

(מ) כ׳ הגר״ז שם „אבל אם בעה״ב רוצה לעשות ב״ב שלוחים לדבר מצוה שיבדקו הם הרשות בידו ויברכו הם ברכת על ביעור חמץ ומכל מקום נכון הדבר שיבדוק הוא בעצמו שכן הוא בכל המצות מצוה בו יותר מבשלוחו״ וכ״כ המ״ב ס׳ תל״ב ס״ק ח׳.

(מא) ע׳ ס׳ תל״ב ס״ב ומ״ב ס״ק ח׳, י״א וס׳ תל״ז ס״ק א׳.

(מב) ע׳ מ״ב ס׳ תל״ב ס״ק ח׳.

(מג) ע׳ גר״ז ס׳ תל״ב ס״י ומ״ב ס״ק ח׳ וע׳ מ״ב ס׳ תל״ו ס״ק א׳ ושו״ע ס׳ תל״ז ס״ד ומ״ב שם ס״ק י״ח, י״ט. עיין בשאג״א (הובא בשע״ת ס׳ תמ״ה ס״ק א׳) דגם נשים חייבות במ״ע דתשביתו וע׳ במקראי קודש ס׳ מ״ט. והנה אף דאשה שבדקה יכולים לסמוך על בדיקתה ע׳ במ״ב (ס׳ תל״ב ס״ק ח׳) דכ׳ שם „לכתחלה נכון שלא לסמוך אלא על אנשים ב״ח שהגיעו לכלל מצות דהיינו מי״ג שנה ואילך לפי שהבדיקה כהלכתה יש בה טורח גדול ויש לחוש שמא יתעצלו ולא יבדקו יפה״ (ע׳ תוס׳ פסחים ד: ד״ה הימנוהו) וכ׳ במהרי״ל „טעמא דאי הבדיקה דאורייתא דאין נאמנו בה הנשים משום

D. WHERE IS BEDIKAH REQUIRED?

Places requiring bedikah

1. Wherever chometz was used during the year requires bedikah (מד). Even a place (e.g. a room, closet etc.) into which, on occasion, chometz *may* have possibly been brought, requires bedikah (מה).

Which rooms require bedikah?

2. Therefore, all rooms of the house require bedikah, because a person may, on occasion, enter a room during a meal carrying chometz (מו). The same halacha applies to a basement, attic, pantry, storage bin or other area where food or beverages is kept or where a person may enter during a meal (מז). Even a room, which was used for chometz only once during the year requires bedikah (מח).

If a person's usual practice is to remove from a room (e.g. storage room) whatever he needs for the meal *before* the meal but he never enters it during the meal, bedikah is not required there (מט) — unless he *knows* that chometz was stored or brought into the room (נ).

These principles apply in all similar situations (נא). Since it is impossible to anticipate each individual's personal habits and practices, in case of any question a Rav should be consulted. [For checklist of suggested places, see 12].

Where children are present

3. In a home where children are present, the *entire* house requires bedikah — even in places where it is not customary to bring chometz, because we are

---

דלא מיתחזק להן האיסור ודאי דאומרים השתא כיבדנו הבית יפה ואין שום חמץ לבדוק". עוד כתב שם „ולא על שפחה נכרית שלנו" והנה בזה"ז סומכים קצת על נקיון הבית שעושות הנכריות, ואע"ג דכ' הרמ"א (ס"ס תל"ג) „וכל אדם צריך לכבד חדריו קודם הבדיקה" אין הכיבוד במקום הבדיקה (כמו שנכ' בריש פ"ז) והיינו אפילו אם נעשה הכיבוד ע"י ישראלית וכ"ש אם נעשה ע"י עכו"ם וע' לקמן בהערה פב.

(מד) ע' מתנ' ב. „כל מקום שאין מכניסין בו חמץ אין צריך בדיקה" ומ"ב ס' תל"א ס"ק ד' וס' תל"ג ס"ק י"ג.

(מה) כ' המחבר (ס' תל"ג ס"ג) „בודק כל המקומות שיש לחוש שמא הכניסו בהם חמץ" וכ' המ"ב שם (ס"ק י"ג) „שיש לחוש שמא הכניסו בו חמץ. ר"ל לא מיבעיא מקומות שמשתמשין בהן חמץ פשיטא דצריך בדיקה אלא אפילו מקום שאין רגיל להשתמש בו חמץ כל השנה רק שיש לחוש שמא הכניס שם חמץ באקראי ג"כ צריך בדיקה" וע' בגר"ז שם ס' י"ב וי"ג.

(מו) כ' המחבר שם „ולכן כל חדרי הבית והעליות צריכים בדיקה שפעמים אדם נכנס בהם ופתו בידו וכו'".

(מז) מ"ב שם ס"ק י"ד, ט"ו.

(מח) מ"ב שם ס"ק י"ט.

(מט) כ' המחבר שם „אבל אוצרות יין שאין מסתפק מהם וכן מתבן וכיוצא בו א"צ בדיקה" וע' מ"ב שם ס"ק ט"ז, י"ז.

(נ) מ"ב שם ס"ק י"ז.

(נא) ע"פ הנ"ל.

afraid that a child may have brought some chometz there (**נב**). This halacha does not apply to a place where the child could not reach (**נג**).

Pockets of garments

4. Pockets of garments require bedikah, because chometz on occasion is placed there (**נד**). Even if a person *never* placed chometz there bedikah may be required, since chometz may have been placed there inadvertently (**נה**). This halacha applies to all pockets of garments — whether of an adult or a child (**נו**).

Although it is proper that this inspection should be done during the time of the bedikah (**נז**), some Poskim permit this before the time of the bedikah (**נח**). Garments which were worn after the bedikah while one ate or handled chometz, require bedikah during *biyur chometz* (**נט**). During the inspection of the pockets, one should shake them out (**ס**).

No brocho is recited on the bedikah of pockets — even if one does not perform the bedikah elsewhere (**סא**).

Car, Baby carriage

5. A car into which chometz is brought requires bedikah (**סב**). A brocho, however, is not recited on this bedikah (**סג**). Similarly, a baby carriage, stroller, playpen and the like, into which chometz was placed or in which the child was fed chometz, require bedikah (**סד**). A brocho, however, is not recited on this bedikah (**סה**).

Application: Suitcases, attache cases, briefcases, pocket books (**סו**).

(נב) ע״פ מ״ב ס״ק י״ט.

(נג) ע׳ ס׳ תל״ג ס״ד ודוק.

(נד) כ׳ הרמ״א (ס״ס תל״ג) „והכיסים או בתי יד של בגדים שנותנים בהם לפעמים חמץ צריכין בדיקה" וכ׳ הגר״ז (שם ס׳ מ״ב) „ויזהר כל אדם לבדוק ולנער הבתי ידים והכיסים של הבגדים שלו ושל התינוקות".

(נה) דלגר״ז (שם ס׳ מ״ג) וכה״ח (שם אות פ״ז) מדינא א״צ אלא דהמחמיר תע״ב ולמ״ב (שם ס״ק מ״ז) צריך.

(נו) מ״ב שם ס״ק מ״ח וגר״ז שם ס׳ מ״ב.

(נז) מ״ב שם ס״ק מ״ז.

(נח) ע׳ כה״ח אות טף וכך שמעתי מפי הגרמ״פ שליט״א.

(נט) ע׳ גר״ז שם ס׳ מ״ב ומ״ב שם ס״ק מ״ז.

(ס) ע׳ גר״ז מ״ב וכה״ח שם.

(סא) כ׳ בכה״ח (שם אות צ״א) „ואדם שאין לו חדר כשבודק הכיסים וכו׳ אינו מברך. מגן האלף סי׳ תל״ו. פת״ע או׳ מ״ג" וכ׳ הח״י (ס׳ תל״ו ס״ק י״ז) „ואפשר לומר כיון דכתיב תשביתו שאור מבתיכם עיקר המצוה לבדוק ולבער החמץ מהבית ממש" וע׳ חיי״א (כלל קי״ט ס׳ י״ח) ודוק, וע׳ בהגדה של פסח עם ביאור מועדים וזמנים (בדיקת חמץ אות ה׳).

(סב) דלא גרע מכיסים ושאר מקומות שמכניסים בו חמץ.

(סג) שמעתי מפי הגרמ״פ שליט״א וכ״מ מח״י וחיי״א שם.

(סד) ע׳ לעיל הערה סב.

(סה) כך נראה ע״פ מש״כ בהערה סא.

(סו) שם.

Seforim, books

6. Some Poskim hold that *seforim* and books require bedikah [or a partition, see Chapter XI B 8] (**סז**). Other Poskim hold that although bedikah is not required, one should not bring to the table on Pesach a volume which may have been used around chometz (**סח**). *Bentchilach* and *zmiros* booklets cannot be cleaned properly from chometz and should not be used during Pesach (**סט**). They should be put away with the chometz which is sold to the gentile (**ע**) (see Chapter XI).

Kitchen table, chair, High chair

7. One is required to inspect under tables, chairs, and benches which were used for eating during the year (**עא**). Similarly, eating or serving surfaces containing crevices (e.g. extension table, counters, high chair) — even if they will be covered during Pesach — should be inspected for chometz (**עב**).

Hole between the property belonging to two people

8. If there is a hole in a wall separating the residence of one Jew from another, each resident is required to search as far as his hand can reach and nullify any remaining chometz (**עג**). However, if the wall separates between a Jew and a gentile, bedikah is not required at night (**עד**). The reason is that since he is using a candle, the gentile may assume that the Jew is practicing witchcraft and the Jew may be endangered (**עה**). He should nullify the chometz at night (**עו**); during the morning he should search by daylight and nullify the remaining chometz (**עז**).

(סז) כ׳ החזו״א (ס׳ קט״ז ס׳ י״ח) „נראה דלענין חיוב מחיצה שתקנו חכמים כדאמר לעיל ו׳ א׳, אין חילוק בין פירורין לגלוסקא יפה, והלכך חייבין לבדוק את הספרים משום חשש פירורין אף שאין בהם כזית" וע׳ בהגדה של פסח עם ביאור מועדים וזמנים (שם אות ג׳).

(סח) שמעתי מפי הגרמ״פ שליט״א וע׳ באג״מ (או״ח ח״א ס׳ קמ״ה) ודוק.

(סט) כך נראה.

(ע) כך נראה.

(עא) ע׳ מ״ב שם ס״ק כ״ד ודוק.

(עב) כך נראה וע׳ ס׳ תמ״ב ס״ו ובשעה״צ (ס״ק נ״ב) כ׳ „דהתם כשטח על הכותל כעין שטחין בטיט דיכול להתקבץ כזית במקום אחד וכו׳". [מצאתי הרבה פעמים בשולחנות שאוכלים עליו כל השנה ויש בהם מקום להאריך ולהקטין את השלחן מצוי ורגיל ליפול שם פירורין במשך השנה ואפשר להתקבץ כזית במקום אחד ודומיא לבצק שבסדקי עריבה בס׳ תמ״ב ס״ז. ואף דע״י שנשאר שם כל השנה בדרך כלל נפסל מאכילת אדם אבל מ״מ עדיין ראוי לאכילת כלב].

(עג) איתא בגמ׳ (ח.) „חור שבין אדם לחבירו זה בודק עד מקום שידו מגעת וזה בודק עד מקום שידו מגעת והשאר מבטלו בלבו" וכ״פ בשו״ע ס׳ תל״ג ס״ז.

(עד) ע׳ גמ׳ שם (ח:) „דתניא חור שבין יהודי לארמאי בודק עד מקום שידו מגעת והשאר מבטלו בלבו פלימו אמר כל עצמו אינו בודק מפני הסכנה וכו׳" וכ״פ המחבר שם „ושבין יהודי לא״י א״צ בדיקה כלל שמא יאמר כשפים הוא עושה לי ונמצא בא לידי סכנה".

(עה) שם.

(עו) מ״ב שם ס״ק ל״א.

(עז) מ״ב שם (וס״ק ל׳) וע״ש ובס״ק כ״ט דביטול זה מהני אפילו בודאי חמץ.

חמץ שנפל עליו מפולת

9. Chometz which is buried by debris, earth, stones and the like (e.g. a building collapsed or was built over chometz) (**עח**), if the depth of the covering is three tfochim or more, bedikah need not be performed (**עט**); bitul, however, is required (**פ**).

Furniture covering chometz

10. Furniture or appliances which cover chometz (e.g. refrigerator, stove) and can be moved — should be moved (**פא**). If one will be unable to move it during the bedikah, he may rely on the moving and cleaning done before the bedikah (**פב**). Bitul, however, is required (**פג**).

Shul, Beis Medrash

11. A Shul or Beis Medrash requires a proper bedikah on the night of the fourteenth with a candle (**פד**) (see Chapter VII D). Even if one is certain that chometz was not brought in during the year, bedikah is required — because children bring chometz inside (**פה**). Whether a brocho should be recited on the bedikah is questionable (**פו**); bitul, however, is not required (**פז**). Nowadays,

---

(עח) תנן (ל"א:) „חמץ שנפלה עליו מפולת הרי הוא כמבוער וכו'" וכ"כ המחבר (ס' תל"ג ס"ח) „כותל שנשתמש בו חמץ בחורין ונפל ונעשה גל אפילו וכו'" ע"ש.

(עט) ע' במשנה שם „רשב"ג אומר כל שאין הכלב יכול לחפש אחריו" ובגמ' שם „תנא כמה חפישת הכלב שלשה טפחים" וכ"פ המחבר שם.

(פ) ע' בגמ' שם „אמר רב חסדא וצריך שיבטל בלבו" וכ"פ המחבר שם וע' מ"ב (שם ס"ק ל"ח) אף שכ' שם די"א דמדאורייתא מחויב לבטלו מ"מ כ' שדעת רוב גדולי הפוסקים (כמ"ש בשעה"צ שם ס"ק מ"ד) דהביטול הוא „מדרבנן שמא יפקח הגל במועד ויעבור על ב"י" ונ"מ אם לאחר הפסח נתפקח הגל ונתגלה החמץ ע' מ"ב שם ס"ק ל"ט ודוק.

(פא) כך נראה דדוקא „אם נפל עליו גל גדול שא"א לפקח והוא אבוד ממנו ומכל אדם לכו"ע מותר דלא קרינן ביה שלך" ובשעה"צ (שם ס"ק מ"ח) כ' „דלכו"ע אינו מחויב לשכור פועלים לפקח הגל" אבל אם אפשר לפקח נראה דבידוע שיש שם חמץ חייב לבדקו ולבערו, וברגיל להשתמש בו חמץ ואינו ידוע שיש שם עכשיו חמץ אין צריך לבדוק אבל צריך לבטל ע' מחבר שם ומ"ב ס"ק ל"ד.

(פב) כך נראה דיש להקל בכה"ג במקום צורך דהוי כמבוער ע' שע"ת ס"ס תל"ג שכ' „וכל אדם צריך לכבד כו'. ולכן מקילין המוני עם לבדוק דרך העברה בלי חיפוש היטב בחורין וסדקין לפי שתחלה מכבדין ורוחצין ומנקרין הכל היטב ואפילו רוחצין ומנקרין ע"י א"י מסתברא דנאמנים דאנקיותא קפדי ולא מרעי נפשייהו כ"כ בשו"ת שבסוף חידושי מהרי"ש לפסחים" וע' חכמת שלמה (תל"ג ס' י"א) ובש"פ ודוק וע' לעיל הערה מג.

(פג) ע' מ"ב שם ס"ק ל"ד.

(פד) כ' המחבר (ס' תל"ג ס"י) „בתי כנסיות וב"מ צריכים בדיקה מפני שהתינוקות מכניסים בהם חמץ" וכ' המ"ב (שם ס"ק מ"ג) „צריכים בדיקה. בליל י"ד לאור הנר" וע' ערה"ש (שם ס' י"ב) וכ' שם „ויבדוק כל המחבואים ובכל התיבות והשטענדער"ס".

(פה) ע' מחבר שם.

(פו) במ"ב שם כ' „ויכולים לברך על בדיקה זו" ובערה"ש שם מסיק דאין לברך וע' בחובת הדר (סוף עניני בדיקת חמץ ד"ה שוב).

(פז) כ' המ"ב שם „אבל א"צ לבטל אחר הבדיקה לפי שאינם יכולים לבטל ולהפקיר חמץ שאינו שלהם" ובערה"ש שם כ' „וגם כל חמירא א"צ לומר דהחמץ הזה א"צ ביטול ולא מהני

however, since Shuls have facilities for catering a kiddush and the like, bitul is required (פח).

Many שמשים (sextons) and others who are responsible for Shuls do not perform this mitzvah properly (פט). They sweep and clean on the thirteenth [or earlier] by day (צ), but do not perform a proper bedikah on the night of the fourteenth (צא). They should be instructed to fulfill the mitzvah properly — as required by חז"ל (צב).

If the bedikah of the Shul was not performed properly on the night of the fourteenth, it must be done in the morning (צג). Since Shuls usually have adequate windows, if the sunlight is sufficient and the windows are opened (i.e. so that the sunlight enters through the opening rather than through the glass) (צד) a candle is not required [except for the bedikah of cracks, crevices and the like] (צה) (see Chapter VII D 4).

Check list of suggested places

12. The following is a check list of some of the places to look for chometz. It is by no means a comprehensive list. It is meant to serve as an aid to recall places where chometz may be found.

Arts and crafts supplies (i.e. sometimes made with chometz, e.g. noodles, barley)
Attache cases
Attic
Baby carriage
Baking supplies (baking pans, Kitchen Aid)
Bar
Basement
Bathrooms
Bedrooms
Behind furniture (see 10)

Bentchilach (see 6)
Bicycle baskets
Bird cage
Bird food
Books (see 6)
Bread box
Brief case
Broom (shake out)
Cabinets
Cake box
Candle sticks and tray
Candy dish
Car (between and under seats, trunk, glove compartment, ash trays, baby seat,

under car mats, in station wagon — wagon well)
Carpet (underneath if not wall-to-wall or if torn)
Carpet sweeper
Closets
Clothing (pockets, cuffs)
Crawl space
Cook books
Cookie jars
Cosmetic bag, drawer, shelf
Crib

ליה ביטול כיון שאינו שלו" ופשוט דביהכ"נ או
ביהמ"ד של יחיד צריך בדיקה בברכה וביטול
ופשוט דאם דעתו בשעת ברכה בביתו גם לבדוק
ביהכ"נ או ביהמ"ד דמהני.

(פח) כך נראה ואינו דומה לדין בהכ"נ ובהמ"ד
דכ' בערה"ש שם „שהרי אין להם בעלים
מיוחדים מי שיעבור בבל יראה והוי לעניין זה
כבית של הפקר וכו'" ע"ש ודוק.

(פט) מ"ב שם.

(צ) ע' שם.

(צא) שם.

(צב) שם.

(צג) שם.

(צד) שם.

(צה) שם וכ' בשעה"צ (שם ס"ק נ"ד) „מ"מ
בחורין ובסדקין צריך לבדוק בנר וכו'".

Cuffs
Den
Desk drawers
Detergent shelves
  (where dish deter-
  gents are kept)
Dining room
Dining room buffet
Dining room table,
  chairs
Dishwasher
Drawers
Electric broom (check
  bag)
Factory
Fish tank
Freezer
Garage
Garbage pail
Garbage cans (outside)
Hallway
Handbags
High chair
Jewelry box
Kitchen
Kitchen table, chair

Knap sack
Locker
Lunch box
Mailboxes
Medicine chest
Milkbox
Office
Oven
Pantry
Perfumes
Pet food
Pet house
Playpen
Play room
Pocket books
Pockets
Porch
Purse
Radiator (behind and
  under)
Refrigerator (see 10)
Safe
School bags, books,
  locker and desk
Seforim (see 6)

Shelves
Shopping cart
Sink (behind and
under)
Stairs (between and
under)
Storage bin, room
Storage shed
Store
Stove
Stroller
Suitcases
Tallis bag
Travel bags
Toy cars, wagons and
  riding toys
Toy furniture
Toys, toy chests
Truck, see: Car
Window sills
Work bench
Work shop
Vacuum cleaner bag
  (empty out)
Zmiros booklets

E. IF ONE FORGOT TO PERFORM THE BEDIKAH ON THE NIGHT OF THE FOURTEENTH

Bedikah in the morning

1. If a person forgot or was unable to perform the bedikah on the night of the fourteenth, he is required to perform it on the fourteenth by day *immediately* when he recalls — because we are afraid that he may forget again (צו). Until he performs the bedikah he may not engage in work, eat, learn Torah and the like — similar to the restrictions at night (צז) (see B). A brocho is recited on

---

(צו) ע' משנה (י:) „ר' יהודה אומר בודקין אור י"ד ובי"ד שחרית ובשעת הביעור וחכ"א לא בדק אור י"ד יבדוק בי"ד לא בדק בי"ד יבדוק בתוך המועד לא בדק בתוך המועד יבדוק לאחר המועד" וכ' המחבר (ס' תל"ה ס"א) „לא בדק

בליל י"ד יבדוק ביום י"ד באיזו שעה שיזכור מהיום" וכ' המ"ב (שם ס"ק ב') „באיזה שעה שיזכור מהיום. ולאחר שנזכר מחויב לבדוק תיכף שמא ישכח עוד הפעם".
(צז) מ"ב ס' תל"א ס"ק ה' וס' תל"ג ס"ק ה'.

this bedikah (צח), and he should burn any chometz found (צט). As long as the sixth hour has not yet arrived, he is required to nullify the chometz (ק). However, after the beginning of the sixth hour the chometz is no longer his to nullify (קא) (see Chapter V B 3).

Bedikah after the sixth hour

2. If one did not perform the bedikah and biyur before the sixth hour, he is required to perform these requirements afterwards — immediately when he recalls (קב). We are not afraid that he may come to eat chometz which he finds during the bedikah, since his sole purpose in searching for it — is to destroy it (קג).

Bedikah during Pesach

3. If he did not perform the bedikah *before* Pesach he is still required to perform the bedikah *during* Pesach (קד). A brocho is recited (קה). This bedikah on Yom Tov is required — even if he nullified the chometz before Pesach (קו).

[On Shabbos, bedikah by candlelight is not performed (קז)]. Even on Yom Tov itself, he is required to perform the bedikah (קח). Any chometz found on Yom Tov should be covered until Chol Hamoed and then burned (קט).

Many Poskim hold that if he nullified the chometz before Pesach he should *not* perform the bedikah on Yom Tov during the day, but should wait until Chol Hamoed (קי) (see 6).

Inheriting chometz

4. If a person did not perform the bedikah before Pesach and he passed away, if the heirs intended to inherit the chometz and it is on their property,

---

(צח) ע' מחבר ס' תל"ה ס"א ומ"ב ס"ק ה' ודוק.

(צט) שם.

(ק) מ"ב שם ס"ק א'.

(קא) שם. ומש"כ דאינו ברשותו לבטלו היינו בחמץ שכבר נתחמץ אבל לענין בצק שעדיין לא נתחמץ יכול לבטל לאחר שעה ו' ואפילו בתוך הפסח כל זמן שלא נתחמץ, ונ"מ לדינא לאלו האופים מצת מצוה אחר חצות בע"פ שצריכים לבטל החמץ קודם שמתחמץ ע' ס' ת"ס ס"ג וס' תנ"ט ס"ד.

(קב) מחבר שם ומ"ב שם ס"ק ב'.

(קג) שעה"צ שם ס"ק ב'.

(קד) כ' המחבר שם „לא בדק כל יום י"ד יבדוק בתוך הפסח".

(קה) כ' מחבר שם „ועל הבדיקה שלאחר הפסח לא יברך" וכ' המ"ב (שם ס"ק ה') „אבל על הבדיקה שבתוך הפסח צריך לברך אע"פ שביטלו קודם הפסח".

(קו) מ"ב שם ס"ק ג'.

(קז) ע' ס' תמ"ד ס"א ומ"ב שם ס"ק ב' ודוק.

(קח) מ"ב ס' תל"ה שם.

(קט) שם מס' תמ"ו.

(קי) מ"ב שם מפר"ח ומשמע דס"ל כן וכן מוכח משעה"צ ס"ק ט' [ונראה דהא דכ' בשעה"צ שם „צ"ע אם מותר להדליק נר בשביל זה ביום אפילו היכא שלא בטלו וכו'" איירי ביום ב' או בא"י ביום א' דאל"כ יכול לבדוק בלילה שלאחריו בנר אם לא דחיישינן שמא ישכח ודוק].

their acquisition causes them to violate the issurim of בל יראה and בל ימצא (**קיא**). Therefore, they are required to perform the bedikah and biyur — even on Pesach (**קיב**). If they did not do so, the chometz is considered חמץ שעבר עליו הפסח and is prohibited (**קיג**) (see Chapter V B 5). If they did not intend to acquire the chometz, a Rav should be consulted (**קיד**).

Bedikah after Pesach

5. If one did not perform the bedikah before Pesach, he should do so after Pesach (**קטו**). This is required in order not to derive benefit from חמץ שעבר עליו הפסח (**קטז**). A brocho, however, is not recited on this bedikah (**קיז**).

Bedikah with a candle

6. All bedikos referred to here (see E 1-5) must be performed with a candle, searching in all holes and crevices (**קיח**). A candle is required even when the bedikah is performed during the day (**קיט**). However, it is questionable whether a candle may be lit for this purpose during the day on Yom Tov (**קכ**). If one nullified the chometz, certainly a candle should not be lit on Yom Tov for this purpose; the bedikah should be postponed until Chol Hamoed (**קכא**).

Chometz found on Pesach

7. If one performed the bedikah [with a brocho] and bitul properly before Pesach, but discovered chometz on Pesach, he is required to burn it on Chol Hamoed (**קכב**). However, since it is questionable whether a brocho should be recited before the biyur (**קכג**), a brocho should not be recited (**קכד**).

(קיא) מ״ב ס׳ תל״ה ס״ק ג׳.

(קיב) שם.

(קיג) שם.

(קיד) ע׳ מ״ב שם. מי שלא ביטל חמצו ומת בע״פ והניח יורשים ע״ש ולעיל פ״ב הערה קלז וא״א ס״ס תל״ה. **אונן** ר״ל לענין בדיקה ע׳ כה״ח ס׳ תל״א אות ח׳ וארחות חיים ס׳ תל״א אות ב׳ וס׳ תל״ב אות ג׳.

(קטו) כ׳ המחבר שם „לא בדק בתוך הפסח יבדוק לאחר הפסח כדי שלא יכשל בחמץ שעבר עליו הפסח שהוא אסור בהנאה״.

(קטז) שם.

(קיז) כ׳ המחבר שם „ועל הבדיקה שלאחר הפסח לא יברך״ והטעם כ׳ במ״ב (שם ס״ק ה׳) „לא יברך. כיון שמותר להשהותו ואף באכילה אינו אסור אלא משום קנסא שהשהה החמץ בפסח ואינו בודק אלא להבדיל בין חמץ זה לחמץ המותר לכן לא יברך״ ובגר״ז (שם ס״ד) הוסיף „כי איך יברך וצונו עב״ח והרי הוא אוכל חמץ וכו׳״.

(קיח) מ״ב ס״ק ד׳.

(קיט) שם.

(קכ) שעה״צ שם ס״ק ט׳.

(קכא) שם ונראה דאיירי ביום ב׳ או בא״י ביום א׳ דאל״כ יכול לבדוק בלילה שלאחריו בנר אם לא דחיישינן שמא ישכח ודוק.

(קכב) ע׳ מ״ב ס״ק ה׳ וס׳ תמ״ו ס״א. **לענין** מי שמצא חמץ ביו״ט שני ע׳ ס׳ תמ״ו ס״ב ומ״ב ס״ק ח׳.

(קכג) ע׳ מ״ב שם.

(קכד) מ״ב ומסיק שם „וספק ברכות להקל״.

Feeding animals, birds or fish

8. A person may not feed chometz on Pesach* to an animal, bird or fish (קכה). This halacha applies regardless of whether it belongs to him, to another Jew, to a gentile, or even if it is a stray which is *hefker* (renounced property — without an owner) (קכו). This halacha applies even if the chometz does not belong to him (קכז).

A person may not give his animal, bird or fish to a gentile for Pesach* in order to be fed chometz, regardless of whether it is for pay or even gratus (קכח). However, for those which are given to the gentile well before Pesach to be cared for, and the gentile feeds them of his own — without specific instructions from the Jew — it is permissible (קכט). This halacha applies even though he is aware that the gentile is feeding him chometz on Pesach (קל). Where there is no other choice, they may be sold to the gentile for Pesach (קלא). A Rav should be consulted as to the method to be employed for this sale (קלב).

*Note: Wherever we mention Pesach in this context, the same halacha applies from the sixth hour on Erev Pesach (קלג).

(קכה) כ׳ המחבר (ס׳ תמ״ח ס״ו) „אסור להאכיל חמצו בפסח אפילו לבהמת אחרים או של הפקר״.

(קכו) ע׳ מחבר שם ומ״ב ס״ק כ״ו, כ״ז, ובגר״א (שם ס״ק י״ד) ובבית הלוי (ח״א ס״כ) ובאור שמח (פ״ד מהל׳ מאכ״א ה׳ כ״ב) ויד אברהם (על שו״ע יו״ד ס׳ צ״ד ס״ג) ואכמ״ל.

(קכז) מחבר שם ומ״ב ס״ק כ״ח.

(קכח) כ׳ המחבר (ס׳ תמ״ח ס״ז) „אסור ליתן בהמתו לאינו יהודי להאכילה בימי הפסח אם הוא יודע שמאכיל אותה פסולת שעורים שהוא חמץ״ וכ׳ המ״ב (שם ס״ק כ״ט) „ליתן בהמתו וכו׳. בין בחנם בין בשכר״ וע׳ במ״ב (שם ס״ק ל״ב) „אם הוא יודע וכו׳. אבל אם אין ידוע שיאכילנה חמץ מותר ליתנה לו ואין לו לחוש שמא יאכילנה״.

(קכט) מ״ב שם ס״ק ל״א.

(קל) שם.

(קלא) ע׳ מ״ב שם ס״ק ל״ג.

(קלב) שם.

(קלג) מ״ב ס״ק כ״ו.

סימנים וסעיפים שבשלחן ערוך המשתייכים לפרק זה

תל״א:א,ב	**תל״ז:א**
תל״ג:ג,ד	**תמ״ו:א,ב**
תל״ה:א	**תמ״ח:ו,ז**

Chapter VII Procedure for the Bedikah

A. PREPARATION FOR THE BEDIKAH

Cleaning before the bedikah

1. Before beginning the bedikah, all rooms requiring bedikah must be swept and cleaned (**א**). This is required, because without this cleaning a proper bedikah cannot be performed (**ב**).

The minhag to clean on the thirteenth

2. The minhag is to clean the entire house on [or before] the thirteenth of Nissan, in order to perform the bedikah properly at the beginning of the evening of the fourteenth (**ג**) (see Chapter VI A 3). However, this minhag of cleaning should not be misconstrued as sufficient for bedikah for two reasons:

a) We will learn (see E) that during the bedikah one is required to search in cracks and crevices (**ד**). Normal cleaning does not assure that this was done.(**ה**)

b) Even if one searched thoroughly earlier with a candle in cracks and crevices and intended this to be a bedikah, we will learn (see Chapter VIII A 12) that he is required to perform the bedikah again on the evening of the fourteenth — like the rest of the Jewish people (**ו**). This is required, in order not to differentiate between the bedikah of one person and that of another (**ז**). In addition, one should not rely on a bedikah with a candle by day, because a candle offers better illumination at night than by day (**ח**).

Put away all chometz

3. Before beginning the bedikah, one should put away all chometz in a

---

(א) כ׳ הרמ״א (ס׳ תל״ג ס׳ י״א) „וכל אדם צריך לכבד חדריו קודם הבדיקה״.

(ב) מ״ב שם ס״ק מ״ו.

(ג) כ׳ המ״ב שם „והמנהג לכבד כל הבית והחדרים ביום י״ג כדי שיוכל לעשות הבדיקה כדין בתחלת ליל י״ד וכמ״ש בסימן תל״א ס״א״ ופשוט דאם כבדו קודם י״ג ולא הכניסו בו חמץ כי״ג דמי וכ׳ בערה״ש (שם ס׳ י״ד) „ואצלינו שרוחצין וגוררין עדיף יותר מכיבוד״

(ד) ע׳ ס׳ תל״ג ס״ד וערה״ש שם ס׳ י״ג וגר״ז ס׳ ל״ט.

(ה) ע׳ גר״ז וערה״ש שם ומ״ב שם ס״ק מ״ה.

(ו) כ׳ המ״ב שם „ואפילו אם בדק לאור הנר בחורין ובסדקין ג״כ צריך לחזור ולבדוק בלילה ככל ישראל שלא לחלק בין בדיקה לבדיקה״ וע׳ שעה״צ (שם ס״ק נ״ו) שכ׳ „ולטעם זה אם שייר חדר א׳ וכו׳״.

(ז) מ״ב שם.

(ח) שם.

secure place, whether it is to be eaten at night or in the morning, and even if it will be sold to the gentile (ט) (see Chapter XI).

B. THE MINHAG OF PLACING PIECES OF BREAD

The minhag

1. Before beginning the bedikah, many have a minhag to place pieces of bread where the one performing the bedikah will discover them during the bedikah (י). Hard chometz should be used in order that crumbs should not break off (יא). [For this reason, it is advisable to wrap them or to place paper under the pieces] (יב). The minhag is to use ten pieces (יג). The pieces should be smaller than the volume of an olive (יד). The chometz should be put in a place secure from children and rodents (טו). One should exercise extreme caution not to lose or misplace them (טז).

Reason for the minhag

2. Some Poskim hold that the reason for this minhag is that since a brocho

---

(ט) כ׳ המחבר (ס׳ תל״ד ס״א) „אחר הבדיקה יהא נזהר בחמץ שמשייר להצניע כדי שלא יצטרך בדיקה אחרת״ וכ׳ המ״ב (ס׳ תל״ד ס״ק א׳) „אחר הבדיקה. וה״ה בשעת הבדיקה יצניע החמץ שרוצה לאכול דיש לחוש דלאחר שהשלים לבדוק זוית אחת וילך לבדוק זוית אחרת יטול עכבר לפנינו ויגררנו לזוית שכבר בדק״ וכ׳ הקש״ע (ס׳ קי״א ס״ט) „החמץ שהוא משייר לאכילה או למכירה וכו׳״ וכ׳ שם „ויניחנו במקום שיראהו למחר ולא ישכח לשרפו״.

(י) כ׳ הרמ״א ס״ס תל״ב „ונוהגים להניח פתיתי חמץ במקום שימצאם הבודק כדי שלא יהא ברכתו לבטלה (מהר״י ברי״ן) ומיהו אם לא נתן לא עכב דדעת כל אדם עם הברכה לבער אם נמצא. (כל בו)״. **בספר** תמים דעים (ס׳ כ״ט) כ׳ „והני דמשוו חמירא בחורין בשעת ביעור מעשה נשים הוא ואין לו שורש״ בט״ז (שם ס״ק ד׳) כ׳ דלכתחלה לא יניח „דחיישינן שמא יניחנו במקום שלא ימצאנו הבודק וכו׳״ בכה״ח (ס׳ תל״ג אות ל״א) כ׳ בשם מהרי״ו (ס׳ קצ״ג) הטעם שמניחין הפתיתין „כדי שלא ישכח לבטל למחר משא״כ כשיש לו חמץ נזכר בזמן הביעור לבטל״ וכ׳ מהרי״ל „ומהאי טעמא נראה לשרוף הכלי לכל הפחות כדי לזכור ביעור״ (והובא ברמ״א ס׳ תמ״ה ס״ג בקצת שינוי) בח״י (ס״ס תל״ב) כ׳ „ול״נ טעם המנהג שאם יבדוק ולא ימצא זמן מה יתרשל שוב ויתייאש מן הבדיקה ולא יבדוק עוד היטב לכך מניחין לו פתיתים שעל ידי זה שימצא חמץ יתן לבו לבדוק היטב אולי ימצא עוד וק״ל ואין לבטל מנהג של ישראל״ וכן בגר״ז (שם ס׳ י״א) כ׳ „אבל כבר נתפשט המנהג להניחן ומנהגן של ישראל תורה היא״ במ״ב (שם ס״ק י״ג) כ׳ „וגם האר״י ז״ל כתב מנהג זה ושיניח יו״ד פתיתים אכן יש ליזהר הרבה שלא יאבד אחד מן הפתיתין ועיין בש״ת״ ובש״ת (שם ס״ק ז׳) כ׳ „ועיין מח״ב בשם שו״ת זרע אמת שהמניח פתיתין נכון לדקדק שיהיו קטנים פחות מכזית ובסי׳ ל״ט כתב בשמו שהיה מלקט פתיתים וקודם שבדק כל החדרים וגם לא ביטל הרגיש שחסר אחד מהפתיתים שקיבץ א״צ לחזור ולבדוק כל החדרים ויבטל ע״ש״ וכ׳ בשעה״צ (ס״ק י״ב) „ובפתחי תשובה הביא בשם עמק הלכה דכהיום שהמנהג לכבד ולנקות הבית מכל חשש חמץ קודם ליל י״ד יש למנהג זה יסוד מדינא״ (הובא דברי עמק הלכה גם בכה״ח שם).

(יא) גר״ז שם ומ״ב שם ס״ק י״ב.

(יב) כך נראה.

(יג) מ״ב שם ס״ק י״ג מהאר״י ז״ל וע׳ כה״ח שם סוף אות ל״א.

(יד) שע״ת ס״ס תל״ב.

(טו) מ״ב שם ס״ק י״ב.

(טז) מ״ב שם ס״ק י״ג.

is recited, would he not locate any chometz during the bedikah, his brocho would be a ברכה לבטלה (a brocho recited in vain) (**יז**). Most Poskim, however, hold that even were he to find no chometz during the bedikah it would not be a ברכה לבטלה (**יח**). The reason is that the mitzvah of *bedikas chometz* is to *search* for chometz and, if found, to destroy it; but even if no chometz is located, the mitzvah has been fulfilled (**יט**).

Some Poskim explain that the reason for the minhag is to ensure that he nullifies the chometz (**כ**). The reason of these Poskim is that should he have chometz to destroy on Erev Pesach, he would be less likely to forget to nullify the chometz then (**כא**).

Another explanation given is that should he search and not locate any chometz, after a while he will become lax in his bedikah (**כב**). Since he is aware of the presence of pieces of chometz placed throughout the house, this will stimulate him to perform an effective bedikah (**כג**).

Care should be taken not to deprecate this or *any* minhag of Israel (**כד**). However, one who does not search properly, but merely collects these pices of bread has not fulfilled the mitzvah of bedikah and his brocho is a ברכה לבטלה. (**כה**).

C. THE BROCHO

Before beginning the bedikah

1. Before beginning the bedikah, a brocho is recited (**כו**). The brocho is "אשר קדשנו במצותיו וצונו על ביעור חמץ" (**כז**). If a person, in error, instead said "לבער חמץ", he is not required to repeat the brocho (**כח**).

(יז) רמ"א שם ממהר"י ברי"ן.

(יח) רמ"א שם מכל בו וכ' המ"ב שם דכן הסכימו אחרונים לדינא (וע' לעיל הערה י').

(יט) מ"ב שם מגר"ז וגר"א וע"ש ובשעה"צ ס"ק י"א מט"ז.

(כ) ח"י שם ס"ק י"ד בשם מהר"י.

(כא) שם.

(כב) ע' ח"י שם (הובא לעיל בהערה י') וע"ש שכ' „לכך מניחים לו".

(כג) שם.

(כד) ע' ח"י גר"ז ומ"ב שם וע' שעה"צ ס"ק י"ב וע' רמ"א (ס' תר"צ ס' י"ז) „ואין לבטל שום מנהג או ללעוג עליו כי לא לחנם הוקבעו" ובבאה"ט (שם ס"ק ט"ו) שהאריך בזה וע' ד"מ ס' נ"ד ס"ק א' שכ' „וע"פ הכ"ב בטלתי המנהג הקדום בעירי וכו' אך נחמתי כי עשיתי וכו' ולכן אין לבטל מנהג הקדום והנח לישראל שאם אינם נביאים בני נביאים הם".

(כה) קש"ע ס' קי"א ס"ח, וע' שע"ת ס"ס תל"ג וערה"ש ס' תל"ב ס"ה וס' תל"ג ס' י"ג לימוד זכות לזה.

(כו) איתא בגמ' (ז.) „אמר רב יהודה הבודק צריך שיברך".

(כז) ע' בגמ' שם „מאי מברך רב פפי אמר משמיה דרבא לבער חמץ רב פפא אמר משמיה דרבא על ביעור חמץ וכו' והלכתא על ביעור חמץ" וכ"כ המחבר (ס' תל"ב ס"א) „קודם שיתחיל לבדוק יברך אשר קדשנו במצותיו וצונו על ביעור חמץ". למה אין מברכין „על בדיקת חמץ" כ' הרא"ש (פ"א ס"י) „ומן הראוי שיברך קודם בדיקה על בדיקת חמץ ותקנו לומר על ביעור חמץ לפי שלאחר הבדיקה מיד הוא מבטל והיינו ביעור לחמץ שאינו ידוע לו ומצניע את הידוע לו ואוכל ממנו עד שעה חמישית ואז מבערו מן הבית ועל עסק זה נגררה הברכה של בדיקה שהיא תחלת הביעור ונגמר בשעה חמישית" וע' גר"ז שם ס"ב ומ"ב שם ס"ק ג'.

(כח) מ"ב שם ס"ק ג' וע' גר"ז שם ס"ד שכ'

If he began without a brocho

2. If he began the bedikah without the brocho, he should recite the brocho as long as the bedikah has not been completed (**כט**). If he completed the bedikah, no brocho should be recited until the following morning before burning the chometz (**ל**). Some Poskim hold that once the bedikah has been completed, a brocho is no longer recited [but rather it should be said without שם ומלכות] (**לא**). One who wants to, may rely on the Poskim who hold that a forgotten brocho may be recited before the biyur (**לב**).

No speaking between brocho and beginning of bedikah

3. One should exercise caution not to speak between the brocho and the beginning of the bedikah (**לג**). If one did speak and the conversation concerned the bedikah, he is not required to repeat the brocho (**לד**). If the conversation did not pertain to the bedikah, the brocho must be repeated (**לה**).

One should not speak during the entire bedikah

4. Preferably, one should avoid speaking during the *entire* bedikah regarding matters which are not relevant to the bedikah (**לו**). The reason for this is in order to concentrate on performing a thorough bedikah (**לז**). However, even if he did converse during the bedikah concerning matters which are not relevant to the bedikah, the brocho need not be repeated (**לח**).

When a שליח performs the bedikah, who recites the brocho?

5. We have learned (see Chapter VI C 2) that a person who has the resposibility for the bedikah should preferably perform the bedikah himself (**לט**).

„וכן כיוצא בזה בשאר מצות וכו׳״ ע״ש.

(כט) רמ״א שם וע׳ בגר״ז (שם ס״ה) „אם נזכר קודם שגמר את הבדיקה לגמרי דהיינו שנשאר לו עדיין לבדוק מקום אחד או אפילו זוית אחת ואפי׳ חור א׳ וכו׳״ ע״ש.

(ל) מ״ב שם ס״ק ד׳.

(לא) מ״ב שם וגר״ז ס״ה.

(לב) מ״ב שם.

(לג) כ׳ המחבר שם „ויזהר שלא ידבר בין הברכה לתחלת הבדיקה״.

(לד) מ״ב שם ס״ק ו׳ וכ׳ שם „ובדברים שהם צורך הבדיקה גם לכתחלה יוכל לדבר שזה אין חשיב הפסק כלל״ והיינו אחר שהתחיל הבדיקה דקודם שהתחיל הבדיקה כ׳ הגר״ז (שם ס״ו) „ולכתחלה יזהר שלא ידבר בינתיים כלל אפי׳ מעניני צרכי הבדיקה אא״כ הוא בענין שא״א לו להתחיל לבדוק אם לא ישיח אבל אם עבר ושח בינתיים בצרכי הבדיקה א״צ לחזור ולברך אפילו היה אפשר לבדוק בלא שיחה זו אבל אם שח בינתיים שיחה שאינה מענין הבדיקה כלל צריך לחזור ולברך״ וע״ש (בס״ז) שכ׳ „בד״א כששח קודם שהתחיל לבדוק וכו׳״ ומוכח כן גם מהמ״ב דהד״ה של המ״ב (ס״ק ו׳) קאי על „וטוב שלא ידבר וכו׳ עד שיגמור כל הבדיקה וכו׳״ ומוכח גם מדברי המ״ב שם שכ׳ „כיון שכבר התחיל המצוה״ ודוק.

(לה) גר״ז שם ומ״ב שם ס״ק ה׳.

(לו) מחבר שם.

(לז) שם וע׳ גר״ז (שם ס״ז) טעם אחר „לפי שיש אומרים שאף המשיח באמצע המצוה ה״ז הפסק״ ע״ש.

(לח) מ״ב שם ס״ק ו׳.

(לט) שם ס״ק ח׳.

However, he may appoint a representative to perform the bedikah or assist him (מ). If the שליח will only *assist* the owner, the owner should recite the brocho and the שליח should listen to the brocho and answer אמן (מא). If the representative is performing the *entire* bedikah for him, the שליח recites the brocho (מב).

One brocho suffices for many buildings

6. With one brocho one can inspect many buildings (מג). We have learned (see 5) that a representative may assist him (מד). Therefore, if others will assist him in performing the bedikah of the other buildings, they should listen to the brocho from the owner, answer אמן, and then each should go to his assigned building (מה).

If they were not present while the owner recited the brocho, it is preferable that they should *not* perform the bedikah (מו). However, if one started the bedikah and finds it difficult to complete by himself, he may ask someone to assist him (מז). In this case, the person assisting him is not required to recite the brocho (מח). The reason is that the entire bedikah is one mitzvah and the brocho was already recited by the owner (מט).

No שהחיינו is recited

7. The brocho שהחיינו is not recited before *bedikas chometz* (נ). The reason is that the purpose of the bedikah is to prepare the house for Pesach; therefore, the brocho of שהחיינו which is recited at kiddush at the beginning of Pesach includes the mitzvah of bedikah (נא).

Wash hands before beginning the bedikah

8. Some Poskim say that it is proper to wash one's hands before beginning the bedikah (נב).

(מ) כ' המחבר (ס' תל"ב ס"ב) „ואם בעל הבית רוצה יעמיד מבני ביתו אצלו בשעה שהוא מברך ויתפזרו לבדוק איש איש במקומו על סמך ברכה שבירך בעה"ב". וע' מ"ב שם.

(מא) ע' מ"ב שם ס"ק ט'.

(מב) מ"ב שם ס"ק י'.

(מג) כ' המחבר שם „בברכה אחת יכול לבדוק כמה בתים".

(מד) ע' לעיל הערה מ'.

(מה) ס' תל"ב ס"ב ומ"ב שם ס"ק ט'.

(מו) מ"ב שם ס"ק י"א.

(מז) שם.

(מח) שם.

(מט) שם.

(נ) כ' הרא"ש (פ"א ס"י) „והא דלא מברכין עלה שהחיינו אע"ג דבאה מזמן לזמן נ"ל כיון דמצוה זו אינה אלא לצורך הרגל לתקן הבית ולבער החמץ מתוכו לצורך המועד סמכינן לה אזמן דרגל מידי דהוה אעושה סוכה ולולב לעצמו דמחויב לברך שהחיינו בעשייתו אלא סמכי' ליה אזמן דרגל" והביאו הגר"ז ס' תל"ב ס"ג.

(נא) שם.

(נב) גר"ז ס"ס תל"ב ומ"ב שם ס"ק ב' ומהמ"ב משמע דנוטל ידיו קודם הברכה וכ"כ במהרי"ל בהדיא דהנטילה הוא משום הברכה.

D. THE CANDLE

Reason for candle

1. The search for chometz must be performed by candlelight (נג).

The reason a candle is required and searching by daylight is insufficient, is that since we are required to search for chometz in holes and crevices (see E), daylight is not adequate for this purpose (נד). Since a candle is required for the bedikah, חז״ל ordained that the mitzvah should be performed at night — when candlelight offers better illumination (נה). [We have learned (see Chapter VI A 2) another reason why חז״ל ordained bedikah at night, because people are usually at home in the evening] (נו).

Bedikah by day

2. Even if he omitted to perform the bedikah on the night of the fourteenth, when he performs the bedikah on the fourteenth by day, a candle is required (נז).

Sun porch

3. An אכסדרה, that is, a roofed room enclosed by only three walls (נח), must also be inspected at night by candlelight (נט). However, if the bedikah was not performed at night, when the bedikah is performed on the fourteenth by day, sunlight may be used for the bedikah (ס).

One should not perform the bedikah of an אכסדרה on the thirteenth [or before] by day, but must wait until the evening of the fourteenth and use a candle (סא). However, if the bedikah was performed by sunlight on the thirteenth or before [and no further chometz was brought in afterwards, (סב)] another bedikah is not required (סג).

(נג) תנן (ב.) „אור לארבעה עשר בודקין את החמץ לאור הנר" וכ׳ המחבר (ס׳ תל״ג ס״א) „הבדיקה צריך שתהיה לאור הנר וכו׳" ואסמכוה אקרא דכתיב אחפש את ירושלים בנרות, ע׳ כה״ח ס׳ תל״א אות ו׳ מגמ׳ ז:.

(נד) ע׳ גמ׳ (ז:־ח.) „ת״ר אין בודקין לא לאור החמה ולא לאור הלבנה ולא לאור האבוקה אלא לאור הנר מפני שאור הנר יפה לבדיקה וכו׳" ומ״ב ס׳ תל״א ס״ק ג׳ וכ״כ בס׳ תל״ג ס״ק א׳.

(נה) מ״ב שם.

(נו) מ״ב ס׳ תל״א ס״ק ג׳.

(נז) ס׳ תל״ג ס״א.

(נח) מ״ב שם ס״ק ד׳.

(נט) איתא בגמ׳ (שם ח.) „אכסדרה לאורה נבדקת" וכ׳ המחבר שם „ואכסדרה שאורה רב אם בדקה לאור החמה דיו" וע׳ מ״ב שם ס״ק ה׳.

(ס) ע׳ מחבר ומ״ב שם ובגר״ז שם ס״ב הוסיף „אפי׳ ביום המעונן". מש״כ בגר״ז שם „יכול לבדקו לכתחלה וכו׳" איירי כשעבר או שכח ולא בדק בלילה (כמ״ש שם בס״ה) כשבא לבדוק ביום יכול לכתחלה לבדוק באור היום ואינו צריך אור הנר ונראה דכן כוונת המ״ב שם שרצה להדגיש זה ודוק.

(סא) ע׳ מחבר ומ״ב שם ס״ק ו׳.

(סב) גר״ז שם ס״ה.

(סג) מ״ב שם.

Under a skylight or opposite open windows

4. Similarly, if a person performed the bedikah on the fourteenth by day — without a candle — but *directly* opposite windows, the bedikah is valid (**סד**). The skylight and windows, however, must be open (**סה**) (see Chapter VI D 11).

What type of candle should be used?

5. What type of candle should be used? A wax candle with a single wick should be used (**סו**). A paraffin candle may also be used (**סז**).

Torch, two wicks, Havdallah candle

6. A torch (אבוקה) — which is a large flame — can *not* be used for the bedikah (**סח**). The reason is that a torch cannot be brought into holes and crevices (**סט**). In addition, since he is afraid that it may destroy the house, he will not search properly (**ע**).

Two candles, even if twisted together (e.g. Havdallah candle) are considered like a torch (**עא**). Similarly, a candle consisting of two wicks is considered like a torch (**עב**).

A bedikah performed with a torch is *not* valid and another bedikah is required (**עג**).

(סד) כ׳ המחבר שם „וה״ה כנגד ארובה שבחדר״ וכ׳ המ״ב (שם ס״ק ז׳) „ארובה מקרי מה שבאמצע הגג וה״ה נגד החלונות שבכתלים ודוקא נגד ארובה ונגד החלון ממש ששם אורן רב מִשא״כ מן הצדדין וכו׳״.

(סה) גר״ז שם ס״ג וס״ד ומ״ב שם ס״ק ז׳ ממ״א ס״ק ד׳ שכ׳ „ונ״ל דבחלון שיש בו מחיצה של זכוכית לכ״ע אסור לבדוק כנגדו״. **רציתי** לומר לפני מו״ר הגר״א קוטלר זצ״ל שאפשר כוונת המ״א דאיירי בזכוכית של זמנים הקודמים שלא היה צלול כ״כ כשלנו ואמר מהיכי תיתי לומר כן, ואח״כ ראיתי שכדברינו כתב בחק לישראל (דיני ע״פ שחל בשבת ס״ק י״א) מדע״ת משם הד״ק וז״ל „ובס׳ דעת תורה הלכות שחיטה סי׳ י״א סק״ג הביא מכתבי הגה״ק בעל הד״ק ז״ל שכ׳ דמ״ש המג״א הנ״ל דאסור לבדוק כנגד הנר שעומד בזכוכית וכנ״ל היינו רק בהזכוכית של זמנים הקודמים שלא הי׳ צלול וזך ודק אבל בזה״ז יש להקל גם לענין בדיקת חמץ עיי״ש וכו׳״.

(סו) כ׳ המחבר (ס׳ תל״ג ס״ב) „אין בודקין לאור האבוקה אלא לאור הנר ולא בנר של חלב ולא של שומן ולא של שמן אלא בנר של שעוה. הגה והוא יחידי אבל ב׳ נרות ביחד אפי׳ קלועים דינם כאבוקה״.

(סז) כן נראה דאין בו חסרון אבוקה ולא חסרונות דשמן ושומן דלקמן.

(סח) איתא בברייתא בגמ׳ (ז:) „ולא לאור האבוקה״ וכ״כ המחבר שם.

(סט) בגמ׳ (שם ח.) כ׳ הטעם „אמר רב נחמן בר יצחק זה [פי׳ נר יחידי] יכול להכניסו לחורין ולסדקין וזה [פי׳ אבוקה] אינו יכול להכניסו לחורין ולסדקין. רב זביד אמר זה אורו לפניו וזה אורו לאחריו. רב פפא אמר האי בעית והאי לא בעית. רבינא אמר האי משך נהורא והאי מיקטף איקטופי״ וע׳ בגר״ז (שם ס״ח) ומ״ב שם ס״ק ח׳ שכתבו טעם רנב״י ור״פ.

(ע) שם.

(עא) רמ״א שם.

(עב) מ״ב שם ס״ק י״ב.

(עג) מ״ב שם ס״ק י׳ וערה״ש (שם ס״ב) ודלא כט״ז, ולגר״ז (שם ס״ט) לא יברך.

Candles made of animal fat

7. One may not perform the bedikah with a candle made of animal fat — whether kosher (שומן) or non-kosher (חלב) (**עד**). The reason is that he is afraid that the fat may drip onto vessels (i.e. שומן on dairy dishes, חלב on any kosher dish) and make them non-kosher (**עה**).

However, a bedikah which was already performed with either of these candles is valid (**עו**). Similarly, in the absence of a wax candle, either of these candles may be used (**עז**).

A bedikah made by oil lamp

8. An oil lamp may not be used for the bedikah (**עח**). The reason is that since the oil may drip, he is afraid to bring it into holes and crevices (**עט**). If a bedikah was performed by an oil lamp, it is questionable whether the bedikah is valid (**פ**).

Can a flashlight be used for the bedikah?

9. A flashlight may be used for the bedikah (**פא**). However, the Jewish people is a nation of קדושים, and do not want to deviate from the minhagim of their parents. Therefore, nowadays, people will generally conduct the bedikah by the light of a single wax candle (see 5) or will begin the bedikah with a candle and use a flashlight to search in places where a candle may be inadequate, undesired (e.g. carpeted areas), or dangerous (e.g. closets containing plastic clothes bags or flammable liquids) (**פב**).

Should the electric light be shut for the bedikah?

10. Some Poskim hold that the electric light should be closed for the bedikah — to maximize the illumination of the candle (**פג**).

Other Poskim hold that it should not be closed, because the greater the light for the bedikah the better (**פד**).

(עד) מחבר שם וגר"ז שם ס"ח.

(עה) גר"ז שם ומ"ב שם ס"ק ט'.

(עו) גר"ז שם ומ"ב ס"ק י'.

(עז) גר"ז שם ומ"ב שם ס"ק י"א.

(עח) מחבר שם.

(עט) מ"ב שם ס"ק י'.

(פ) שם.

(פא) שמעתי מפי מו"ר הגר"א קוטלר זצ"ל ואמר דלא גרע מנר ויבדל"ח שמעתי מפי הגרמ"פ שליט"א דעדיפא מנר. וע' בשעהמ"ב (ס' קי"א ס"ק ד') לענין בדיקה באור החשמל וע' לקמן בהערה פד.

(פב) כך נראה וע' שעהמ"ב שם.

(פג) כ' בהגדה של פסח עם ביאור מועדים וזמנים (בדיקת חמץ אות א') „ויש נוהגין לכבות האלקטרי בשעת בדיקה" וע"ש במקור הערות שם צדדים לכאן ולכאן.

(פד) שמעתי מפי הגרמ"פ שליט"א, וע' בס' חק לישראל דיני ע"פ שחל בשבת (ס"ק י"א) שכ' „ולפי"ז י"ל דה"ה דמותר לבדוק בעלעקטריש ליכט התלוי על חוט או משיחה שמוליך הנר עלעקטריש בכל המקומות שצריך לבדוק וכו'".

E. HOW SHOULD THE BEDIKAH BE PERFORMED?

A thorough search

1. We have learned (see Chapter VI D 1) that wherever chometz was used during the year requires bedikah (פה); and that even a place, where, on occasion, chometz may have *possibly* been brought there, requires bedikah (פו) (see Chapter VI D for a discussion of places requiring bedikah).

The bedikah consists of a thorough, systematic search in all rooms, closets, drawers, and the like, looking — by candlelight — even in holes, crevices, corners and concealed areas (פז).

During the bedikah, one should not only look for bread, cake and the like, but should search in the pantry, refrigerator, medicine chest and other places, for products, cosmetics and medications containing chometz ingredients (פח).

Bedikas chometz is not a perfunctory ceremony

2. Some people assume erroneously that since the house was cleaned thoroughly before the fourteenth, a superficial bedikah is sufficient (פט). They place pieces of bread around the house, recite the brocho and merely collect these pieces of bread by candlelight (צ). This is a mistake! *Bedikas chometz* is not a perfunctory ceremony! (צא). Although it is true that the house requires a cleaning prior to the bedikah (צב), however, we explained earlier (see A 2) that cleaning cannot serve as a substitute and should not be misconstrued as the bedikah (צג). We have learned (see B 2) that one who does not search properly, but merely collects these pieces of bread, has *not* fulfilled the mitzvah of bedikah, and his brocho is a ברכה לבטלה (צד).

Feather and spoon

3. During the bedikah, the minhag is to use a feather to assist in the removal of all chometz crumbs (צה).

The minhag is to use a wooden spoon to collect particles of chometz found during the bedikah (צו). The reason for this minhag is that should no chometz be found, one may forget to nullify his chometz. Therefore, since he will burn the spoon the following morning, he will recall to nullify the chometz at that time (צז).

(פה) ע' ס' תל"ג ס"ג ומ"ב שם ס"ק י"ג.

(פו) ע' שם.

(פז) ס' תל"א ס"א, ס' תל"ג ס"ג ובכ"מ.

(פח) כך נראה.

(פט) כך המנהג אצל המוני עם.

(צ) כנ"ל.

(צא) ע' ערה"ש ס' תל"ג ס' י"ג ובכ"מ.

(צב) רמ"א ס"ס תל"ג.

(צג) ע' ערה"ש שם.

(צד) קש"ע ס' קי"א ס"ח וע' לעיל הערה כה.

(צה) מ"ב ס' תל"ג ס"ק מ"ו.

(צו) מנהגים.

(צז) כך נראה ע"פ מהרי"ל הובא במ"ב ס' תמ"ה ס"ק ז' וכ"כ הגר"ז ס' תמ"ה ס"ז וע'

Put all chometz in a secure place

4. We have learned (see A 3) that before beginning the bedikah, all chometz should be put away in a secure place (צח). Similarly, after the bedikah is completed *all* chometz, whether it is to be eaten at night or in the morning, or whether it is to be sold to the gentile or burned in the morning, should be placed in a secure place and not moved around (צט). Should the chometz not be kept in a secure place, but where children, rodents or others could have moved it around, another bedikah may be required (ק).

Bitul chometz

5. Immediately after the bedikah, he should nullify the chometz (קא). The halachos of *bitul chometz* will be discussed in detail later (see Chapter IX).

רמ"א ס"ס תמ"ה. **עוד** טעם כתב הגר"ז שם „כדי שלא ישכח חובת הביעור לשנה הבאה".
(צח) ע' לעיל הערה ט'.
(צט) מ"ב ס' תל"ד ס"ק ב'.
(ק) ע' שעה"צ ס"ק ד' מחיי"א.
(קא) ס' תל"ד ס"ב.

תל"א:א
תל"ב:א,ב
תל"ד:א

Chapter VIII   General Halachos and Specific Conditions
for Bedikas Chometz

A. WHERE BEDIKAS CHOMETZ IS REQUIRED
BEFORE THE FOURTEENTH

If a person will not be home on the fourteenth

1. We have learned (see Chapter VI A 1) that we are required to search for chometz on the night of the fourteenth of Nissan (א). What should a person do if he is unable to be at home on the night of the fourteenth?

We have learned (see ibid. C 2) that a person who is unable to perform the bedikah himself may appoint a שליח (representative) to perform the bedikah for him (ב). Therefore, if a person will not be home on the night of the fourteenth, he may appoint a שליח to perform the bedikah for him (ג). We have learned (ibid. 3) who is suitable to be designated as this representative (ד).

Requirements for the representative

2. This representative assumes many of the halachos of the owner (ה). When he performs the bedikah, he recites the brocho (ו) (see Chapter VII C 5). The bedikah is performed with a candle (ז). Once the appropriate time for the bedikah arrives, he is prohibited to engage in work, eat, learn Torah and the like — similar to the owner (ח). The halachos of the bitul will be discussed later (see Chapter IX C). He is required to burn the chometz in the proper time (ט) (see Chapter X B 2).

If no representative is available

3. If a person intends to leave before the fourteenth of Nissan, but no one is available to perform the bedikah for him, he is required to perform the bedikah on the evening before he leaves (י) [see 6. Concerning the brocho, see 11]. He is

(א) משנה פסחים ב.

(ב) ע' ס' תל"ב ס"ב ומ"ב ס"ק ח',י"א וס' תל"ו ס"ק א'.

(ג) מ"ב ס' תל"ו שם.

(ד) ע' לעיל פ"ו בפנים אצל הערה מג.

(ה) כמו שיתבאר.

(ו) מ"ב ס' תל"ב ס"ק י'.

(ז) ע' מ"ב ס' תל"ג ס"ק מ"ג ודוק.

(ח) כך נראה וע' נחלת צבי יו"ד ס' רס"ב לענין

מוהל ואכמ"ל.

(ט) כך נראה [ופשוט דאיירי שנעשה שליח גם לביעור].

(י) כ' המחבר (ס' תל"ו ס"א) "המפרש מיבשה לים או יוצא בשיירא ואינו מניח בביתו מי שיבדוק תוך שלשים יום זקוק לבדוק" וכ' המ"ב (שם ס"ק ג') "זקוק לבדוק. בלילה שלפני יציאתו".

then also required to nullify any chometz which he has not seen (**יא**). This is required even if he has no intention of returning until after Pesach (**יב**).

This halacha applies only if he leaves *within* thirty days of Pesach (i.e. from Purim) (**יג**). What is the halacha if one intends to leave *more* than thirty days before Pesach?

If he intends to return before Pesach

4. According to the Shulchan Aruch, if a person leaves home *more* than thirty days before Pesach for a *long* journey (see 7,) he is required to perform the bedikah before he leaves (**יד**). This halacha applies if he intends to return *before Pesach* (**טו**). The reason this is required is that we are afraid that he may return on Erev Pesach in the late afternoon, and will not have sufficient time to perform the bedikah (**טז**). It goes without saying that if he departs with the intention of returning *on Pesach*, a bedikah is required before he leaves (**יז**). Following the bedikah, he should nullify his chometz (**יח**).

For this reason, the halacha is that if he leaves home right after Pesach for the entire year and will return just before next Pesach, he is required to perform the bedikah before departing (**יט**) and nullify the chometz after the bedikah (**כ**).

Some Poskim hold that this halacha [that if he leaves *more* than thirty days before Pesach, a bedikah is required] applies only if he intends to return *on Pesach* (**כא**). However, if he intends to return *before* Pesach, he is *not* required to perform the bedikah before he leaves (**כב**). The reason of these Poskim is that they are not concerned that he may arrive on Erev Pesach in the afternoon — without sufficient time to perform the bedikah (**כג**).

(יא) כ׳ המ״ב שם „וגם צריך אז לבטל החמץ שלא ראה״.

(יב) מ״ב שם ס״ק ב׳.

(יג) מחבר שם, והטעם דתליא בל׳ יום משום דשואלין בהלכות הפסח קודם לפסח ל׳ יום ומאז והלאה חל עליו חובת הבדיקה, ע׳ מ״ב שם ס״ק ב׳ ושעה״צ ס״ק ב׳ וש״פ וכ׳ בגר״ז (ס׳ תל״ו ס״א) „כיון ששואלין ודורשין בהלכות פסח חל עליו להזהר ולקיים כל מצות חכמים לפיכך חייב הוא לבדוק וכו׳״. **מש״כ** דשלשים יום מתחילין מיום הפורים עצמו כ״כ המ״ב ס׳ תכ״ט ס״ק ב׳.

(יד) כ׳ המחבר שם „קודם ל׳ יום אין צריך לבדוק (וכשמגיע פסח יבטלנו) ואם דעתו לחזור קודם הפסח צריך לבדוק ואח״כ יצא״ וע׳ מ״ב (שם ס״ק כ׳) שכ׳ „אבל יוצא לדרך קרובה וכו׳״ ונכ׳ ע״ז לקמן.

(טו) מחבר שם.

(טז) כ׳ המחבר שם „דחיישינן שמא יחזור ע״פ בה״ש ולא יהיה לו פנאי לבער״.

(יז) מ״ב שם ס״ק ז׳.

(יח) ע׳ מ״ב שם ס״ק ג׳ וס״ק כ״ד ודוק.

(יט) ע׳ מחבר שם וכ׳ המ״ב (שם ס״ק ח׳) „ואפילו יצא מתחלת השנה צריך לבדוק ואפילו ביטל כבר מ״מ צריך לבדוק שמא יחזור וימצא ויאכלנו״ [ופשוט דאיירי שהכניס שם חמץ מיד אחר הפסח קודם שיצא, דאל״כ הוי מקום שאין מכניסים בו חמץ].

(כ) ע׳ מ״ב שם ס״ק ג׳ וס״ק כ״ד ודוק.

(כא) דעת הי״א בס׳ תל״ו ס״ב וע׳ מ״ב (שם ס״ק כ׳) שמפרש כך „ור״ל דמה שאמרנו דקודם שלשים יום א״צ לבדוק הוא אף כשדעתו לחזור קודם הפסח ורק שלא יהיה דעתו לחזור בתוך הפסח דדעה זו לא ס״ל מה שכתב לעיל דחיישינן שמא יבא ע״פ בין השמשות וכו׳״.

(כב) שם.

(כג) שם.

Although one should conduct himself according to the first view (**כד**), in case of great necessity (e.g. he has departed from his home and it is difficult for him to return, he has to catch a flight) one may rely on the second view (**כה**).

Nowadays, however, with the advent of air travel, since a person could travel to and return from distant countries in a matter of hours, many Poskim hold that traveling even within thirty days of Pesach may be considered a short trip (see 7), and a bedikah would not be required (**כו**). This would not apply, where for example, a person travels from the United States to Eretz Yisroel and expects to return on the thirteenth of Nissan (**כז**). The reason for this is that delays due to weather, equipment, overcrowded flights and the like may cause him to inadvertently return on Erev Pesach in the late afternoon (**כח**). In case of any question, a Rav should be consulted.

If he does not intend to return until after Pesach

5. If a person leaves home *more* than thirty days before Pesach for a long journey and does not intend to return until *after* Pesach, although no bedikah is necessary, he is required to nullify his chometz before Pesach — wherever he is (**כט**) (see Chapter IX C 2,3). If a person *knows* that there is chometz in his possession, some Poskim hold that he is required to dispose of it before he leaves (**ל**). Other Poskim hold that it is not required (**לא**).

The bedikah on the night before departure

6. Wherever bedikah is required, it must be performed on the night before he departs — by candlelight (**לב**). Following the bedikah, he is required to nullify chometz which he has not seen [similar to the requirement on the night of the fourteenth](**לג**). If he forgot to perform the bedikah at night, he is required to perform the bedikah during the day (**לד**).

(כד) כ׳ המ״ב (שם ס״ק כ״ג) „ולענין דינא פסקו הרבה אחרונים דיש להחמיר כדעה ראשונה ומ״מ במקום הדחק כגון שיצא מביתו עם השיירא וכה״ג יש לסמוך אדעה אחרונה ואינו צריך לחזור אם אין דעתו לבוא תוך הפסח״ ועי׳ שעה״צ שם ס״ק כ״ז.

(כה) ע׳ גר״ז (שם ס״י) שם שכתב „ויש לסמוך על דבריהם בשעת הדחק כגון ששכח ויצא מביתו ולא ביער החמץ ממנו ונזכר לאחר שהפליג מביתו וא״א לו לפרוש מן הספינה או מן השיירא״ ומ״ב שם ונראה דגם באופן שכתבנו יש להקל.

(כו) שמעתי מפי הגרמ״פ שליט״א כיון דהוא דבר מצוי אין חשש כ״כ וכ״מ דיסבור המ״ב (הובא לקמן בהערה לח).

(כז) כך נראה.

(כח) כך נראה ע״פ הנסיון.

(כט) כ׳ המחבר (ס׳ תל״ו ס״א) „המפרש וכו׳ קודם ל׳ יום א״צ לבדוק״ וכ׳ הרמ״א שם „וכשמגיע פסח יבטלנו״ וכ׳ המ״ב (שם ס״ק ו׳) „יבטלנו. במקום שהוא דאף דאין רואה החמץ עובר משום בל יטמין דהא לא בטליה מעיקרא [הגר״א]״.

(ל) מ״ב שם ס״ק ה׳ מב״ח וסייעתו [ופשוט דיכול לעשות ע״י מכירה לעכו״ם].

(לא) שם מר״ן וסייעתו.

(לב) מ״ב שם ס״ק ג׳.

(לג) שם וע׳ ערה״ש (שם ס״ו).

(לד) מ״ב שם, ופשוט דצריך לבטל אז וע׳ בערה״ש שם שכ׳ „דכל מקום שתקנו חכמים בדיקה צריך ביטול כמו שאמרו הבודק צריך שיבטל״.

If a person leaves for a short trip

7. These halachos (4 and 5) apply only if a person is leaving for a long voyage (**לה**); because on a long voyage, even if he intended to return before Pesach, he can be delayed (**לו**). However, if he is leaving for a short trip — even if he departs within thirty days of Pesach — since we are not afraid that he would be delayed, no bedikah is required prior to departing (**לז**). Although, normally, the factor which distinguishes a short trip from a long voyage is distance, where there is any question, a Rav should be consulted (**לח**).

If young children are left at home

8. These halachos apply only if one leaves home and no one will remain at home (**לט**) (see 3). If a person departs before the fourteenth and young children for whom he must leave chometz are left behind without a suitable representative to perform the bedikah, they should be sent to stay at someone else's house, with chometz for them to eat there (**מ**). He should then perform the bedikah in his own home and close up the house (**מא**). The reason is that if he would leave chometz at home with young children, any bedikah which he would perform before leaving would be meaningless (**מב**).

However, should his wife or another adult member of his household remain at home, he may leave chometz for them and is not required to perform the bedikah before he departs (**מג**). He should appoint one of them as his representative to perform the bedikah and the bitul at the proper time (**מד**). We will learn later (see Chapter IX C 2) that he should also nullify his chometz, when the proper time for the bitul arrives — wherever he is (**מה**).

Making a storage facility

9. The same principles (4-6) apply to a person converting a building [which was used for chometz — even if he does not know whether chometz is present

---

(לה) כ׳ המחבר (ס׳ תל״ו ס״א) „המפרש מיבשה לים או יוצא בשיירא וכו׳״ וכ׳ המ״ב (שם ס״ק ט׳) [אמ״ש המחבר „דחיישינן שמא יחזור ע״פ בה״ש וכו׳״] „דחיישינן שמא וכו׳. ודוקא במפרש לים או יוצא בשיירא לדרך רחוקה אפילו דעתו לחזור זמן רב קודם פסח חיישינן שמא ישתהא אבל יוצא לדרך קרובה אפילו בתוך ל׳ יום לא חיישינן וכו׳״.

(לו) שם.

(לז) שם.

(לח) ע׳ מ״ב (שם ס״ק ט׳) שכ׳ „ומ״מ הכל לפי הענין דלפעמים אפילו בדרך קרובה אם מגביל זמן ביאתו בצמצום קרוב לזמן הבדיקה חיישינן שמא ישתהא וצריך לבדוק מקודם ויש מקילין בזה. ולמעשה יש לדון לפי קירוב וריחוק המקום״ וכן משמע ממש״כ שם בס״ק כ״א.

(לט) גר״ז שם ס״א ומ״ב שם ס״ק ג׳.

(מ) כ״כ במ״ב שם וטעמו „דאל״ה מה מועיל בדיקתו״.

(מא) שם.

(מב) גר״ז שם ס״א ומ״ב שם.

(מג) גר״ז שם ס״ב ומ״ב שם.

(מד) שם.

(מה) מ״ב שם.

there now] into a storage facility (**מו**) [e.g. to store produce, wood, and the like] (**מז**) and, thereby, will be unable to inspect it on the night of the fourteenth (**מח**).

If the conversion takes place *within* thirty days of Pesach, a bedikah is required before using it for storage (**מט**). Even if he has no intention of emptying it until after Pesach and would, therefore, not see the chometz on Pesach, nevertheless, a bedikah is required (**נ**). This is required, since it is within thirty days of Pesach (**נא**). If he neglected to perform the bedikah before storing things inside, he is required to remove the stored objects and perform the bedikah [or sell the chometz] (**נב**).

If the conversion to a storage facility takes place *more than* thirty days before Pesach, he is not required to perform the bedikah — unless he intends to remove the stored objects before Pesach (**נג**).

> Application: Converting a basement, attic, garage, or a utility shed into a storage facility, by crowding it with numerous objects (**נד**).

If a person forgot to appoint a representative

10. If a person left home and forgot to appoint a representative to perform the bedikah, one of the members of his household is required to perform the bedikah (**נה**). They must search even those rooms into which chometz was not brought after the departure of the owner [but the owner was required to search] (**נו**). Bedikah is required even in rooms which will not be entered during Pesach (**נז**). The reason is that since the owner was obligated to perform the bedikah in *all* the rooms, those remaining at home are obligated to absolve him

---

(מו) כ׳ המחבר (ס׳ תל״ו ס״א) „וכן העושה ביתו אוצר תוך ל׳ יום זקוק לבדוק ואח״כ כונס אוצרו לתוכו קודם ל׳ יום אם דעתו לפנותו קודם הפסח צריך לבדוק ואח״כ עושהו אוצר ואם אין דעתו לפנותו קודם הפסח א״צ לבדוק״ וכ׳ המ״ב (שם ס״ק י״א) „אוצר. ואפילו אין שם חמץ ידוע אלא שהוא מקום שנשתמש שם חמץ ועתה רוצה להניח שם תבואה לאיזה זמן או עצים וכה״ג״.

(מז) גר״ז שם ס׳ י״ב ומ״ב שם.

(מח) גר״ז שם.

(מט) מחבר שם.

(נ) מ״ב שם ס״ק י״ב.

(נא) שם.

(נב) שם [ופשוט דיכול לעשות ע״י מכירה לעכו״ם].

(נג) מחבֵר שם והטעם כ׳ במ״ב (ס״ק י״ג) „צריך לבדוק. שחששו חכמים שמא יתחיל לפנותו קודם ליל י״ד ולא יגמור לפנותו אלא ישאר ממנו פחות מגובה ג״ט מכוסה על החמץ דשוב לא הוי כמבוער ואחר כך כשיגיע ליל י״ד ישכח על החמץ שתחת האוצר כיון שמכוסה מן העין״.

(נד) כך נראה.

(נה) גר״ז שם ס״ג. **כתב** בב״ה (ס׳ תל״ו ס״א ד״ה זקוק) „ואם שכח ולא בדק עיין מג״א סק״ה שכתב דאפשר דצריך לחזור לביתו או לשלוח שליח שיבדוק ועיין בבית מאיר וכו׳ אכן כ״ז בספק חמץ אבל אם יודע שיש שם חמץ ידוע כביצה ויותר משמע מהבית מאיר דמסכים עם המ״א אכן אם נוגע לו ד״ז להפסד מרובה כשיחזור לביתו או שישלח שליח כתב בספר מגן האלף דאין מחויב ודי בביטול וכו׳״ וע״ש במ״ב ס״ק ה׳ ואג״מ או״ח ח״ד ס׳ צ״ה ד״ה ובענין.

(נו) גר״ז שם.

(נז) שם.

of this responsibility (**נח**) — because of the mutual responsibility that all of Israel have for one another (**נט**).

Is a brocho recited on bedikah before the fourteenth?

11. Most Poskim hold that wherever a bedikah is performed before the fourteenth of Nissan, *no* brocho is recited (**ס**). The reason is that when a bedikah is performed on the fourteenth, the bedikah is the beginning of the *biyur* (disposal of the chometz) (**סא**); because whatever is located during the bedikah is placed in a secure place (see Chapter VII E 4) to be destroyed the following day (**סב**) (see Chapter X). Since the bedikah is the beginning of the biyur, he can recite the brocho of "על ביעור חמץ" (**סג**) (see Chapter VII C).

Where a bedikah is performed *before* the fourteenth, after the bedikah he will *not* destroy the chometz, he will continue using it (**סד**). Therefore, since this bedikah merely removes chometz from this property — without destroying it — no brocho is recited (**סה**).

If bedikah was performed before the fourteenth — when not required

12. A person who cleaned his house on the thirteenth [or before] and intended that it should also serve as a bedikah, may not rely on this cleaning, and a proper bedikah is required (**סו**). We explained earlier (see Chapter VII A 2) why cleaning may not substitute for a proper bedikah.

Even if a person performed a bedikah — using a candle — but it was on the

---

(נח) שם.

(נט) שם „שכל ישראל ערבים זה בזה".

(ס) כ' הרמ"א (ס' תל"ו ס"א) לענין בדיקה תוך ל' „ולא יברך אז על ביעור חמץ" וע' בהערה סא (מש"כ מב"ה) ובכה"ח (שם אות י'). והיינו כשאין ע"פ חל בשבת, דכשחל ע"פ בשבת כ' המחבר (ס' תמ"ד ס"א) „בודקין ליל י"ג" וכ' המ"ב (שם ס"ק א') „וצריך לברך על הבדיקה וכו'".

(סא) כ' המ"ב (שם ס"ק ד') הטעם „דכשבודק בליל י"ד תקנו לברך על ביעור חמץ לפי שמה שהוא מוצא בבדיקתו הוא מצניעו כדי לבערו למחר נמצא דהבדיקה הוא התחלת הביעור משא"כ כאן שלא יבערו מן העולם וישתמש בו כשאר הימים אלא שהוא מפנהו מבית זה" וע' בב"ה (שם ד"ה ולא) דמש"כ במ"ב כן הוא דעת הלבוש „אמנם דעת הב"ח דבתוך ל' יום צריך לברך ורק היכי שצריך לבדוק קודם ל' יום א"צ לברך ודעת הפ"ח דלעולם צריך לברך כיון דחייבוהו חכמים לבדוק וכו'" ע"ש שכתב לבסוף „וצ"ע למעשה" וע' בגר"ז (שם ס"א) וערה"ש (שם ס"ו) דכתבו ג"כ שלא לברך ומשמע דאפילו בתוך ל' ודוק ואכמ"ל.

(סב) מ"ב שם מביאור הגר"א.

(סג) שם (וע' לעיל פ"ו הערה כז).

(סד) שם.

(סה) שם.

(סו) כ' המחבר (ס' תל"ג ס' י"א) „המכבד חדרו בי"ג בניסן ומכוין לבדוק החמץ ולבערו ונזהר שלא להכניס שם עוד חמץ אעפ"כ צריך לבדוק בליל י"ד" וכ' המ"ב (שם ס"ק מ"ד) „ומכוין. ר"ל לא מיבעיא בסתם שאין חזקתו מתכבד אלא אפילו אם מכוין לשם בדיקה ג"כ לא מהני" והטעם כ' (שם בס"ק מ"ה) „שהכיבוד אינו בדיקה גמורה שמא נשתייר חמץ באיזה גומא".

thirteenth *by day*, he is required to repeat the bedikah on the night of the fourteenth (**סז**). A brocho, however, should not be recited (**סח**).

If he performed a proper bedikah on the *night* of the thirteenth using a candle, and was careful not to bring in any chometz, another bedikah is not required (**סט**). One who, nevertheless, wants to conduct himself according to the Poskim who hold that he is required to perform another bedikah, may do so (**ע**). A brocho, however, must not be recited (**עא**).

B. MOVING BEFORE PESACH

Moving from the house of a gentile

1. If a Jew moves from a house owned by a gentile to another house — whether it is in the same city or in another city (**עב**) — he is not required to perform a bedikah before moving (**עג**). This halacha applies even if he moves within thirty days of Pesach and even if chometz is definitely present (**עד**).

The reason for this is that since he moves from the house of the gentile and intends not to return, even should chometz be present we assume that he makes it הפקר, that is, he renounces his ownership (**עה**). Therefore, the chometz is considered as if it was thrown into the street — no longer belonging to him, and he does not violate the issurim of בל יראה and בל ימצא (**עו**). This halacha applies regardless of whether the gentile will enter the house before Pesach or not (**עז**).

If he will not move to another house

2. If a Jew moves from the house of a gentile — but he will *not* move into

---

(סז) כ׳ המ״ב שם (ס״ק מ״ה) „ואפילו אם בדק לאור הנר בחורין ובסדקין ג״כ צריך לחזור ולבדוק בלילה ככל ישראל שלא לחלק בין בדיקה לבדיקה וכו׳״ ע״ש.

(סח) מ״ב ס׳ תל״ג ס״ק א׳.

(סט) מ״ב שם וע׳ בשעה״צ (שם ס״ק נ״ו) „אם שייר חדר אחד לבדוק אותו כדין בלילה וכו׳״.

(ע) שם.

(עא) שם.

(עב) כ׳ המחבר (ס׳ תל״ו ס״ג) „ישראל היוצא מבית א״י תוך שלשים יום ונכנס בבית אחר בעיר זו או הולך לעיר אחרת אינו צריך לבער בית הא״י שהרי יקיים מצות ביעור באותו בית אחר״ וע׳ בגר״ז שם ס״כ.

(עג) שם.

(עד) במחבר שם כ׳ „תוך שלשים יום״ ובגר״ז שם כ׳ „אפי׳ הוא יוצא בתוך ל׳ יום לפני הפסח שכבר חל עליו חובת הביעור אעפ״כ א״צ לבדוק את בית הגוי שהוא יוצא ממנה ואפילו יש שם ודאי חמץ הרבה״.

(עה) כ׳ המחבר שם „שהרי יקיים מצות ביעור באותו בית אחר״ וע״ז כ׳ המ״ב (שם ס״ק כ״ז) „אין זה עיקר הטעם דכי מי שיש לו כמה בתים אינו מחויב לבדוק רק בית אחד אלא משום דכיון שיוצא מבית העכו״ם שלא ע״מ לחזור מסתמא מפקיר הוא לחמצו הנשאר שם והרי הוא כמשליך אותו ברחוב ותו אין החמץ שלו ואינו עובר עליו בבל יראה וכו׳״.

(עו) ע׳ שם וע׳ בגר״ז שם בביאור הענין.

(עז) מ״ב שם ס״ק כ״ו ודלא כגר״ז ס״כ וס׳ כ״ב.

another house (e.g. he is embarking on a cruise or journey) (**עח**), there is a view which holds that if this takes place within thirty days of Pesach he is required to perform the bedikah [even though the gentile will have access to the property and bring in chometz], in order to fulfill the mitzvah of תשביתו (**עט**).

Most Poskim hold that if, when the Jew moves out, the gentile will have access to the property and will bring in chometz, no bedikah is required (**פ**).

If the new tenant will be a Jew

3. If a Jew moves from the house of another Jew or of a gentile before the time of the bedikah and the new tenant [who will take possession before the time of bedikah] will be a Jew, the previous tenant is not required to perform the bedikah (**פא**). The reason is that the new tenant assumes this responsibility (**פב**).

Roommates who share an apartment

4. If a Jew shares a room or apartment with another Jew and one person departed before the fourteenth without making the bedikah, the other person has the responsibility to perform the bedikah (**פג**).

> Application: In a dormitory, where one roommate left before the fourteenth [without making a bedikah] and the second remained, the second has the responsibility to perform the bedikah (**פד**).

If a person sells his property, Is bedikah required?

5. If a Jew sells his property [or part of his property, e.g. some rooms] containing chometz to a gentile with the sale to take effect on the fourteenth by day [as is our minhag with *mechiras chometz*, see Chapter XI B 2] some Poskim hold that bedikah is, nevertheless, required (**פה**). The reason is that since at the

---

(עח) כ׳ המחבר שם „אבל אם הוא מפרש או יוצא בשיירא ולא יכנס בפסח בבית יש מי שאומר שחל עליו חובת הביעור כיון שהוא תוך ל׳ יום וצריך לבער בית הא״י שהוא יוצא ממנו כדי לקיים מצות ביעור״ וכ״כ הגר״ז (שם ס׳ כ״א) וע׳ מ״ב שם ס״ק כ״ז.

(עט) ע׳ שם ומ״ב שם ס״ק ל׳.

(פ) ע׳ מחבר ורמ״א ס״ס תל״ו ומ״ב שם ס״ק ל-ל״ב.

(פא) מ״ב שם ס״ק כ״ט וע׳ בשעה״צ שם ס״ק כ״ט.

(פב) שם.

(פג) ע׳ מ״א ס׳ תל״ו ס״ק ט״ז וח״י שם ס״ק ט״ו וכ׳ בשעה״צ (שם ס״ק כ״ט) „ואף דמ״מ הוא לא יקיים מצות בדיקה י״ל דבזה הישראל השני שנכנס שם הוי כשלוחו״.

(פד) ע״פ הנ״ל.

(פה) כ׳ המ״ב (שם ס״ק ל״ב) „ולענין אם מחויב לבדוק בליל י״ד החדרים שבדעתו למכרן למחר לנכרי עם החמץ שלהם יש דעות בין האחרונים שדעת המקור חיים והחיי אדם שצריך לבדקן מאחר שלע״ע החדרים לא נמכרו והם ברשות ישראל ואפילו אם נמכרו עדיין לא החזיק בהם הנכרי וגם המפתח הוא ברשות בעה״ב עדיין וכו׳״ (ע׳ בסמוך) וכ״כ בקש״ע ס׳ קי״א ס״ו.

time of the bedikah the sale has not yet taken effect, the rooms are still in the domain of the Jew (פו).

Other Poskim hold that bedikah is *not* required (פז). Their reason is that with the sale of the chometz to the gentile the following morning, he fulfills the mitzvah of תשביתו (פח). [The fact that the rooms are still in his domain during the time of *bedikas chometz* is comparable to chometz which he discovers after the bedikah or that he left over during the bedikah to be eaten the next morning (פט); he is not required to dispose of all chometz until the time of the biyur] (צ).

These Poskim hold that he is not required to perform the bedikah in those rooms which are to be sold to the gentile the following day, as long as he performs the bedikah in the other rooms (צא). One should, however, be careful to specify at the time of the sale that he is selling or renting the room and all chometz contained therein [in order to include also the chometz found in holes and crevices] (צב). Although one should not admonish a person who conducts himself in this manner, one who sells the property on the thirteenth [before the time of bedikah] is preferable (צג).

C. WHO IS REQUIRED TO PERFORM THE BEDIKAH — OWNER OR TENANT?

Obligation to perform the bedikah

1. We have learned (see Chapter VI C 1) that the obligation to perform the bedikah rests on the owner of the house or property (צד). If the dwelling is rented, the tenant is required to perform the bedikah (צה).

(פו) שם.

(פז) כ׳ המ״ב שם „אמנם בתשובת בנין עולם סימן כ׳ חולק ודעתו דא״צ בדיקה דבזה עצמו שמוכר למחר לעכו״ם מקיים תשביתו וביעור ולא גרע מחמץ שמוצא אחר הבדיקה ושמשייר (כצ״ל) למאכלו למחר ואינו מחויב לבער הכל ואף בזה בעת שמקיים בדיקה בביתו הוא משייר לאלו החדרים למוכרו למחר לעכו״ם וכן בתשובת חתם סופר סימן קל״א דעתו להקל כשמקיים מצות בדיקה בשאר חדרים וכן בספר אשל אברהם כתב דמסתברא להקל וכן פשוט המנהג עי״ש וכו׳״ וכן שמעתי מפי הגרמ״פ שליט״א וע׳ שעהמ״ב ס׳ קי״א ס״ק ז׳.

(פח) מ״ב שם.

(פט) שם.

(צ) שם.

(צא) שם מחת״ס.

(צב) כ׳ המ״ב שם „אך שצריך ליזהר שיבאר בעת המכירה שמוכר לו החדר וכל החמץ הנמצא בו (כדי לכלול בזה גם החמץ הנמצא בחורין ובסדקין) ולא יאמר לו בסתמא שמוכר לו החדר והיי״ש והשכר הנמצא בו [פתחי תשובה]״.

(צג) כ׳ המ״ב שם „ומ״מ אף דאין למחות ביד המקילין המוכר ביום י״ג שפיר עדיף טפי״ וע׳ מ״ב (ס׳ תל״ג ס״ק כ״ג) שהקיל בתקרה שהטירחא מרובה „שימכור לנכרי אותו המקום ג״כ עם החמץ שיש שם״ ודוק. **הסומכים** על דברי החת״ס וסייעתו (הובא לעיל בהערה פז) דא״צ בדיקה לאלו החדרים שמוכר לעכו״ם עם החמץ שלהם מ״מ צריך לשייר מיהא חדר א׳ לבדיקה (ע׳ שעה״צ שם ס״ק נ״ו). לפיכך אלו האנשים שנוסעים למלון על כל ימי הפסח וסומכים על זה שמוכרים כל הבית מ״מ לא מקיימים מצות בדיקה אם לא שמשייר חדר א׳ בלי מכירה כדי שיקיים בה מצות בדיקה כהלכתה בליל י״ד. ונראה דאם באים למלון בי״ג יכניסו לכה״פ כזית חמץ לחדרם כדי שיוכל לבדוק בליל י״ד.

(צד) כ׳ הגר״ז (ס׳ תל״ב ס״ח) „חובת הבדיקה היא על בעה״ב״.

(צה) ע׳ גמ׳ ד.־ד: וס׳ תל״ז.

If the door was locked

2. A Jew rented an apartment, house, office and the like to another Jew on the thirteenth of Nissan [or before] to be used from the fourteenth and afterwards. If at the time of the bedikah (i.e. the beginning of the evening of the fourteenth) the door was locked and the key in the possession of the owner, the landlord is required to perform the bedikah (צו). This halacha applies even if the tenant will move in that evening (צז).

If the key was in the possession of the tenant

3. If the key was in the possession of the tenant on the thirteenth of Nissan, the tenant is required to perform the bedikah (צח). This halacha applies even if he has no intention of moving in until after Pesach (צט). Although the tenant is required to nullify any chometz which may be in the apartment, the owner should also nullify the chometz (ק).

Some Poskim hold that this halacha [that if at the time of bedikah the door was locked and the key was in the possession of the tenant] applies even if the tenant has not yet made a קנין* (קא). Possession of the key is the sole criterion for the requirement to perform the bedikah (קב).

Most Poskim hold that the tenant is not required to perform the bedikah unless he made a קנין *and* has the key in his possession (קג).

*See Note on page 99.

(צו) כ' המחבר (ס' תל"ז ס"א), „המשכיר בית לחבירו לצורך י"ד וכו' [כ' המ"ב (שם ס"ק א') „לצורך י"ד. ר"ל שהשכיר לו בי"ג לצורך י"ד"] אם עד שלא מסר לו המפתח חל י"ד על המשכיר לבדוק וכו'" וכ' המ"ב (שם ס"ק ג') „אם עד וכו' חל י"ד. ר"ל שבתחלת ליל י"ד שהוא אז זמן חיוב הבדיקה היה הבית סגור והמפתח ביד המשכיר חל עליו חובת הבדיקה כיון שהחמץ שלו והבית עדיין מעוכב אצלו". ופשוט דכל מקום שכתבנו המשכיר היינו אם הוא בעה"ב אבל ישראל שהשכיר מעכו"ם וחזר והשכירו לישראל אחר נסתלק לגמרי ישראל הראשון מהבית ודינו כמכירה וישראל השני חייב לבדוק.

(צז) כ' המ"ב שם „ואפילו אם השוכר נכנס לדור בה בתוך הלילה".

(צח) כ' המחבר שם, „ואם משמסר לו המפתח חל י"ד על השוכר לבדוק" וכ' המ"ב (שם ס"ק ה') „ואם משמסר וכו'. דהיינו שמסר לו ביום י"ג".

(צט) מ"ב שם ס"ק ו'.

(ק) שם.

(קא) כ' המ"ב (שם ס"ק ב') „ודע דהמחבר סתם דבריו כדעת הר"ן והרה"מ דלא מחייבינן לשוכר לבדוק אא"כ יש בו תרתי לטיבותא דהיינו שקנהו באחד מהקנינים קודם התחלת י"ד וגם מסירת מפתח ודעת התוס' וסייעתם [ע' שעה"צ ס"ק ב' דהיינו רבינו מנוח וכ"מ מהרשב"א והריטב"א] דבמסירת מפתח לבד קודם התחלת י"ד חל חובת הבדיקה על השוכר משום דאין המשכיר יכול לכנוס בו שאין המפתח בידו ולכן הטילו החיוב על השוכר וכו'" ודעה זו שכתבנו בפנים כאן היא דעת התוס' וסייעתם.

(קב) שם.

(קג) סתימת המחבר שם ס"א וע' במ"ב שם דהוא דעת הר"ן ורה"מ וע' שעה"צ (שם ס"ק א') דגם דעת העיטור וחידושי מהר"ם חלאווא ג"כ הכי וכ' המ"ב שם, „והפר"ח כתב דעיקר כדעה הראשונה" ובשעה"צ (שם ס"ק ד') כ' „וכן הסכים הגר"ז וכן משמע מסתימת שארי אחרונים" אף שכ' במ"ב שם בשם „ויש מאחרונים שכתבו" שנכון להחמיר כשניהם [דהחיוב בדיקה בזה על השוכר והמשכיר].

In any case, either the owner or the tenant can be designated the שליח of the other to perform the bedikah (קד).

*Note: A קנין is an act which makes an agreement binding (קה). When renting or purchasing real estate, this, generally, may be accomplished by one of following four methods: a) כסף — payment of a sum of money; b) שטר — signing [and delivering] a contract; c) חזקה — doing an act which shows ownership of the premises (e.g. changing a lock, altering premises); d) קנין סודר — taking hold of the cloth (see Chapter XI A 10) (קו).

If the door was not locked

4. If the door was not locked and the tenant made a קנין — even if the tenant does not have the key in his possession, he is required to perform the bedikah (קז).

Where the one responsible is out of town

5. Where the owner is required to perform the bedikah but is out of town, the tenant is then responsible to perform the bedikah (קח) (see A 10).

These halachos do not apply for sales

6. These halachos apply only to rentals, however, where a house or property was purchased, regardless of whether the new owner took possession of the key or not, since he made a קנין, he is required to perform the bedikah (קט).

חזקתו בדוק

7. If a person rents a house on the fourteenth by day [or during the evening of the fourteenth — when bedikah could have already been performed] and does not know whether the bedikah has already been performed, if the owner [or former tenant] is in town he should inquire of him [or from his wife or other

---

(קד) כ׳ המ״ב (שם ס״ק ב׳) „מיהו לכו״ע יכול האחד לעשות שליח לחבירו ויוצא ידי הכל״.
(קה) ע׳ רמב״ם ריש הל׳ מכירה ובכ״מ.
(קו) ע׳ מ״ב שם ס״ק ב׳ ובכ״מ. ומה שכתבנו דבשטר בעינן כתיבה ומסירה ע׳ רמב״ם (פ״א מהל׳ מכירה ה״ז) ושו״ע חו״מ ס׳ קצ״א ס״א.
(קז) כ׳ המ״ב (שם ס״ק ד׳) „ואם הבית אין לו מנעול על השוכר לבדוק כיון שהחזיק בו באחד מדרכי הקנין והוא פתוח לפניו לכנוס בו״.
(קח) ב״ה ס״א ד״ה על.
(קט) כ׳ המ״ב (שם סס״ק ג׳) „ודוקא במשכיר שגוף הבית עדיין שלו לכן אם גם המפתח בידו עליו מוטל לבדוק משא״כ במכר והחזיק הלוקח כיון שאין למוכר שום זכי׳ בקרקע אף שהמפתח בידו אינו אלא כמופקד אצל אחר והחיוב מוטל על הלוקח״.

member of his family] whether the bedikah was performed (קי). He should also ask him about the bitul (קיא).

If he is out of town, or unavailable [and he is an observant Jew], we may assume that he had performed the bedikah and the new tenant is only required to nullify the chometz (קיב).

Who is believed to say bedikas chometz was performed?

8. If it was determined that *bedikas chometz* was not performed by the owner or tenant, and a woman or even a child [who reached the age of חינוך (קיג)] attest to their having conducted the search on their own, their word is accepted (קיד). This halacha applies even if we are certain that there had been chometz present (קטו). Although *bedikas chometz* is a strenuous activity and we may be concerned that they may have been lax in its precise performance, they are, nevertheless, believed (קטז). The reason is that since *bedikas chometz* [once *bitul chometz* has been performed] is required מדרבנן, חז״ל trusted them (קיז) (see Chapter VI C 3).

Therefore, this halacha can only apply before the sixth hour — when the new tenant or owner can still nullify the chometz (קיח). However, once the sixth hour has arrived, since he is unable to nullify the chometz, a bedikah is required (קיט).

D. CHOMETZ BELONGING TO ANOTHER PERSON IN HIS DOMAIN

Chometz of a gentile

1. If a gentile enters the domain of a Jew carrying chometz, the Jew is not

---

(קי) ע׳ בגמ׳ (ד.) „בעו מיניה מרב נחמן בר יצחק המשכיר בית לחברו בארבעה עשר חזקתו בדוק או אין חזקתו בדוק למאי נ״מ לשייליה דליתיה להאי דלשיוליה לאטרוחי להאי מאי וכו׳״ ומסקנת הגמ׳ דחזקתו בדוק וכ״פ המחבר (ס׳ תל״ז ס״ב) „השוכר בית מחבירו בי״ד [ופי׳ במ״ב (שם ס״ק ז׳) „ר״ל ביום י״ד או בתוך ליל י״ד לאחר שכבר עבר זמן שהיה יכול המשכיר לבדוק ביתו באותו זמן״] ואינו יודע אם הוא בדוק אם הוא בעיר שואלו אם בדקו ואם אינו בעיר חזקתו בדוק״ וכ׳ במ״ב (שם ס״ק ח׳) „אם הוא בעיר. וה״ה אם אשתו וב״ב בעיר יכול למשאל להו וכו׳״ וע׳ במ״ב (שם ס״ק ט׳) הטעם שצריך לשאלו שהרי „אין אנו סומכין על החזקה לכתחלה במקום שאפשר לברר״.

(קיא) ע׳ ב״ה שם ד״ה שואלו.

(קיב) ע׳ מחבר שם [ומה שהוספנו שהוא שומר תורה ומצות פשוט הוא]. ופשוט דאם אשתו וב״ב בעיר יש למשאל להו כמ״ש המ״ב (הובא לעיל בהערה קי) לפיכך איירי כאן שאינם בעיר או באופן דא״א למשאל להו. **כתב** המחבר (ס׳ תל״ז ס״ג) „המשכיר בית לחבירו בחזקת בדוק ונמצא שאינו בדוק על השוכר לבדוק וכו׳״ ע״ש.

(קיג) מ״ב שם ס״ק י״ט.

(קיד) כ׳ המחבר (ס׳ תל״ז ס״ד) „בית שהוחזק שלא בדקו המשכיר ואמרו אשה או עבד או קטן אנו בדקנוהו הרי אלו נאמנים והוא שיהא קטן שיש בו דעת לבדוק״.

(קטו) מ״ב שם ס״ק י״ז.

(קטז) ע׳ תוס׳ ד: ד״ה המנוהו.

(קיז) מ״ב שם ס״ק ט״ז מגמ׳ ד: „המנוהו רבנן בדרבנן״.

(קיח) מ״ב שם ס״ק ט״ז.

(קיט) שם.

required to ask him to leave or remove his chometz — even if the chometz is visible (**קכ**). The reason is that the Torah says "ולא יראה לך חמץ" "chometz shall not be seen to you," (**קכא**) and the Talmud explains (**קכב**) "שלך אי אתה רואה אבל אתה רואה של אחרים" "*your* chometz shall not be seen, but you may see chometz belonging to gentiles" (**קכג**)

Eating together with a gentile

2. A Jew may not eat at the same table with a gentile who is eating chometz — even if each is eating on his own tablecloth, tray or place mat (**קכד**). The reason is that we are afraid that a crumb of the gentile's chometz may now become mixed with the food of the Jew [and chometz on Pesach is prohibited במשהו (**קכה**) (see Chapter III A 2 d)].

This halacha applies if they are eating together at the same time (**קכו**). However, a Jew may allow a gentile to eat chometz at his table and then afterwards eat himself, or he may eat at a table owned or used by a gentile — if he cleaned and washed the table thoroughly of all chometz (**קכז**). [Obviously, great care must be taken to see that the table is well-covered and nothing hot is placed upon it (**קכח**). Therefore, it is suggested that this should not be done, unless no other alternative exists] (**קכט**).

(קכ) כ׳ המחבר (ס׳ ת״מ ס״ג) „אינו יהודי שנכנס לבית ישראל וחמצו בידו אינו זקוק להוציאו אע״פ שהישראל רואה חמץ של א״י אין בכך כלום״.

(קכא) שמות י״ג:ז.

(קכב) פסחים ה:.

(קכג) מ״ב שם ס״ק ט״ז וכ׳ שם „ולשמא יבא לאכלו ליכא למיחש (כמו שחששו במופקד בידו והצריכוהו משום זה לעשות מחיצה) דהא החמץ הוא תחת יד העכו״ם והוא משמרו״ וע׳ שעה״צ שם ס״ק ל׳. **ישראל** מומר שנכנס לרשות ישראל שומר תו״מ עם חמצו בידו כגון מי שיש לו פועלים מחללי שבת ואינם נזהרים באיסור חמץ ע׳ בגר״א (ס׳ תמ״ג ס״ק י״א) שמפרש „שלך אי אתה רואה אבל אתה רואה של אחרים וכו׳״ ממעט עכו״ם ולא של ישראל אחר „מדל״ק אבל שאינו שלך אתה רואה״ וע׳ בדמשק אליעזר ומ״ב שם סס״ק י״ד (ובשעה״צ שם ס״ק כ׳) ובכה״ח (שם אות כ״ו) וש״א.

(קכד) כ׳ המחבר (ס׳ ת״מ ס״ג) „אבל אסור להעלותו עמו על השלחן ואפילו בהפסק מפה״ וכ׳ המ״ב (שם ס״ק י״ח) „ואע״פ דאם א׳ אוכל בשר וא׳ אוכל חלב על שלחן א׳ שרי אם מפה מפסקת חמץ שאני שהוא במשהו ורחוק הדבר שלא יתערב פרור אחד של העכו״ם בשל ישראל ואסור והסכימו האחרונים דאפילו אם אין לו היכרות עם עכו״ם זה דאין לחוש שמא ישכח ויאכל מחמצו ג״כ אסור ומטעם הנ״ל שמא מתערב פרור חמץ מעצמו במאכלו של ישראל״.

(קכה) ע׳ שם וכ׳ המ״ב (שם ס״ק י״ז) „להעלותו עמו. ר״ל שלא יאכלו יחדו על השלחן שמא יתערב חמץ במאכלו של ישראל״.

(קכו) כ׳ המ״ב שם „וכ״ז שאוכלים בשעה אחת אבל בשעה שאינו אוכל מותר לו להניח לעכו״ם לאכול על שלחנו רק שיזהר הישראל לנקות השלחן ולהדיחו יפה אחר אכילת העכו״ם שלא ישארו שם פרורין מחמצו וכן צריך ליזהר כשילך העכו״ם מביתו שיטול כל חמצו ולא ישתייר ממנו מאומה״.

(קכז) ע׳ שם.

(קכח) דאל״כ אפשר יפול חמץ ולא יכיר בה ויתערב במאכל הישראל, ולדבר חם אפשר שיפול על השלחן ויהא נבלע בתוכו והישראל ישים עליו דבר חם של פסח ויהא נבלע בתוכו ונמצא שאוכל חמץ בפסח ר״ל.

(קכט) ע״פ הנ״ל.

Where the gentile brings chometz into the domain of a Jew, care should be taken to see that he removes it all upon leaving; no chometz should remain (**קל**).

Applications: A gentile working on Chol Hamoed in a factory belonging to a Jew, may bring in chometz for his lunch (**קלא**). He may eat at the Jew's table but must remove all chometz from the premises (**קלב**).

A Jew working during Chol Hamoed [where it is permissible] in a factory or office of a gentile or where gentiles work, may eat at the same table which the gentiles ate [if he cleaned, washed and covered it well] — but not at the same time (**קלג**).

If a Jew assumed responsibility for the chometz of a gentile

3. Although one violates the issurim of **בל יראה** and **בל ימצא** only for chometz belonging to a Jew, however, where the Jew assumed responsibility for the chometz of a gentile, the Jew may be in violation of these issurim (**קלד**). Since these halachos are complex, wherever he may be responsible on Pesach for chometz belonging to a gentile, a Rav must be consulted (**קלה**).

Chometz belonging to another Jew

4. If a Jew deposits his chometz with another Jew or even with a gentile, although the one in whose charge the chometz is placed assumes responsibility (**קלו**), the owner *and* the Jew in whose care it was placed both may violate the issurim of בל יראה and בל ימצא — if the chometz is not disposed of properly before Pesach (**קלז**).

What should a person do just before Pesach with someone else's chometz?

5. If chometz of a Jew was deposited into the care of another Jew and the owner has not picked up his chometz [or otherwise indicated what should be

---

(קל) מ״ב שם.

(קלא) ע״פ הנ״ל.

(קלב) שם.

(קלג) שם. ולענין ישראל מומר שעובד בביתו של ישראל ע׳ לעיל הערה קכג.

(קלד) כ׳ המחבר (ס׳ ת״מ ס״א) „אינו יהודי שהפקיד חמצו אצל ישראל אם הוא חייב באחריותו מגנבה ואבדה בין שהוא בביתו בין שהוא בכל מקום ברשותו חייב לבערו וכו׳״ ע״ש וכ׳ המ״ב (שם ס״ק א׳) „אם הוא וכו׳. דכתיב שאור לא ימצא בבתיכם משמע אפילו השאור אינו שלו לגמרי ג״כ אסור מן התורה מיהו עכ״פ מיירי בשקיבל עליו אחריות ואחשביה קרא כשלו עי״ז דבפקדון בעלמא שלא באחריות ליכא איסורא להשהות מדכתיב קרא אחרינא לא יראה לך ודרשינן שלך אי אתה רואה אבל אתה רואה של אחרים״ וע״ש בס״ב לענין דין מחיצה ונכ׳ דין זה בפנים בפ״י.

(קלה) ע׳ מ״ב שם ס״ק ב,ג׳.

(קלו) כ׳ המחבר (ס׳ ת״מ ס״ד) „ישראל שהפקיד חמצו אצל ישראל חבירו או אצל הא״י אע״פ שקבל עליו הנפקד אחריות עובר עליו [אף] המפקיד״ וכ׳ המ״ב (שם ס״ק כ׳) „עובר עליו אף המפקיד כצ״ל. דהנפקד ג״כ עובר עליו אף שאינו שלו דהא קיבל עליו אחריות ויש לו שייכות בגוה וכההיא דלעיל ס״א וכנ״ל ואם אין המפקיד בביתו כיצד יעשה הנפקד בערב פסח יתבאר לקמן סימן תמ״ג עי״ש״ וע׳ בגר״א שם (הובא במ״ב שם ס״ק י״ד). **ולענין** חמצו של ישראל אחר ברשותו שלא קיבל עליו אחריות ע׳ ס׳ תמ״ג ס״ב דחייב לבערו בזמן איסורו אפילו אם אינו חייב באחריותו וע׳ מ״ב (שם ס״ק י״ד) ולעיל הערה קכג.

(קלז) ע׳ מחבר ס׳ ת״מ ומ״ב שם.

done with it and cannot be contacted (קלח)], he should hold it until the beginning of the fifth hour on Erev Pesach (קלט). Once the fifth hour arrives, it should be sold to a gentile (קמ). If he is afraid that he may not be able to sell it then, he may sell it earlier (קמא). If this had not been done, he may be responsible to pay for it's value after Pesach (קמב). The owner, however, should not rely on the person in whose care the chometz was left — but should sell it himself — wherever he is (קמג).

A package of chometz arriving on Pesach

6. If, on Pesach, a gentile delivers a package containing chometz to a Jew, it should not be accepted, nor should he show any interest in accepting it (קמד). It is best for him to say "I don't want my domain to acquire it for me" (קמה). Then, even if the gentile leaves it in his domain, the chometz does not become prohibited (קמו). If he instructs that it should be left in the house of the gentile [or left in the post office or warehouse belonging to a gentile] (קמז), it is permissible after Pesach (קמח). If the Jew accepts the package, he violates the issurim of בל יראה and בל ימצא, and the chometz is prohibited after Pesach because of חמץ שעבר עליו הפסח (קמט) (see Chapter V B 5). Where a Jew sent the package or where the package is being kept in a post office in Israel, both the sender and recipient should sell the chometz (קנ).

We have discussed the halachos of chometz owned by a corporation previously (see Chapter II D 6).

An infant who must eat chometz

7. Where an infant must eat chometz on Pesach (e.g. food or medicine), the preferred method is to bring the infant to the house of a gentile and ask him to

---

(קלח) כן נראה.
(קלט) כ׳ המחבר (ס׳ תמ״ג ס״ב) „ישראל שהיה בידו חמצו של ישראל אחר בפקדון יעכבנו עד שעה ה׳ ואם לא בא בעליו ימכרנו לא״י ואם לא מכרו חייב לבערו בזמן איסורו אפי׳ אם אינו חייב באחריותו״.
(קמ) שם.
(קמא) מ״ב שם ס״ק י״א. **כתב** המ״ב שם „עוד כתבו המ״א וש״א דבמקום שיכול למוכרו לעכו״ם ויחזיר לו העכו״ם אחר פסח [כמנהג מכירת חמץ שלנו] אסור למוכרו מכירה חלוטה״.
(קמב) ע׳ מ״ב שם ס״ק י״ב.
(קמג) כ׳ בב״ה (שם ס״ב ד״ה ימכרנו) „ומ״מ המפקיד ג״כ בכל מקום שהוא יראה למכרו לעכו״ם ולא יסמוך על הנפקד דשמא ישכח״.
(קמד) כ׳ המחבר (ס׳ תמ״ח ס״ב) „אם אינו יהודי מביא לישראל דורון חמץ ביום אחרון של פסח [ובמ״ב (שם ס״ק ג׳) כ׳ „אף שהוא דרבנן וכ״ש בפסח גופיה״] לא יקבלנו הישראל וגם לא יהא ניכר מתוך מעשיו שחפץ בו וטוב שיאמר שאינו רוצה שיקנה לו רשותו״.
(קמה) שם.
(קמו) מ״ב שם ס״ק ה׳ וכ׳ המ״ב (שם ס״ק ו׳) „וצריך ליזהר לכפות עליו כלי עד הערב אם הוא שבת או יו״ט אפילו יו״ט האחרון אא״כ הביאו ביו״ט האחרון סמוך לחשיכה שבשעה מועטת אין לחוש שמא ישכח ויאכלנו ואם הוא חוה״מ צריך לעשות לפניו מחיצה גבוה י״ט כמו שנתבאר לעיל סימו ת״מ״.
(קמז) כך נראה.
(קמח) שעה״צ ס״ק ז׳ והטעם כ׳ שם „דאע״פ שגילה דעתו שחפץ בו לית לן בה דהא לא קיבלה בידו לזכותו ולא השאירו החצרו״.
(קמט) מ״ב שם ס״ק ד׳.
(קנ) לענין חבילות בבי דואר ע׳ אג״מ או״ח ח״א ס׳ קמ״ו ושעהמ״ב ס׳ קי״ד ס״ק כ״ה.

feed the infant from the chometz of the gentile (קנא). The Jew should exercise caution not to take the chometz from the gentile, because he would, thereby, be acquiring it on Pesach (קנב).

If the gentile does not want to feed him gratus, he may be assured that he will be reimbursed (קנג). He should, however, not be paid before or during the feeding, since thereby he would be considered as acquiring chometz on Pesach (קנד).

If he is unable to carry the infant to the gentile's house — where there is no other possibility — the gentile may feed the infant from the gentile's chometz in the house of the Jew (קנה). The gentile should be instructed to gather and remove any remaining chometz; when he is needed again to feed the child, he should return with the chometz (קנו).

If it is impossible to find a gentile for each feeding, one may permit the gentile to keep his chometz in the house of the Jew (קנז). The Jew, however, should state explicitly that he does not want to acquire the chometz (קנח). A child (under Bar Mitzvah) should then feed the infant (קנט). If possible, the chometz should be kept together with the chometz which was sold to the gentile (see Chapter XI), and the infant should be fed there (קס). If this is not possible, a partition ten tfochim high (see Chapter XI B 8) should be constructed to block the chometz, or at least the chometz should be covered with a vessel or the like (קסא).

These halachos apply only when there is no danger to the life of the infant (קסב). For if there is danger to the life of the infant and a delay in the feeding may affect his condition, one need not be concerned with these procedures in order not to delay the feeding (קסג).

Since there are many other factors involved in the practical application of these halachos (e.g. what is considered in halacha as a serious or dangerous condition, the chometz may be נפסל מאכילת כלב or בטל בששים, see Chapter II C, III A), wherever a child must be fed chometz [and a delay in time will not affect his condition], a Rav should be consulted (קסד).

(קנא) מ״ב ס׳ ת״נ ס״ק י״ח.
(קנב) שם.
(קנג) שם.
(קנד) שם.
(קנה) שם.
(קנו) שם.
(קנז) שם.
(קנח) שם.
(קנט) שם וע״ש שכ׳ „אבל הוא בעצמו אין לו להאכילו חדא דאסור לכתחלה ליגע בו וכדלעיל בסימן תמ״ו ועוד משום לתא דקנין״.
(קס) שם.
(קסא) שם.
(קסב) שם.
(קסג) שם.
(קסד) ע׳ שם.

סימנים וסעיפים שבשלחן ערוך המשתייכים לפרק זה

תל״ב:ב
תל״ג:י״א
תל״ו:א,ב,ג
תל״ז:א,ב,ד
ת״מ:א,ג,ד
תמ״ג:ב
תמ״ח:ב

Chapter IX ביטול חמץ — Nullifying the Chometz

A. INTRODUCTION

What is bitul chometz?

1. We have learned (see Chapter V B 1 a) that one method of disposing of chometz is *bitul chometz* — nullifying the chometz (**א**). What is *bitul chometz*?

Nullifying chometz in one's heart

2. The Torah says ״אך ביום הראשון תשביתו שאור מבתיכם״ "but on the first day you shall dispose of leaven from your houses" (**ב**). How should this disposal be performed? If the Torah meant that chometz must be destroyed, it would have more appropriately said ״תבערו חמץ״ you should *destroy* the chometz (**ג**). Since the Torah says ״תשביתו״ and not ״תבערו״ the Torah is telling us that we can dispose of chometz by its nullification in one's heart (**ד**).

How does bitul work?

3. How does *bitul chometz* work? Some Poskim hold that by deeming one's chometz as worthless — like the dust of the earth — and like something which has no value, he removes it from his mind and renders it insignificant (**ה**).

Other Poskim hold that the function of bitul is to remove the chometz from his domain by making it ״הפקר״ (renounced property) (**ו**). Although one who would desire to renounce his property and would say "my property is considered like dust" has *not* relinquished his claim to his property, chometz is different (**ז**). We explained earlier (see Chapter V B 3) that once chometz

---

(א) איתא בגמ׳ (פסחים ו:) „אמר רב יהודה אמר רב הבודק צריך שיבטל וכו׳״ וע׳ ס׳ תל״ד ס״ב ומ״ב ס׳ תל״א ס״ק ב׳.

(ב) שמות י״ב:ט״ו.

(ג) ע׳ רש״י (ד: ד״ה בביטול) „בביטול בעלמא. דכתיב תשביתו ולא כתיב תבערו והשבתה דלב היא השבתה״ [וכתבנו השבתה כדעת ר׳ יהודה ורבנן].

(ד) שם.

(ה) ע׳ ח״י (ס׳ תל״ד ס״ק ט׳) ממהרי״ק (ס׳ קמ״ב) בדעת רש״י והרמב״ם וסייעתו „דלדידהו אינו מטעם הפקר אלא שעושהו כעפר׳ בעלמא כדמשמע לשון השבתה והויא דומיא דההיא דתבן ובטלו דפ״ק דסוכה (דף ד׳) ודפ׳ חלון בעירובין (דף עח)״ (לשון מהרי״ק).

(ו) ח״י שם בשם ר״ת וסייעתו.

(ז) כ׳ הר״ן (ב. ד״ה ומהו) „ומהו ענין בטול זה מוכח בגמ׳ (שם [ו:]) גבי הא דאמרי׳ הבודק צריך שיבטל דביטול מדין הפקר הוא והיינו דמייתינן עלה (שם) ההיא דסופי תאנים דההיא מתורת הפקר נגעו בה ואע״ג דהפקר כי האי גוונא לא מהני דודאי מאן דאמר בנכסי דידיה דלבטלו ולהוו כעפרא לא משמע דהוי הפקר ותו דבגמ׳ אמרי׳ מבטלו בלבו ובודאי דלענין הפקר ממונו הפקר בלבו לא מהני דדברים שבלב אינם דברים וכו׳ אלא היינו טעמא משום דנהי דמאי דהוי ברשותיה דאיניש לא מצי מפקר ליה כי האי גוונא חמץ שאני לפי שאינו ברשותו של אדם אלא שעשאו הכתוב כאילו הוא ברשותו ומש״ה בגלויי דעתא בעלמא דלא ניחא ליה דליהוי זכותא בגוויה כלל סגי וכו׳״ וע׳ בגר״ז ס׳ תל״ד ס״ז [וע׳ בס׳ שערי ישר (שער ה׳ סוף פ׳ כ״ג) מש״כ לבאר דברי הר״ן הנ״ל].

(ח) ע׳ שם.

becomes prohibited on Erev Pesach, since deriving benefit is prohibited — the chometz does not belong to him (ח). The Torah only considers it his property in relation to violating the issurim of בל יראה and בל ימצא (ט). Therefore, the usual terminology needed to make something הפקר is not necessary (י); all that is required is for him to remove his mind from the chometz, by nullifying the chometz and considering it — in his mind — like dust (יא). However, it is preferable that the term "הפקר" should be used in the declaration of the bitul (יב). This is the minhag (יג) (see B 1).

Is it necessary to recite the bitul orally?

4. Some Poskim hold that it is sufficient to nullify the chometz in one's heart — without reciting the declaration orally (יד). Other Poskim hold that, although, according to the Torah this is sufficient, חז"ל required that the declaration should be recited orally (טו). However, it may be said privately; there is no need for anyone to hear the declaration (טז).

B. THE DECLARATION FOR THE BITUL

The declaration at night

1. At night, immediately after the bedikah, the following is the נוסח of the declaration for the bitul (יז). The declaration at night nullifies only unknown chometz (חמץ שאינו ידוע) (יח).

"כל חמירא וחמיעא דאיכא ברשותי דלא חמיתיה ודלא בערתיה ודלא ידענא ליה ליבטל ולהוי הפקר כעפרא דארעא" (יט).

(ט) ע׳ שם וכ׳ הגר״ז שם „אלא שהכתוב עשאו כשלו שיהא שמו נקרא עליו שיעבור עליו בב״י ובב״י לפיכך א״צ להפקירו בלשון הפקר גמור אלא כשהוא מסיח דעתו ומבטל בלבו ומחשבו כעפר דיו בכך להפקיע שמו מעליו שלא יהא נקרא שלו ולא יעבור עליו כלום וכו׳״.

(י) שם.

(יא) שם.

(יב) כ׳ הגר״ז שם „ומ״מ כל מדקדק במעשיו יפרט בפירוש הביטול בלשון ארמי לשון הפקר גמור ויאמר להוי הפקר כעפרא דארעא״ וכ״כ המ״ב (ס׳ תל״ד ס״ק ח׳) „ונכון שיאמר וליהוי הפקר כעפרא דארעא״ וכ״כ ש״א. וע׳ בגר״ז שם שכ׳ למה צריך לפרש „כעפרא דארעא״ „לפי שהזהב נקרא ג״כ עפר שנאמר ועפרות זהב לו כמ״ש ביו״ד סי׳ כ״ח וכו׳״.

(יג) ע׳ באה״ט ס׳ תל״ד ס״ק ז׳ וגר״ז ומ״ב שם וכך הוא המנהג.

(יד) רמב״ן (ריש פסחים) וטור וכ״כ בב״ה ס׳ תל״ז ס״ב ד״ה בלבו, שהסכים הגר״א לדעה זו.

(טו) גר״ז שם וכ״מ לשון המחבר ס׳ תל״ד ס״ב וע׳ ב״י ס׳ תל״ד ד״ה ומ״ש רבינו וע׳ בפמ״ג פתיחה כוללת להל׳ פסח ח״א פ״ב אות ב׳ וע׳ בב״ה ס׳ תל״ז ס״ב ד״ה בלבו.

(טז) כ׳ המ״ב (שם ס״ק ח׳) „ולכו״ע מהני לשון זה של הפקר אף שאמר לשון זה בינו לבין עצמו ולא בפני אנשים״.

(יז) כ׳ המחבר (ס׳ תל״ד ס״ב) „אחר הבדיקה מיד בלילה יבטלנו ויאמר וכו׳״.

(יח) כ׳ המ״ב (שם ס״ק ז׳) „אבל מה שראה וביער אינו מבטל עכשיו שהרי רוצה לאכול עוד מה שמשייר וגם כדי לקיים מצות שריפה בחמץ שלו למחר ולכך אינו מבטל הכל עד למחר אחר אכילה ואחר ששרף החמץ״.

(יט) כ׳ הבאה״ט (ס׳ תל״ד ס״ק ז׳) מהב״ח וח״י „המדקדק במעשיו יאמר נוסח זה״. **הטעם** שנתקן בל׳ ארמית כ׳ הגר״ז (שם ס״ח) „מפני עמי הארץ שאינם מבינים בלה״ק כי אם בלשון ארמי״ וע׳ בבאה״ט (שם ס״ק ה׳) „לפי שלחם הוא חיות האדם ואין ראוי לזלזל בכבודו לכך נתקן בלשון תרגום שלא יבינו המזיקים והמקטרגים סדה״י״ וע׳ בגר״ז (ס׳ תל״ד בקו״א ס״ק ד׳) והובא בתוספות חיים על החיי״א (כלל קי״ט ס״ק נ״ב) שהשיג על פי׳ זה.

One must understand the bitul

2. The bitul must be said in a language which one understands (**כ**). The reason is that since its function is to make the chometz הפקר, if he is unaware of what he is doing, the bitul is ineffective (**כא**). Therefore, it is essential for those who do not understand the language of the bitul (Aramaic) either to learn to understand the meaning of the declaration or to say it in a language which they understand (**כב**). When saying the bitul in another language [other than the Aramaic mentioned above] it is essential to single out both chometz and leaven (**כג**).

The declaration in English and Yiddish

3. If one does not understand Aramaic but understands English, the following declaration may be said: "All chometz and leaven which is in my domain, which I have not seen and which I have not destroyed and of which I have no knowledge, shall be nullified and *hefker* (renounced property) like the dust of the earth" (**כד**).

If one does not understand Aramaic but understands Yiddish, the following declaration may be said: "אללען חמץ אדער זויער טייג וואס עס איז אין מיין רשות [וואס איך האב נישט געזען און (כה)] וואס איך האב נישט מבער געוועןאון וועגען וואס איך וייס נישט זאל זיין הפקר אונד זאל נישט זיין גירעכינט נאר אזוי וויא ערד אין גאס" (**כו**).

If a person did not understand the language

4. If a person said the bitul in a language which he did not understand, but he comprehended the essence of the bitul, that is, that he is renouncing his property, the bitul is valid (**כז**). However, if he has no knowledge of what is being said or accomplished, but he believes that he is saying a prayer, he has not fulfilled his requirement and his bitul is *not* valid (**כח**).

No brocho is recited

5. No brocho is recited for *bitul chometz* (**כט**). The reason is that since bitul

---

(**כ**) כ׳ הרמ״א (ס׳ תל״ד ס״ב) „ויאמר הביטול בל׳ שמבין״.
(**כא**) מ״ב שם ס״ק ט׳.
(**כב**) שם.
(**כג**) כ׳ הרמ״א שם „ואם אמרו בל׳ הקודש כל חמירא כולל חמץ ושאור (ת״ה סי׳ קל״ד) אבל בשאר לשונות צריך להזכיר כל אחד בפ״ע״ וכ׳ הגר״ז (שם בס״ס ט׳) „ומ״מ ראוי לכל מדקדק במעשיו שלא יסמוך ע״ז [דחמירא כולל חמץ ושאור] ויזכיר שניהם בפי׳ אף שמבטל בל׳ ארמי שיאמר כל חמירא וחמיעא״ וכ״כ בבאה״ט (שם ס״ק ז׳).
(**כד**) כך נראה.
(**כה**) כך נראה דיש להוסיף וכה״ג כ׳ בתוספות חיים על החיי״א (כלל קי״ט ס״ק נ״ג).
(**כו**) מ״ב ס׳ תל״ד ס״ק ט׳ מחיי״א כלל קי״ט ס׳ כ״ד.
(**כז**) כ׳ המ״ב שם „ואם אמר ע״ה בלה״ק אם יודע לפחות ענין הבטול שיודע שמפקיר חמצו יצא בדיעבד אבל אם אינו מבין כלל וסובר שאומר איזה תחנה לא יצא אפילו בדיעבד״.
(**כח**) מ״א ס״ק ו׳, ח״י ס״ק י״ב, מ״ב שם וש״א אבל ע׳ בשעהמ״ב ס׳ קי״א ס״ק י״ב.
(**כט**) כ׳ המחבר (ס׳ תל״ו ס״ב) „ולא יברך על הביטול״.
(**ל**) כ׳ המ״ב (שם ס״ק כ״ה) „ולא יברך. דכיון

is primarily a mitzvah which is accomplished in one's heart (see A 4), no brocho is made on "דברים שבלב", things which are in one's heart (**ל**).

The bitul in the morning

6. The bitul is again said during the morning (**לא**). The reason is that one may have purchased chometz after the evening bitul (**לב**). In addition, he omitted from the bitul any chometz which he planned to eat at night after the bedikah, or during the morning before the time that chometz becomes prohibited (**לג**). [Even if he would have intended to nullify the chometz, by his taking the chometz to eat, he acquires it again and requires a new bitul] (**לד**).

Why can't he nullify the chometz only by day?

7. The reason why one cannot rely solely on nullifying his chometz by day and not to nullify it by night is that we are afraid that he may forget to nullify it until the sixth hour — when bitul is ineffective (**לה**).

The declaration in the morning

8. The נוסח of the morning declaration nullifies *all* chometz, both known (חמץ ידוע) and unknown (חמץ שאינו ידוע) (**לו**).

The following is the proper declaration for the bitul in the morning: "כל חמירא וחמיעא דאיכא ברשותי דחמיתיה ודלא חמיתיה דבערתיה ודלא בערתיה דידענא ליה ודלא ידענא ליה ליבטל ולהוי הפקר כעפרא דארעא" (**לז**).

If one does not understand the bitul in Aramaic but understands English, the following declaration may be said: "All chometz and leaven which is in my domain, which I have seen and which I have not seen, which I have destroyed and which I have not destroyed, of which I have knowledge and of which I have no knowledge, shall be nullified and *hefker* (renounced property) like the dust of the earth" (**לח**).

Similarly, if one does not understand the bitul in Aramaic but understands Yiddish, the following declaration may be said: "אללען חמץ אדער זויער טייג וואס איז אין מיין רשות וואס איך האב געזען און וואס איך האב נישט געזען, וואס איך האב מבער געווען און וואס איך האב נישט מבער געווען, וועגען וואס איך ווייס און וועגען וואס איך ווייס נישט זאל זיין הפקר אונד זאל נישט זיין גירעכינט נאר אזוי וויא ערד אין גאס" (**לט**).

דעיקר הביטול בלב דאפילו מחשב בלבו סגי אין מברכין על דברים שבלב" וכ"כ בס' תל"ב ס"ק ג'.

(**לא**) כ' המחבר (ס' תל"ד ס"ב) „וטוב לחזור ולבטלו פעם אחרת ביום י"ד סוף שעה חמישית קודם שתגיע שעה ששית וכו'".

(**לב**) מ"ב שם ס"ק י"א.

(**לג**) שם.

(**לד**) כ' המ"ב שם „[ואף אם כוון לבטלו הלא חוזר וזוכה בו] ויש לחוש שמא ישאר ממנו כזית ויעבור עליו לכך חוזר ומבטלו".

(**לה**) גר"ז ס' י"ג ומ"ב שם וע' שעה"צ ס"ק י"ט וש"א.

(**לו**) ע' גר"ז שם ס"י וס' י"א ומ"ב שם ס"ק ז'.

(**לז**) כ' המחבר (ס' תל"ד ס"ג) „בביטול היום יאמר דחזיתיה ודלא חזיתיה דבערתיה ודלא בערתיה" וכ"כ בגר"ז (שם ס' י"ב).

(**לח**) כך נראה.

(**לט**) ע"פ מ"ב שם ס"ק ט' בהוספת דברי המחבר שם ס"ג וע' לעיל הערה כה.

Bitul should follow burning

9. The bitul should *follow* the burning of the chometz (**מ**). The reason is that he should fulfill the mitzvah of *biyur chometz* with his own chometz (**מא**). For after he nullifies his chometz, it no longer belongs to him (**מב**). However, if he had nullified the chometz *before* the burning, the bitul is valid (**מג**). Therefore, the burning of the chometz must be completed [at the latest] shortly before the end of the fifth hour and the chometz should be nullified then (**מד**). For once the sixth hour has started, it is no longer his chometz to nullify (**מה**).

C. WHO MAY NULLIFY CHOMETZ?

Can a representative nullify someone else's chometz?

1. We have learned (see Chapter VI C 2) that a person may appoint a representative to perform the bedikah for him (**מו**). Can a person appoint a representative to *nullify* his chometz?

Some Poskim hold that he can not (**מז**). Their reason is that since the act of bitul is rendering chometz הפקר (renounced property) (**מח**), in the same manner that one cannot renounce someone else's property, he can *not* renounce his chometz (**מט**).

Most Poskim hold that one may appoint a representative to nullify his chometz (**נ**), since the halacha of chometz is different (**נא**). As we learned previously (see A 3 and Chapter V B 3) chometz after the time it is prohibited does not really belong to him, but the Torah placed it in his domain only to violate the issurim of בל יראה and בל ימצא (**נב**). Therefore, by disclosing that he has no desire to own it, he absolves himself from it (**נג**). Although the halacha is according to this view, it is preferable not to rely on it (**נד**) — except in cases of great necessity (**נה**). Therefore, wherever possible, one should nullify his own chometz (**נו**).

(מ) כ׳ הרמ״א (שם ס״ב) „ואין לבטלו ביום אלא לאחר ששרף החמץ כדי לקיים מצות שריפה בחמץ שלו״.

(מא) שם.

(מב) גר״ז שם ס׳ י״ד, ערה״ש שם ס״ו.

(מג) ערה״ש שם.

(מד) מ״ב שם ס״ק י״ב.

(מה) שעה״צ שם ס״ק כ׳ ומ״ב ס׳ תמ״ה ס״ק ז׳.

(מו) ע׳ ס׳ תל״ב ס״ב ומ״ב ס״ק ח׳,י״א וס׳ תל״ו ס״ק א׳.

(מז) ר״ן פ״ק בשם אחרים הובא בגר״ז ס׳ תל״ד ס׳ ט״ו ומ״ב שם ס״ק ט״ו וערה״ש ס׳ י״ב.

(מח) ע׳ לעיל הערה ו׳,ז׳.

(מט) ע׳ לעיל הערה מז.

(נ) כ׳ המחבר (ס׳ תל״ד ס״ד) „שלוחו יכול לבטל״ וגר״ז שם ס׳ ט״ו ומ״ב וערה״ש שם וע׳ לעיל פ״ח הערה ב׳.

(נא) כמו שיתבאר.

(נב) גר״ז מ״ב וערה״ש שם.

(נג) שם.

(נד) שם.

(נה) כ׳ הגר״ז שם על דעה זו „וכן עיקר ואף עפ״כ טוב לחוש לכתחלה לסברא ראשונה״ וכ׳ המ״ב שם „ויש מחמירין בזה ובשעת הדחק יש להקל דרוב הפוסקים הסכימו לדעת המחבר״.

(נו) שם.

Only if expressly requested to do so

2. This halacha [that a שליח can nullify one's chometz] applies only if he expressly requested him to do so (נז). Even if the owner of the chometz is away and we assume that he did not and will not nullify his chometz — so that it is to his advantage that the שליח nullifies it — some Poskim hold that he may still not do so (נח). Other Poskim hold that if he appointed him to perform the bedikah for him, his intent was also for the bitul (נט).

Therefore, if the owner is home and appoints a person to aid or perform the bedikah for him, the owner should, nevertheless, nullify the chometz himself (ס). However, if the owner is away, both he [wherever he is] *and* his representative for bedikah should nullify the chometz (סא).

His wife should nullify his chometz

3. In his absence, both he, wherever he may be, and his wife should nullify the chometz (סב). It is preferable that she should not appoint a שליח to nullify her husband's chometz, even where she appointed a שליח for the bedikah (סג).

Declaration of a wife performing bitul

4. Where a wife performs the bitul on behalf of her husband, she should say: ''כל חמירא וכו' דאיכא ברשות בעלי וכו''' "All chometz . . . which is in my husband's domain . . ." (סד).

Similarly, a representative performing the bitul should say: ''כל חמירא וכו' דאיכא ברשותיה דפלוני'' "All chometz . . . which is in the domain of . . ." (סה).

(נז) כ' המ"ב (שם ס"ק י"ד) [אמש"כ המחבר „שלוחו יכול לבטל"] „שלוחו. היינו כשצוה לשליח לבטל חמצו אבל אם צוה לו לבדוק לכו"ע אינו יכול לבטלו" [ממ"א וש"א] וכ"כ המ"ב (שם ס"ק ט"ו) „ומ"מ כ"ז דוקא כשעשה שליח ע"ז ובלא שליחות אין יכול לבטל חמצו של חבירו אף היכא דזכות הוא לו כגון שהוא בדרך ושכח לבטל" [פמ"ג בפתיחה].

(נח) שם.

(נט) ב"ה שם ס"ד ד"ה יהא ממגן האלף וגר"ז.

(ס) ב"ה שם.

(סא) ב"ה שם ומ"ב (שם ס"ק י"ז) וכ' בשעה"צ (שם ס"ק כ"ו)"וגם לפי מה דנקטינן דבדאורייתא לא אמרינן חזקה שליח עושה שליחותו בודאי יזהר לבטל במקום שהוא וכו'".

(סב) כ' המחבר (ס' תל"ד ס"ד) „אם אין האיש בביתו יבטל במקום שהוא ואם אינו עושה כן טוב שתבטל אשתו" וכ' המ"ב (שם ס"ק י"ח) „ואם אינו עושה כן לכאורה מנא ידעה האשה שאין הבעל מבטל במקומו אלא הכונה שאין הבעל רגיל לעשות כן וא"כ חיישינן שמא ישכח לכן טוב שתבטל אשתו אף שלא צוה לה לבטל דמסתמא כמו שנתן לה רשות דמי וראוי להזהירה ע"ז ומ"מ אין כדאי לכתחלה לסמוך לגמרי על בטול אשתו כיון שמ"מ אינו שלה ויבטל במקום שהוא" וכן יש להוכיח מרמ"א (ס' תל"ו ס"ב) שכ' „גם אשתו תבדוק ותבטל בביתו דילמא ישכח לבטל במקום שהוא".

(סג) כ' המ"ב (ס' תל"ד ס"ק י"ט) „ואפילו אם אינה יודעת בעצמה לבדוק ומינתה שליח לבדוק חדריה מחמץ מ"מ הבטול טוב יותר שתעשה בעצמה בלשון שמבינה שאף להבעל בעצמו יש מפקפקים על מינוי השליחות על הבטול וכ"ש לאשתו שהחמץ בעצם אינו שלה" וע' ב"ה ד"ה שתבטל ובאה"ט (ס' תל"ו ס"ק ח').

(סד) מ"ב שם.

(סה) כ' הרמ"א (ס' תל"ד ס"ד) „וכשמבטל שליח צריך שיאמר חמצו של פלוני יהא בטל וכו'" וכ' המ"ב (שם ס"ק ט"ז) „חמצו של פלוני. דהיינו שלא יאמר דאיכא בביתא הדין דלמא יש לו במקום אחר. וכתבו האחרונים שיאמר ביום כל חמירא דאיכא ברשותיה דפלוני דידע ביה ודלא ידע ביה וכו' ובלילה יאמר דלא ידע ביה".

Widow, orphan, married woman, child

5. A single woman, widow, or divorcee is required to nullify her own chometz (**סו**). A guardian of the property of an orphan is required to perform the bedikah, biyur and bitul for him (**סז**). Where people receive remuneration for performing bedikas chometz, he may pay from the orphan's funds (**סח**). It is questionable whether chometz of a child orphan is subject to the penalty of חמץ שעבר עליו הפסח (**סט**).

Some Poskim hold that a married woman should also nullify personal chometz (**ע**). The reason is that it is possible that she may possess her *own* chometz (e.g. gifts of perfume) (**עא**). The same halacha applies to a mature child (**עב**).

Can a child nullify someone else's chometz?

6. Although the bedikah of a mature child is valid, a child (under Bar Mitzvah) should not be appointed as a representative for bitul (**עג**).

Time zone differences

7. Where the owner of the chometz is in a different city or country and there is a time difference between the place he presently is and where the chometz is, bitul and *mechiras chometz* must be performed before the earlier of the two times (**עד**) (see Chapter XI B 11).

(סו) כ׳ המ״ב (שם ס״ק י״ט) „ואלמנה כיון שהחמץ שלה תוכל לבטל בעצמה או לעשות שליח וכנ״ל לגבי האיש״ ופשוט דה״ה גרושה ובתולה. **ונראה** דצריך להזהיר לבתולות שדרים בבית אביהם לבטל חמצם [ואם אינן יודעות איך לבטל וקשה ללמדן תבקשו לאביהן או לאחיהן או לאיש אחר שיהא שלוחן לביטול] כי יש להן ברשותן כמה דברים שיש בהם חמץ כגון perfumes ושאר תכשיטי נשים העשוים מאלכוהו״ל ושאר חמץ וכ״ש בתולות או פנויות שיש להן דירה מיוחדת או דדרין בפנימיה ומניחין שם חמץ שלהן.

(סז) כ׳ המ״ב (שם ס״ק ט״ז) „אפוטרופוס של יתומים חייב לבדוק ולבער ולבטל ובמקום שנותנין שכר על הבדיקה נותן שכר ואם עבר ולא ביער ולא ביטל ועבר עליו הפסח אין לחייבו כיון שאינו חייב אלא בפשיעה״.

(סח) שם.

(סט) כ׳ המ״ב שם „ויתום קטן שאין לו אפוטרופוס ועבר עליו הפסח אפשר שאין לאסור החמץ שלו דלמאן נקנסיה [פמ״ג וע״ש עוד מה שכ׳ בזה]״ ע׳ פמ״ג (א״א ס׳ תל״ד ס״ק ט׳) ושעהמ״ב ס׳ קי״ד ס״ק א׳.

(ע) אף שלא ראיתי דבר זה בספרים שמעתי שיש פוסקים המורים כן דיש לפעמים שיש להן מתנות של חמץ שאין לבעליהן רשות בה.

(עא) כנ״ל וע׳ כתובות נ״ד. „אין לו לא בכסות אשתו וכו׳״.

(עב) היינו שהגיע לעונת הפעוטות דשייך שקנה חמץ ואין לאביו רשות בו לבטלו.

(עג) ב״ה ס׳ תל״ד ס״ד ד״ה שלוחו וע׳ שעהמ״ב ס׳ קי״א ס״ק ט״ו.

(עד) ע׳ שעהמ״ב ס׳ קי״ג ס״ק א׳ ובקו׳ לתורה והוראה ח״א דף 14 ובקו׳ עם התורה ח״ו תשובת הגרמ״פ שליט״א (והודפסו באג״מ או״ח ח״ד ס׳ צ״ד, צ״ה) והעונג יו״ט שהזכיר (שם בס׳ צ״ד) הוא בסימן ל״ו וע׳ בשו״ת אבני זכרון ח״ב ס״א.

סימנים וסעיפים שבשלחן ערוך המשתייכים לפרק זה

תל״ב:ב
תל״ד:ב,ד
תל״ו:ב,ג

Chapter X ביעור חמץ — Destruction of the Chometz

A. INTRODUCTION

What is Biyur Chometz?

1. The Mishna says: ״ר׳ יהודה אומר אין ביעור חמץ אלא שריפה״ "Rabbi Yehudah says that the method to dispose of chometz is by burning it"* (א). ״וחכמים אומרים אף מפרר וזורה לרוח או מטיל לים״ "The *chachomim* say that he may even break it down into small particles and throw it into the wind or into the sea" (ב).

The Talmud explains: ״אימתי שלא בשעת ביעורו אבל בשעת ביעורו השבתתו בכל דבר״, when is there this dispute between Rabbi Yehudah and the *chachomim* ״שלא בשעת ביעורו״, but ״בשעת ביעורו״ everyone agrees that he may dispose of the chometz by any means (ג).

In defining ״בשעת ביעורו״ and ״שלא בשעת ביעורו״, there are two views (ד):

Rashi explains ״שלא בשעת ביעורו״ "in the beginning of the sixth hour and the entire sixth hour" — when chometz is still permitted by the Torah, although it is prohibited מדרבנן (ה). During this time [or before] chometz should be burned, but ״בשעת ביעורו״ "from the seventh hour" — when chometz is prohibited even by the Torah — it should be disposed of by any means (ו).

Rabbeinu Tam (ז) explains ״שלא בשעת ביעורו״ "*after* the sixth hour" [because most of the world destroys chometz during the sixth hour] (ח) it should be burned, but ״בשעת ביעורו״ "*during* the sixth hour" [and before] (ט) when the requirement to destroy the chometz is only מדרבנן, one may dispose of chometz by any means (י).

Rashi and Tosfos hold like Rabbi Yehudah, the Rambam and the Geonim hold like the *chachomim* (יא).

*Note: The reason Rabbi Yehudah says that chometz should be destroyed by burning is that he compares the mitzvah of destroying chometz to the mitzvah of

---

(א) פסחים כ״א.

(ב) שם.

(ג) שם י״ב:.

(ד) כמו שיתבאר.

(ה) כ׳ רש״י שם „שלא בשעת ביעורו. בתחילת שש וכל שש דאכתי מדאורייתא שרי: אבל בשעת ביעורו. בשבע שהוא מוזהר מן התורה השבתתו בכל דבר וכו׳״ (כגירסת הב״ח).

(ו) שם.

(ז) שם י״ב: תד״ה אימתי.

(ח) כ׳ בתוס׳ שם „ומפר״ת דשלא בשעת ביעורו היינו אחר שש שרוב העולם מבערין בשש כתיקון חכמים וטעמם משום דיליף מנותר והיינו לאחר איסורו״.

(ט) „אבל בשעת ביעורו דהיינו בשש כיון שאינה מצוה לבערו אלא מדרבנן השבתתו בכל דבר וכן איתא בירושלמי פרק כל שעה״. [ומה שהוספנו בשש „או לפני כן״ פשוט הוא].

(י) שם.

(יא) ערה״ש ס׳ תמ״ה ס״א וכ׳ שם „וכל ישראל נהגו לשרוף החמץ״.

destroying נותר (portion of a sacrifice which was left over beyond the time it was to be consumed) — which must be destroyed by burning (**יב**).

The halacha

2. What's the halacha? The מחבר (**יג**) asks: "כיצד ביעור חמץ", "How does a person dispose of chometz?" "שורפו או פוררו וזורה לרוח או זורקו לים" "He should burn it or break it into small particles and throw it into the wind or into the sea" (**יד**). The רמ"א adds: "והמנהג לשורפו" (**טו**), "the minhag is to burn it." [The Poskim explain that although the halacha is like Rabbeinu Tam, the minhag is like Rashi's explanation (**טז**)].

This minhag of burning chometz applies even when disposing of chometz at a time when it is still permissible to benefit from it (**יז**) (e.g. at the end of the fifth hour — when it is our minhag to dispose of chometz (**יח**), see Chapter V A 4, Chapter IX B 9). It goes without saying that if a person found chometz after the sixth hour of Erev Pesach or during Pesach, that it should, preferably, be destroyed by burning (**יט**). [We have learned (see Chapter VI E 3) that chometz found on Yom Tov should not be burned until Chol Hamoed] (**כ**).

B. PROCEDURE FOR THE BIYUR

How is the chometz burned?

1. How does one perform the mitzvah of *biyur chometz?* The chometz should be burned until it becomes completely charred (**כא**). We have learned (see A 2) that this minhag to burn it applies even if it is done at the end of the fifth hour, as is our minhag (**כב**). We have learned (see Chapter IX B 9) that the reason for this (i.e. the minhag to burn it at the end of the fifth hour) is in order that the *bitul* should follow the burning of the chometz (**כג**).

(**יב**) ע' גמ' כ"ז: והובא בתוס' שם וכ' הרמ"א (שם ס"א) „והמנהג לשורפו וטוב לשורפו ביום דומיא דנותר שהיה נשרף ביום וכו'" ובגר"ז ס' תמ"ה ס"ז ומ"ב שם ס"ק ו' וערה"ש שם ס"ה.

(**יג**) ס' תמ"ה ס"א.

(**יד**) שם.

(**טו**) שם.

(**טז**) גר"א שם ס"ק ד' וע' מ"ב שם ס"ק ו' שכ' „דחוששין לדעת הפוסקים שפסקו כר' יהודה דאמר אין ביעור חמץ אלא שריפה דילפינן מנותר שהוא בשריפה. ומנהג זה הוא אפילו אם שורפו בזמן הראוי דהיינו בסוף שעה ה' כמנהגינו וכו'" וע' בשעה"צ (שם ס"ק ט"ז, י"ז) דאף דקיי"ל כר"ת אעפ"כ נוהגין כרש"י להחמיר.

(**יז**) מ"ב שם.

(**יח**) שם.

(**יט**) כ' המ"ב שם „וכ"ש במצא חמץ לאחר שש או בפסח גופא דבודאי יש לנהוג לכתחלה לבערו ע"י שריפה דוקא" וכ' ע"ז בשעה"צ (שם ס"ק י"ז) „משום דבשש הוא רק דעת רש"י וכמעט כל הפוסקים פליגי עליו ובלאחר שש אדרבה כמעט כל הפוסקים העומדים בשיטת ר' יהודה מחמירים וכפירוש ר"ת וכו'"..

(**כ**) ע' ס' תמ"ו ס"א,ב'.

(**כא**) גר"ז ס' תמ"ה ס"ד וע' מש"כ בסוגרים ומ"ב שם ס"ק א'.

(**כב**) מ"ב שם ס"ק ו',ז'.

(**כג**) רמ"א ס' תל"ד ס"ב.

Why isn't the chometz burned at night?

2. Although one may burn the chometz immediately after the *bedikah*, in order that it should not be misplaced by children or rodents (**כד**), preferably it should be burned by day similar to נותר (see Note after A 1) which was burned by day (**כה**).

Another reason [mentioned by the מהרי״ל] why the burning should take place by day, is that this should serve as a reminder to nullify the chometz during the fifth hour (**כו**). For this reason, even if no chometz was found, the vessel (e.g. wooden spoon, cardboard box, paper bag), which was used to place into it any chometz which he finds during the bedikah, should be burned (**כז**).

Can one benefit from the burning?

3. When burning the chometz *before* the sixth hour, one may derive benefit from the burning (**כח**). Therefore, he is permitted to use the fire for cooking or heating (**כט**).

When burning the chometz [during and] *after* the sixth hour, since deriving benefit from the chometz is prohibited then, one may not benefit from the burning (**ל**). The minhag, however, is to burn the chometz by itself [i.e. in the street, and not in a stove or furnace] — even before the sixth hour — in order to avoid erroneously benefiting from the burning of chometz during and after the sixth hour (**לא**).

Minhagim during the burning

4. If one has *Hoshanos* or *Arovos* remaining from Sukkos, it is recommended that they be used as fuel for burning the chometz (**לב**). The reason is that since they were used for one mitzvah, it is proper that they should be used for another mitzvah (**לג**).

Preferably, one should not pour kerosene directly on the chometz [he can pour it on the *Hoshanos*, *Arovos* or on paper] (**לד**). The reason is that since the minhag is to destroy the chometz by burning (see A 2), if kerosene is poured on the chometz *it* would destroy it (i.e. render it inedible) before burning (**לה**)

(כד) כ׳ הרמ״א (ס׳ תמ״ה ס״א) „וטוב לשורפו ביום דומיא דנותר שהיה נשרף ביום (ד״ע) אך אם רוצה לשורפו מיד אחר הבדיקה כדי שלא יגררנו חולדה הרשות בידו״, וע׳ בגר״ז שם ס״ז.

(כה) שם.

(כו) דעת מהרי״ל הובא במ״ב שם ס״ק ז׳.

(כז) ברמ״א (שם ס״ג) כ׳ טעם אחר „שלא ישכח חובת ביעור״ ובגר״ז (שם ס״ס ז׳) פירשו אשנה הבאה וע״ש שכ׳ גם הטעם שכתבנו.

(כח) כ׳ המחבר (ס׳ תמ״ה ס״ב) „ואם שרפו קודם שעה ששית הרי זה מותר ליהנות בפחמין שלו בתוך הפסח״ וע׳ במ״ב שם ס״ק י״א.

(כט) שם.

(ל) כ׳ המחבר שם „אבל אם שרפו משעה ששית ולמעלה הואיל והוא אסור בהנאה הרי זה לא יסיק בו תנור וכירים וכו׳״.

(לא) מ״ב שם.

(לב) ע׳ מ״ב שם ס״ק ז׳ וגר״ז ס׳ י״ב.

(לג) שם.

(לד) כמו שיתבאר.

(לה) ע׳ הגדה של פסח עם ביאור מועדים וזמנים (ביעור חמץ ס״ב ובמקור הערות שם).

Destroying chometz by other means

5. Although the preferred method of destroying chometz is by burning it, destroying it by other means also fulfills the mitzvah (לו). Therefore, bread may be broken into crumbs [so small that one who finds it cannot derive any benefit from it] and thrown into the wind or the sea (לז). If one flushes the chometz down the toilet, there is no need to reduce it into crumbs (לח).

Throwing chometz into a fish tank

6. One should not dispose of chometz by throwing it into his fish tank [or the like], because he will then derive benefit by the fish eating the chometz after the time it becomes prohibited (לט). The same halacha applies for feeding birds and animals (מ). For the halachos concerning the feeding of animals, birds or fish on Pesach, see Chapter VI E 8.

Chometz given to a gentile

7. If a person gave his chometz to a gentile before the sixth hour, he does not violate the issurim of בל יראה and בל ימצא (מא). He should not, however, give away *all* his chometz, in order that he may fulfill the mitzvah of תשביתו (מב). He should, preferably, leave for himself, at least, a כזית (the volume of an olive or preferably the volume of an egg) for this purpose (מג).

Placing chometz into the garbage

8. Placing chometz into one's garbage can, on his property, in order that the chometz will be removed during the following day's collection is questionable

---

(לו) כ׳ המחבר (ס׳ תמ״ה ס״א) „כיצד ביעור חמץ שורפו או פוררו וזורה לרוח או זורקו לים״.

(לז) כ׳ המחבר שם „ואם היה החמץ קשה ואין הים מחתכו במהרה הרי זה מפררו ואח״כ זורקו לים״ וכ׳ המ״ב (שם ס״ק ב׳) „או פוררו. לפירורים דקים שלא ימצאנו מי שהוא ויהנה ממנו״ וע׳ במ״ב שם ס״ק ה׳ דמסיק לעשות פירור בכל מקום ע״ש.

(לח) ע׳ מ״ב שם ס״ק ה׳ וע׳ חזו״א (ס׳ קי״ח ס״ק ג׳) דאיירי קודם זמן איסורו דאחר זמן איסורו אינו מספיק.

(לט) מ״ב שם (ס״ק ה׳).

(מ) כך נראה.

(מא) כ׳ המהבר (ס׳ תמ״ה ס״ב) „ואם נתנו לאינו יהודי קודם שעה ו׳ א״צ לבער״ וכ״כ המחבר (ס׳ תמ״ח ס״ג) „ואם מכרו או נתנו לאינו יהודי שמחוץ לבית קודם הפסח וכו׳ מותר״.

(מב) כ׳ המ״ב (ס׳ תמ״ה ס״ק י׳) „ומ״מ נכון לינהג שלא להוציא כל חמצו הנשאר לו בנתינתו לעכו״ם ולקיים מצות השבתה בשעה ששית בפירורים שמניח לשורפם שהפירורים נשבתים ועומדים ואפילו מניחם אינו עובר בבל יראה אלא יניח מחמצו לכל הפחות כזית כדי לקיים מצות תשביתו כתיקונה״.

(מג) ע׳ מ״ב שם שכ׳ „לכל הפחות כזית״ וכיון דמשאיר החמץ לקיים מצות תשביתו שהיא דאורייתא נראה דיש לנהוג כמו שכ׳ המ״ב (ס׳ תפ״ו ס״ק א׳) „ועיין בשע״ת שהכריע שיש לחלק בזה לענין שיעורין בין דבר שחיובו מן התורה לדבר שחיובו מדרבנן וכו׳״ לחוש לשיטת האחרונים דנתקטנו הביצים.

(מד). We have learned (see 5) that it may be disposed of by flushing down a toilet. (מה) If one places the chometz in plastic garbage bags or other disposable containers [not in a garbage can which will be used again] on the street off his property before the sixth hour, it is permissible (מו). [One should not dispose of all his chometz in this manner. We have learned (see 7) that one should preferably leave for himself a כזית to destroy — in order to fulfill the mitzvah of תשביתו].

Bitul following the burning

9. We have learned (see Chapter IX B 9) that the *bitul* should follow the burning of the chometz (מז). We have also learned that the *bitul* must be completed before the end of the fifth hour (מח).

(מד) ע' אג"מ (או"ח ח"ג ס' נ"ז) ושעהמ"ב ס' קי"א ס"ק י"ד.
(מה) ע' לעיל הערה לח.
(מו) דנראה לכל שמפקיר החמץ והכלי ואיירי בצדי רה"ר קודם שעה ו' ע' מ"א ס' תמ"ה ס"ק ז' ומ"ב שם ס"ק י"ח.
(מז) רמ"א ס' תל"ד ס"ב ומ"ב ס' תמ"ה ס"ק ז'.
(מח) ע' מ"ב ס' תל"ד ס"ק י"ב וס' תמ"ה שם.

תל"ד:ב
תמ"ו:א,ב

Chapter XI מכירת חמץ — Selling Chometz to a Gentile

A. INTRODUCTION

Selling chometz to a gentile

1. We have learned (see Chapter II D 4 f) that one may not derive any benefit from chometz belonging to a Jew, which he possessed during Pesach (**א**). However, chometz belonging to a gentile during Pesach *is* permissible after Pesach (**ב**).

We have also learned (see Chapter X B 7) that if a person gave his chometz to a gentile before the sixth hour, he does not violate the issurim of בל יראה and בל ימצא (**ג**). Similarly, one may sell his chometz to a gentile during this time (**ד**).

Origin of "Mechiras chometz"

2. Originally, this method of disposing of chometz by selling it to the gentile was a conventional business transaction (**ה**). One who had some chometz remaining before Pesach and did not want to destroy it, would sell it to a gentile — usually at a low price (**ו**). This would be a permanent sale; the gentile would pay for the chometz and remove it to his property (**ז**). The Jew would not receive it in return after Pesach — just as conventional business transactions are usually not reversed (**ח**).

Mechiras chometz nowadays

3. In the type of *mechiras chometz* prevalent nowadays, the Jew does *not* actually receive payment for his chometz nor does the gentile actually remove the chometz to his property (**ט**). The sale, however, where performed properly,

---

(א) ס' תמ"ח ס"ג.

(ב) כ' המחבר (ס' תמ"ח ס"א) „חמץ של אינו יהודי שעבר עליו הפסח מותר אפילו באכילה".

(ג) ס' תמ"ה ס"ב.

(ד) ע' מתני' (פסחים כ"א.) „כל שעה שמותר לאכול מאכיל לבהמה לחיה ולעופות ומוכר לנכרי" וס' תמ"ח ס"ג.

(ה) כ"מ מגמ' ופוסקים.

(ו) ע' רש"י פסחים י"ג. ד"ה ונקבוה.

(ז) כ' המחבר שם „ואם מכרו או נתנו לאינו יהודי שמחוץ לבית קודם הפסח וכו' מותר" וע' במ"ב (שם ס"ק י"ב) „שמחוץ לבית. כתבו האחרונים שאין קפידא בעכו"ם גופא אם הוא דר בביתו או לא אלא עיקר הקפידה שיוציא העכו"ם החמץ מבית ישראל וכו'".

(ח) דברינו כאן בביאור הענין מיוסדים ע"פ ס' המועדים בהלכה.

(ט) ע' מ"ב (שם ס"ק י"ב) „דאם יש לו חמץ הרבה וא"א לו להוציאו מביתו וכו'" וע' ב"ה (שם ד"ה בדבר מועט) „וכהיום מנהג כל ישראל שאין מוכרין בדבר מועט אלא במקח הסמוך לשויו של חמץ ומקבלין מן הנכרי איזה זהובים (שקורין אויף גאב) לתחלת פרעון והשאר זוקפין עליו במלוה וכפי המבואר בחו"מ סימן ק"צ דזה מהני" וע"ש בס"ק י"ט.

(י) ע' שם ובש"פ.

is a legitimate and binding contractual transaction (י); it is *not* a mere ceremony!

The Jew selects a gentile with whom he is familiar — one who he is reasonably certain will resell the chometz to him after Pesach — and sells the chometz to him (יא).

Basis for our type of Mechiras chometz

4. We find a basis for this type of procedure in the Tosefta (יב). A Jew and a gentile were together on a ship, the Jew having chometz in his possession (יג). The Jew had the option to sell it to the gentile or give it to him as a gift (יד). He may receive it in return after Pesach — as long as it was given before Pesach as a binding transaction (טו).

We see implied in the Tosefta that he may purchase it back from the gentile after Pesach — even if it was sold to him with this intention in mind (טז).

What's the basis for "making a deal"?

5. We find further in the Tosefta: "רשאי ישראל שיאמר לנכרי עד שאתה לוקח במנה קח במאתים שמא אצטרך ואבוא ואקח ממך אחר הפסח" (יז). One of the commentaries (רבינו מנוח) explains the Tosefta in the following manner (יח).

We are dealing in a situation where a Jew and a gentile are planning to board a ship before Pesach (יט). The Jew will require provisions consisting of chometz for after Pesach. He can't take along chometz — because of Pesach. Therefore, he suggests to the gentile; "You expect to take along provisions for yourself worth one hundred. Take along instead, provisions worth two hundred, so that I may purchase it from you after Pesach — if needed" (כ).

(יא) ע' ס' תמ"ח ס"ג ומ"ב ס"ק י"ט וכ"כ בגר"ז (ס' תמ"ח ס"ו) „ישראל שיש לו חמץ הרבה בע"פ ורוצה למכרו לנכרי המכירו ומיודעו וכו' אע"פ שהוא יודע בהנכרי שלא יגע בחמצו כלל וכו'" ע"ש.

(יב) פ"ב ה"ו וז"ל „ישראל ונכרי שהיו באין בספינה וחמץ ביד ישראל ה"ז מוכרו לנכרי ונותנו במתנה וחוזר ולוקח ממנו [לאחר] הפסח ובלבד שיתנו לו במתנה גמורה".

(יג) שם.

(יד) כ' בתוספתא שם „ונותנו" ופי' במנחת בכורים „ונותנו. או נותנו".

(טו) איתא שם „ובלבד שיתנו לו במתנה גמורה" ופי' במנחת בכורים שם „גמורה. שלא ע"מ להחזיר" [דכ' המחבר (ס' תמ"ח ס"ג) „אבל מתנה על מנת להחזיר לא מהני" וע' במ"ב שם ס"ק כ"א הטעם שאסור משום חומרא דחמץ].

(טז) כ"מ מל' „וחוזר ולוקח וכו'" דמשמע דגם בשעת מכירה היה בדעתו לחזור ולקנות ממנו.

(יז) פ"ב ה"ז.

(יח) ז"ל „כגון ישראל וגוי שרוצין להפליג בספינה ערב הפסח, והנה הישראל אינו יכול ליקח חמץ הצריך לאחר הפסח צידה לדרכו מפני הפסח ואומר לגוי עד שאתה לוקח צידה לדרכך במאה דינרים בא וקח במאתים לצרכי ולצרכך".

(יט) שם.

(כ) כך נראה פירושו דאיתא בתוספתא „שמא אצטרך" וכ"כ המחבר (ס' תמ"ח ס"ד) „רשאי ישראל לומר לאינו יהודי בשעה ה' או קודם עד שאתה לוקח חמץ במנה קח במאתים שמא אצטרך וכו'" וע' ב"י (ס' תמ"ח בא"ד ואם מרי"ו בשם הבה"ג בענין הערמה ובשו"ת חוט השני (משו"ת הגאון ר' הלל זצ"ל ס"ג-ס"ה) ובש"א שהאריכו בזה. **מש"כ** במנחת בכורים שם „שמא יצטרך. ומרמז לו שיקנה ממנו אחר הפסח אף דהויא הערמה שרינן דמדאורייתא בבטול בעלמא סגי וכו'" ע' בגר"ז (בסדר

He may even tell the gentile before the end of the fifth hour: "If the chometz remains in your possession until after Pesach and you would like to sell it to me, I will purchase it from you — allowing you a profit" (**כא**).

Removing the chometz from the Jew's domain

6. A stipulation which was required in this type of sale was for the chometz to be removed from the house or domain of the Jew (**כב**). The reason is that if the chometz remains in the house of the Jew, it appears as if the Jew is guarding the chometz of the gentile — which is prohibited (**כג**) (see Chapter VIII D 3).

Where the chometz could not be removed

7. This method was adequate for someone who owned a small quantity of chometz (e.g. a few packages of noodles, a few bottles of whiskey), and was able to remove the chometz from his house to the house of the gentile (**כד**).

In Europe, however, a major share of the businesses Jews were engaged in involved whiskeys and other spirits. These could not be removed from the buildings in which they were housed. Therefore, the procedure necessitated selling the chometz and the rooms in which they were kept (**כה**).

These are legitimate sales (**כו**). In fact, numerous responsa were written to deal with situations in which the gentile began consuming the whiskey during Pesach, and there was fear that after Pesach he would lack the resources to pay for his spree (**כז**).

The gentile gives a deposit

8. Since it was difficult to find a gentile whose financial resources allowed him to pay for the full value of the chometz, the following arrangement was

---

מכירת חמץ) שכ׳ „ומי שעולה על דעתו שמכירת חמץ הוא מד״ס לפי המנהג שהכל מבטלין החמץ ואומרים כל חמירא ליבטל ולהוי הפקר כו׳ שגגה היא בידו כי חמץ הנמכר אינו בכלל ביטול והפקר מאחר שדעתו עליו לחזור ולזכות בו אחר הפסח כמבואר בתשובת הרשב״א בשם ירושלמי (פ״ב ה״ב) וכ״פ הרמ״א בד״מ ובפר״ח. ולזאת אם המכירה אינה כדת עובר עליו בב״י וב״י וא״כ י״ל בזה״ וע׳ במקו״ח (ס׳ תמ״ח ס״ק ה׳ ד״ה ולענין) שכתב כהמנחת ביכורים וע׳ בליקוטי שו״ת מהרא״ל (ס״ה אות ה׳) שמסתפק בזה ונשאר בצ״ע וע׳ לקמן הערה מה.

(כא) ע׳ תוספתא ומחבר שם שכ׳ „שמא אצטרך״ וע׳ חת״ס (ס׳ קי״ג) שכ׳ „קרוב לודאי״ ובט״ז (שם ס״ק ה׳) ובגר״ז (שם ס׳ י״ז) ומ״ב (שם ס״ק כ״ג) כ׳ „דרשאי אפילו להבטיח שיחזור ויקנה ממנו ויתן לו ריוח״.

(כב) ב״י שם וס׳ תמ״ח ס״ג.

(כג) במ״א (ס׳ תמ״ח ס״ק ד׳) כ׳ „דאם ישאר בביתו יהא נראה כמקבל בפקדון וכו׳״ אבל ע׳ במקו״ח (שם בחידושים ס״ק ח׳) שכ׳ „ואם לא מכר החדר רק החמץ ולא קיבל רק מקצת דמים וידוע שאם יאבד החמץ לא ישלם לו העכו״ם הוי באחריות אלם עליו וצריך ביעור בפסח ואפי׳ אח״פ אסור החמץ״.

(כד) ע׳ מ״ב שם ס״ק י״ב.

(כה) כ׳ הב״ח (ס׳ תמ״ח ד״ה ואם) „ובמדינה זו שרוב משא ומתן הוא ביין שרף וא״א להם למכרם לעכו״ם מחוץ לבית בפרט למחזיקים באורנד״א יש להתיר בענין זה שימכור לעכו״ם כל החמץ שבחדר וגם החדר עצמו ימכור לעכו״ם וכו׳״ והביאו המ״ב שם ס״ק י״ב.

(כו) ע׳ שע״ת (ס׳ תמ״ח ס״ק ח׳) ומ״א (שם ס״ק ד׳ ד״ה מ״ש) ושו״ת דב״ח ח״ב ס׳ ל״ז ואכמ״ל.

(כז) ע׳ שע״ת שם.

made. The chometz is estimated close to its value and the gentile gives a deposit as partial payment, with the remainder to be paid after Pesach — when a complete and accurate estimate can be made (**כח**). We find a basis for this method in the Talmud (**כט**) and the Shulchan Aruch (**ל**).

Mechiras Chometz is a complex procedure

9. When *mechiras chometz* became widespread, individuals — on their own — would sell their personal chometz to a gentile. Numerous errors were made in the transaction — because *mechiras chometz* is a complex procedure and requires a thorough knowledge of halacha (**לא**).

Accepted procedure nowadays

10. For this reason, communal *mechiras chometz*, administered and supervised by the Bais Din or local Rav, was instituted about the year 5500 (**לב**).

The accepted procedure nowadays is for the Rav to serve as the agent for the sale (**לג**). Individuals sign a שטר הרשאה — a contract which authorizes him to sell their chometz to the gentile (**לד**). A קנין is made, to strengthen this authorization (**לה**). The קנין (see definition in Note after Chapter VIII C 3) is קנין סודר (taking hold of the cloth) (**לו**). This gives the Rav the right to act on their behalf in the sale of the chometz (**לז**). Even if no קנין is made, the sale is valid (**לח**). Therefore, in case of great necessity, a person may instruct the Rav by phone to sell his chometz (**לט**). However, where at all possible, a signed authorization should be delivered to the Rav, before the time of the sale (**מ**).

Poskim who questioned sale

11. Although there were those Poskim who questioned and even attempted to abolish this procedure [for reasons beyond the scope of this work] (**מא**), most

---

(כח) מ״ב שם ס״ק י״ט (וע׳ לקמן הערה סא).
(כט) ב״מ ע״ז:.
(ל) חו״מ ס׳ ק״צ וע׳ ב״ה ס׳ תמ״ח ס״ג ד״ה בדבר מועט.
(לא) ע׳ מ״א ס׳ תמ״ח ס״ק ד׳ ומדב״ח שם וש״א.
(לב) הובא בהמועדים בהלכה.
(לג) ע׳ ערה״ש ס׳ תמ״ח ס׳ כ״ז.
(לד) שם.
(לה) ע׳ רמב״ם סוף פ״ה דהל׳ מכירה.
(לו) ע׳ בגר״ז (הלכות מכירת חמץ ד״ה וככה).
(לז) ע׳ אב״נ ס׳ שמ״ז ובש״א.
(לח) ע׳ חת״ס יו״ד ס׳ ש״י ולקמן בהערה מ׳ ובש״א ודוק.
(לט) שמעתי מפי הגרמ״פ שליט״א.
(מ) כ׳ הגרי״א הנקין זצ״ל (בלוח עזרת תורה) „יש מהרבנים השלוחים למכירת חמץ, שמתנים שאותם שנאנסו או שכחו ולא חתמו על השטר הרשאה של מכירת חמץ עד אחר הזמן גם חמץ שלהם הוא בכלל המכירה קודם שחל איסור חמץ. רק שיודיעו להרב קודם פלג המנחה בערב פסח, וראוי שהמוכרים יכתבו זה בכתב, באיזה לשון שהוא, שכך הי׳ דעתם״ ונראה דאם אין שטר חתום אין עדות להנכרי להוציא את החמץ לפיכך חסר בגמירת דעת.
(מא) ע׳ שו״ת שו״מ מה״ת ח״ב ס׳ ע״ז וע׳ חת״ס או״ח ס׳ קי״ג שכ׳ „המכירה גמורה היא וכל המפקפק ראוי לגערה״ [וצ״ע מזה על מש״כ בהגדה של פסח עם ביאור מועדים וזמנים במקור הערות למכירת חמץ אות ג׳ „שאינה אלא הערמה״] וע״ש מש״כ במעשה דהגאון מו״ה ברוך פרענקל זצ״ל ואכמ״ל.

Poskim supported the minhag, and it is accepted all over the world (מב). Some individuals, however, have a minhag to dispose of any actual chometz and not to rely on our *mechiras chometz** for those items — where it is not a necessity (מג). Most Poskim hold that it is permissible to sell even actual chometz, and this is the minhag (מד).

*Note: Although one may conduct himself in this manner [and dispose of any actual chometz and not rely on *mechiras chometz*], it is advisable that he should, nevertheless, perform *mechiras chometz*. It has been our experience that there have been individuals, who, because they desired not to sell actual chometz, disposed of whatever they believed to contain chometz, yet were unaware that some products which they retained (e.g. after-shave lotion, cologne, deodorants) were actual chometz.

This is especially essential for single men and women (e.g. students who live in a dormitory or have their own apartment). They may assume that they own no chometz, or that they disposed of any chometz which they may have possessed, or that their father's *mechiras chometz* and *bitul chometz* removed from their possession *their* chometz too. However, unless they *specifically* requested their father [or any other individual] to be their representative for selling their chometz and stipulated the location of the chometz [and the other particulars, see B 4], their chometz may *not* have been part of the sale, and they may be in possession of actual chometz during Pesach. For this reason, it is similarly essential — even for single men and women — to nullify their own chometz (see Chapter IX C 5).

B. PROCEDURE FOR MECHIRAS CHOMETZ

The necessity for Mechiras Chometz

1. One should not, in error, assume that since we nullify chometz anyway, one who would not sell his chometz before Pesach would only violate an issur d'rabonon (מה). Many Poskim hold that the necessity for *mechiras chometz*

(מב) ע' שם ובש"א.

(מג) ע' במעשה רב אות ק"פ „שלא למכור שום דבר חמץ כי אם מכירה עולמית" (וע"ש באות קפ"א) וכך היה נוהג מו"ר הגר"א קטלר זצ"ל. ומש"כ רק במקום שאין צורך כי נראה דהכל מכרו יי"ש הנעשה מחמשה מיני דגן, ואפשר שסמכו על הפוסקים דס"ל דהוי חמץ נוקשה (ע' שע"ת ס' תמ"ח ס"ק ח' בשם שו"ת פ"י ס' י"ד) או דהוי זיעה בעלמא (ע' שע"ת ס' תמ"ב ס"ק ג' משו"ת בית אפרים ס' מ"ח) אף דקיי"ל דהוי חמץ גמור (ע' מ"ב ס' תמ"ב ס"ק ד').

(מד) שמעתי מפי הגרמ"פ שליט"א דעיקר התקנה הוא בשביל חמץ גמור ואמר „אויב מען

פארקויפט ניט חמץ גמור וואס פארקויפט מען יא".

(מה) כתב המחבר (ס' תמ"ח ס"ה) „חמץ שנמצא בבית ישראל אחר הפסח אסור אע"פ שבטלו" וכ' המ"א (שם ס"ק ח') „אע"פ שביטלו. אע"ג דלא עבר מן התורה חיישינן שיערים לומר שביטלו אע"פ שלא ביטלו" וע' מ"ב שם ס"ק כ"ה ובקש"ע (ס' קי"ד ס"א) וע' בגר"ז בסדר מכירת חמץ (הובא לעיל בהערה כ') דחמץ הנמכר אינו בכלל הביטול וע' בתבואות שור (בבכור שור על פסחים כ"א) דביטול מועיל גם לזה וכן סברי המקו"ח והמנחת בכורים (שהובאו לעיל בהערה כ') ודוק.

even after bitul is to prevent him from violating the two issurim of the Torah of בל יראה and בל ימצא (מו). The reason for this is that these Poskim hold that the chometz which is sold is not included in the bitul — since he intends to acquire it again after Pesach (מז). Therefore, if one owns chometz and does not sell it properly, he violates the two issurim of the Torah of בל יראה and בל ימצא (מח).

When must Mechiras chometz take place?

2. A Jew who has chometz in his possession during Pesach transgresses the issurim of בל יראה and בל ימצא *continuously* (מט). One may *never* derive any benefit from this chometz — even if he nullified the chometz (נ) (see Chapter V B 5).

Therefore, one who has more chometz in his possession than he is able to destroy, is required to sell it to a gentile — while he is still permitted to derive benefit from it (נא). We have learned (see Chapter V A 4) that chometz should preferably be disposed of before the end of the fifth hour (נב). Similarly, the sale of the chometz to the gentile must be completed before the end of the fifth hour (נג).

Mechiras chometz is a binding transaction

3. We have learned that *mechiras chometz* is not a mere ceremony or formality. When selling the chometz one must be aware that it is an actual and binding transaction (נד). Therefore, he should not sell the chometz for more than it is worth (נה). [When in doubt, it is better to write *less* rather than more than the amount (נו)].

Some Specifics in the contract

4. One should write in the contract the name of the purchaser (the gentile) (נז).

(מו) ע' גר"ז שם.

(מז) שם.

(מח) כ' בקש"ע שם „ישראל שהיה לו חמץ שלו ברשותו בפסח עובר בכל רגע ורגע על בל יראה ובל ימצא והחמץ אסור בהנאה לעולם ואפילו ביטלו קודם פסח, ולכן מי שיש לו הרבה חמץ שאינו יכול לבערו מן העולם צריך למכרו לאינו יהודי קודם הפסח בשעה שהוא עדיין מותר בהנאה".

(מט) שם.

(נ) שם וס' תמ"ח ס"ה וע' מ"ב ס"ק כ"ה.

(נא) קש"ע שם.

(נב) מ"ב ס' תמ"ה ס"ק ז'.

(נג) שם וקש"ע שם וכ' המחבר (ס' תמ"ה ס"ב) „ואם נתנו לאינו יהודי קודם שעה ו' א"צ לבער".

(נד) כ' בקש"ע שם „ולא יהא ענין מכירת חמץ אצל האדם כמו מצות אנשים מלומדה, אלא צריך שיגמור בדעתו שהוא מוכרו באמת להאינו יהודי מכירה גמורה וחלוטה ולא ימכור ביוקר מן המחיר הראוי ולאחר הפסח יבקש מן הנכרי שישלם לו את החוב, וכאשר ישיבהו שאין לו כסף, יבקש ממנו שיחזור וימכור לו את החמץ (עם החדר) בעד כך וכך ולא יהא הדבר כחוכא בעלמא אלא כדרך הסוחרים ממש".

(נה) שם ובו"ה ס' תמ"ח ס"ג ד"ה בדבר מועט.

(נו) ע' מחבר שם ומ"ב ס"ק י"ט ובו"ה שם וע' בהגדה של פסח עם ביאור מועדים וזמנים (מכירת חמץ אות ו' ובמקור הערות שם).

(נז) ב"ה שם וקש"ע שם ס"ב.

One should list in the contract each *type* of chometz sold — although an exact measurement is not required before Pesach, this could be agreed to be accomplished after Pesach (**נח**).

One should list where the chometz is located and where the key is located (see 7) and the approximate value of the chometz (**נט**). [However, the sale extends even to those items of chometz which were inadvertently omitted].

At the time of the sale

5. At the time of the sale, he should explain clearly to the gentile the terms and conditions of the sale as stipulated in the contract (**ס**).

We have learned (see A 8) that at the time of the sale he should take a down payment from the gentile (**סא**). He should specify to the gentile that with this deposit the gentile is purchasing [or renting, if the property is rented to the Jew] the room and the chometz therein (**סב**). The balance of the purchase price should be considered as a loan (**סג**). All this should be written in the contract (**סד**).

Various קנינים are made during the time of the sale to assure that the transaction was completed properly (**סה**).

Sell or rent the room

6. Although it is preferable for the gentile to remove the chometz from the house of the Jew (see A 6,7) (**סו**), where this is not possible, the room in which the chometz is present should be sold or rented as well (**סז**). He should write in the contract the amount for which the room was rented and that the chometz was purchased אגב קרקע (that is, by renting him the room he transfers to him the chometz contained there) (**סח**).

(נח) שם וערה״ש שם ס׳ כ״ח.

(נט) ע׳ קש״ע שם.

(ס) שם.

(סא) שם ומ״ב שם ס״ק י״ט וע׳ ערה״ש שם שכ׳ „ומהראוי לקבל כדי שיהיה פרוטה לכל אחד מהחתומים והמעות זוקף עליו במלוה עד אחר הפסח״ וכ״כ בדבר אברהם (ח״א ס׳ ל״ט) ובאג״מ (או״ח ח״א ס״ס ק״נ). **כתב** הגר״ז (בהלכות מכירת חמץ ד״ה והנה) „וחדשים מקרוב באו לתקן לכתוב והמותר זקפתי עליו במלוה כו׳. וגם זה אינו מועיל לפי דעת גדולי הראשונים ז״ל וכו׳ ולזאת אין תקנה אחרת למכור בהקפה אלא להיות יד ישראל אחר באמצע וכו׳״ ע״ש וע׳ בהגדה של פסח עם ביאור מועדים וזמנים (שם אות ב׳ ובמקור הערות שם) שהאריך בענין ערב קבלן.

(סב) שם. **כתב** בשו״ת שיבת ציון (ס״י) בשם אביו הנוב״י „שכן יותר להשכיר החדר בתורת שכירות מלמכור החדר במכירה גמורה״ ע״ש הטעם.

(סג) שם.

(סד) קש״ע שם. **והנה** בארץ ישראל אסור למכור קרקע לעכו״ם משום לא תחנם רק שכירות שרי, ע׳ רמב״ם פ״י מהל׳ עכו״ם ה״ג וה״ד, ויו״ד ס׳ קנ״א ס״ח, וע׳ בדר״ת (שם ס״ק כ״ב).

(סה) מ״ב שם וס״ק י״ז ובה״ה שם ס״ג ד״ה בדבר מועט וערה״ש שם.

(סו) ע׳ ס׳ תמ״ח ס״ג ומ״ב ס״ק י״ב.

(סז) קש״ע מ״ב וערה״ש שם וע׳ לעיל בהערה סב מש״כ משו״ת שיבת ציון.

(סח) קש״ע וערה״ש שם ומ״ב ס״ק י״ט. וע׳ במ״ב שם שכ׳ „וכתבו עוד דאם הבית שהחמץ שם אינו שלו אלא ששכורה בידו אז לא יועיל מכירתו דאיך ימכור דבר שאינו שלו אלא ישכיר לנכרי אותו החדר וישכיר לו סתם להחזיק בו כליו ומטלטליו ולא יאמר לו בהדיא שמשכירו להניח בתוכו חמץ וכו׳״.

The key

7. The key for the room containing the chometz should preferably be given to the gentile (**סט**). At the least, the location of the key should be indicated to the gentile (in the contract), and he should be informed that he has the right of access to take his chometz (**ע**). The Jew may not place a seal or lock on the chometz or the room in which it is stored — without allowing a means of access to the gentile (**עא**). The violation of which at the time of the sale, may cause it to be voided (**עב**). Although locking up the chometz *after* the sale [without giving the gentile access] is not permitted, it does not invalidate the sale (**עג**).

Make a partition

8. Where he is unable to rent the entire room containing the chometz (e.g. a grocery store which will sell Pesach products on Erev Pesach and during Chol Hamoed), he should designate a place for it and make a partition ten *tfochim* high (approximately forty inches) (**עד**). The place upon which the chometz rests should then be rented to the gentile, and he must be given the right of access (**עה**).

A שליח for mechiras chometz

9. An adult Jew or Jewess may act as the agent of another Jew or Jewess to sell the chometz (**עו**). A child or a gentile, however, can *not* serve in this capacity (**עז**).

Do not include the dishes in the sale

10. When selling the chometz, the vessels in which chometz is contained which do not require *tevilah* (e.g. plastic) are included in the sale (**עח**).

(סט) מ״ב שם ס״ק י״ב וקש״ע שם וע׳ במ״א (שם ס״ק ד׳) ובנוב״י (מה״ק ס׳ י״ח) דמסירת מפתח אינו מעכב.

(ע) מ״ב שם.

(עא) ע׳ מ״ב שם ושעה״צ ס״ק כ״ז ובאחרונים.

(עב) שם.

(עג) מ״ב שם וע׳ קש״ע שם.

(עד) קש״ע שם ס״ד, וכ׳ המחבר (ס׳ ת״מ ס״ב) „ואם אינו חייב באחריותו אינו חייב לבערו וכו׳ וצריך לעשות לפניו מחיצה גבוה י׳ טפחים כדי שלא ישכח ויאכלנו״ וכ׳ במ״ב (שם ס״ק י״ב) „מחיצה. ומחיצה של סדין לא סגי לפי שהולכין ובאין תחתיו״ ובשעה״צ שם (ס״ק כ״ו) כ׳ „ואם היה קשור למטה ואינו נד שפיר דמי״ וע׳ במ״ב (שם ס״ק י״ג) דלא התירו כפיית כלי אלא במוצא חמץ בביתו ביו״ט ע״ש.

(עה) ע׳ קש״ע שם.

(עו) ע׳ מ״ב ס׳ תמ״ח ס״ק י״ד וב״ה ס״ג ד״ה ובלבד. **ומש״כ** ישראל גדול דאין שליחות לעכו״ם ע׳ חו״מ ס׳ קפ״ח ס״א ואין שליחות לקטן ע׳ שם ס״ב.

(עז) מ״ב שם „דאין שליחות לעכו״ם ואין מכירתו כלום״ וחו״מ שם ס״א.

(עח) כ׳ בקש״ע (שם ס״ב) „חמץ שהוא בתוך כלי הצריך טבילה (כשלוקחו מן האינו־יהודי) לא ימכרנו עם הכלי כי לאחר הפסח כשיחזור ויקנהו מן האינו יהודי תצטרך טבילה מחדש״ וכ״כ בשו״ת חת״ס (ס׳ ק״ט) ופת״ת יו״ד (ס׳ ק״כ ס״ק י״ג) וע׳ במעד״ש (ס׳ קי״ד ס״ק י״ד) ובשעהמ״ב ס׳ קי״ד ס״ק י״ז. **בשטר** מכירה שנעשה בתיקון ע״י הרה״ג הר״ר א״א יודעלאוויץ זצ״ל (מחבר שו״ת בית אב)

However, those which require *tevilah* (e.g. metal, glass) should not be included in the sale, but are loaned to the gentile until he empties out the chometz (**עט**). The reason for this is that if the vessels were sold, then after Pesach when he purchases them back from the gentile, he may be required to reimmerse them in a mikvah (**פ**).

Time Zone differences

11. Where the owner of the chometz is in a different city or country and there is a time difference between the place in which he is presently (e.g. Eretz Yisroel) and where his chometz is (e.g. United States), we have learned (see Chapter IX C 7) that bitul and *mechiras chometz* must be performed before the earlier of the two times (**פא**).

Therefore, if he is in Eretz Yisroel and his chometz is in the United States, he should sell that chometz in Eretz Yisroel by authorizing a Rav there to sell his chometz to the gentile, before it becomes prohibited there (**פב**). However, he should state explicitly to the Rav that he is not authorizing him to purchase that chometz back for him until Pesach ends in the United States (**פג**). An alternate suggestion is for him to sell his chometz in the United States, but a separate contract should be prepared for the sale to take place before chometz becomes prohibited in Eretz Yisroel, and it should be purchased back after Pesach ends in the United States (**פד**). If he did not sell it in the proper time, a Rav should be consulted.

After Pesach

12. After Pesach, the Rav who transacted the sale with the gentile should ask him if he is prepared to pay the balance owed on the chometz (see A 8). If he replies that he does not want to or that he lacks sufficient funds, he should

---

שמשתמש בו הגרמ״פ שליט״א כתוב בזה״ל „כל הכלים שעניני של חמץ מאכל ומשקה וכל הדברים הנ״ל מונח ועומד בהם אם הם כלים שאינם צריכים טבילה כשקונים אותם מא״י הרי הם מכורים להא״י מעכשיו ג״כ בקגא״ס ואג״ק הנ״ל וכפי שישומו אותה ג׳ בקיאים בשומא כנ״ל ואם הכלים צריכים טבילה כשקונים אותם מא״י כגון של מתכות וזכוכית אין אני מוכר אותם כעת להא״י הנ״ל כלל, אלא אני משאילם להא״י עד שיריק את החמץ״.

(עט) שם.

(פ) שם.

(פא) ע׳ שעהמ״ב ס׳ קי״ג ס״ק א׳ ובשו״ת עונג יום טוב (ס׳ ל״ו) ובתשובת הגרמ״פ שליט״א בעם התורה ח״ו ובאג״מ או״ח ח״ד ס׳ צ״ד, צ״ה, ושו״ת אבני זכרון (ח״ב ס״א), וע׳ במקראי קודש (ס׳ ע״ו).

(פב) שם.

(פג) שם. וע׳ במקראי קודש שם שכ׳ „ובתקופה האחרונה דיש בין המוכרים חמץ תיירים מחו״ל הב״ד מתנים עם הגוי באסרו חג כשגומרים אתו, שזה חוץ מהחמץ של המוכרים שהם בני חו״ל ודעתם לחזור וכו׳״.

(פד) שמעתי שיש רבנים הנוהגים לעשות שתי מכירות, א׳ לאלו הנוסעים לא״י וחלה המכירה קודם זמן שנאסר חמץ בא״י וקונים בחזרה אחר הפסח בזמן המותר בחמץ בחו״ל, והב׳ לאלו הנשארים בחו״ל וחלה המכירה בשעה חמישית במקומו. ושמעתי עוד עצה מפי הגרמ״פ שליט״א דיתן את חמצו לאחד באמריקא במתנה גמורה והוא ימכרנו.

be asked to resell the chometz (together with the room and the vessels) for a specified sum of money. The transaction should not be made as a mere formality — but in a true business manner (פה).

People who did not sell their chometz

13. Care should be taken not to benefit after Pesach from chometz belonging to a Jew who is suspected of not having sold it properly (פו).

Where a person sold his chometz properly before Pesach, but in violation bought, manufactured, or sold chometz during Pesach, a Rav should be consulted to determine whether the *mechiras chometz* is valid (פז).

Sell according to discretion of the Rav

14. Since there are numerous halachic conditions, requirements and stipulations which are interrelated to the sale, when authorizing the Rav to sell one's chometz, one should have in mind that the Rav [or whomever *he* should authorize to sell the chometz to the gentile] should have the power to sell the chometz, the places and containers containing the chometz, according to whatever conditions he feels are necessary — according to the discretion of the Rav [or whomever he should authorize] (פח).

(פה) קש״ע שם ס״א. **כתב** בערה״ש (ס״ס תמ״ח) „ולאחר הפסח חוזר וקונה ממנו ונכון לקנות ממנו בחזרה תיכף אחר הבדלה באחרון של פסח כדי שלא יפתוחו הבע״ב את עסקיהם קודם הקנייה בחזרה״.

(פו) קש״ע שם ס׳ י״ג וע׳ באג״מ (או״ח ח״ד ס׳ צ״ו) בענין קניית דברים חמוצים אחר הפסח מחנווני חשוד כמה זמן צריכים להמתין להוציא מהספק.

(פז) ע׳ אג״מ או״ח ח״א ס׳ קמ״ט וח״ד ס׳ צ״ה, וע׳ בשעהמ״ב שם ס״ק ל׳, והררי קודש (על מקראי קודש דף רי״ג אות 5) ושדי חמד (מערכת חו״מ ס״ט סוף אות ל״ה) ואכמ״ל.

(פח) פשוט.

סימנים וסעיפים שבשלחן ערוך המשתייכים לפרק זה

ת״מ:ב תמ״ח:א,ג,ד,ה

Section Four
הגעלת כלים

A DISCUSSION OF KASHERING AND PREPARING OF THE KITCHEN FOR PESACH

Chapter XII Introduction

A. WHY ARE SPECIAL PESACH UTENSILS REQUIRED?

Eating chometz is prohibited

1. We have learned (see Chapter II A 3) that eating chometz on Pesach is prohibited by the Torah, as it says "לא יאכל חמץ" (א), "chometz shall not be eaten." We have also learned (ibid. B 3) that one who eats chometz on Pesach is חייב כרת (liable to premature death) (ב).

Although the penalty of כרת is incurred only if one eats a כזית (the size of an olive) (ג), eating even the most minute amount is also prohibited by the Torah (ד).

Eating mixtures containing chometz

2. Not only is there an *issur* (prohibition) against eating actual chometz, even eating mixtures containing chometz is prohibited as well (ה) (see Chapter III).

Eating Pesach food prepared with a chometz utensil

3. Not only is eating chometz or mixtures containing chometz prohibited, but even eating food prepared in a chometz vessel (e.g. a pot) or with a chometz utensil (e.g. spoon, knife) may also be prohibited (ו). This halacha applies even if we are certain that the vessel or utensil was perfectly clean (ז).

(א) שמות י״ג:ג, וע׳ רמב״ם פ״א דהל׳ חו״מ ה״א.

(ב) דכתיב (שמות י״ב:ט״ו) „כי כל אוכל חמץ ונכרתה וכו׳״, וע׳ רמב״ם שם.

(ג) כ׳ הרמב״ם (שם ה״ז) „האוכל מן החמץ עצמו בפסח כל שהוא הרי זה אסור מן התורה שנאמר לא יאכל. ואעפ״כ אינו חייב כרת או קרבן אלא על כשיעור שהוא כזית. והאוכל פחות מכזית במזיד מכין אותו מכת מרדות״ וע׳ נו״כ שם.

(ד) שם.

(ה) ע׳ רמב״ם שם ה״ה וה״ו.

(ו) ע׳ מחבר (ס׳ תמ״ז ס״ה) „מיהו דגים מלוחים השרוים במים בפסח בכלי חמץ יש להחמיר ליזהר מהן מפני שהם בולעים בפסח מפליטת הכלים וחמץ בפסח במשהו״ וברמ״א שם „וכן כל דבר שמבשלים בכלי חמץ כגון יין מבושל או מרקחת וכדומה אסור בפסח״ ובכ״מ. והיינו לענין כלי שבישל בו וע״ש (בס״ז ברמ״א) „ואפילו אם נעשה בפסח אינו אוסר אם היה הכלי נקי אבל אם חתכו בסכין של חמץ תוך הפסח יש להחמיר דסתם סכין אינו נקי ויש לחוש לחמץ הדבוק עליו״ וכ׳ במ״ב (שם ס״ק פ״ו) „לחמץ הדבוק עליו. וכ״ז אם חתכו בו דבר שאינו חריף אבל בדבר חריף [וה״ה בוסר לדידן דס״ל דהוא ד״ח] אפילו אם הסכין היה ודאי נקי וחתכו בו קודם הפסח אסור לאכלו בפסח וכו׳״ ובכ״מ. **כתב** המ״ב (שם ס״ק נ״ח) „דמשום חומרא דחמץ לא אמרינן סתם כלים אינן בני יומן וכו׳״ ע״ש.

(ז) מ״ב שם ס״ק פ״ו.

Why can't chometz utensils be used?

4. The reason why a perfectly clean chometz utensil cannot be used to prepare food for Pesach is that vessels absorb the taste of the food (**ח**). Therefore, when used with Pesach food the taste will penetrate, and one will be eating chometz on Pesach (**ט**).

Separate sets of Pesach dishes

5. Therefore, it is essential to have separate pots, dishes, silverware and the like — which were not used for chometz — for exclusive Pesach use (**י**).

B. WHAT IS "הכשר כלים"?

"Kashering" — "הכשר כלים"

1. Under specific conditions certain utensils which have been used throughout the year for chometz may also be used on Pesach (**יא**). These vessels must be *kashered* prior to use, that is, they must be halachicly cleaned or purged of the presence of any chometz (**יב**). The term to describe this process is called "הכשר כלים" (**יג**) "kashering or preparation of vessels" [or "הגעלת כלים", "purging of vessels" (**יד**)].

Note: The term הגעלת כלים should not be confused with טבילת כלים, immersion of vessels. Certain utensils purchased from a gentile — even if never used — require immersion in a kosher mikvah (**טו**). The details of which are beyond the scope of this work.

(ח) ע׳ מחבר שם ובכ״מ.

(ט) שם.

(י) ע״פ הנ״ל. **האם יש להדר להשתמש בכלים מיוחדים לפסח ולא להגעיל כלים**, ע׳ גמ׳ (פסחים ל:) „א״ל רבינא לרב אשי הני סכיני דפיסחא וכו׳״ ובפרש״י שם ובט״ז (ס׳ תנ״א ס״ק ה׳) שכ׳ „ע״כ מן הראוי לכל ירא שמים שיהיה לו תוספת אזהרה בזה במה שהוא מצד הדין וכו׳ ועי״ז מצינו שפיר בפיוט וז״ל סכינא דאשתמש בה חמירא לארוחין (כך גירסתינו בט״ז שם וכ״ג בחת״ס יו״ד ס״ס קי״ד ע״ש פירושו וי״ג לאורחין) אם הם חדשים משובחין וכו׳ כלל העולה מסוגיא הנ״ל שג׳ מדות יש בסכין וכו׳״ וכ׳ שם בשם מהרי״ל „מצוה מן המובחר ליקח חדשים״ והיינו דוקא לגבי סכינים כמו דמשמע שם מהט״ז אבל בשאר כלים משמע דאין צריכים כלים חדשים אף למצוה מן המובחר וע׳ בס׳ יסוד ושורש העבודה (הל׳ הגעלת כלים) שכ׳ „ביותר צריך לזרז ולהזהר כל הירא וחרד לדבר ה׳ שלא ישתמש בפסח בכלים שנשתמשו בהן חמץ כל השנה ונתכשרו ע״י הגעלה וכו׳״ ע״ש הטעם וע׳ בס׳ הגעלת כלים (במבוא אות י׳) שהאריך בזה.

(יא) ע׳ ס׳ תנ״א ונכ׳ בזה באריכות בפרק זה ובפרקים י״ג־ט״ז.

(יב) שם.

(יג) ע׳ יו״ד ס׳ קכ״א.

(יד) ע׳ או״ח ס׳ תנ״א.

(טו) ע׳ יו״ד (ס׳ ק״כ ס״א) „הקונה מהעובד כוכבים כלי סעודה של מתכת או של זכוכית או כלים המצופים באבר מבפנים אע״פ שהם חדשים צריך להטבילם (במקוה או מעין של ארבעים סאה״ וע׳ מ״ב ס׳ תנ״א ס״ק ג׳.

Various methods of kashering

2. We will learn (see Chapter XIII) that not *every* utensil used for chometz can be kashered for Pesach use*. We will also learn (see Chapter XV) that there are various methods of kashering. These will depend upon the following conditions:

a) From what type of material is the article made? (e.g. metal can be kashered (**טז**), china generally can not be kashered (**יז**), see Chapter XIII A 4, Chapter XV D 3,4).

b) Does the construction or condition of the vessel inhibit removal of chometz particles? (e.g. are there cracks, crevices or rust inside the vessel (**יח**)? See Chapter XIV).

c) How is the article used? (e.g. was it used cold or hot, on the fire or off the fire, with liquid or without liquid (**יט**)? See Chapter XV).

*Note: Although this work deals primarily with the kashering and preparation of the kitchen for Pesach, the halachos of kashering apply also for utensils which were used for non-kosher foods and those which became *trefa* by using dairy vessels for meat or vice versa (**כ**). In many respects, the halachos of kashering for Pesach are more severe (**כא**). In some instances, the halachos of kashering from *trefa* are more severe (**כב**). Wherever we do not differentiate between Pesach and other *issurim*, generally, the halachos are similar. In case of any question, a Rav should be consulted.

Requirements for הכשר כלים is from the Torah

3. From where do we derive the halachos of הכשר כלים?

After the battle of the Midianites, various dining utensils were found in the spoil taken from the enemy (**כג**). The Torah instructs in the methods to be employed in preparation of these utensils for use (**כד**).

(טז) ע׳ ס׳ תנ״א ס״ח „אחד כלי עץ ואחד כלי אבן ואחד כלי מתכת דינם להכשירם בהגעלה״.

(יז) ע׳ ס׳ תנ״א ס״א „קדירות של חרס שנשתמש בהם חמץ כל השנה וכו׳ אבל היסק שיסיקם באש אינו מועיל להם ולא לשום כלי חרס וכו׳״ וכ׳ המ״ב (שם סס״ק קס״ג) „עוד הביא בשם השכנה״ג כלי פרפור״י שקורין פרצעלאיי דין כ״ח יש להם ולא כלי זכוכית״.

(יח) כ׳ הרמ״א (ס׳ תנ״א ס״ה) „כל הכלים שיש בהן סדקים או גומות או חלודה והוא בתוך הכלי ולא יוכל לנקרן ולנקותן אין להגעילן וצריכין ליבון במקום הסדק והחלודה״.

(יט) ע׳ ס׳ תנ״א ס״ו.

(כ) ע׳ יו״ד ס׳ קכ״א.

(כא) ע׳ מ״ב (ס׳ תנ״א ס״ק פ״ט) „וכתבו הפוסקים דדוקא לענין חמץ בפסח משא״כ בשאר ימות השנה וכו׳״ וע׳ שם (בס׳ כ״ו) לענין כלי זכוכית דכ׳ הרמ״א „ויש מחמירין ואומרים דכלי זכוכית אפילו הגעלה לא מהני להו״ וכ׳ על זה „וכן המנהג באשכנז ובמדינות אלו״ ואילו לענין שאר ימות השנה נכ׳ לקמן (בפ׳ י״ג הערה יז) דפסקינן כשיטה א׳ שם דאינם בולעים.

(כב) ע׳ ס׳ תנ״א ס״ו דפליגי אי אזלינן בתר רוב תשמישו וע׳ בגר״א (שם ס״ק י״ג) משום דחמץ איקרי היתירא בלע ע״ש משא״כ בשאר איסורים דהוי איסורא בלע וע״ש בס״ק כ׳ כ״א ואכמ״ל.

(כג) במדבר ל״א:כ״ב, כ״ג.

(כד) שם.

The Torah says: ״אך את הזהב ואת הכסף את הנחשת את הברזל את הבדיל ואת העפרת. כל דבר אשר יבא באש תעבירו באש וטהר וגו׳ וכל אשר לא יבא באש תעבירו במים״ (**כה**) ״Only the gold and the silver, the copper, the iron, the tin and the lead. Everything which has come into the fire you shall pass through fire and it shall become pure ... and all that has not come into the fire you shall pass through the water.″ This is the source for the halachos of kashering vessels (**כו**).

Even vessels which are permissible for use according to the Torah but are prohibited מדרבנן, must, nevertheless, be kashered prior to use (**כז**).

Is a brocho recited?

4. Although there is a view which holds that הגעלת כלים is considered a מצות עשה (a positive commandment) (**כח**), most Poskim hold that it is not a מצות עשה (**כט**). The Torah is telling us that non-kosher food which is absorbed by the walls of a vessel is also prohibited, and must be removed if it is to be used for cooking (**ל**).

Since there is no requirement to use these vessels — one could instead purchase new ones, this process is not obligatory (**לא**). Therefore, no brocho is recited on הגעלת כלים (**לב**).

Who may kasher utensils?

5. Both men and women who are acquainted with the halachos of הגעלת כלים may kasher vessels (**לג**). However, it is preferable that the kashering be done in the presence of a Torah scholar — wherever possible (**לד**).

(**כה**) שם.

(**כו**) ע׳ פסחים מ״ד:, ע״ז ע״ה: ובכ״מ. **עיין** בתורת הבית (בית רביעי שער ראשון בדפוס שלנו דף י״א.) דכתב הרא״ה בבדק הבית „ויש כאן שאלה חזקה כיון דאמרינן בגיעולי נכרים דטעמו ולא ממשו אסור היאך אפשר לומר דבשאר איסורין מותר וכי גיעולי נכרים משם אחד הוא גיעולי נכרים משום כל איסורין שבתורה הוא דמיתסר וכיון דבגיעולי נכרים מתסרי כל איסורין שבתורה בטעמו ולא ממשו היכי אפשר דלא מתסרי בעלמא. **וזו קושיא** הקשה בה מורי הרב רבנו משה ז״ל ותירץ דאפשר דמשום מעלה הוא וכו׳״ ע״ש וכ״כ במאירי (פסחים מ״ג: ד״ה זה שבארנו) בשם גדולי הדורות „מעלה הוא שנתנה תורה בכלי הואיל ונבלע באיסור אעפ״י שאין ממש איסור בפליטתו ומכל מקום נותנת טעם לשבח, ודומיא דטבילה שהוצרכה אף לכלים חדשים וכו׳״.

(**כז**) כגון אינו בן יומו דמדאורייתא לא בעי הכשר ורק מדרבנן צריך הגעלה ע׳ גמ׳ שם.

(**כח**) סמ״ק מצוה קצ״ח.

(**כט**) ברמב״ם וסמ״ג וס׳ החינוך לא מנוה למצוה במנין המצוות.

(**ל**) כך נראה ביאורו.

(**לא**) כ׳ באו״ה (נ״ח:ק״ד) „ומה שמברכין על הטבילה ולא על הגעלה היינו משום שהטבילה היא מ״ע והגעלה מצות ל״ת שלא לאכול נבילות והוי כנקור גיד וחלב שאין מברכין עליו מלבד לאו דעריות שמברכין עליו אגב עשה דקדושין וכו׳״ ובארחות חיים (הל׳ חו״מ ס״ס צ״ה) כ׳ „טעם למה אין מברכין על ההגעלה כשאר המצות משום דאפשר לאשתמושי בכלים חדשים וא״צ להגעיל הני כלים נמצא דלאו מצוה היא להשתמש בהן״.

(**לב**) שם.

(**לג**) שמעתי מפי הגרמ״פ שליט״א וע׳ אג״מ (או״ח ח״א ס׳ קנ״א ד״ה ומה) שכ׳ „ומה שהקשה כתר״ה איך הנשים נאמנות הא הוא דבר שיש בו טורח, הוא פשוט לע״ד משום דהוא רק איסור משהו דרבנן שנאמנות נשים אף בדבר שיש בו טורח כדאיתא בפסחים דף ד׳ לענין בדיקת חמץ ועיי״ש בתוס׳ ד״ה הימנוהו״ ודוק וע׳ כה״ח ס׳ תנ״ב ס״ק כ״ו ודוק.

(**לד**) ע׳ ס״ח (ס׳ תש״ל הובא במ״א ס׳ תנ״ב ס״ק ט׳ וקש״ע ס׳ קט״ז ס׳ י״ח וכה״ח שם אות כ״ה) „בעל תורה הבקי בהגעלה הוא יגעיל״.

Some communities have a minhag that kashering is done in the Shul kitchen in the presence of the Rav or another Torah scholar thoroughly acquainted with these halachos (לה). This minhag is praiseworthy (לו).

C. WHEN SHOULD VESSELS BE KASHERED FOR PESACH?

Until when on Erev Pesach?

1. Kashering for Pesach should preferably be completed before the beginning of the fifth hour* of Erev Pesach, that is, as long as chometz may still be eaten (לז).

The reason is that from the beginning of the fifth hour the requirements for kashering are more stringent (לח). Therefore, if one did not kasher before the beginning of the fifth hour, a Rav should be consulted (לט).

*Note: The length of a halachic hour is determined by dividing the total amount of minutes from עלות השחר (halachic dawn) until צאת הכוכבים (when the stars are visible) or, according to some Poskim, from sunrise until sunset into twelve equal portions (מ).

(לה) שמעתי שיש ק״ק שיש להם מנהג זה.

(לו) כ׳ במ״ב (ס׳ תנ״ב סס״ק ח׳) „וכתבו האחרונים דנכון להעמיד אצל הגעלה בעל תורה הבקי בדיני הגעלה״.

(לז) כ׳ המ״א (ס׳ תנ״ב ס״ק ט׳) „ומט״מ כתב להגעיל ג׳ ימים קודם פסח וכל זה תלוי במנהג״ [וע׳ ב״ה (שם ס׳ תנ״ב ס״א סד״ה שאין) „ויש מהדרין שכשרוצין להגעיל כליהם מחמץ פוסקין להשתמש בהם חמץ ג׳ ימים מקודם [מהרי״ל ומטה משה]״ ומשמע מדבריו שלמד דברי מהרי״ל ומטה משה דג׳ ימים להמתנה קודם שמגעיל ולא דצריכים להגעיל ג׳ ימים קודם פסח וצ״ע] כ׳ המחבר (ס׳ תנ״א ס״ט) „המגעיל קודם שעה ה׳ יכול להגעיל ביחד כ״ר וכלי שני וכלים שבלעו דבר מועט ואינו חושש (ג״כ אם מגעיל מקצת הכלי שני פעמים)״ וכ׳ שם (בס׳ תנ״ב ס״א) „יש ליזהר להגעיל קודם שעה חמישית כדי שלא יצטרך לדקדק אם הכלים בני יומן או לאו (או אם יש ס׳ במים נגד כלי שמגעיל א״ל) וכן אם מגעיל כלים שבליעתן מועטת עם כלים שבליעתן מרובה וכן אם משהה הכלים בתוך היורה יותר מדאי ואינו משהה אותן כ״כ וכן כדי שלא יצטרך ליזהר שלא ינוחו המים מרתיחתן וכו׳״ וע׳ מ״ב (שם ס״ק א׳) שכ׳ „יש ליזהר וכו׳. טעם לזה דהנה ענין הגעלה הוא דרתיחת המים מוציא את הבלוע בכלי אבל יש לחוש דאחר שמוציאה את הבלוע יחזור ויבלע בכלי מה שפלטה ומפני חשש זה כתבו הפוסקים דאין להגעיל רק כלי שאינו בן יומו דאז אף אם יבלע מה שפלט הרי לפגם הוא או שיהיה במים ששים לבטל את פליטת האיסור וע״ז קאמר המחבר דאם מגעיל קודם שעה חמישית דאין צריך ליזהר בכל זה משום דאז הלא הוא עדיין זמן היתר חמץ והו״ל נותן טעם בר נותן טעם דהתירא והיינו דהטעם של חמץ שקבלו הכלים מתחלה היה של היתר וטעם של מים שקבלו עתה מן הכלים ג״כ דהתירא הוא ומה שחוזרין ונותנין בכלים ג״כ דהתירא הוא״. וע׳ בב״ה (שם ד״ה שאין) דדברי המחבר והרמ״א אמורים „לדעת הפוסקים שסוברין דחמץ מיקרי התירא בלע אבל לדעת הסוברין דחמץ מיקרי איסורא בלע וכן סתם המחבר לעיל בסימן תנ״א ס״ד א״כ אין חילוק בין קודם שעה ה׳ או כל היום וכו׳״ ע״ש.

(לח) ע׳ מחבר שם.

(לט) פשוט.

(מ) ע׳ ערה״ש ס׳ נ״ח ס׳ י״א, י״ד ובכ״מ.

"אינו בן יומו"

2. The Torah only prohibited food cooked in a vessel within 24 hours of its use for *issur* (מא). The reason is that within 24 hours of use, the taste which is discharged by the vessel is still favorable (נותן טעם לשבח), after 24 hours the taste emitted is unpleasant (נותן טעם לפגם) (מב).

חז"ל, however, prohibited cooking food in a vessel even more than 24 hours after its use for *issur* (מג). This is prohibited as a gezerah — one should not, in error, come to use a vessel within 24 hours of its use with an *issur* (מד).

Since food cooked in a vessel within 24 hours of its use with an *issur* is prohibited by the Torah, one should not kasher a vessel (by הגעלה, see Chapter XV B) within 24 hours of its use with *issur* (מה) — even should there be sixty times the volume of the *issur* (מו). This is the minhag (מז). In case of necessity, a Rav should be consulted (מח).

(מא) „אמר רב חייא בריה דרב הונא לא אסרה תורה אלא קדירה בת יומא דלאו נותן טעם לפגם הוא" (ע' ע"ז ע"ה: ובכ"מ) וע' דעת רש"י ור"ת בתוס' (שם ע"ו. ד"ה בת יומא) דלינת לילה פוגמת וע' ביו"ד (ס' ק"ג ס"ה וס' קכ"ב ס"ב) שפסק שם דלא כרש"י ור"ת (כמ"ש הגר"א בס' קכ"ב שם ס"ק ג') וע' בס' ק"ג ס"ז ובגר"א שם (ס"ק כ"ד) ואכמ"ל.

(מב) שם.

(מג) ע' גמ' שם (ע"ז ע"ו.) „גזירה קדירה שאינה בת יומא משום קדירה בת יומא" וע' יו"ד ס' קכ"ב ס"ב.

(מד) שם.

(מה) ע' רמ"א יו"ד ס' קכ"א ס"ב.

(מו) מ"ב ס' תנ"ב ס"ק כ' והטעם כ' שם „גזירה שמא יגעיל כלי של איסור בפחות משששים דשם לא מהני ליה הגעלה כ"ז שהוא בן יומו שחוזר ובולע ממי הגעלה".

(מז) כ' הרמ"א (ס' תנ"ב ס"ב) „נהגו שלא להגעיל שום כלי ב"י".

(מח) ע' ס' תנ"ב ס"א ובה"ל סד"ה כדי וע' אג"מ יו"ד ח"ב ס' ל"א ובכ"מ.

סימנים וסעיפים שבשלחן ערוך המשתייכים לפרק זה

תנ"א:א,ה,ו,ח תנ"ב:א,ב

Chapter XIII Materials and Utensils Which Can Be Kashered

A. MATERIALS WHICH CAN BE KASHERED

Wood, Stone, Metal

1. Utensils made of wood, stone and metal may be kashered (**א**). However, we will learn (see Chapter XIV B 1) that utensils must be free from *issur* in cracks and crevices in order for הגעלה* (see Chapter XV B) to be effective (**ב**). Wooden vessels are especially prone to having cracks and crevices (**ג**); we will learn (see ibid.) that if they cannot be cleaned, they cannot be kashered (**ד**).

*See Note after B 1.

Rubber

2. Utensils made of natural rubber may be kashered (**ה**). Some Poskim hold that those made principally from rubber produced from synthetic material (and

---

(א) כ׳ המחבר (ס׳ תנ״א ס״ח) „אחד כלי עץ ואחד כלי אבן ואחד כלי מתכת דינם להכשירם בהגעלה״ וכ׳ בכה״ח (שם אות קכ״ג) „דינם להכשירם בהגעלה. כלומר דמועיל הגעלה״.

(ב) כ׳ הט״ז (שם ס״ק כ״ד) „וכתב מו״ח ז״ל שאין להכשיר שום כלי עץ כגון קערות דמצוי בהם גומות כ״ש דאין להכשיר חבית של שכר ואיני יודע טעם להחמיר בקערות כל שרואה שהם חלקים ונקיים מ״ש מכלי מתכות״ וע׳ לקמן הערה ד׳.

(ג) ע׳ שם והמ״ב (שם ס״ק נ״ו) כ׳ „אחד כלי עץ. ודוקא אם הכלי חלק בלי שום סדק וגומא״.

(ד) כ׳ המחבר (שם ס״ג) „הלכך אם יש בו גומות ואינו יכול לנקותו יפה אינו מועיל לו הגעלה (פי׳ הפלטה שהכלים פולטים האיסור שבהם והוא מלשון שורו עבר ולא יגעיל) לבד וצריך ליבון במקום הגומות״ וזה א״א בכלי עץ.

(ה) ע׳ במ״ז (ס״ס תנ״א ד״ה וכלי גללים) „כל הכלים לבד מחרס ניתר בהגעלה״ וע׳ באג״מ (או״ח ח״ב ס׳ צ״ב) „ובדבר כלי מראבער אם מהני הגעלה, הנה הראבער שהוא מעץ מהני הגעלה ואף אם יש ספק מצד שיש שם גם איזה חומר כימי הוא ספק דרבנן שהוי לקולא. אבל יש ראבער שאינו מעץ אלא מתערובות מינים כימיים שהוא דבר חדש שלא נמצא בדברי הקדמונים אין להתיר להגעילם״ אבל ע׳ בשו״ת מהרש״ם (ח״ג ס׳ רל״ג) בענין שפופרת הנעשה מגומי ואסר להגעילו רק מטעם דא״א להגעילו כי מתקלקל, ולכאורה בגומי כזה שאינו מעץ ואינו מתקלקל בהגעלה וה״ה שאר חומר כימי כגון בניילון ופלסטיק למה לא מהני הגעלה דכ׳ במ״ז שם „כל הכלים לבד מחרס ניתר בהגעלה״ והטעם דהגעלה אינו מועיל לכלי חרס שנשתמש בהן חמין משום דהתורה העידה על כלי חרס שאינו יוצא מידי דופיו לעולם (פסחים ל:) [והטעם דמהני להו היסק אי לא הוה חייס עלייהו ע׳ כה״ח ס׳ תנ״א אות ט״ו] לכאורה לפ״ז שאר מיני חומר דלאו כלי חרס ואינו מתקלקל בהגעלה היה צריך להיות מותר בהגעלה. ומש״כ באג״מ שם לחלק בין ראבער שהוא מעץ דמהני הגעלה ושאינו מעץ „שהוא דבר חדש שלא נמצא בדברי הקדמונים״ צ״ע דמה שהתיר המחבר כלי עץ בהגעלה היינו כלי עץ בעצמו אבל מהיכי תיתי שכלי הנעשה משרף היוצא מעץ (כהא דכלי ראבער) דשם כלי עץ עליו לגבי דינים אלו, ואם ראבער כזה מותר בהגעלה והוא דבר חדש שלא נמצא בקדמונים אמאי לא יהא מותר בהגעלה שאר כלי הנעשה מראבער או שאר חומר כימי כגון פלסטיק וניילון, וראיתי בשו״ת באר משה (ח״ב ס׳ נ״ג) שכ׳ לענין כלי פלסטיק וניילון ובאקלעט „ולפסח משום חומרא דמשהו חמץ אין להקל אם לא בהפסד מרובה״ וע׳ יסו״י ח״ו דף קע״ג, קע״ד ובש״א וצ״ע לדינא וע׳ בספר הגעלת כלים (פ׳ י״ג ס׳ מ״ד ושם בהערה ל״ב ובס׳ ש״א ובהערה רעב ואכמ״ל.

not natural rubber) should not be kashered. In case of necessity, a Rav should be consulted (ו). If one is unable to determine whether the rubber was produced naturally or synthetically, it may be kashered (ז).

Plastic, Melmac, Nylon

3. Utensils made from plastic, melmac, nylon and other synthetic materials should not be kashered for Pesach (ח). In case of necessity, a Rav should be consulted (ט). Similarly, whether they may be kashered from other *issurim*, a Rav should be consulted (י).

China and earthenware

4. Utensils made from china and earthenware (כלי חרס) which were used hot cannot be kashered* (יא). If they were used cold, see Chapter XV D 3,4.

*Note: Although utensils made of china, earthenware, porcelain and the like which were used hot cannot normally be kashered, in case of great necessity (e.g. great loss) a Rav should be consulted (יב). Under certain conditions, they may possibly be kashered after a period of twelve months has passed since they were last used (יג). The method of kashering is by undergoing the process of הגעלה three times (see Chapter XV D 4) (יד). However, this should not be done for Pesach (טו).

(ו) ע׳ שם.

(ז) ע׳ אג״מ שם דהוי ספק דרבנן.

(ח) ע׳ לעיל הערה ה׳.

(ט) שם.

(י) ע׳ אג״מ שם לענין תערובת מינים כימיים ומש״כ שם, ושמעתי מפי הגרמ״פ שליט״א דדעת הגרי״א הענקין זצ״ל דפלאסטיק שיעי ולא בלעי, ואמר הגרמ״פ שליט״א דגם מתכות שיעי ובלעי מ״מ אמר דמשאר איסורים חוץ מחמץ בפסח יכול להגעילם. וע׳ חלקת יעקב ח״ב ס׳ קס״ג, שו״ת באר משה ח״ב ס׳ נ״ג, שו״ת מנחת יצחק ח״ג ס׳ ס״ז, ציץ אליעזר ח״ד ס״ו, שרידי אש ח״ב ס׳ ק״ס, יסו״י דף ק״ע־קע״ג.

(יא) כ׳ המחבר (ס׳ תנ״א ס״א) „אבל היסק שיסיקם באש אינו מועיל להם ולא לשום כלי חרס שנשתמש בהם חמין אפי׳ שלא ע״י האור וכו׳״ וכ״כ שם (בס׳ כ״ב) „אבל לשל חרס לא מהני הגעלה וכו׳״ וע׳ שם (בב״ה ד״ה אבל) לענין אם לא נשתמש בהן אלא בצונן וע׳ רמ״א יו״ד ס׳ קכ״א ס״ה, ולענין כלי חרס המצופין בהתוך זכוכית כ׳ המחבר (או״ח שם ס׳ כ״ג) דדינם ככלי חרס.

(יב) כמו שיתבאר.

(יג) ע׳ שו״ת חכם צבי (ס׳ ע״ה) שהתיר תבשיל שנתבשל בפסח בקדירות חמץ נקי שעברו עליה יב״ח אף לדידן דאסרינן נטל״פ (כמ״ש בס׳ תמ״ז ס״י) דמ״מ אחר י״ב חדש ליכא טעם כלל וע׳ בשע״ת (ס׳ תנ״א ס״ק א׳) (והובא ג״כ בכה״ח שם אות ד׳) ואף שהביא חולקים עליו מ״מ מסיק „ונ״ל שאם אפשר להגעילן ברותחין ג׳ פעמים יש לעשות כן ואם הם כלים שאין דרך להשתמש בהם רותחין שהיס״ב יש להקל ג״כ״. **כתב** בפת״ת (יו״ד ס׳ קל״ה ס״ק ג׳) „י״ב חודש עיין בתשובת ברית אברהם חי״ד סי׳ ח׳ אות ה׳ שהביאו תוספות בנדה דף ס״ה ע״ב ד״ה היינו דהנך חדשים הם חדשי לבנה כל חודש כ״ט יום ע״ש״.

(יד) שיטת בעל העיטור ע׳ יו״ד (ס׳ קי״ג ס׳ ט״ז) וטעמו שם „מפני שאין לאיסור זה (בישול עכו״ם) עיקר מדאורייתא״ וע׳ אג״מ יו״ד ח״א ס׳ מ״ג וח״ב ס׳ מ״ו וח״ג ס׳ כ״ז, כ״ח, וע׳ רע״א ס׳ מ״ג, מ״ט, ושע״ת שם ס״ק א׳ וש״א.

(טו) שמעתי מפי הגרמ״פ שליט״א.

Porcelain

5. Similarly, utensils made from or coated with porcelain are considered like china and, if used hot, cannot be kashered* (טז).

*See Note after 4.

Glassware

6. Glasses which were used for milk may be rinsed thoroughly and used for meat [or vice versa] — even if they were used hot (יז). However, concerning glasses which were used for chometz — even if their principal use was for cold chometz — the minhag of Ashkenazim is to conduct themselves according to the Poskim who hold that glass is considered like china and earthenware and cannot be kashered for Pesach (יח). Although some communities of Sefardim also conduct themselves in this manner, the minhag of many Sefardim, however, is not to differentiate, and permit the use of glassware for Pesach — even if they were used for hot chometz — provided that they were cleaned thoroughly (יט).

According to the minhag of Ashkenazim, if glassware is not available or one is lacking sufficient utensils for Pesach or if, in error, one used a glass which was used for chometz, a Rav should be consulted (כ) (see Chapter XV D 1-3 and Chapter XVI B 3).

(טז) רדב״ז ח״ג ס׳ ת״א, פר״ח ומ״ז ומ״ב ס״ס תנ״א, וע׳ שע״ת ס׳ תנ״א ס״ק א׳ וברכ״י (יו״ד ס׳ ק״כ אות ג׳).

(יז) בדין כלי זכוכית ישנם ג׳ שיטות בראשונים: א) דעת הראבי״ה דסגי בשטיפה דשיעי ולא בלעי (וכ״ד המחבר בסמוך), ב) דעת הרא״ה דדינם ככלי מתכות דבולעים ונכשרים בהגעלה אבל לכתחילה אסור להכשירם משום דחייס שמא פקעה (הובא בריטב״א פסחים ל.: [ובשעה״צ ס׳ תנ״א ס״ק קצ״ו וכ׳ „(וש״פ לא הזכירו סברא זו משמע דדעתם דצריך ליתן עליהם מים רותחים כפי מה שדרכו להשתמש בו בכל יום דכבולעו כך פולטו וכי היכי דלא חייס בכל יום על שימושו ברותחין כן עתה) ועכ״פ בלי הגעלה בודאי אין להתיר״], ג) דעת המרדכי בשם ר׳ יחיאל דאף הגעלה אינה מועלת להם דכיון דתחילת ברייתם מן החול הרי הם ככלי חרס שאינו יוצא מידי דופיו לעולם ואפילו ע״י הגעלה (וכ״כ הרמ״א בסמוך וע׳ במ״ב שם ס״ק קנ״ד) וז״ל המחבר (ס׳ תנ״א ס׳ כ״ו) „כלי זכוכית אפי׳ מכניסן לקיום ואפילו משתמש בהם בחמין א״צ שום הכשר שאינם בולעים ובשטיפה בעלמא סגי להו״ וכ׳ הרמ״א „ויש מחמירין וכו׳״ (הובא בהערה יח) וע׳ במ״ז (ס״ס תנ״א ד״ה אעתיק) הביא מכנה״ג „בחמץ מחמירין ולא בשאר איסורין״ ע״ש וביסו״י דף קס״ר־קס״ח וש״א.

(יח) ע׳ מ״ב (שם ס״ק קנ״ד) שכ׳ „ואע״ג דתשמישו בצונן מ״מ לפעמים משתמשין בהן בחמין וכו׳״ וכ׳ הרמ״א שם „ויש מחמירין ואומרים דכלי זכוכית אפילו הגעלה לא מהני וכן המנהג באשכנז ובמדינות אלו (סמ״ק ואגור)״ וע׳ אבות דר״נ (פ׳ מ״א:ו) וגר״א ס׳ תנ״א ס״ק פ״ו.

(יט) ע׳ דעת המחבר שם וע׳ בספר הגעלת כלים (פ׳ י״ג הערה ל״ח, ל״ט) שהאריך בזה ואכמ״ל.

(כ) ע׳ מ״ב שם ס״ק קנ״ה, וכ׳ שם (בס״ק קנ״ו) „ומ״מ במקום שאין בנמצא כלי זכוכית ואין לו כוסות ושאר כלים כתב הח״א דיכול לסמוך להקל לנקותן יפה יפה ולהכשירו ע״י עירוי ג׳ ימים וכו׳״ וכ׳ בשעה״צ (שם ס״ק ר״א) „וכן משמע בבית מאיר ומה שלא הצריך הגעלה שמא השתמש בו בחמין נראה משום דאינו מצוי שישתמש בכוסות בחמין של חמץ ממש״ ובזה״ז שיש מיני קאפפע שנעשים מחמץ או שמעורבים בחמץ (ע׳ לעיל פ״ג הערה קיג) ויש שמשתמשים בכלי זכוכית לזה יש לעיין אם יש להקל בזה ע״י עירוי ג׳ ימים וע׳ ערה״ש (יו״ד ס׳ קכ״א ס״ה) ודוק.

Corningware, Correlle, Pyrex, Duralex

7. Corningware, Correlle, Pyrex, and Duralex utensils (which are made of special glass treated to withstand heat) should not be kashered for Pesach (**כא**). In case of great necessity (e.g. great loss) or where these were used for other *issurim*, a Rav should be consulted (**כב**). Most Poskim hold that under these circumstances they may be kashered with הגעלה (**כג**) (see Chapter XVI B 5).

Formica

8. Formica surfaces (e.g. tables, counter tops) should not be kashered for Pesach (**כד**). They should be washed and covered (e.g. with cardboard, paper, plastic and the like) and may be used with this covering (**כה**) (see Chapter XVI C 1).

For kashering from other *issurim*, these surfaces may be kashered by עירוי (**כו**) (see Chapter XV B 5).

(כא) כך שמעתי מפי הגרמ"פ שליט"א וע' שעהמ"ב (ס' קט"ז ס"ק י"א) וז"ל „וכלי זכוכית של פיירקס, שמבשלין בו ואין מתפוצץ, יש לדון בזה, דהא כתוב במור וקציעה (ס' תנא) טעם, להמחמירין דלא מהני הגעלה לזכוכית, משום דפקעו וחייס עלייהו שלא להגעילם יפה, ובשער הציון (סי' תנ"א ס"ק קצו) כתוב שמצא כן בהריטב"א בשם הרא"ה, ודעתו דבדיעבד מותרים בהגעלה, ולפי זה צריך לומר דהא שכתוב ברמ"א (תנא סכ"ו) דהמנהג להחמיר שלא להכשירם בהגעלה, היינו לכתחלה, והשתא הכלי פיירקס אין חשש שיתפקעו שהרי מבשלים בהם על האש וע' לעיל (סק"ב) בנדון כעין זה, אפשר לומר דגם לשיטת הרמ"א מותר לכתחלה דעל הפיירקס שלא היה בימיו לא היה המנהג, ועי' ברמב"ם (שחיטה פי"א הי"ג) דדבר שאינו מצוי אין בזה מנהג, פי' שאין לומר שכן המנהג וכ"כ בשו"ת הריב"ש (סוס"י תסג) והרמ"א (חו"מ סי' שלא ס"א) והש"ך (סוס"י לז). ובשו"ת ירושת פליטה (סי' כ) ג"כ הוכיח להתירם בהגעלה אלא מפני חומרת המנהג מתיר רק בשעת הדחק ובשו"ת חבלים בנעימים (ח"ד סי' ו) מתיר בכל ענין" ולכאורה צ"ע דטעם המור וקציעה וטעם הרא"ה שיסד דבריו עליו כ' בשעה"צ שם „וש"פ לא הזכירו סברא זו וכו'" משמע או דס"ל כדעת המחבר דכלי זכוכית אינו בולע כלל וא"א לדעת אי יסברו כן בכלי פיירקס או דס"ל כדעת הרמ"א דכלי זכוכית דינו ככלי חרס דהגעלה לא מהני להו, לכן נראה דיש להכריע דאין להגעילם לפסח כדעת הרמ"א בכלי זכוכית ולשאר איסורים הוי ספק דרבנן נראה דיש להקל לדונם ככלי מתכות דמהני להו הגעלה וע' יסו"י (דף קס"ח-ק"ע), שו"ת מהר"י שטייף (ס' פ"ח), שו"ת ציץ אליעזר (ח"ח ס' כ"א, ח"ט ס' כ"ו), שו"ת מנחת יצחק (ח"א ס' פ"ו), ובשו"ת שרידי אש (ח"ב ס' ל"ו) ובספר הגעלת כלים (פ' י"ג סימן שע"ה-שע"ז ובהערות שנ"ג-ש"ס) ובש"א.

(כב) ע' שם.

(כג) שם.

(כד) דהוי כפלאסטיק ע' לעיל הערות ה',י.

(כה) כ' המחבר (ס' תנ"א ס"כ) „השלחנות והתיבות שמצניעים בהם אוכלין כל השנה רגילים לערות עליהם רותחין לפי שלפעמים נשפך מרק מן הקדירות לתוכן" וע' במ"ב (שם ס"ק קי"ד) שכ' להכשיר שלחנות באבן מלובן שלפעמים משים עליו פשטיד"א וע' במ"ב (שם ס"ק קט"ו) דכ' בשם מהרי"ל „שצריך להניח עליהם עוד מפה או ד"א החוצץ שמא נדבק בו עדיין עוד חמץ בעין ועיין בא"ר וכו'" וע' ערה"ש (יו"ד ס' קכ"א ס"ד), וכתבנו בפנים הנהוג בעלמא וכך שמעתי מפי הגרמ"פ שליט"א.

(כו) כך נראה דיש לחוש שנפלו עליהם חמים, ע' ערה"ש יו"ד ס' קכ"א ס"ד, ושמעתי מפי הגרמ"פ שליט"א שלא להשתמש בהם לאוכל ולכלי חם ורטוב בתוך מעל"ע.

Enamel

9. Enamel surfaces such as sinks and the like are considered by most Poskim similar to china and earthenware (see 4) and cannot be kashered for Pesach use (**כז**). These should be covered with an insert, aluminum foil and the like (**כח**). It is preferable that they should be kashered (by עירוי, see Chapter XV B 5) prior to covering — in case the covering may come off or be removed during Pesach (**כט**).

For kashering from other *issurim*, they should undergo the process of עירוי three times (**ל**).

Teflon, Silverstone

10. Teflon and Silverstone utensils should not be kashered for Pesach (**לא**). For kashering from other *issurim*, a Rav should be consulted (**לב**).

(**כז**) כ' בא"ר (ס' תנ"א ס"ק כ"ג הובא במחה"ש שם ס"ק י"ט) „כתב מי"ט העשויין מפערי"ל מוט"ר נ"ל כיון שהוא חזק וקשה מאוד אינו דומה לקרן שנימוח מחום" וכ"כ במקור חיים (בחידושים ס"ק כ') ובמ"ז (שם ס"ק י"ג) וערה"ש (יו"ד ס' קכ"א ס"ס ט') ולכאורה נראה דה"ה חומר הנקרא אינאמי"ל דהוא ג"כ קשה מאד ואינו מתקלקל אבל ע' בספר הגעלת כלים (פ' י"ג הערה ו') שהאריך בזה וע' לקמן בהערה ל' מש"כ בזה. והנה אף דבאג"מ (יו"ד ח"א ס' מ"ב) מקיל הרבה בהדחה בסינק מ"מ שמעתי מפי הגרמ"פ שליט"א דלפסח צריך לכסותו.

(**כח**) כך נראה.

(**כט**) כך נראה, דלענין דיעבד אם נפל שם אוכל חם בפסח נראה דיש להקל דיש כמה ספיקות ספק אי דינו כחרס או של מתכת, אם דינו כמתכת סגי בעירוי אף אם נפל שם דבר גוש (אף דכ' המ"ב בס' תנ"א ס"ק קי"ד בשם מהרי"ו דלא מהני עירוי גם זה ספק אם דינו ככ"ר או ככלי שני, ע' בספר הלכות שבת פ' י"ד הערה עט) ואם דינו כחרס מהיכי תיתי שנפל באותו מקום חמץ, ואם נפל באותו מקום חמץ ספק אי הוי יס"ב, ואם הוא אינו ב"י נראה דיש להקל.

(**ל**) אף דלהגרמ"פ שליט"א באג"מ שם בענין הדחת כלים בסינק לא בעי הכי [ומשמע דאין מחלק שם בין סינק שנעשה מחרס לסינק שנעשה ממתכת] ע' בדר"ת (יו"ד ס' קכ"א ס"ק כ') לענין קדירות המחופים בהיתוך גישמעלט"ץ שמחלק בין איסור דרבנן לספק איסור תורה, ואף דכ' החת"ס (יו"ד ס' קכ"ג והובא בפת"ת יו"ד שם ס"ק ב') דלא מהני להו הגעלה מ"מ ע' בשעה"צ (ס' תנ"א אחר ס"ק קצ"א) שכ' „אכן שמעתי שכמה גדולים נהגו להחמיר רק לענין חמץ אבל בכל השנה הקילו להגעילם אחר מעל"ע וכו'" [מצאתי שחסר הערה זה מכמה דפוסי המ"ב], וע' בערה"ש (יו"ד שם ס' כ"ז) שהתיר להגעילם ג' פעמים אחר מעל"ע.

(**לא**) שמעתי מפי הגרמ"פ שליט"א לענין טעפלאן ונראה דה"ה לענין סילוואר סטאון (וע' לקמן בסמוך).

(**לב**) לענין כלים המצופים בפנים בכיסוי כפלאסטיק שקורין טעפלאן שעי"ז מטגנים בלא שמן ע' יסו"י (דף קנ"ב-קנ"ד) ונראה כיון דרוב תשמישו בלא רוטב צריך ליבון גמור ולא דמי למחבת (בס' תנ"א ס' י"א) דהתם יש עדיין לחלוחית משקה כמ"ש במ"ב (שם ס"ק ס"ג), אבל ע' בדר"ת שם שכ' לענין כלי ברזל המחופים בהיתוך גישמאלט"ץ שמסיק שמורה בזה „דאם נאסרה הכלי מאיסור תורה והוא ודאי איסור וכו' אין אנו סומכים בכלים הללו על הגעלה כלל ומצריכין ליבון וכו' אך אם לא נאסר הכלי רק מן איסור דרבנן או מספק איסור תורה וכו' אז סומכין על המקילין דסגי בהגעלה" ונראה דה"ה הכא. **ולענין** כלים המכוסים בכיסוי הדומה לטעפלאן שקורין סילוואר סטאון שמעתי ממומחים שאופן עשייתם דומה לעשיית הטעפלאן רק שכלים הנעשים מטעפלאן נעשים בציפוי א' או ב' והסילוואר סטאון נעשה בציפוי שלישי ובשעת עשייתן נאפים שניהם בחום גבוה לכן נראה דדינו כהטעפלאן.

B. UTENSILS WHICH CANNOT BE KASHERED

Utensils which cannot be cleaned thoroughly

1. We have discussed (see A) which materials can be kashered and we have learned that wood, stone, metal and some types of rubber utensils may be kashered.

However, not all utensils made from these materials may be kashered (**לג**). Any utensil which cannot be cleaned thoroughly cannot be kashered with הגעלה* (**לד**). The reason is that הגעלה can only kasher the vessel by extracting the taste of the *issur* absorbed by the walls of the utensil (בליעה), but is ineffective on actual chometz (חמץ בעין) (**לה**). [Therefore, we will learn (see Chapter XIV B 1) that ליבון* is required for any vessel or portion of a vessel which cannot be cleaned properly].

*Note: Although the term הגעלת כלים is the general term used for kashering, we will learn (see Chapter XV) that there are various methods employed for kashering. We have mentioned here two of these methods:

a) הגעלה — Kashering by the use of boiling water, and

b) ליבון — kashering by the heating of a vessel on [or with] a fire without water.

These halachos will be discussed in detail later (see Chapter XV).

Sieve or strainer

2. Therefore, a sieve or strainer which was used for chometz cannot be kashered for Pesach (**לו**). If it was cleaned thoroughly before Pesach and was used erroneously on Pesach, a Rav should be consulted (**לז**).

Grater, Grinder

3. Similarly, a grater (ריב אייזי״ן) or grinder which was used for chometz (e.g.

(**לג**) כמו שיתבאר.

(**לד**) כ׳ המחבר (ס׳ תנ״א ס״ג) „וקודם ההגעלה צריך לשופם יפה במשחזת או ברחיים להעביר כל חלודה שבהם קודם הכשרם הלכך אם יש בו גומות ואינו יכול לנקותו יפה אינו מועיל לו הגעלה וכו׳ וצריך ליבון במקום הגומות״ וע׳ מ״ב ס׳ תנ״א ס״ק כ״ב ובכ״מ.

(**לה**) ע׳ שם ונכ׳ מזה לקמן בפ׳ י״ד הערות ה׳, ו׳.

(**לו**) כ׳ המחבר (ס׳ תנ״א ס׳ י״ח) „הנפה צריך לדקדק בה מאד לנקותה מפתיתי החמץ הנדבק בה ונסרך ונדבק בנקבי אריגת הנפה ובעץ שבה וישפשפו אותה במים יפה והוא הדין לכל שאר כלי הלישה שהשפשוף בהם עיקר גדול״ וכ׳ הרמ״א „ונהגו שלא להשתמש בנפה על ידי הגעלה ואין לשנות (מהרי״ל וב״י) וכן בכל כיוצא בזה וכו׳״.

(**לז**) ע׳ מ״ב (שם ס״ק ק׳) דיש לסמוך על פסק המחבר דס״ל דבשפשוף לחוד סגי. ונראה דע״י ליבון קל יכול להכשירו ולא כתבתי זה בפנים כי בדרך כלל יתקלקל.

grating bread) cannot be kashered for Pesach with הגעלה (לח). This is prohibited because even after cleaning it thoroughly, it is impossible to be certain that every particle of chometz has been removed (לט).

In addition, there is another concern. If it was used during the year for grating horseradish which was cut with a knife used for chometz, the taste of the chometz is absorbed by the utensil (since horseradish is considered as a ״דבר חריף״ "a sharp food") (מ). Therefore, even were we to be certain that every particle of chometz was removed from the grater or grinder, its use on Pesach (even to grind cold matzoh) is prohibited (מא) (see Chapter XVI C 9).

If it was used on Erev Pesach in error, a Rav should be consulted (מב).

Although a grater or grinder cannot be kashered with הגעלה, it may be kashered with ליבון (מג).

A grater or grinder which was used during the year only for fruits and vegetables [which are not "sharp foods"] but not for chometz [although used around chometz — as long as not washed with chometz utensils] may be kashered for Pesach with הגעלה (מד).

The halachos of kashering a blender, mixer, food processor and similar appliances are discussed later (see Chapter XVI C 9).

Rolling Pin, Kneading board

4. Wooden utensil which were used for kneading dough (e.g. rolling pin, kneading board) should not be kashered for Pesach (מה). The reason is that

---

(לח) כ׳ הרמ״א שם „וכן בכל כיוצא בזה כגון הכלי שקורין רי״ב אייזי״ן או הכיס של רחיים (מהרי״ל) בכולן לא מהני להו הגעלה וכו׳״. **לענין** מדוכות קטנות ע׳ מ״ב שם ס״ק צ׳.

(לט) ע׳ רמ״א שם ומ״ב שם ס״ק ק״ב.

(מ) ע׳ מ״ב שם.

(מא) שם וע״ש שכ׳ „ובזה אפילו בדיעבד יש לאסור אם נשתמשו בו בפסח אפילו אם נשתמשו בו בצונן כגון שפיררו עליו מצה [וכ״ש חריי״ן שהוא דבר חריף] ואפילו אם ניקרו אותו היטב מתחלה משום שא״א שלא נדבק בו פירור חמץ או פירור חריי״ן שהוא נבלע מחמץ״.

(מב) ע׳ מ״ב שם שכ׳ „אבל כשנשתמשו בו בע״פ יש בזה חילוקים והוא דאם נשתמשו בו רק מצה בע״פ אף אם נתערב בתוכו פירור חמץ הרי נתבטל בתוכו בס׳ ומותר לאכלו עד הלילה [אבל כשהגיע הלילה הרי הפירור חוזר וניעור ואוסר במשהו כמו שנתבאר בסימן תס״ז] ואם **פירר עליו חריין בע״פ שהוא דבר חריף צריך** ס׳ נגד כל הרי״ב אייזי״ן שנעשה כולו חמץ ע״י הבליעה שבלע מהחריין שפיררו עליו ונחתך בסכין חמץ כנ״ל ואם לא כולו אסור״ וע׳ שעה״צ שם ס״ק קכ״ז.

(מג) ע׳ פמ״ג א״א ס׳ תנ״א ס״ק ל״ה.

(מד) ע׳ מ״ב שם לענין דברים חריפים וכך נראה אם אינם דברים חריפים ולא הודח עם כלים חמוצים.

(מה) כ׳ המחבר (ס׳ תנ״א ס׳ י״ז) „הדף שעורכים עליו כל השנה וכן עריבה שלשין בה צריכים הגעלה״ וכ׳ הרמ״א „ולא מהני בה קילוף בכלי אומנות וכן כל דבר שצריך הגעלה לא מהני ליה קליפה (מהרי״ו) והמנהג שלא להשתמש בפסח בעריבות ודפין שלשין עליהן כל השנה אפילו ע״י הגעלה וכן עיקר״ וכ׳ המ״ב (שם ס״ק צ״ה) „שלשין עליהם כל השנה. ואם לפרקים משמע בפוסקים דנוהגין בהגעלה״, וע׳ מ״ב שם ס״ק צ״ז וב״ה שם ד״ה בפסח לענין כלי מתכות.

they cannot be cleaned thoroughly to positively ascertain that no chometz is present (מו).

If these (or any other vessel which cannot be kashered) were used in error, a Rav should be consulted (מז).

(מו) כ' בבאה"ט (שם ס"ק ל"ה) „לפי שא"א לנקרו שפיר" וכ"כ במ"ב (שם ס"ק צ"ד) ובב"ה שם וע' ס' תמ"ב ס' י"א וע' מ"ב שם ס"ק מ"ז.

(מז) ע' מחבר ס' תנ"א שם וב"ה ד"ה צריכים ודוק.

Chapter XIV Preparation of Utensils For Kashering

A. RUST AND DIRT

Introduction

1. We have learned (see Chapter XII B 3) that we derive the requirement for kashering from the Torah's instructions after the battle with the Midianites (**א**).

The Torah says: ''אך את הזהב ואת הכסף את הנחשת את הברזל את הבדיל ואת העפרת'' (**ב**) ''only the gold and the silver, the copper, the iron, the tin and the lead''. The *Sifre* explains, ''אך את הזהב'' *only* the gold, that is, kashering will suffice *only* for the gold of the utensils ''מכאן שצריך להעביר את החלודה'' ''from here we learn that rust must be removed'' in order for kashering [by הגעלה, see 5] to function (**ג**).

From this *Sifre* we learn that any utensil, before kashering by הגעלה (see 5), must be cleaned thoroughly to remove any rust, dirt or any other material which may obstruct the function of the kashering process (**ד**). This may be accomplished by sanding, removing with steel wool, caustic chemicals and the like (**ה**).

Why must dirt be removed?

2. The reason for this is (as explained earlier, see Chapter XIII B 1) that the process of הגעלה extracts the taste of the *issur* absorbed by the walls of the vessel (בליעה), but is ineffective on actual chometz (חמץ בעין), other residue of *issur*, or other dirt which obstructs the kashering process (**ו**).

(**א**) כמו שיתבאר.

(**ב**) במדבר ל״א:כ״ב.

(**ג**) הובא ברא״ש (פ״ב דפסחים ה״ז) וע׳ מ״ב (ס׳ תנ״א ס״ק כ״ב) הובא לקמן בהערה ז׳. ומש״כ דצריך להסיר החלודה היינו להגעלה דאילו לליבון א״צ כמ״ש המ״ב (שם ס״ק כ״ד) „כי האש יבעיר את הכל״ (וכ״כ באו״ה כלל נ״ח ס׳ י״ח).

(**ד**) כ׳ הגר״ז (ס׳ תנ״א ס׳ ט״ו) „וקודם הגעלה צריך לשוף את הסכינים במשחזת או ברחיים או בדבר אחר המסיר את כל החלודה שבהן וכן שאר כל הכלים צריך להסיר כל החלודה והטינופת שבהן קודם שמגעילן שנא׳ בפרשת הגעלת כלי מדין אך את הזהב וכו׳ כלומר רק את הזהב וגו׳ דהיינו כשאין שם חלודה רק זהב בלבד מועלת הגעלה להפליט הבלוע אבל כשיש שם חלודה או שאר טינופת יש לחוש שמא יש שם משהו ממשת האיסור בעין תחת החלודה והטינופת ואין הגעלה מועלת למה שהוא עומד בעינו ואינו בלוע בתוך דופני הכלי״.

(**ה**) כ׳ המחבר (ס׳ תנ״א ס״ג) לענין סכינים „וקודם ההגעלה צריך לשופם יפה במשחזת או ברחיים להעביר כל חלודה שבהם קודם הכשרם״ וכ׳ בגר״ז שם „במשחזת או ברחיים או בדבר אחר המסיר את כל החלודה וכו׳״.

(**ו**) ע׳ בגר״ז (הובא לעיל בהערה ד׳) וכ״כ המ״ב (שם ס״ק כ״ב) „כל חלודה. דכתיב בפרשת הגעלת כלי מדין אך את הזהב וגו׳ כלומר רק את הזהב דהיינו כשאין שם חלודה רק זהב בלבד מועלת הגעלה להפליט הבלוע אבל כשיש שם חלודה יש לחוש שמא יש שם משהו מן החמץ והחלודה מכסהו ולזה לא מהני הגעלה כי אין הגעלה למה שהוא בעין״ וכ״כ בס״ק מ״ג וס״ק ע״ה. עיין באו״ה (כלל נ״ח ס׳ ס״ז) שהביא דברי הספרי „אך את הזהב ואת הכסף וגו׳ אך חלק למעט סכין שיש עליו חלודה שצריך להעבירו מקודם בין להגעלה בין לטבילה עכ״ל״ וכתב „והילכך הבא להגעיל כלים ולהטבילן (כצ״ל) צריך לשופן ולנקותן מתחילה יפה יפה מכל דבר שדבוק עליו דבענין אחר לא פלטי כל צרכן וכו׳ ובכאן אין חילוק בין מקפיד

Why must rust be removed?

3. The reason rust must be removed is that we are afraid that particles of *issur* may have become trapped between the rust and the utensil and will not be extracted by הגעלה (ז).

Rust spots or discoloration

4. Only rust which has substance must be removed (**ח**). Where the rust is only a discoloration, a tarnished condition, or an intangible spot, it need not be removed — because there would not be any chometz particles trapped there (**ט**).

Rust need not be removed for ליבון

5. These halachos apply only for הגעלה, kashering by the use of boiling water (**י**). Before kashering by ליבון (heating the vessel by fire without water) there is no need to remove the rust (**יא**).

The reason is that the process of ליבון will destroy any particles of chometz in the vessel — even those caught between the rust and the vessel (**יב**).

Rust which cannot be removed

6. Therefore, if rust cannot be removed [by sanding, steel wool, caustic chemicals and the like], ליבון must be employed on the rusted spot, and the rest of the vessel may then be kashered with הגעלה (**יג**).

ללא מקפיד ובין מועט למרובה כמו בטבילה דלקמן דהכא היה טעמא משום הפלטת איסור ובאותו מקום מיהא אינו יכול להפליט כל צרכו וכו׳״.

(ז) שם.

(ח) כ׳ המ״ב שם „וכ״ז בחלודה שיש בה קצת ממשות (שקורין ראס״ט) שכשגוררין אותה משם יש שם כמה עפרורין שאז יש לחוש שמא יש תחתיה משהו ממשות האיסור בעין והחלודה מכסהו אבל אם אין בחלודה ממשות כלל רק מראה בלבד כמו שנמצא לפעמים שיש שחרות או אדמימות בצד הפנימי של הכלי שאנו קורין (פלעקי״ן) אין קפידא. וכן הדין באותן כתמים הנעשים בכלי בדיל (שקורין ערד פלעקי״ן) שאין מעכבין את ההגעלה כיון שאין בהם ממשות רק מראה בלבד״ וכ״כ בגר״ז (שם ס׳ י״ח).

(ט) שם.

(י) כ׳ הרמ״א (ס׳ תנ״א ס״ג) בביאור הגעלה „פי׳ הפלטה שהכלים פולטים האיסור שבהם והוא מלשון שורו עבר ולא יגעיל״ וע׳ ס׳ תנ״א ס״ה וע׳ בגר״ז (שם ס׳ י״ג) לענין אופן הגעלה ונכ׳ מזה לקמן בס״ד בפ׳ ט״ו.

(יא) ט״ז ס״ק ז׳ הובא במ״ב ס״ק כ״ד.

(יב) שם וע׳ במ״ז (שם סס״ק ח׳) שכ׳ „וצ״ע אם ליבון קל שורף הבעין וא״צ להעביר חלודה א״ד כשיש חלודה צריך ליבון ניצוצת ע׳ אות ז׳ והעולם מניחין רק גחלת במקום החלודה וצ״ע״ וכ׳ (בס׳ תנ״ב מ״ז ס״ק ד׳) „והנה ליבון קל המוזכר בתנ״א דהוה כהגעלה ועדיף מינה מ״מ אין שורף בפנים כ״א מפליט״ ומהגר״ז (ס׳ תנ״א ס׳ ט״ז) משמע דסגי בליבון קל וע׳ מ״ב (שם ס״ק ע״ו) ודוק וכך שמעתי מפי הגרמ״פ שליט״א דגם ליבון קל שורף את הבעין וע׳ רמ״א שם ס״ד ודוק.

(יג) כ׳ המחבר (ס׳ תנ״א ס״ג) „וקודם ההגעלה צריך לשופם יפה במשחזת או ברחיים להעביר כל חלודה שבהם קודם הכשרם הלכך אם יש בו גומות ואינו יכול לנקותו יפה אינו מועיל לו הגעלה לבד וצריך ליבון במקום הגומות״ וכ״כ המחבר (שם ס׳ י״ג) „כלי שיש בו טלאי וכו׳ או ישים גחלים על מקום הטלאי עד שישרף גוף האיסור אם ישנו ואח״כ מגעיל כל הכלי״ וע׳ בגר״ז שם. **כתב** המחבר (שם ס״ג) „וצריך ליבון במקום הגומות״ וכ׳ ע״ז המ״ב (שם ס״ק כ״ה) „במקום הגומות. ויעשה זה קודם הגעלה ואם לא עשה כן מקודם יעשה זה אחר הגעלה״.

Rust outside a vessel

7. This requirement for removing rust applies only to rust inside a vessel (**יד**). However, if it is found on the outer surface — where chometz may only contact occasionally — it need not be removed (**טו**) (see B 2).

B. CRACKS CREVICES AND PATCHES

Introduction

1. We have learned (see A) that rust or dirt on a utensil must be removed before kashering by הגעלה because it inhibits the kashering process (**טז**).

Similarly, cracks, crevices or patches in a utensil may contain dirt which may inhibit the הגעלה kashering process (**יז**). Therefore, if the crack or crevice in the utensil cannot be cleaned thoroughly, that area requires ליבון, and the rest of the vessel may then be kashered with הגעלה (**יח**) (see A 6). [See 4 and 5 for the halacha of patches on vessels].

Crevices on the outside of a utensil

2. These halachos apply to cracks and crevices *inside* a utensil, that is, in the portion of the vessel in which food is prepared (**יט**). However, if these are located outside the utensil, although *occasionally* chometz may make contact with this portion as well, one need not assume that chometz is present (**כ**). Therefore, even if it cannot be cleaned thoroughly, הגעלה is sufficient and ליבון is not required (**כא**).

However, in the case of a ladle or any other vessel in which, under normal use, the outside also makes contact with chometz, if it cannot be cleaned thoroughly, ליבון is required (**כב**).

Hinged pot cover

3. Similarly, a pot cover connected with hinges — although outside the vessel — cannot be kashered by הגעלה only, ליבון is required on the area of the

---

(יד) כ׳ הרמ״א (שם ס״ה) „כל הכלים שיש בהן סדקים או גומות או חלודה והוא בתוך הכלי ולא יוכל לנקרן ולנקותן אין להגעילן וצריכין ליבון במקום הסדק והחלודה״ (וכ״כ הגר״ז שם ס׳ י״ז) וכ׳ (במ״ב שם ס״ק מ״ג) „והוא בתוך הכלי. דמבחוץ לכלי אין צריך להחזיק שיש שם חמץ בעין בהגומות וכו׳״.

(טו) כ׳ הגר״ז שם „וכ״ז כשהחלודה הוא בצד הפנימי של הכלי במקום שמשתמשין בו בקבע אבל אם הוא בצד החיצון של הכלי שלא נשתמש שם חמץ ואע״פ שלפעמי׳ מגיע תשמיש החמץ גם מבחוץ מ״מ כיון שרוב הפעמים אין מגיע תשמיש החמץ עד לשם לפיכך אין חוששין שמא יש שם ממשות החמץ בעין תחת החלודה וא״צ להעבירה כלל״.

(טז) ע׳ לעיל הערה ד׳.

(יז) ע׳ רמ״א ס׳ תנ״א ס״ה (הובא לעיל בהערה יד).

(יח) ע׳ שם ומחבר ס״ג וס׳ י״ג.

(יט) ע׳ רמ״א שם וע׳ לעיל הערה יד.

(כ) ע׳ גר״ז שם ומ״ב שם.

(כא) גר״ז שם.

(כב) כ׳ המ״ב שם „ואם שואבים בכלי מיורה גדולה ודרך להתדבק גם מבחוץ חמץ אז יש קפידא אף מבחוץ דלחמץ בעין אין מי הגעלה פולטין״.

hinge. The reason is that since chometz does readily enter, one is unable to clean thoroughly the area of the hinge, to be certain that no chometz is present (כג). [We will learn (see Chapter XV E 2) that pot covers must also be kashered] (כד).

Patched utensils

4. We have learned (see 1) that a patch in a utensil may gather dirt which may inhibit the kashering process. Therefore, the area of the patch may not be kashered by הגעלה but requires ליבון (כה).

This halacha applies only to patches which were connected to a utensil *after* it had been used (כו). However, if the vessel had been patched firmly *before* use, הגעלה is sufficient (כז) (see 5).

These halachos apply only if the patch was *not* connected by a heat process (כח). However, if it was connected by a heat process (e.g. welding, soldering) הגעלה may suffice, a Rav should be consulted (כט).

Patches with spaces

5. We have learned (see 4) that if a patch was added to a vessel before it was used, הגעלה is sufficient (ל). This halacha applies only if the patch was welded to the pot or otherwise connected firmly — without any spaces — so that there is no chance of particles of chometz entering between the patch and the utensil (לא). However, if there is a possibility that chometz is present and cannot be *completely* removed, ליבון is required (לב). If one failed to perform ליבון, food cooked in this vessel is prohibited (לג).

(כג) כ' המ"ב (שם ס"ק מ"ד) „וה"ה כיסוי כלים המחובר ע"י צירים שא"א לנקות או קערות עם אזנים כעין צירים אף מבחוץ החמץ נכנס שם כידוע וא"א לנקות אין להגעילם כלל".

(כד) ס' תנ"א ס' י"ד.

(כה) ע' לעיל הערה יג.

(כו) כ' המחבר (שם ס' י"ג) „כלי שיש בו טלאי אם קדם הטלאי לבליעת האיסור א"צ להסירו דכבולעו כך פולטו ואם קדמה בליעת האיסור לטלאי צריך להסיר הטלאי קודם הגעלה או ישים גחלים על מקום הטלאי עד שישרף גוף האיסור אם ישנו ואח"כ מגעיל כל הכלי".

(כז) שם וכ' המ"ב (שם ס"ק ע"ג) „קדם הטלאי. פי' שהטלאי נעשה בשעה שהיה הכלי חדש או שהגעילו הכלי קודם ששמו הטלאי".

(כח) כ' המ"ב (שם ס"ק ע"ו) „וכ"ז בטלאי

שהוא כעין טס ומודבק לכלי ע"י מסמרים כמו שהוא דרך להמצא ביורות אבל בטלאי שהוא נדבק ע"י האש כמו שדרך לעשות בכלי בדיל שנקבו שמטיפין עליהם בדיל שניתך באש הרי הם נכשרים בהגעלה וא"צ להניח גחלים על הטלאי אף אם קדמה בליעת האיסור בכלי לפי שע"י חום הבדיל נשרף כל ממשות האיסור שתחתיו אם ישנו שם וגם הבלוע שמעבר לטלאי נפלט ע"י הגעלה ואין הטלאי מעכב כלל כיון שנדבק ע"י חום האש נעשה ככלי אחד ממש" וע' גר"ז שם ס' ל"ט.

(כט) שם.

(ל) ע' לעיל הערה כו.

(לא) ע' מ"ב ס"ק ע"ד וגר"ז ס' ל"ח.

(לב) שם.

(לג) מ"ב שם.

סימנים וסעיפים שבשלחן ערוך המשתייכים לפרק זה

תנ"א:ג,ה,י"ג,י"ד,ט"ו

Chapter XV Methods of Kashering

A. INTRODUCTION

"כבולעו כך פולטו"

1. The underlying principle for kashering is "כבולעו כך פולטו" (**א**), that is, the method required to kasher a utensil is similar to the manner in which the *issur* had been absorbed (**ב**). Therefore, there are various methods for kashering.

ליבון burns up the issur

2. We will learn (see C and Chapter XIV A 5) that the ליבון process burns up any particles of chometz in a vessel (**ג**). Most Poskim hold that ליבון does not kasher the utensil by *expelling* the issur, but rather by *destroying* it through heat (**ד**).

B. הגעלה

Pot on the fire, Stirring spoon

1. We have learned (see A) that the method required to kasher a utensil is similar to the manner in which the *issur* had been absorbed (**ה**). Therefore, if a utensil was used on the fire, it must be kashered on the fire (**ו**).

Regardless of whether it is a utensil which rests on the flame (e.g. a pot used for cooking cereal, noodles etc.) or was used in a pot over the fire (e.g. a spoon

---

(א) פסחים ל:.

(ב) כ' הגר"ז (ס' תנ"א ס' כ"ה) „אחד כלי מתכת ואחד כלי עץ ואחד כלי גללים וכו' שנשתמש בהן חמץ ע"י משקין חמין כדרך שנשתמש בהן כך צריך להכשירן ע"י הגעלה וכו'" וכ"כ המחבר (ס' תנ"א ס"ה) „כלים שנשתמש בהם בחמין כפי תשמישן הכשרן וכו'" וכ' המ"ב (שם ס"ק ל"ה) „כפי תשמישן הכשרן. דכבולעו כך פולטו".

(ג) ע' ט"ז (יו"ד ס' קכ"א ס"ק ז') שכ' החילוק בין ליבון להגעלה „וטעם החילוק בזה לפי שהכשר הליבון אינו עושה הפלטה במה שבלוע אלא שהוא מכלה האיסור שבתוכו" וכ"כ הש"ך (שם ס"ק י"ז) בשם הרא"ה וז"ל „והוי ידע דהחזרת כבשונות אינו הכשר כהגעלה בכלי מתכות דהתם הוא להפליט מה שבלע אבל ליבון בשום מקום אינו מפליט כל איסור שבו אלא כלוי הוא שמכלה איסור שבתוכו" וכ"כ הפמ"ג (בא"א או"ח ס' תנ"א ס"ק ל') לענין ליבון „האי לאו מטעם גיעול היוצא רק שורף בעינן וכל שאין ניצוצת אין שורף" וכ"כ במקראי קודש (פסח ח"א ס"פ אות ז'). ומש"כ במ"ב (ס' תנ"א ס"ק כ"ז) „אינו נפלט" ע' אג"מ (יו"ד ח"א סי' ס' ד"ה ולכן) דאינו מדוייק וע' מ"ב (שם ס"ק ל') ומנחת יצחק (ח"ג ס' ס"ו) וע' במ"ז ס' תנ"ב ס"ק ד' (הובא לעיל הערה יב) ודוק ואכמ"ל.

(ד) שם.

(ה) ע' לעיל הערה ב'.

(ו) ע' ס' תנ"א ס"ה וכ' המ"ב (שם ס"ק ל"ו) „לדעת הי"א המובא בטור יו"ד סימן קכ"א דדבר שתשמישו בכלי ראשון על האש הכשרו ג"כ בכלי ראשון העומד אצל האש דוקא וכו'".

used for stirring cereal) kashering must be performed in a vessel resting on [or in contact with] the fire (כלי ראשון) (ז). Pouring boiling water on it (עירוי, see 4) will not suffice (ח).

Procedure for הגעלה

2. Using these two examples of utensils, (the pot on the fire and the stirring spoon) we will describe the process of הגעלה.

a) Clean the utensils thoroughly, removing all rust and dirt (ט) (see Chapter XIV A 2, 3). If there are cracks or crevices, they must be cleaned thoroughly (י). Where they cannot be cleaned properly, ליבון is required (יא) (see Chapter XIV A 6, B 1-5).

b) Wait at least 24 hours from the time the utensil was last used hot* (יב) (see Chapter XII C 2).

*See Note on page 151.

(ז) ע׳ מחבר ומ״ב שם.

(ח) כ׳ המ״ב (שם ס״ק מ״א) „ודע דעירוי לא מהני אלא בזה שתשמישו ג״כ היה ע״י עירוי אבל כלי שתשמישו היה ע״י כלי ראשון לא סגי להכשירו בעירוי אלא בכלי ראשון ממש״.

(ט) ע׳ לעיל פ׳ י״ד הערה ד׳ ובכ״מ.

(י) ע׳ שם הערה יד והערה יז.

(יא) שם מרמ״א שם ס״ה וגר״ז שם ס׳ ט״ז.

(יב) כ׳ הרמ״א (יו״ד ס׳ קכ״א ס״ב) לענין המגעיל כלי איסור „אין להגעיל שום כלי כל זמן שהוא בן יומו״ וכ׳ בבאה״ט (שם ס״ק ב׳) „אבל אם יש במי הגעלה ס׳ כנגדו מותר להגעילו אף כשהוא ב״י״ והטעם דבעינן שיהא הכלי אינו בן יומו או שיהא ס׳ כנגדו כ׳ המ״ב (ס׳ תנ״ב ס״ק א׳) דפעולת ההגעלה היא שרתיחת המים מוציא את הבלוע מהכלי אל המים אבל יש לחוש דאחר שמוציאה את הבלוע יחזור ויבלע בכלי מה שפלטה „ומפני חשש זה כתבו הפוסקים דאין להגעיל רק כלי שאינו בן יומו דאז אף אם יבלע מה שפלט הרי לפגם הוא או שיהיה במים ששים לבטל את פליטת האיסור״. וכל זה נוגע רק לכלי איסור ולכלי חמץ לאחר זמן איסורו [פי׳ מתחלת שעה חמישית דכ׳ המ״ב (שם ס״ק ב׳) „דמתחילת חמישית כיון דנאסר עכ״פ מדרבנן תו לא מקרי נ״ט בר נ״ט דהתירא״] בעינן אינו ב״י או ששים אבל קודם זמן איסורו אף אם הוי בן יומו וגם אין ששים הו״ל נ״ט בר נ״ט דהתירא והיינו דהטעם של חמץ שקבלו הכלים מתחלה היה של היתר וטעם של חמץ שקבלו עתה המים מן הכלים ג״כ דהיתרא ולכאורה לא בעינן אינו ב״י או ששים, אפ״ה כ׳ במ״ב (שם ס״ק י״ג) „וכ״ז מדינא אבל כבר נהגו לכתחלה להחמיר בכל החומרות ואפילו אם מגעיל בשעה ד׳ או קודם [מ״א וב״ח] ועיין בבה״ל שביארנו בשם כמה אחרונים שסוברים דשני דברים אלו היינו מה שמצריכין שלא יהיו הכלים בני יומן או שיהיה במים ששים לבטלן הוא מדינא אפילו קודם זמן איסור חמץ״ וז״ל בבה״ה (שם ד״ה שאין) „דכל זה הוא לדעת הפוסקים שסוברין שחמץ מיקרי התירא בלע אבל לדעת הסוברין דחמץ מיקרי איסורא בלע וכן סתם המחבר לעיל בסימן תנ״א ס״ד א״כ אין חילוק בין קודם שעה ה׳ או כל היום וכו׳ ע״כ יש ליזהר שלא להגעיל שום כלי אא״כ עבר מעל״ע מעת שנשתמש בה חמץ״ וכ״כ הרמ״א (ס׳ תנ״ב ס״ב) „ע״כ נהגו שלא להגעיל שום כלי ב״י״ ע׳ מ״ב (שם ס״ק כ׳) [דאפילו בדאיכא ששים המנהג שלא להגעיל כלים בני יומן] ובשעה״צ (ס׳ תנ״ב ס״ק כ״ח) „שכלים שלנו המנהג שאין מגעילין בני יומן״. ומש״כ מעת שהשתמש בהכלים בחמין היינו חמין שהיס״ב, והנה פליגי הפוסקים בהא דבעינן מעל״ע מעת השתמש בהכלים בחמין אם היינו מבישול המים [לאחר בישול החמץ] או אי משערים מזמן בישול האיסור, ע׳ רמ״א (יו״ד ס׳ ק״ג ס״ז) דבעינן מעל״ע מבישול המים בין בבשר בחלב בין בשאר איסורים „לפי מאי דקיימא לן בכל האיסורים חתיכה נעשית נבלה

*Note: Some cold uses of a vessel are considered in halacha comparable to using hot (e.g. "דבר חריף", "a sharp food") (**יג**).

c) Fill the pot to the top with water. Heat the water until it boils, that is, until large bubbles appear (212° F, 100° C). The pot may now be used for kashering other utensils used with liquid (see C 1) — even those which were used over the fire (**יד**).

However, in order to use *this* kashering pot to cook with on Pesach, since there may be chometz on the rim of the pot and the boiling water may not reach there, the following method may be used (**טו**). A hot stone or piece of metal should be inserted into the pot when it is boiling, this will cause the boiling water to flow over the top (**טז**); or this pot could be kashered in a larger pot (**יז**). An alternative suggestion is to construct a rim of cement, clay or the like on the exterior of the pot (**יח**). This rim should elevate the height of the walls of the pot around the rim [but not actually on the rim] so that the boiling water flows *over* the exposed rim of the pot (**יט**). Some Poskim hold that it is sufficient to allow the water to flow over the rim while boiling — as long as one is certain that the water flowed over the *entire* rim — on all sides (**כ**).

(ב"י וסברת הרב) וע"ל סי' צ"ב ובמקום הפסד יש להתיר בכה"ג בשאר איסורים בכל ענין רק שיהיה מעת לעת מזמן בישול האיסור" וע' ש"ך (שם ס"ק י"ח וס' צ"ד ס"ק כ"ב) וט"ז יו"ד (ס' ק"ג ס"ק י') ואכמ"ל. **לענין** חמץ בפסח נראה דתלוי אי חמץ מקרי התירא בלע או איסורא בלע ואף דלדינא כ' המ"ב (ס' תנ"א ס"ק ל"ב וב"ה ס' תנ"ב ס"א ד"ה שאין) דהעיקר כדעת המחבר דמיקרי איסורא בלע מ"מ כ' במ"ב בכ"מ (תנ"ב ס"ק י"ט וב"ה שם ס"א סד"ה שאין) שמשערים „מעל"ע מעת שנשתמש בה חמץ" והיינו כדברי הח"י (שכ' בשעה"צ שם ס"ק כ"ה) „דדי מעל"ע מעת שנשתמש עליו חמץ" וע' במקראי קודש (פסח ס"פ אות ו') שכ' „יש להתיר בשעת הדחק כזה ע"י כך שמליל י"ג בניסן לא ישתמשו בם בדגן מחמשת המינים וכו'". **כתב** החזו"א (ס' קכ"ב ס"ג ד"ה ודוקא) לענין כלי שמערין לתוכו רותח „ולפעמים מחמין אותו על האש דאזלינן בתר רוב תשמישו וסגי לי' הגעלתו בעירוי, נראה דבשעת הגעלתו צריך שיהא כבר פגום, אבל אם בשעת הגעלתו הוא תוך מעל"ע של שימוש על האש, לא מהני הגעלתו כיון דבשעת הגעלה נשאר בו בלוע חמץ שאינו נפגם לא הקילו בו חכמים אפי' אם יושלמו כ"ד שעות קדם זמן איסור וכו'" ע"ש.

(יג) ע' מ"ב ס' תנ"א ס"ק ק"ב וס"ק קכ"ב, ויו"ד ס' צ"ו וס' ק"ה ס"ס א' ובכ"מ.

(יד) ע' ס' תנ"ב ס"א ומ"ב שם ס"ק ז' וכ' המ"ב (שם ס"ק ח') „צריך להמתין בכל כלי עד שיעלו המים אבעבועות". **ומש"כ** שיעור רי"ב מעלות פרנהייט או ק' צלציוס באמת נראה לפי הנסיון דמעלים אבעבועות קצת מקודם וע' בס' מועדים וזמנים (ס' רפ"א). **לענין** להשתמש באותם מים שביורה להגעלת כלים אחרים ע' מ"ב ס' תנ"ב ס"ק י'.

(טו) כמו שיתבאר.

(טז) ע' ס' תנ"ב ס"ו דצריך שפה או אבן מלובן וכ' המ"ב (שם ס"ק כ"ט) דהיינו כשרוצה להכשירו להשתמש בו בפסח „אבל בתחלה קודם שמכשיר הכלים ומכשיר היורה תחלה מן האיסור שבו א"צ לעשות לו שפה" ע' הטעם בט"ז שם ס"ק י'.

(יז) מחבר שם.

(יח) גדנפא, ע"ז ע"ו:, וכ' המחבר (ס' תנ"ב ס"ו) „כלי גדול שאינו יכול להכניסו תוך כלי אחר מחמת גודלו עושה שפה לפיו וכו'" וע' מ"ב שם ס"ק ל', ל"א.

(יט) ע' מ"ב שם ס"ק ל'.

(כ) ע' ערה"ש ס' תנ"ב ס"ה.

d) To kasher the stirring spoon (or any other utensil used in a כלי ראשון), insert the clean utensil (see a) [which has not been used hot for the past 24 hours (see b)] into the hot water while the pot is still boiling (i.e. bubbling) (**כא**). The spoon may be removed from the boiling water after a few seconds and is now kosher for Pesach (**כב**).

Although the spoon may be held with tongs or pliers, the spot which was held must also be kashered (**כג**). Therefore, one must change the place of the grip, making certain that the boiling water made contact with all parts of the spoon (**כד**) (see 6).

For this reason, it is preferable to place the utensil in a perforated basket (e.g. colander) or net and immerse in the boiling water (**כה**). More than one utensil may be placed in the perforated basket — as long as the utensils should not touch each other during kashering (**כו**). Therefore, it is recommended to first place the basket into the pot of boiling water and then throw in each article to be kashered individually (**כז**).

e) The minhag is to rinse the kashered utensil with cold water immediately after removal from the boiling water. However, if this was not done, it does not nullify the kashering (**כח**).

A כלי ראשון not on the fire

3. These halachos have dealt with a utensil which has absorbed the *issur* in a כלי ראשון *on* the fire (**כט**). If the *issur* was absorbed in a כלי ראשון which was *not* on the fire, it may be kashered in the same manner as it was used* (**ל**).

*Note: One is not required to use the very same method for kashering as was used when the *issur* was absorbed, he may use a more stringent method (**לא**). However, an inferior method may *not* be utilized (**לב**).

(כא) ע׳ מ״ב שם ס״ק ח׳, וס״ק ל״א, וס׳ תנ״א ס״ק ל״ו.

(כב) ע׳ גר״ז ס׳ תנ״ב ס״ד ושעה״צ שם ס״ק ג׳.

(כג) ס׳ תנ״ב ס״ד וע׳ מ״ב שם ס״ק כ״ג.

(כד) שם.

(כה) כ׳ המ״ב שם „וטוב יותר להגעיל בשבכה או בסל מנוקב״.

(כו) ס׳ תנ״ב ס״ג ומ״ב שם ס״ק כ״ב.

(כז) כידוע מנסיון.

(כח) ס׳ תנ״ב ס״ז וגר״ז שם ס״ה וע׳ במ״ב שם ס״ק ל״ד וערה״ש שם ס״כ ובערה״ש יו״ד (ס׳ קכ״א ס׳ כ״א) הטעם. ובדיעבד אינו מעכב (שם).

(כט) ע׳ ס׳ תנ״א ס״ה ומ״ב ס״ק ל״ו. **כתב** המחבר (שם ס״ג) „וכלי ראשון נקרא שהרתיחו בו מים על האש אפילו אינו עתה על האש רק שעודנו רותח״.

(ל) ע׳ מחבר שם ס״ה וכה״ח שם אות פ״ב.

(לא) כ׳ בכה״ח (שם אות פ״ג) „אבל כלי דסגי ליה בעירוי פשיטא דסגי ליה אם מגעילין אותו בכ״ר לאחר שהעבירוהו מעל האש. פר״ח שם חמ״מ שם. והיינו לפום דינא אבל המנהג להגעיל הכל בכ״ר שעל האש כמ״ש לקמן סעי׳ ו׳ בהגה יעו״ש״ [באות ק״ז].

(לב) ע׳ מחבר שם ס״ה וכ׳ המ״ב (שם ס״ק מ״א) „אבל כלי שתשמישו היה ע״י כלי ראשון לא סגי להכשירו בעירוי אלא בכלי ראשון ממש״.

Example: A utensil which was used with a כלי שני does not require a כלי שני for kashering, עירוי or a כלי ראשון may be used (לג). A כלי שלישי, however, may *not* be used (לד).

Similarly, if a utensil was used with hot liquid, although הגעלה is sufficient, ליבון may be used instead (לה). Where ליבון is *required*, הגעלה is not sufficient (לו). If a utensil which required ליבון was used after performing only הגעלה, a Rav must be consulted.

Practically speaking, it is advisable to kasher *everything* which has absorbed *issur* in hot liquid (see C,D) — with a כלי ראשון on the fire (לז). This is recommended, regardless of whether it has absorbed the *issur* in a כלי ראשון, כלי שני or with עירוי (לח) (see 12).

A utensil used with a כלי שני

4. Pouring from a כלי ראשון into a second vessel, is called עירוי (see 5), the second vessel is called a כלי שני (see HALACHOS OF SHABBOS, Chapter XIV A 7-10). If one pours from the כלי שני into another vessel, the other vessel is called a כלי שלישי (see ibid. 12).

A utensil which was used with a כלי שני (e.g. a spoon used to eat cereal) may be kashered with a *כלי שני (לט), but a כלי שלישי may not be used (מ).

Although when kashering with a כלי ראשון, the water must be boiling, when kashering with עירוי or a כלי שני the kashering is effective even if the water is not boiling, as long as it is יד סולדת בו (מא) (over 160° F, 71° C, see HALACHOS OF SHABBOS, page 243).

*See Note after 3.

A vessel used with עירוי

5. A vessel which absorbed chometz through עירוי, that is, hot chometz (e.g. hot cereal) from a כלי ראשון (i.e. a pot which was on the fire) was poured into a vessel (e.g. hot cereal which had been on the fire was poured directly into a bowl) — even if this was done only once — kashering the bowl by the use of a כלי שני is not sufficient, עירוי is required* (מב). Where עירוי is required, one must

* See Note after 3.

(לג) ע' כה"ח שם.

(לד) ע' לעיל הערה לב.

(לה) ע' רמ"א שם ס"ד, י"א ובכ"מ.

(לו) ע' מ"ב שם ס"ק ל"ב.

(לז) ע' רמ"א שם ס"ו וכה"ח שם אות פ"ג, ק"ז וכ' שם דכן המנהג „ואין לשנות".

(לח) שם וכ' הטעם „כי יש לחוש שמא נשתמשו בהם לפעמים בכ"ר או בכבישה מע"ל".

(לט) מחבר ס' תנ"א ס"ה.

(מ) ע' לעיל הערה לב.

(מא) מ"ב ס' תנ"ב ס"ק ח'.

(מב) כ' המחבר שם „וכלי שמשתמשין בו בעירוי שמערה מכ"ר לא סגי ליה בהכשר דכלי ב' אלא צריך לערות עליו מכ"ר" וכ' במ"ב (שם ס"ק ל"ט) „שמשתמשים בו בעירוי וכו'. ואפילו כלי חדשה שלא נשתמשו בה מעולם רק פ"א נשפך עליה עירוי של חמץ מכלי ראשון" וכ' שם (בס"ק מ') „בהכשר דכלי שני. דהיינו לשפוך מים רותחין בתוך כלי ואח"כ יכניסם והטעם דבלוע שנתהוה ע"י עירוי החמין מכלי ראשון אינו נפלט מן הכלי כ"א ע"י עירוי ג"כ ואפילו בדיעבד לא מהני ע"י הכשר דכ"ש".

pour from the כלי ראשון *directly* onto the vessel (מג). Before kashering, the vessel should be dried (מד). [We have learned (see 2 a and b) that before kashering, the vessel should be cleaned and not have been used hot for the past 24 hours].

Kashering may be done in separate stages

6. The kashering of utensils — unlike טבילת כלים (immersion of vessels in a Mikvah, see Chapter XII B 1 Note) — may be done in separate stages. Therefore, if one does not have a pot large enough to insert — in one time — the entire utensil requiring kashering, he may kasher it in stages. That is, he may insert half (or even less) into the kashering pot, and the balance of the utensil a second time (or more — as necessary) (מה).

One must be certain that the entire vessel had been inserted in the boiling water of the kashering pot (מו). If the utensil is too big for all parts to fit in the water, those parts which cannot be inserted should be kashered with ליבון (מז) [ליבון קל (see C 2,3) would be sufficient here (מח)].

Large vessels requiring a כלי ראשון

7. A utensil which requires הגעלה in a כלי ראשון but is too large to be inserted in available vessels (e.g. metal tables, counter tops or stainless steel sinks) may be kashered in the following manner (מט) (אבן מלובן):

a) Clean the utensils thoroughly, removing all rust and dirt (נ) (see Chapter XIV A 2, 3). If there are cracks or crevices, they must be cleaned thoroughly (נא). Where they cannot be cleaned properly, ליבון is required (נב) (see Chapter XIV A 6, B 1-5).

(מג) כ׳ המ״ב (שם ס״ק מ״א) „וצריך ליזהר שלא יפסיק הקילוח״ וע׳ בס׳ תנ״ב ס״ק כ׳ שכ׳ „ויזהר לשפוך עליהם בזריזות ולא ע״י זריקה באויר דזה לא חשיב עירוי ויזהר שישפוך עליהם מן הכלי שבישל בו המים אבל לא ישאוב עם כלי אחר מהקדרה ולערות עליהן להגעיל דזה מקרי כלי שני אם מגעיל בלא אבן מלובן אם לא ששוהה הכלי ששואב עמו תוך הקדירה עד שהמים מעלין רתיחה בקדרה קטנה אז מקרי שפיר כלי ראשון״.

(מד) ע׳ מ״א ס׳ תנ״ב ס״ק ט׳ וכה״ח ס׳ תנ״א ס״ק צ״ד, ומ״ב ס׳ תנ״א ס״ק נ׳ וס׳ תנ״ב שם וז״ל „ויהיו מנוגבין יפה מן המים הצוננים שמא יצטננו מהן הרותחין״ ונראה דהיינו דוקא אם מכשיר בעירוי או כ״ש אבל בכלי ראשון א״צ דמתבשל שם ע׳ מ״ב (ס׳ תנ״א ס״ק קי״ד בסוגריים) ודוק.

(מה) כ׳ הרמ״א (ס׳ תנ״א ס״ו) „וקערות גדולות שלא יוכל להכניס תוך כ״ר יתן עליהם אבן מלובן ויערה עליהם רותחין מכלי ראשון והוי ככלי ראשון וכן כל כיוצא בזה ויעביר האבן על כל הכלי שאז מגעיל כולו״ וכן ע׳ שם (בס׳ י״א) „מחבת שמטגנין וכו׳ ואם היא ארוכה משים חציה והופך עוד ומשים חציה האחר ואם היא ארוכה ביותר מלבנה באמצע וכו׳״ וכ׳ בגר״ז (שם ס׳ ל״ז) „וכן יעשה בשאר כל הכלים שהן ארוכין ביותר״.

(מו) ע׳ שם.

(מז) שם.

(מח) רמ״א שם ס״ד וס׳ י״א וגר״ז שם.

(מט) ע׳ רמ״א שם ס״ו ומ״ב שם ס״ק נ׳.

(נ) ע׳ לעיל פ׳ י״ד הערה ד׳.

(נא) ע׳ שם הערה יד.

(נב) ע׳ לעיל הערה יא.

b) Wait at least 24 hours from the time the utensil was last used hot (**נג**) (see Chapter XII C 2, and Note after B 2 b).

c) Heat a stone or a piece of metal on the fire (**נד**); heat a pot of water on the fire (**נה**).

d) Remove the stone [with tongs or pliers] (**נו**). Pour boiling water on the surface to be kashered, while simultaneously moving the stone over the surface (**נז**). One should be certain that the boiling water makes contact with the entire surface to be kashered (**נח**).

e) The minhag is to rinse the kashered utensil with cold water after removal from the boiling water (**נט**).

Some Poskim hold that this method can be used only for a utensil which is used mostly by עירוי, that is, hot chometz is poured onto it *from* a כלי ראשון, but not if most of its use is *in* a כלי ראשון (**ס**). If it was not used within 24 hours for hot chometz in a כלי ראשון (**סא**), one may rely on the view of most Poskim who hold that it is permissible even if used in a כלי ראשון (**סב**).

הגעלה only with water

8. Only water should be used for הגעלה (**סג**), the use of other liquids is not permitted (**סד**). Therefore, even water containing a detergent should not be used

---

(נג) ע׳ לעיל הערה יב.

(נד) ע׳ ס׳ תנ״א ס״ו וע׳ אג״מ או״ח ח״ג ס׳ נ״ח ד״ה הנה.

(נה) פשוט דבעינן כלי ראשון וע׳ בכה״ח ס׳ תנ״א אות פ׳ לענין אם מתחמם המים ע״י זיעה.

(נו) פשוט משום סכנה.

(נז) כ׳ הרמ״א (ס׳ תנ״א שם) „וקערות גדולות שלא יוכל להכניס תוך כ״ר יתן עליהם אבן מלובן ויערה עליהם רותחין מכלי ראשון והוי ככלי ראשון וכן כל כיוצא בזה ויעביר האבן על כל הכלי שאז מגעיל כולו״ וכ׳ המ״ב (שם ס״ק נ״א) „והוי ככ״ר. ר״ל אע״ג דאין זה אלא עירוי מ״מ כיון שהוא ע״י אבן מלובן אין מניח המים להצטנן והוי כאלו נתנן מתוך כלי ראשון ועיין בא״ר שהכריע לדינא דעכ״פ אינו מועיל הגעלה ע״י אבנים אלא בקערה וכיו״ב שרוב תשמישן הוא רק ע״י עירוי מכלי ראשון משא״כ בדבר שרוב תשמישן הוא בכלי ראשון אינו מועיל להגעיל באופן זה דלא הוי ככלי ראשון ממש. ולענ״ד נראה דאפילו בקערה וכיו״ב אין להקל לכתחלה להגעיל ע״י אבנים אלא בידוע שהוא אינו בן יומו מתשמיש כלי ראשון״. **ומש״כ** „ויעביר האבן על כל הכלי״ כ׳ המ״ב (שם ס״ק נ״ג) „ואע״ג דבאיזה מקום אינו נוגע האבן מי הרתיחה העולים מן האבן נוגעים שם ושרי וכו׳״.

(נח) כ׳ המ״ב שם „ומ״מ בקערות שיש להם אוגנים ובליטות כעין כפתורים ופרחים שאז א״א להעביר האבן ע״פ כולו ואפשר שגם מי הרתיחה לא יגיעו תיכף שם נכון להחמיר שלא להגעיל ע״י אבנים כ״א יכניסם ליורה״.

(נט) ע׳ לעיל הערה כח.

(ס) מ״ב שם ס״ק נ״א (הובא לעיל בהערה נז) מא״ר.

(סא) ע׳ שעה״צ ס׳ תנ״ב ס״ק כ״ה (ומש״כ בזה בהערה יב).

(סב) מ״ב שם ושעה״צ ס״ק נ״ד.

(סג) כ׳ הב״י (ס״ס תנ״ב) „כתב הרשב״א בתשובה (סימן תק״ג) שהרמב״ן היה אומר שאין מגעילין אלא במים ולא בשאר משקין והוא ז״ל חולק עליו וסברת הרמב״ן כתב הר״ן בס״פ כל הבשר וכתב בא״ח שכל זה לכתחלה אבל בדיעבד מותר״ וכ׳ הרמ״א (ס׳ תנ״ב ס״ה) „ואין מגעילין בשום משקה רק במים מיהו בדיעבד מהני הגעלה בכל משקה״ וכ׳ במ״ב (שם ס״ק כ״ה) „בשום משקה. דאין טבען להפליט את הבלוע״.

(סד) רמ״א שם.

(סה). If a vessel was kashered with other liquids and it is still before Pesach, it should be kashered again (סו). However, since some Poskim hold that the use of other liquids for הגעלה is permissible (סז), if kashering again before Pesach is not possible, a Rav should be consulted (סח).

Kashering with steam

9. A vessel which absorbed the *issur* through the use of liquids cannot be kashered with steam (סט). Whether steam may be used to heat the water to boiling, a Rav should be consulted (ע).

Water must be boiling

10. We have learned (see 2 c,d) that for kashering, the water must be boiling (עא). The water may be heated by gas, oil, electricity or any similar fuel (עב). Water heated in a solar boiler can only be used to kasher utensils which absorbed *issur* with a solar utensil (עג). Water heated in a microwave oven can be used for kashering a microwave oven (see Chapter XVI E 6) or utensils used exclusively in microwave ovens (עד). However, it is questionable whether water heated by this method can be used to kasher utensils used on a stove or in a conventional oven (עה).

The same water may be reused

11. Although the same water may be used to kasher many utensils, since immersing many utensils in the water may lower its temperature, one must wait until it resumes bubbling before continuing kashering (עו). Water which has become thick and filmy like a brine must be changed (עז). Therefore, when kashering many utensils, the water should be changed periodically — as required (עח).

(סה) מ״ב שם ס״ק כ״ו.

(סו) מ״ב שם מפמ״ג.

(סז) ע׳ ב״י (בהערה סג) בשם הרשב״א ומ״ב שם וכה״ח (שם אות ו״ן) ובש״א.

(סח) ע׳ מ״ב שם ושעה״צ (שם ס״ק ל״ב) וע׳ אג״מ (יו״ד ח״א סי׳ ס׳ ד״ה ומש״כ).

(סט) ע׳ אג״מ שם, מהרש״ם ח״א ס׳ צ״ב, מעד״ש קט״ז: ל״ט, יסו״י דף קפ״ד-קפ״ח.

(ע) כה״ח ס׳ תנ״א אות פ׳, מעד״ש שם ואג״מ שם, דע״ת ס׳ תנ״א ס״ג, יסו״י שם. ונראה דאם בלע ע״י כלי ראשון שע״ג האש פשוט דאין להגעילו בזיעה כי לא עדיף מכלי ראשון שהעבירו מעל האש.

(עא) ע׳ לעיל הערה יד.

(עב) כך נראה וע׳ יסו״י דף קצ״ב.

(עג) ע׳ ס׳ תנ״ב ס״ה לענין חמי טבריה ונראה דה״ה הכא.

(עד) ע׳ שם וכך נראה.

(עה) ע׳ מחבר שם לענין חמי טבריא ונראה דה״ה הכא אבל דעת הגרמ״פ שליט״א דמהני.

(עו) ע׳ ס׳ תנ״ב ס״א ומ״ב שם ס״ק ח׳ וס״ק י״ג.

(עז) רמ״א שם ס״ה וע׳ מ״ב שם ס״ק כ״ז שכ׳ ״ואפשר דאפילו בדיעבד לא מהני הגעלה זו״.

(עח) ע״פ הנ״ל.

רוב תשמישו, מיעוט תשמישו

12. If a utensil is sometimes used as a כלי ראשון but most of its use is with כלי שני or עירוי, how is it to be kashered?

> Example: A large spoon is used mainly for eating soup and cereal (כלי שני). Occasionally, however, it is used to stir cereal or soup while on the fire (כלי ראשון).

Some Poskim hold that we consider the method used most (**עט**). Therefore, according to these Poskim, if it was used more frequently as a כלי שני it may be kashered in a כלי שני (**פ**). Similarly, according to this view, if it was used mainly cold, it may be kashered by cleansing with cold water (**פא**) (see D 1).

Most Poskim hold that since it was sometimes used as a כלי ראשון, it must be kashered in a כלי ראשון (**פב**). This is the minhag (**פג**). However, if an inferior method of kashering was used, a Rav should be consulted (**פד**).

Even according to the first view, if a vessel was used primarily as a כלי שני or even if it was used cold most of the time, but was used within the last 24 hours in [or as] a כלי ראשון*, it must be kashered in a כלי ראשון (**פה**). If a vessel had been washed within the last 24 hour period together with hot chometz, even if most of its use is with a כלי שני, הגעלה in a כלי ראשון is required (**פו**).

> *Note: We have learned (see Chapter XII C 2) that the minhag is not to kasher a utensil which is a בן יומו, that is, if it was used during the last 24 hours (**פז**). However, we have also learned (see ibid.) that in case of necessity, a Rav should be consulted (**פח**).

(עט) כ׳ המחבר (ס׳ תנ״א ס״ו) „כל כלי הולכין בו אחר רוב תשמישו הלכך קערות אע״פ שלפעמים משתמשין בהם בכ״ר על האש כיון שרוב תשמישן הוא בעירוי שמערה עליהן מכ״ר כך הוא הכשרן״ וכ׳ הרמ״א שם „ויש מחמירין להגעיל הקערות בכ״ר וכן הוא המנהג״ וכ׳ בערה״ש (ס׳ תנ״א ס׳ י״ח) „וכן המנהג הפשוט ואין לשנות כי ההמון אינם מבחינין בין זל״ז וכ״ש כפות ומזלגים שהרבה פעמים תוחבין אותן בהקדירה״ (כ״כ הט״ז שם ס״ק י״א וע׳ במ״ז שם) ובגר״ז (שם ס׳ כ״ז) כ׳ „ולענין הלכה יש להחמיר לכתחילה כסברא האחרונה וכן נוהגין ואין לשנות״ ע״ש.

(פ) ע׳ שם.

(פא) מ״ב שם ס״ק מ״ה.

(פב) ע׳ רמ״א שם וגר״ז ס׳ כ״ו וע״ש הטעם ובשו״ת שלמת חיים ס׳ ר״ט.

(פג) רמ״א וגר״ז שם ס׳ כ״ז וערה״ש שם.

(פד) ע׳ גר״ז שם וס׳ כ״ח ומ״ב שם ס״ק מ״ז ושעה״צ ס״ק נ׳.

(פה) מ״ב שם ס״ק מ״ו וכ׳ החזו״א (ס׳ קכ״ב ס״ק ד׳) „ונראה דגם בספק יש להחמיר ובעינן ידוע שלא נשתמש תוך מעל״ע שימוש החמור ואף שהוא מועט מ״מ לא שייך כאן למיזל בתר רובא, דאין שימוש המועט מקפח את שימוש הרוב, וכ״ה ברמ״ע שם דספק הוי ספיקא דאורייתא, אלא שבסוף דברי הרמ״ע לא משמע כן, ואפשר דבעינן שיהא לבו מסתפק בדבר וסתמא לא חיישינן כיון דלא שכיח, ואף אם מעל״ע שלים קדם זמן איסור מ״מ אזלינן לחומרא כיון דלא שלים מעל״ע קדם הגעלה דלא פלוג בזה כמש״כ לעיל״.

(פו) ע״פ הנ״ל וע׳ לעיל הערה יב. **ואף שסתמנו בפנים דאם הודח בתוך מעל״ע יחד עם חמץ חם דבעי הכשר ע״י כלי ראשון היינו אם הודחו יחד בכלי ראשון אבל אם הודחו יחד ע״י עירוי סגי בעירוי, ואם הודחו יחד ע״י כלי שני סגי בכלי שני וע׳ לעיל הערה עט.**

(פז) שם.

(פח) ע׳ לעיל פ׳ י״ב הערה מח.

Kasher the pot after הגעלה

13. After kashering, the pot which was used for kashering must be kashered again in order to use it on Pesach (**פט**). Where a chometz pot is used for kashering — even if it was not used for more than 24 hours — the minhag is to kasher it before kashering other utensils (**צ**) (see 2 c).

C. ליבון

Introduction

1. Utensils which were used with fire [or heat] without water (e.g. spits, baking pans) require ליבון (**צא**), that is, the utensil must be heated by fire without water, to burn out the absorbed *issur* (**צב**). This may be accomplished by the use of fire, a blow torch, charcoal and the like (**צג**).

Two methods of ליבון

2. There are two methods of ליבון: a) ליבון גמור — thorough *libun*, and b) ליבון קל — simple *libun* (**צד**). These methods differ in the intensity of heat required (**צה**), as we will explain.

ליבון קל, ליבון גמור

3. ליבון גמור necessitates heating the utensil until it becomes red hot, that is, sparks fly from it (**צו**), or until the outer layer of the vessel has been removed (**צז**).

ליבון קל is performed by heating the utensil until the heat penetrates sufficiently through the utensil (**צח**). This is determined by placing a piece of straw

---

(פט) מ״ב ס׳ תנ״ב ס״ק י׳ וגר״ז שם ס׳ כ״ב.

(צ) ע׳ שעה״צ ס׳ תנ״ב ס״ק ט״ו.

(צא) כ׳ המחבר (ס׳ תנ״א ס״ד) „כלים שמשתמשים בהם ע״י האור כגון שפודים ואסכלאות וכיוצא בהם צריכים ליבון״ וכ׳ המ״ב (שם ס״ק כ״ז) „ואע״פ שאסכלא כשצולין ע״ג טשין אותה באליה או מושחין פניה בשומן אין רטיבות מעט זה מצילה מהיות האש שולט בה לגמרי וכו׳״.

(צב) ע׳ לעיל (הערה ג׳) דלרוב פוסקים ליבון שורף הבעין.

(צג) כ׳ המ״ב (שם ס״ק כ״ד) „וצריך ליבון. דהיינו שיניח גחלים בוערות על המקום ההוא״ וכ״כ בס״ק ל״ג, וה״ה כל אש שיכול להביא הכלי לשיעור ליבון דהיינו לליבון גמור „עד שיהיו ניצוצות ניתזין מהם״ ולליבון קל „אם נתלבן כל כך שקש נשרף עליו מבחוץ״ (כל׳ המחבר והרמ״א שם).

(צד) מחבר ורמ״א שם.

(צה) ע׳ שם.

(צו) ע׳ מחבר שם.

(צז) מ״ב שם ס״ק כ״ט.

(צח) כ׳ הגר״ז (ס׳ תנ״א ס׳ ט״ז) לענין חלודה „ישים גחלים בוערות על מקום החלודה וישהה אותם שם עד שאם יגע אדם בצד השני של הכלי במקום שכנגד החלודה יהיה היד סולדת בו מ:זמת שנתלבן הכלי מן הגחלים שאז בודאי נשרף כל ממשות איסור שתחת החלודה והעולם נהגו להחמיר להשהות הגחלים כל כך על החלודה עד שיהיה קש או חוט נשרף מצד השני (דהיינו שקושרין קש או חוט סביב הכלי מצד השני נגד הגחלים שעל גבי החלודה ומשהה את הגחלים כ״כ עד שישרוף הקש או החוט שכנגדן בצד השני)״. מש״כ הגר״ז (שם ובס״י ובס׳ ל״ח וס״ע) שיעור יס״ב לליבון קל ע׳ בפמ״ג (במ״ז ס״ס תנ״ב בדיני וסדר ההגעלה בקצרה) שכ׳ דאם איו קש נשרף עליו אפילו הוא יס״ב צ״ע אם מהני אפילו לכלי שני (וכ״כ בא״א ס׳ תנ״א ס״ק כ״ז) וע׳ בס״ק ל׳ כ׳ „נתחמם מב׳ עבריו יס״ב י״ל דמהני לתשמישו בכ״ר שהוסר מאש וכ״ש לעירוי ואם תשמישו בכ״ר על האש צריך שיהא קש נשרף לדידן בתנ״ב דבעי מעלה רתיחות״ וצ״ב.

or paper on the outside of the vessel (**צט**). When the heat has penetrated through the vessel, the straw or paper will be burnt (**ק**).

This second form of ליבון (ליבון קל, simple *libun*) is comparable to הגעלה and in some respects superior to הגעלה (**קא**). Where הגעלה is required ליבון can be used, and even ליבון קל will suffice (**קב**) [see 4 and Note after B 3].

Where ליבון גמור is required

4. Where *libun* is *required*, ליבון גמור must be used (**קג**). If ליבון קל or הגעלה was used instead, the utensil must be kashered again using ליבון גמור (**קד**). Food cooked in this utensil during Pesach without the proper form of *libun* is prohibited (**קה**). In case of great necessity, a Rav should be consulted (**קו**).

We have learned (see Chapter XIV A 6, B 1-5) that where הגעלה is sufficient but there is rust, crevices, patches or other impediments on the utensil which may cover chometz or otherwise inhibit the הגעלה kashering process, ליבון must be used on the area of the rust, crevices or patches (**קז**). Under these conditions, even ליבון קל would be sufficient (**קח**).

Procedure for ליבון

5. The following is the procedure for ליבון:

a) Kashering with ליבון (whether ליבון קל or ליבון גמור) may be performed even immediately after use (**קט**). There is no requirement to wait 24 hours from the time last used (**קי**)(see B 2 b and Chapter XII C 2).

b) Although cleaning the utensil before ליבון is not required, it is preferable (**קיא**).

(צט) רמ״א וגר״ז שם.

(ק) ע׳ רמ״א שם ומ״ב שם ס״ק ל״א, וגר״ז שם.

(קא) ע׳ רמ״א שם ומ״ב שם ס״ק ל׳ ופמ״ג במ״ז ס״ס תנ״ב שם.

(קב) שם.

(קג) כ׳ המחבר (ס׳ תנ״א ס״ד) „והליבון הוא עד שיהיו ניצוצות ניתזין מהם״ וכ׳ הרמ״א שם „ויש מקילין אם נתלבן כל כך שקש נשרף עליו מבחוץ (מרדכי ספ״ז והגהות מיימוני פי״ז מהלכות מ״א) ונוהגין כסברא ראשונה בכל דבר שדינו בליבון אבל דבר שדינו בהגעלה רק שיש בו סדקים או שמחמירין ללבנו סגי בליבון קל כזה״ וע׳ במ״ב (שם ס״ק כ״ח) שהאריך בביאור ב׳ השיטות וכ׳ דלדעת המחבר חמץ מקרי איסורא בלע וצריכין ליבון „ולזה הסכימו רוב הפוסקים״ ולדעת היש מקילין ברמ״א דחמץ מקרי התירא בלע וסגי בהגעלה ולכן מקילין לפי דעה זו בליבון קל.

(קד) כ׳ המ״ב (שם ס״ק ל״ב) „ונוהגין כסברא הראשונה וכו׳. דלדינא עיקר כדעת המחבר דחמץ מקרי איסורא בלע וע״כ צריך ליבון טוב שיהו ניצוצות נתזין ממנו ואפילו בדיעבד יש לאסור אם נשתמשו בו בפסח בעוד שלא ליבנו אותו כ״כ או ע״י הגעלה״.

(קה) שם.

(קו) כ׳ המ״ב שם „אכן במקום הפסד מרובה או מניעת שמחת יו״ט והוא אינו ב״י מעת שנשתמשו בו החמץ יש לסמוך בדיעבד על הפוסקים דסוברים דחמץ מקרי התירא בלע ודי במה שהכשירו בהגעלה או בליבון קל״.

(קז) ע׳ ס׳ תנ״א ס״ג ורמ״א שם ס״ד וס״ה ושו״ע ס׳ י״ג.

(קח) ע׳ רמ״א שם ס״ד ומ״ב שם ס״ק ל״ג.

(קט) ד״מ יו״ד ס׳ קכ״א ס״ק ט״ו וערה״ש שם ס׳ כ״ב ובכ״מ.

(קי) שם.

(קיא) מ״ז ס׳ תנ״א ס״ק ז׳ וכה״ח שם אות נ״ב מפר״ח וע׳ יסו״י דף קנ״א.

c) Heat the utensil using a fire, blow torch, charcoal and the like (קיב) (see 3 for the intensity of heat which is required). Where ליבון קל is sufficient, it may be accomplished by heating in a gas or electric oven (קיג).

d) After ליבון there is no need to rinse the utensil with cold water (קיד).

D. OTHER METHODS OF KASHERING

Utensils which were used cold

1. Utensils which were only used cold (e.g. cups, pitchers) may be kashered by first cleansing thoroughly with cold water (קטו). The utensil must be scrubbed during the cleansing to remove any possible *issur* clinging to the utensil (קטז). They must then be rinsed again thoroughly with cold water (הדחה ושפשוף) (קיז).

These halachos apply only for utensils used only *cold* and where liquid chometz (e.g. beer) was not held in them for 24 hours or more (כבוש) (קיח). [We have learned that a utensil which was used hot requires הגעלה or ליבון (קיט), see B, C].

Utensils which were used for cold liquids

2. A utensil in which cold liquid chometz (e.g. beer) or cold chometz in liquid (e.g. noodles in cold soup) was kept 24 hours or more must be kashered by הגעלה (see B) or מילוי ועירוי (קכ). The normal procedure is to kasher with הגעלה — wherever possible (קכא). [For whiskey vessels, see Chapter XVI B 4].

(קיב) ע׳ לעיל הערה צג.

(קיג) ע׳ יסו״י (דף קנ״ו־קס״ג) ובש״א לענין הכשר תנורי גז ע״י הגז עצמו ותנורי חשמל ע״י החשמל בעצמו ונראה דמהני לכלים הצריכים ליבון קל דמגיע שם לקש נשרף. יש לעיין בכלים הצריכים ליבון גמור אם מהני ללבנם בתוך תנורים הנקראים self cleaning oven דמגיע שם לחום גבוה ביותר (יותר מח׳ מאות מעלות פרנהייט) אבל אין ניצוצות ניתזין מכלים הניתנין שם ואולי יש לו דין כבשן (בס׳ תנ״א ס״א). וכן יש לעיין בכלים בזה״ז הנעשים ממתכות חדשות כגון aluminum שא״א להם להגיע לניצוצות ניתזין כי נמסין מקודם ויש לחוש שיחייסו עליהם דילמא פקעי היכא דטעונים ליבון גמור אם אפשר ללבנן בתוך תנורים האלו. והנה למעשה נראה בכלי בשר אינו ב״י שבלע חלב דהוי היתרא בלע דאין צריכים ליבון גמור נראה דיש להקל בתנורים האלו, וכן נראה דיש לסמוך על הפוסקים דס״ל דחמץ בפסח הוי התירא בלע להכשיר כלים אלו באופן זה ע׳ בפת״ת (יו״ד ס׳ קכ״א ס״ק ז׳) ופשוט דיש להקל בזה בחמץ בפסח במקום הפסד מרובה (ע׳ מ״ב ס׳ תנ״א ס״ק ל״ב) ובש״א ואכמ״ל.

(קיד) אף שבערה״ש (יו״ד ס׳ קכ״א ס׳ כ״ב) הזכיר מים „שׁשופכין אחר הליבון״ נראה דאין נוהגים כן, וע׳ בספר הגעלת כלים (פ׳ י״ב הערה ו׳).

(קטו) יו״ד ס׳ קכ״א ס״א.

(קטז) שם.

(קיז) שם.

(קיח) ע׳ לקמן בפנים בסמוך.

(קיט) כתבנו מזה בפנים באריכות לעיל.

(קכ) כ׳ המחבר (ס׳ תנ״א ס׳ כ״א) „חביות של חרס שנתנו בהם שכר שעורים מותרים בהגעלה או בעירוי ג׳ ימים״ וכ׳ המ״ב (שם ס״ק קט״ז) „שנתנו בהם שכר שעורים. ר״ל אפילו היה בהם כמה ימים״ וכ״כ ביו״ד (ס׳ קל״ה ס״ד) „כלי חרס וכו׳ צריכים מילוי ועירוי״.

(קכא) כ׳ המחבר באו״ח שם „מותרים בהגעלה או בעירוי ג׳ ימים״ ועדיף הגעלה ממילוי ועירוי דהגעלה מהני לכו״ע אבל לדעת הש״ך (שנכ׳ לקמן בהערה קלא) אין להקל ע״י מילוי ועירוי בשאר איסורים אם היה כבוש האיסור בכלי היתר מעל״ע.

מילוי ועירוי

3. What is מילוי ועירוי? The vessel should be filled to its very top with cold water (קכב). Even the rim must be covered with the water (קכג). Since this is difficult to accomplish, it is more practical to place the vessel into a larger vessel until it is completely submerged (קכד). The water should be kept inside for at least 24 consecutive hours, and then emptied (קכה). The vessel should again be filled with water for at least 24 consecutive hours and then emptied (קכו). This should then be repeated a third time (קכז).

After this has been accomplished for three periods [not necessarily consecutive] of 24 consecutive hours, the vessel is now kosher (קכח). This method may be used for china and earthenware (קכט) — as long as they were used only cold (קל) (see Chapter XIII A 4, Chapter XVI B 1).

There is a view which holds that this method cannot be used for other *issurim* [aside from chometz and יין נסך] (קלא).

הגעלה three times

4. We have learned (see Chapter XIII Note after A 4) that although, normally china, earthenware, porcelain and the like which were used hot cannot be kashered, after a period of twelve months has passed since they were last used — under certain conditions they may possibly be kashered — by undergoing the process of הגעלה three times (קלב) (see ibid.). This should *not* be done for Pesach (קלג).

(קכב) כ' המ"ב (שם ס"ק קי"ח) „ג' ימים. דהיינו שימלאנו מים אפי' צוננין על כל גדותיו וישהו בתוכו כ"ד שעות רצופין או יותר ואח"כ יערה ממנו את המים וימלאנו מים אחרים וישהו בתוכו כ"ד שעות רצופין ואח"כ יערה אותם ממנו וימלאנו מים אחרים וישהו בתוכו עשרים וארבע שעות רצופין ושלשה מעל"ע הללו א"צ להיות רצופין אלא אפילו מפוזרין כמו שנתבאר ביו"ד סימן קל"ה וכו'".

(קכג) נראה דבעינן גדנפא, ע' יו"ד שם ס"י וש"ך ס"ק כ"ה וע' בספר הגעלת כלים (פ' י"ג הערה מ"ז*).

(קכד) ע' יו"ד שם ס"ס י'.

(קכה) יו"ד שם ס' י"ב ומ"ב שם.

(קכו) שם.

(קכז) שם.

(קכח) שם.

(קכט) כ' המחבר באו"ח שם „חביות של חרס וכו'" וכ"כ המחבר ביו"ד (שם ס"ד) „כלי חרס וכו'".

(קל) ע' מחבר או"ח שם וכ' המ"ב (שם ס"ק קי"ז) „מותרים בהגעלה. דהא דאמרינן כלי חרס אינו יוצא מידי דופיו לעולם היינו דוקא כשבלע ע"י האור אבל בצונן סגי להו בהגעלה ולפי טעם זה אפילו בחמין מותר להשתמש בו אחר הגעלה או עירוי ואפילו הוא בן יומו מבליעת השכר וי"א דאינו מותר אלא כשאינו בן יומו דתו הוי נותן טעם לפגם". ואם מהני להכשיר במילוי ועירוי כלי ב"י ע' מ"ב ס' תנ"א ס"ק קי"ז.

(קלא) כ' המ"ב (שם ס"ק קי"ח) „ודע דדעת הש"ך ביו"ד סימן קל"ה סקל"ג דבשאר איסורים אין להקל ע"י עירוי ג' ימים אם היה כבוש האיסור בכלי היתר מעל"ע דקי"ל כבוש כמבושל ובמבושל לכו"ע לא מהני עירוי אפילו בשאר כלים שאינם כלי חרס ע"ש".

(קלב) ע' לעיל פ' י"ג הערה יד.

(קלג) שמעתי מפי הגרמ"פ שליט"א.

Kashering knives

5. We have learned (see Chapter XIII B 1) that any utensil which cannot be cleaned thoroughly cannot be kashered through הגעלה (**קלד**). Therefore, kitchen knives made of different parts (e.g. handle of wood connected to the metal blade) cannot be kashered readily, because particles of *issur* may be caught between its joints (**קלה**).

Where this problem does not exist (e.g. knives made of one piece of metal without crevices) and they were used for hot chometz, they may be kashered with הגעלה (**קלו**).

If the knife was used to cut cold fatty chometz (e.g. cold noodle pudding) it may be kashered by הגעלה or by inserting it in hard ground ten times (**קלז**). Each insertion must be in a different spot (**קלח**).

Before kashering, the knife should be cleaned thoroughly [by grinding or steel wool, to remove any rust or dirt — if present] (**קלט**) (see Chapter XIV).

Where the knife is serrated, or was used to cut a sharp food (e.g. sour dough, food with a high content of raw onions), or consists of more than one piece, a Rav should be consulted (**קמ**) (see Chapter XVI A 5).

E. GENERAL HALACHOS OF KASHERING

Handles must be kashered

1. The entire utensil — including the handles must be kashered (**קמא**). There are three reasons mentioned in the Poskim:

a) When using a vessel, as the heat enters, the chometz penetrates the entire vessel — including the handles (**קמב**). However, this reason would apply only for a metal vessel with a metal handle (**קמג**). However, the Pos-

---

(קלד) כ׳ המחבר (ס׳ תנ״א ס״ג) „אם יש בו גומות ואינו יכול לנקותו יפה אינו מועיל לו הגעלה לבד וצריך ליבון במקום הגומות״.

(קלה) ע׳ מ״ב ס׳ תנ״א ס״ק כ״ג.

(קלו) ע׳ ס׳ תנ״א ס״ג ומ״ב שם ס״ק י״ט.

(קלז) כ׳ המחבר (ס׳ תנ״א ס״ג) „סכינים מגעילן בכלי ראשון ומותרין״ ולענין נעיצה ע׳ סוף מס׳ ע״ז ויו״ד ס׳ קכ״א ס״ז וערה״ש ס״ס קכ״א ורמ״א שם סוף סי׳ פ״ט.

(קלח) מחבר יו״ד שם.

(קלט) ע׳ ס׳ תנ״א שם ס״ג.

(קמ) נראה דבסכין שיש בו גומות קטנות אף נעיצה בקרקע אינו מובטח שיסיר הבעין הדבוק שם [דכ׳ המחבר יו״ד שם „סכין וכו׳ אם אין בה גומות נועצה וכו׳״] ונראה שיעביר גומות הסכין ע״ג אש דהוי כליבון קל במקום הגומות [ע׳ מחבר שם] ואח״כ ינעוץ בקרקע. ולענין סכין שחתכו בו דבר חריף ע׳ יו״ד ס׳ צ״ו דאגב דוחקא דסכינא דבר חריף בולע ופולט וע׳ מ״א (ס׳ תנ״א ס״ק ל״א) ואבן העוזר על יו״ד שם, ואע״ג דכ׳ המחבר (ביו״ד ס׳ קכ״א ס״ז) דאחר נעיצה „ואפי׳ לחתוך בו דבר חריף כמו צנון סגי בהכי״ ע׳ פת״ת (שם ס״ק ט׳) וש״א. ולענין סכין שהקתא שלו מחובר במסמרים או אם גוף הבית יד נעשה משני חלקים ע׳ מ״ב שם ס״ק כ״ג.

(קמא) ע׳ ס׳ תנ״א ס׳ י״ב.

(קמב) מ״ב שם ס״ק ס״ח.

(קמג) שם „משום דחם מקצתו חם כולו״.

kim say that this requirement applies equally to vessels made of other material (קמד). Therefore, a second reason is mentioned.

b) The vessel may have been washed together with other chometz utensils, or, as in the case of a frying pan, hot chometz may have splashed onto the handle (קמה).

c) During the entire year, handles are touched constantly with hands soiled with chometz (קמו).

The handles should be prepared for kashering (קמז). First remove any particles of chometz between the handle and the vessel (קמח). Those handles which can be removed (e.g. connected by screws) should be removed and cleaned (קמט). Those which cannot be cleaned cannot be kashered — unless they are of metal, for which ליבון קל may be employed (קנ).

How should the handles be kashered? Normally עירוי (pouring hot water from a כלי ראשון, see B 5) is sufficient (קנא). However, if the handle of a vessel was used in a כלי ראשון [or washed in a כלי ראשון together with chometz utensils], it must be kashered in a כלי ראשון (קנב).

If a utensil was used without kashering the handles, a Rav should be consulted (קנג).

Pot cover

2. The pot cover must also be kashered (קנד). The reason is that since it was used on the pot over the fire, the steam in the pot causes the chometz to be absorbed by the cover (קנה).

How should a pot cover be kashered? Normally, a pot cover requires הגעלה in a כלי ראשון, עירוי is not sufficient (קנו). However, if it was used on a baking pan or the like which is used without liquid, where the cover also touches the chometz, ליבון גמור is required (קנז).

(קמד) דכ׳ המחבר שם „כל הכלים" וכ׳ המ"ב שם „משמע דאף כלי חרס וכלי עץ וכ"כ במרדכי בהדיא דעץ פרור צריך להגעיל הבית יד שלו".

(קמה) ע׳ גר"ז ס׳ תנ"א ס׳ כ"א ומ"ב שם.

(קמו) מ"ב שם ס"ק ע"א.

(קמז) כמו שיתבאר.

(קמח) ע׳ מ"ב שם ס"ק כ"ג ודוק.

(קמט) ע׳ מ"ב שם מפמ"ג.

(קנ) ע׳ ס׳ תנ"א ס"ג.

(קנא) ע׳ רמ"א שם ס׳ י"ב ומ"ב שם ס"ק ע"א.

(קנב) מ"ב שם.

(קנג) ע׳ רמ"א שם ומ"ב שם ס"ק ס"ט-ע"א.

(קנד) כ׳ המחבר (ס׳ תנ"א ס׳ י"ד) „כסוי של ברזל שמכסים בו הקדירה צריך הגעלה כיון שמזיע בכל שעה מחום הקדירה" וגר"ז שם ס׳ מ"א וכ׳ המ"ב (שם ס"ק פ"א) „כיון שמזיע וכו׳. ר"ל וא"כ נבלע בו החמץ ע"י חום כלי ראשון וע"כ צריך הגעלה ג"כ בכלי ראשון ולא מהני עירוי".

(קנה) שם.

(קנו) מ"ב שם.

(קנז) כ׳ המחבר (ס׳ תנ"א ס׳ ט"ו) „כסוי של ברזל שמשימים אותו על החררה כשנאפית על הכירה צריך ליבון" וע׳ מ"ב שם ס"ק פ"ה ושעה"צ ס"ק ק׳.

If a chometz pot cover was not kashered and was used on a Pesach pot, a Rav must be consulted. In most instances, both the food and the pot are prohibited (**קנח**).

Where הגעלה is required does peeling help?

3. Wherever הגעלה is required, it is not sufficient to peel or sandpaper the outside of the utensil (e.g. a wooden utensil) (**קנט**). The reason is that הגעלה extracts the *issur* from the entire thickness of the vessel, while peeling will only remove the outer layer (**קס**).

Kashering fleishig and milchig utensils together

4. One may kasher milchig (dairy) utensils in a fleishig (meat) pot and vice versa (**קסא**), and one may even kasher milchig and fleishig together — in the same pot — as long as they were both thoroughly cleansed, and at least one of them was not used within 24 hours (**קסב**). However, we have learned (see Chapter XII C 2) that the minhag is not to kasher *any* vessel which is a בן יומו, that is, if it was used within 24 hours for *issur* (**קסג**).

Kashering from fleishig to milchig

5. Although, normally, the minhag is not to kasher utensils from fleishig to milchig or vice versa (**קסד**), when kashering for Pesach one may change from milchig to fleishig or vice versa (**קסה**).

Kashering on Yom Tov

6. One may not kasher utensils on Yom Tov (**קסו**). However, where a utensil became *trefa* on Yom Tov and sufficient utensils are not available, a Rav should be consulted (**קסז**). This halacha applies when kashering *trefa* utensils, chometz utensils may not be kashered with הגעלה on Pesach — even on Chol Hamoed (**קסח**). We have learned (see Chapter XII C 1) that kashering for Pesach should take place before the fifth hour on Erev Pesach (**קסט**).

(קנח) ע׳ המחבר (שם ס׳ י״ד) וגר״ז שם ומ״ב שם ס״ק פ״ב־פ״ה ושעה״צ שם.

(קנט) רמ״א ס׳ תנ״א ס׳ י״ז וגר״ז שם ס׳ מ״ז.

(קס) גר״ז שם.

(קסא) כ׳ המחבר (ס׳ תנ״ב ס״ב) „יש ליזהר מלהגעיל כלי הבשר וכלי חלב ביחד אא״כ אחד מהם אינו בן יומו״ וגר״ז ס׳ י״ד וע׳ הטעם בגר״ז שם למה אסור כששניהם בני יומן וע׳ במ״ב (שם ס״ק י״ז) שכ׳ הטעם להתיר כשאחד אינו ב״י ודוק.

(קסב) שם.

(קסג) רמ״א שם וגר״ז ס׳ ט״ו וע׳ לעיל הערה יב.

(קסד) ע׳ מ״א ס׳ תק״ט ס״ק י״א ומ״ב שם ס״ק כ״ה וכן מסקנת רוב הפוסקים ודלא כערה״ש יו״ד ס׳ קכ״א ס׳ י״א. **והיינו ע״י** הגעלה, אבל ע״י ליבון פליגי הפוסקים כמבואר בדר״ת (ס׳ קכ״א ס״ק נ״ט ד״ה ועיין בשער).

(קסה) מ״ב ס׳ תנ״ב ס״ק י״ז ושעה״צ שם ס״ק כ׳ וס׳ תנ״א ס״ק י״ט וס׳ תק״ט ס״ק כ״ה מחת״ס יו״ד ס׳ ק״י.

(קסו) ע׳ ס׳ תק״ט ס״ה.

(קסז) ע׳ מ״ב ס׳ תק״ט ס״ק כ״ו.

(קסח) מ״ב ס׳ תנ״ב ס״ק י״א.

(קסט) ע׳ ס׳ תנ״א ס״ט וס׳ תנ״ב ס״א.

F. UTENSILS WHICH ARE NOT KASHERED

Utensils which are not to be kashered

1. What should one do with pots, dishes and other utensils which were used for chometz but one is unable, or does not want, to kasher? These utensils should be cleaned thoroughly, so that no chometz should be discernible — even in cracks and crevices (**קע**). This is required, because possession of even the smallest amount of chometz is prohibited on Pesach (**קעא**).

Where should these utensils be kept?

2. These utensils should be placed in a concealed location — one which is not frequented during Pesach (**קעב**). This is required, so that one should not, in error, come to use them on Pesach (**קעג**). It is preferable to lock them in a separate room [or closet] and conceal the key (**קעד**). The reason for this is that while searching for the key, he would remind himself that it is Pesach (**קעה**). Where locking is not feasible, he could seal the door with tape — to remind him that it is Pesach (**קעו**).

Utensils which were used without kashering

3. Any utensil which must be kashered may not be used — even cold — without kashering (**קעז**). If a person, in error, used a utensil which was not kashered, a Rav must be consulted (**קעח**).

Purchasing new utensils

4. When purchasing new utensils from a store, one may assume that they were never used and kashering is not required (**קעט**). This halacha applies whether the store is owned by a Jew or by a gentile and regardless of whether the utensil is made of china, metal or glass — as long as the utensil appears new (**קפ**).

However, when purchasing utensils from a person's home [or any other place where it is common to sell used utensils (e.g. flea market, garage sale)] one must assume that they were used — unless there is a clear indication that they are new (**קפא**).

(קע) ע׳ ס׳ תנ״א ס״א.
(קעא) ע׳ שעה״צ שם ס״ק ו׳ וס׳ תמ״ב ס״ק פ׳ לענין משהו.
(קעב) ע׳ מחבר שם.
(קעג) שם.
(קעד) שם.
(קעה) מ״ב שם ס״ק ח׳.
(קעו) שמעתי מפי הגרמ״פ שליט״א.
(קעז) רמ״א ס׳ תנ״א ס״ס א׳ וע׳ רמ״א ס״ס ת״נ ומ״ב שם ס״ק כ״ז.
(קעח) ע׳ מ״ב ס׳ תנ״א ס״ק י״א ושעה״צ ס״ק י׳.
(קעט) גר״ז ס׳ תנ״א ס״ה ומ״ב שם ס״ק ג׳.
(קפ) ע׳ גר״ז שם.
(קפא) ע׳ גר״ז ומ״ב שם.

סימנים וסעיפים שבשלחן ערוך המשתייכים לפרק זה

תנ״א:א־ו,ט,י״א,י״ב,י״ד,ט״ו,י״ז,כ״א
תנ״ב:א־ז
תק״ט:ה

Chapter XVI Practical Applications — Preparation of the Kitchen for Pesach

A. KASHERING METAL UTENSILS

Pots

1. Pots which were used to cook chometz in liquid (e.g. pot used to cook noodles) may be kashered with הגעלה (**א**) (see Chapter XV B 1,2). Pot covers used on these pots may be kashered with הגעלה (**ב**) (see ibid. E 2).

Spits, baking pans

2. Utensils which were used over the fire without liquid, even those which were used with minimal oil, butter or shortening (e.g. spits, baking pans), require ליבון גמור (**ג**) (see ibid. C 3-5); הגעלה or ליבון קל is not sufficient (**ד**). Covers used on these pans also require ליבון גמור (**ה**) (see ibid. E 2).

Frying pans

3. Most Poskim hold that a frying pan which became *trefa* should be kashered with ליבון (**ו**). In case of great necessity (e.g. the frying pan will be

---

(א) ע׳ ס׳ תנ״א ס״ה.

(ב) שם ס׳ י״ד.

(ג) שם ס״ד ומש״כ אפילו אם מושחין פניה בשמן מעט כ״כ המ״ב שם ס״ק כ״ז (וע׳ לקמן בהערה ו׳ ד״ה מתי).

(ד) מ״ב שם.

(ה) מחבר שם ס׳ ט״ו ומ״ב שם ס״ק פ״ה וע׳ שעה״צ שם ס״ק ק׳.

(ו) כ׳ המחבר (ס׳ תנ״א ס׳ י״א) „מחבת שמטגנין בה מותרת בהגעלה״ וכ׳ הרמ״א שם „ויש מחמירין ללבן המחבת אך בלבון כל דהו דהיינו שישרוף עליו קש מבחוץ סגי (ד״ע) ונוהגין ללבנו לכתחלה מיהו סגי ליה בהגעלה אם אין בו גומות״ וע׳ בגר״ז (שם ס׳ ל״ו) בביאור השיטות. והיינו לענין פסח אבל לענין שאר איסורים כ׳ המחבר (יו״ד ס׳ קכ״א ס״ד) „מחבת שמטגנים בה אעפ״י שלענין חמץ בפסח די לה בהגעלה לענין שאר איסורים צריכה ליבון״ וע׳ נו״כ שם, וכ׳ הגר״ז (שם ס׳ ל״ז) „ולענין הלכה במחבת הבלוע משאר איסורין יש להחמיר לכתחילה כסברא הראשונה [פי׳ דצריכה ליבון] אבל מחבת הבלוע מחמץ יש להקל כסברא האחרונה שהרי י״א שכל הכלים אפילו תשמישן ע״י האור בלבד די להם בהגעלה לפסח״. מתי נחשב לטיגון ולא אפיי׳ דכ׳ המחבר (או״ח שם ס׳ י״א) „מחבת שמטגנין בה״ וכ׳ ע״ז ברמ״א „פירוש שיוצקין בה שמן לאפותו״ וע׳ בגר״ז (שם בס״ס ל״ו) דנחשב טיגון ולא אפייה היכא שהעיסה רוחשת בשמן או בשומן וכ׳ הרמ״א שם „ונוהגין ללבנו לכתחלה מיהו סגי ליה בהגעלה אם אין בו גומות״ וע׳ גר״ז שם (ס׳ ל״ז) וכ׳ המ״ב (שם ס״ק ס״ז) „מיהו סגי ליה וכו׳. ר״ל מדינא ובפר״ח מצדד דמדינא צריך ליבון עיי״ש ועיין בבה״ל״ וע״ש בב״ה (שם ס׳ י״א סד״ה מותרת) דמסיק „עכ״פ רוב הפוסקים ס״ל להקל ובדיעבד בודאי סגי בהגעלה״ וכ״פ בערה״ש (שם ס׳ י״ג).

damaged by ליבון) a Rav should be consulted, because where certain factors are present only הגעלה would be required (ז).

Although many Poskim hold that a frying pan which was used for frying chometz *in oil* should also be kashered with ליבון (ח), if הגעלה was used and food was fried in it during Pesach, בדיעבד (a term used to describe a situation after it was done) the food may be eaten (ט).

Spoons and forks

4. Spoons and forks should be kashered with הגעלה (י) (see Chapter XV B 2 and Note after B 3). Those with plastic or wooden handles, generally, should not be kashered (יא). Concerning those utensils with plastic or wooden handles which are fastened very well — so that no particles of *issur* can become dislodged there, a Rav should be consulted.

Knives

5. Preferably, one should purchase new knives for Pesach and not rely on

---

(ז) לענין מחבת של בשר לחלב כגון כלי בשר שרוצה להכשירו ולבשל בו חלב או איפכא ע' כה"ח (ס' תנ"א אות ע') דזה מיקרי היתרא בלע וסגי ליה בהגעלה וע"ש והביא דברי הגר"ז (שם ס' י"ג בהגה) דכלים שצולין בהן בשר שהוא היתר ואח"כ נבלע בהם חלב הרי הן נכשרין ע"י הגעלה (ע"ש שהאריך בהגה שם בביאור הענין וע' בשד"ח באסיפת דינים מערכת ה"א כלל י"ז קרוב לסופו ד"ה גם קבלתי) ומסיק בכה"ח שם „נמצא דהסכמת רוב הפו' במחבת דסגי בהגעלה אי משום דהיתרא בלע אי משום אמצעי של היתר ובפרט שיש הפ"מ במחבת של טיגון אם ילבנו אותה שמתקלקלת כידוע וע"כ יש להתיר בהגעלה בין מחבת בשר לחלב בין מחבת חמץ לפסח בין מחבת שטיגנו בה ביצים ונמצא בהם דם וכו'" אמנם מה שכתב להגעיל כלי בשר לחלב כבר בארנו בפ' ט"ו בפנים אצל הערה קסד שמנהגנו שלא להגעיל כלי בשר לחלב או איפכא.

(ח) דעת היש מחמירין ברמ"א שם [ובאמת מצאתי בכמה דפוסי השו"ע שהוא דעה שני' במחבר] וע' ב"ה שם דהחיי"א כ' דרוב הפוסקים ס"ל דצריך ליבון וע"ז כ' הב"ה „ולא נהירא כלל" ע"ש ובש"א.

(ט) כ' הרמ"א שם „ונוהגין ללבנו לכתחלה מיהו סגי ליה בהגעלה אם אין בו גומות" וכ' המ"ב (שם ס"ק ס"ז) „מיהו סגי ליה וכו'. ר"ל מדינא ובפר"ח מצדד דמדינא צריך ליבון עיי"ש ועיין בבה"ל" [וע' בגר"ז שם שמקיל בהגעלה] ובב"ה שם כ' „עכ"פ רוב הפוסקים ס"ל להקל ובדיעבד בודאי סגי בהגעלה".

(י) ע' בס' תנ"א ס"ה דכ' המחבר „כלים שנשתמש בהם בחמין כפי תשמישן הכשרן וכו'" וכן ע' שם (בס"ו) שכ' הרמ"א „ויש מחמירין להגעיל הקערות בכ"ר (טור וכו') וכן הוא המנהג וכן בכל דבר שיש לחוש שמא נשתמש בו בכ"ר כגון כפות וכדומה לזה" וכן ע' לעיל (פ' ט"ו הערה לז, לח) דכתבנו מכה"ח דהמנהג להגעיל הכל בכ"ר שעל האש וכ"כ בערה"ש (שם ס' י"ח) „ויש מחמירין להגעיל גם הקערות בכ"ר וכן המנהג הפשוט ואין לשנות כי ההמון אינם מבחינין בין זל"ז וכ"ש כפות ומזלגים שהרבה פעמים תוחבין אותן בהקדירה".

(יא) ע' כה"ח שם אות ל"ז וע' מ"ב שם ס"ק כ"ג. ומש"כ שבדרך כלל אין להכשירן דיש בזה"ז סכינים מב' חלקים ומחוברים בטוב באופן שאין חשש בעין ולא חשש דילמא יתקלקל.

kashering (**יב**). However, where required, knives which can be cleaned thoroughly (e.g. there are no cracks between the handle and the blade (**יג**), see Chapter XV D 5) may be kashered for Pesach with הגעלה (**יד**). For a serrated knife with fine teeth, ליבון קל is required on the area of the teeth (**טו**).

If the handle is connected to the knife with an adhesive or made of material which may possibly be damaged in boiling water, the knife cannot be kashered (**טז**).

The knife's sheath cannot be kashered since it cannot be cleaned properly (**יז**).

Kiddush cup, wine bottle

6. A kiddush cup or wine bottle — whether of metal or glass — which is used only for wine requires cleansing and rinsing (**יח**) (see Chapter XV D 1). If it had been used at some time also for whiskey or if it had been washed together with hot chometz, a metal vessel should be kashered with הגעלה. The minhag, however, is to kasher a silver kiddush cup [or a kiddush cup made of other metals] with הגעלה (**יט**). According to the minhag of Ashkenazim, a glass vessel

---

(יב) ע׳ גמ׳ (ל:) „א״ל רבינא לרב אשי הני סכיני דפיסחא היכי עבדינן להו אמר ליה לדידי חדתא קא עבדינן אמר ליה תינח מר דאפשר ליה [פרש״י „שהרי עשיר אתה״] דלא אפשר ליה מאי אמר ליה אנא כעין חדתא קאמינא קתייהו בטינא ופרזלייהו בנורא והדר מעיילנא לקתייהו ברותחין והלכתא אידי ואידי ברותחין ובכלי ראשון״ וכ׳ המחבר (ס׳ תנ״א ס״ג) „סכינים מגעילן בכלי ראשון ומותרין״ וכ׳ המ״ב (שם ס״ק י״ט) אופן הכשרם וכ׳ „ומ״מ מי שאפשר לו מצוה מן המובחר שיקנה חדשים לפסח״ וכ״כ הט״ז (ס״ק ה׳) „מן הראוי לכל ירא שמים שיהיה לו תוספת אזהרה בזה במה שהוא מצד הדין וכו׳״ ע״ש.

(יג) ע׳ מ״ב שם ס״ק כ״ג.

(יד) מחבר שם וכ׳ בערה״ש (שם ס״י) „ואנחנו נוהגים דכשהברזל מחובר בטוב אל הקתא ואין ביניהם סדקים מגעילין אותו וצריך להעביר החלודה מעליו״.

(טו) כ׳ המחבר שם „אם יש בו גומות ואינו יכול לנקותו יפה אינו מועיל לו הגעלה לבד וצריך ליבון במקום הגומות״.

(טז) מ״ב שם.

(יז) כ׳ הרמ״א שם „והנדן של סכינים אין לה תקנה בהגעלה ואסור להכניס בה הסכין בפסח״ וכ׳ המ״ב (שם ס״ק כ״ו) „אין לה תקנה בהגעלה. לפי שא״א לנקרו היטב מבפנים אם לא שיפתח התפירות וינקר היטב ואז אפילו הגעלה א״צ״.

(יח) כ׳ הרמ״א (ס׳ תנ״א ס״ו) „ויש מחמירין להגעיל כל כלי שתיה אע״פ שתשמישן בצונן משום שלפעמים משתמשין בהם בחמין (רי״ו) וכן הוא המנהג להגעילן ובדיעבד סגי להו בשטיפה״ וכ״כ בערה״ש (שם ס׳ י״ח) „והמנהג להחמיר גם בכל כלי שתייה כשראויין להגעלה להגעילן אע״פ שמשתמשין בהן בצונן משום שלפעמים משתמשים בהם בחמין וכן שורין בהם פתיתי לחם מעל״ע וכבוש הוה כמבושל ובדיעבד סגי להו בשטיפה בעלמא כמ״ש בסעי׳ מ״ט ע״ש״ ונראה דהמנהג להגעיל כל כלי שתייה וכן בקבוק של יין היינו מסתם אבל אם ברור לו שלא משתמש בהם לשאר דברים חוץ מיין בעי רק הדחה ושפשוף וע׳ ערה״ש שם ס״נ.

(יט) שם.

should not be kashered (כ) (see Chapter XIII A 6). Narrow bottles which cannot be cleaned thoroughly, cannot be kashered (כא).

Candle tray

7. A tray which was used during the year to hold Shabbos and Yom Tov candles, may be used on the Pesach table — if it was cleaned thoroughly (כב). However, it is preferable to place a separation (e.g. a piece of aluminum foil) between the tray and the tablecloth (כג).

B. KASHERING UTENSILS OF OTHER MATERIALS

China, earthenware and porcelain

1. We have learned (see Chapter XIII A 4,5) that utensils made from china, earthenware and porcelain which were used hot cannot be kashered for Pesach (כד). Under certain conditions, those which were used cold may be kashered (כה). Where required, a Rav should be consulted (כו).

Plastic, Melmac, Nylon

2. We have learned (see Chapter XIII A 3) that although utensils made from plastic, melmac, nylon and other synthetic material should not be kashered for Pesach, in case of necessity, a Rav should be consulted (כז).

The halacha concerning rubber utensils was discussed earlier (כח) (see Chapter XIII A 2).

Glassware

3. We have learned (see Chapter XIII A 6) that glassware which was used for chometz should not be kashered for Pesach (כט). However, if glassware is

---

(כ) ע׳ לעיל (פ׳ י״ג הערה יז) וס׳ תנ״א ס׳ כ״ו „ויש מחמירין וכו׳״ וע׳ ערה״ש ס׳ תנ״א ס׳ מ״ח ואג״מ או״ח ח״א ס״ס קנ״א.

(כא) כ׳ המ״ב (שם ס״ק כ״ו) „כלי שפיו צר ויש שם חלודה שא״א להסירה לא מהני לה הגעלה״ וכ״כ לענין בקבוקים (בס״ק קנ״ו) „אבל בוטעלקע״ס שפיהן שלהן צר מלמעלה והשמרים נדבק בתחתיהן ואין יכול להכניס ידיו לתוכן לנקותן יפה וכן כל כלי שא״א להכניס ידו לתוכו אין להם תקנה להכשירן״ וכ״כ (שם בס״ק ק״כ) „ודוקא לכלים שהם פתוחים לגמרי ויכול להכניס ידו לתוכו לנקר היטב ולבדוק בכל הסדקים וכו׳״.

(כב) כך נראה דאין משתמשים בו למאכל ואף אם לפעמים נופל עליו מאכל אין צורך להגעילו אם לא שנפל עליו מאכל שהיס״ב.

(כג) כך נראה והטעם בזה הוא דאפשר שיש פרורי חמץ קטנים דבוקים לטס שאינו רואה אותם ויפלו על השלחן ויתערבו בפסח בתוך המאכל.

(כד) ע׳ לעיל פ׳ י״ג הערות יא־טז.

(כה) ע׳ לעיל פ׳ ט״ו הערות קכ־קלג, וכ׳ המ״ב (שם ס״ק קי״ז) „דהא דאמרינן כלי חרס אינו יוצא מידי דופיו לעולם היינו דוקא כשבלע ע״י האור אבל בצונן סגי להו בהגעלה וכו׳״ ע״ש [וכתבנו בפנים בל׳ הזה לאפוקי אלו שנשתמשו ע״י כבישה, דבר חריף וכדומה].

(כו) ע׳ שם.

(כז) ע׳ לעיל פ׳ י״ג הערה ה׳־י׳.

(כח) ע׳ שם הערה ה׳.

(כט) ע׳ שם הערות יז־כא.

not available or one is lacking sufficient utensils for Pesach, a Rav should be consulted (ל).

Whiskey cups and bottles

4. These halachos apply for glassware which were not used for whiskey (לא). However, bottles and glasses used for whiskey, generally, cannot be kashered for Pesach (לב). The reason is that the odor and taste of the whiskey remains even after kashering (לג).

Corningware, Correlle, Pyrex, Duralex

5. We have learned that utensils made of Corningware, Corelle, Pyrex and Duralex should not be kashered for Pesach — except in case of great necessity (לד) (see Chapter XIII A 7).

Dish towels, Tablecloths

6. Dish towels and tablecloths which were used for chometz may be used for Pesach if they are washed thoroughly with hot water and a detergent (לה). However, it is preferable to have separate dish towels and tablecloths for Pesach (לו).

Plastic tablecloths used for chometz cannot be used for Pesach (לז). Whether a terylene tablecloth which was used for chometz and washed thoroughly may be used for Pesach is questionable (לח). However, all Poskim would agree that it may be used with a plastic covering (לט).

(ל) ע׳ שם ובמ״ב (ס׳ תנ״א ס״ק קנ״ד) שכ׳ „ואע״ג דתשמישו בצונן מ״מ לפעמים משתמשין בהן בחמין וכמ״ש בסכ״ה בהג״ה דחוששין אף לתשמיש שאינו קבוע״ וע״ש בס״ק קנ״ה, קנ״ו ובערה״ש (שם ס״נ) „ולפ״ז וודאי דכל כלי שתייה מזכוכית מהני עירוי ג׳ ימים דאלו שמשתמשין בחמין לא נכנס בהם חמץ ואף אם אולי נכנס באקראי לית לן בה וכן אנו מורין הלכה למעשה ואפילו כוסות של זכוכית ששותין בהם יי״ש כיון שאין התשמיש אלא לשעה קלה לית לן בה וכו׳״ וע׳ בסמוך.

(לא) כמו שיתבאר.

(לב) ע׳ ערה״ש שם וכ׳ המ״ב (שם ק״כ) „וכתבו האחרונים דכלים שהיו בו יי״ש לא מהני להם כלל ההגעלה דנשאר בו גם אח״כ ריחו וטעמו אכן אם בישל אותן היטב במים עם אפר עד שנסתלק הריח לגמרי מותר להגעילו אח״כ וכו׳״ ע״ש וע׳ אג״מ או״ח ח״א ס״ס קנ״א.

(לג) מ״ב שם.

(לד) ע׳ לעיל פ׳ י״ג הערה כא, כג.

(לה) שמעתי מפי הגרמ״פ שליט״א וכן איתא במ״ז (ס״ס תנ״א סד״ה וכלי גללים) „וה״ה כל הכלים לבד מחרס ניתר בהגעלה אותן שעושין מנייר וכדומה ומפות אין היתר כ״א בכבוס בחמין אפר וחביטה לא בהגעלה כי אין מועיל לבעין שנכנס בניקבי אריגה וכו׳״.

(לו) כך נראה, שאפשר לא הודח כראוי וקשה לעמוד על זה.

(לז) שמעתי מפי הגרמ״פ שליט״א.

(לח) דעת הגרמ״פ שליט״א להחמיר אבל בציץ אליעזר (ח״ד ס״ו) מקיל בזה.

(לט) כך נראה.

New starched tablecloths may contain chometz (מ). Therefore, they should be washed thoroughly with hot water and a detergent before Pesach — unless one is certain that the starch used does not contain chometz (מא).

C. KITCHEN SURFACES, FURNISHINGS AND APPLIANCES

Formica tables and counter-tops

1. We have learned (see Chapter XIII A 8) that formica surfaces (e.g. tables, counter-tops) should not be kashered for Pesach (מב). They should be washed and covered (e.g. with cardboard, paper, plastic and the like) and may be used with this covering (מג).

Wooden tables and counters, even those which are usually used with a cover (e.g. dining room tables, buffets) should also be cleaned and covered (מד).

High chair

2. A child's high chair or feeding table must be washed thoroughly and covered (מה). It is recommended that contact paper should be used for this covering (מו). Particular attention must be given to attached toys and cracks which may contain chometz (מז).

Pantry and cabinets

3. The pantry, cabinets, drawers and closets which are used for food, silverware and dishes must be cleaned thoroughly and covered (e.g. shelving paper may be used) (מח).

(מ) כידוע ממומחים. **כתב** בערה״ש (ס׳ תמ״ב ס׳ י״ח) „ויש מי שמחמיר להציע הבגדים שכיבסו בחלב חטה על השלחן וכן לכבס בהם צעיפי נשים (מג״א סק״ה) ואין שום טעם וריח בזה שהרי עינינו רואות שאין בהם שום פירור שניחוש שמא יפול פירור לתוך המאכל ואולי בימיהם היו נשארים פירורים אבל עכשיו פשיטא שמותר בלי שום פקפוק (ח״י סקי״א)״ ונראה דיש טעם גדול בזה דאם ישפך משקה עליו החמץ יסתנן ע״י המשקה ואם יגע אוכל במשקה הללו אסור לאכלו.

(מא) ע׳ לעיל הערה לה.

(מב) ע׳ לעיל פ׳ י״ג הערה כד שכתבנו דהוי כפלאסטיק.

(מג) ע׳ שם הערה כה.

(מד) כ׳ המחבר (ס׳ תנ״א ס״כ) „השלחנות והתיבות שמצניעים בהם אוכלין כל השנה רגילים לערות עליהם רותחין לפי שלפעמים נשפך מרק מן הקדירות לתוכן״ וכ׳ המ״ב (שם ס״ק קט״ו) „ויש שכתבו שצריך להניח עליהם עוד מפה או ד״א החוצץ שמא נדבק בו עדיין עוד חמץ בעין ועיין בא״ר שמסיק דכן ראוי לנהוג בתיבות ומגדלים דכמעט א״א לטהרן שלא ישאר מאומה בין הדבקים אבל בשלחנות פשוטין אין להחמיר״ ומה שכתבנו בפנים הוא הנהוג עלמא וע׳ ערה״ש (שם ס׳ מ״א). **והטעם** דא״צ הגעלה דכ׳ המחבר שם „שמצניעים בהם אוכלים״ וע״ז כ׳ המ״ב (שם ס״ק קי״ג) „חמין אבל סתם תיבות א״צ הגעלה״ ובשעה״צ (שם ס״ק קמ״א) כ׳ „היינו אף שמצניעים בהם אוכלים אבל אינם חמים [הגר״ז ופשוט]״.

(מה) ע״פ הנ״ל.

(מו) דקשה לתינוק להסיר מכסה הזה.

(מז) דתינוקות רגילים להכניס בהם חמץ.

(מח) ע׳ לעיל הערה מד.

Refrigerator and freezer

4 The refrigerator and freezer should be washed thoroughly and covered (**מט**). This is required for all surfaces which may make contact with food (e.g. walls, floor, shelves, butter compartment) (**נ**). Those parts and crevices which never make contact with food but food may spill there, must also be cleaned; however, it is not necessary to cover them (**נא**). When covering the shelves, one may make openings [between metal bars of shelves] to allow for flow of cold air (**נב**).

Kitchen sinks

5. We have learned (see Chapter XIII A 5, 9) that porcelain and enamel surfaces cannot be kashered for Pesach use (**נג**). Therefore, sinks made of these materials should be covered (with an insert, aluminum foil, contact paper and the like) (**נד**). [Kashering from *trefa*, see ibid.]. It is advisable to perform עירוי — before covering (**נה**).

Metal sinks can be kashered for Pesach [or from *trefa*] (**נו**). However, before Kashering, they must be cleaned thoroughly (**נז**). Frequently, sinks may have crevices around the drain cover. If these cannot be cleaned thoroughly, ליבון קל should be required or it must be covered. However, since ליבון קל may damage the rubber gasket, it is sufficient to apply a דבר הפוגם (a pungent or caustic substance such as a drain cleaner) over the crevices and leave it there for a period of time to make any chometz present inedible (**נח**).

Either of the following methods may be used for kashering metal sinks:

a) The sink should not be used for hot chometz for at least 24 hours (**נט**). Dry the sink thoroughly (**ס**). Pour boiling water from a כלי ראשון onto all portions of the sink (**סא**). The use of a hot stone (אבן מלובן, see Chapter

---

(**מט**) שם. **נראה** דכשמכין המקרר או הפריזר אם יש בהם קרח יפשירו אותו תחילה כי לפעמים פרורי חמץ נשארים מעורבים בקרח ומתערבים ומתדבקים באוכל בפסח.

(**נ**) פי׳ מקומות שמשתמשים באוכל בלא כלי ודומה לתיבות ומגדלים בהערה מד.

(**נא**) כך נראה.

(**נב**) כך נראה.

(**נג**) ע׳ לעיל פ׳ י״ג הערה טז, כז.

(**נד**) כך נראה.

(**נה**) ע׳ לעיל פ׳ י״ג הערה כט.

(**נו**) ע׳ ס׳ תנ״א ס״ח.

(**נז**) ע׳ לעיל פ׳ י״ד הערה ד׳ ובכ״מ.

(**נח**) כ׳ המחבר (שם ס״ג) „אם יש בו גומות ואינו יכול לנקותו יפה אינו מועיל לו הגעלה לבד וצריך ליבון במקום הגומות" **ומש״כ** דבעי לפגמו תחלה ואח״כ להניח שם דבר המפסיק, ע׳ מ״ב שם ס״ק קל״ו לענין דבר המפסיק, אבל התם מיירי בכלי חרס נקי שאין שם ממשות רק שלא הוכשר ולזה מהני הפסק כלי דהוה כב׳ קדרות הנוגעות אהדדי, אבל הכא כיון דחוששין שמא יש כאן בעין לא סגי בהכי. לפיכך צריך מקודם לתת עליו דבר הפוגם לעשותו נפסל מאכילת כלב קודם הפסח ואז כשיבא הפסח לא יאסור, ולרווחא דמילתא יכסנו גם כן.

(**נט**) ע׳ לעיל פ׳ ט״ו הערה יב.

(**ס**) כ׳ המ״ב (שם ס״ק נ׳) לענין הכשר שלחנות ע״י עירוי „וינגב השלחן תחלה כדי שלא יצטנן המים הרותחין ששופך".

(**סא**) פשוט וכ׳ המ״ב (שם ס״ק מ״א) „וצריך ליזהר שלא יפסיק הקילוח".

XV B 7) is preferred [since hot pieces of food (דבר גוש) may have fallen inside (**סב**)].

b) The sink should not be used for hot chometz for at least 24 hours (**סג**). Fill the sink with water — either hot or cold (**סד**). Use a commercial immersion heater to boil the water (**סה**) [a conventional immersion heater will not heat the water to boiling] (**סו**).

Any kitchen sink which will be used for Pesach, whether covered or kashered, must have its faucets and spouts cleaned thoroughly (**סז**), and should be kashered by pouring hot water from a כלי ראשון over them (**סח**). Pour hot water from a כלי ראשון down the drain [if hot water was not poured down during kashering (**סט**). This will prevent problems which could arise from drain backups (**ע**). For this reason, it is also recommended that a drain cleaner should be used] (**עא**). It is advisable to turn the hot water faucet to its strongest flow for a few seconds (**עב**).

Spout covers usually contain a strainer which makes contact with chometz. Since it cannot be cleaned thoroughly, it should be removed or replaced for Pesach (**עג**).

Bathroom sink

6. Bathroom sinks, which are not used for food, do not need to be kashered for Pesach (**עד**). However, they should be cleaned thoroughly (since chometz particles may be present from rinsing out the mouth after brushing teeth or from other use). Toothbrushes, toothpaste and drinking glasses which were used throughout the year for chometz must be replaced for Pesach (**עה**). In addition, care should be taken to wash thoroughly and cover the rack where these are kept, before replacing with those of Pesach (**עו**).

(סב) ע׳ מ״ב שם ס״ק קי״ד ממהרי״ו.

(סג) ע׳ לעיל פ׳ ט״ו הערה יב.

(סד) כך נראה משום דאח״כ נעשה ע״י הכלי לכלי ראשון.

(סה) כך נראה.

(סו) כך נראה.

(סז) דפירורי חמץ מתדבקים שם.

(סח) דכפי תשמישן הכשרן בס׳ תנ״א ס״ה.

(סט) שם.

(ע) כך נראה.

(עא) דהוי דבר הפוגם.

(עב) דכבולעו כך פולטו.

(עג) כך נראה דהוה דומה לנפה ברמ״א שם ס׳ י״ח.

(עד) כיון שאין משתמשים שם לשטיפת מאכלים או כלי אכילה.

(עה) כיון דמשתמשים בהמברשת לצחצוח שיניים עלול לחמץ להתדבק בשערות המברשת (ע׳ רמ״א שם ס׳ י״ח ודוק), וכן הטוטפייסט אף אם השתמשו במשך השנה בכשר לפסח רגיל לנגוע בשערות המברשת ואם יש שם חמץ יתדבק בהטוטפייסט. ומש״כ לענין כוסות מפני שבמשך השנה משתמשים בכוסות גם לשימושים אחרים ואפשר השתמשו בהן לחמץ.

(עו) כיון שעלול חמץ להתדבק בשערות המברשת עלול להתדבק במקום שמניחים המברשת ואם יניחו מברשת של פסח שם בלי כיסוי — אף אם הדיחו מקום המברשת אפשר שדבוק שם מעט חמץ.

Dishwashers

7. Dishwashers which are coated with porcelain, enamel, plastic and the like cannot be kashered for Pesach (עז). Those lined with metal should also not be kashered for Pesach, since it is difficult to be certain that all parts of the dishwasher have been cleaned thoroughly — as required before kashering (עח)

However, those commercial dishwashers which can be completely overhauled can be kashered in the following manner (עט):

a) Dishwasher must be cleaned thoroughly in all folds, crevices, around screws and the like (פ). Where it cannot be cleaned well, a blow torch should be used (פא).

b) After 24 hours since last used with chometz, the water in the dishwasher should be heated to boiling and run through one cycle (פב). Since most dishwashers do not reach boiling, some Poskim hold that a hot stone [or a commercial immersion heater, see 5 b] should be added to the dishwasher to raise its temperature to boiling (פג).

There is a view which holds that since it never reaches boiling in actual use, running it through at its highest point is sufficient. Concerning those dishwashers with a heating element which heats the water (e.g. those with a "sani cycle"), a Rav must be consulted (פד).

c) Since the racks cannot be cleaned thoroughly, they must be replaced (פה).

A *trefa* dishwasher coated with porcelain, enamel, plastic and the like may be kashered — in cases of great loss — after twelve months (see Chapter XIII Note after A 4) by undergoing the process of הגעלה (see a,b) three times (פו). The racks must be replaced (פז). Where there is a great need for the dishwasher within the twelve months, a Rav should be consulted (פח).

(עז) ע׳ אג״מ או״ח ח״ג ס׳ נ״ח ויו״ד ח״ב ס״ס כ״ח, כ״ט.

(עח) דיש שם גומות וחריצים וקשה לנקות.

(עט) כמו שיתבאר.

(פ) ע׳ לעיל פ׳ י״ד הערה ד׳ ובכ״מ.

(פא) דבעינן ליבון קל כבס׳ תנ״א ס״ג.

(פב) ע׳ אג״מ או״ח ח״ג ס׳ נ״ח.

(פג) ע׳ אג״מ או״ח שם שכ׳ „ולפי המנהג צריך שיהיו רותחים״.

(פד) כך שמעתי מגדולי הוראה שבזמנינו דסגי בכבולעו כך פולטו ומש״כ באג״מ שם „ולפי המנהג צריך שיהיו רותחים וכו׳״ נראה דהיינו דוקא בכלים שנשתמשו בהם בכלי ראשון או שכיסו בהם כלי ראשון דאע״ג דכ׳ הרמ״א (בס׳ תנ״ב ס״א) „דאין הגעלה מועלת כלום אם אין המים רותחים״ וכ׳ המ״ב (שם ס״ק ז׳) „ר״ל אפילו היד סולדת בהם כ״ז שאין המים מעלים רתיחה אינם מפליטין״ מ״מ כ׳ המ״ב (שם ס״ק ח׳) דכלים שמשתמשין ע״י עירוי „מהני הגעלה במים שהיד סולדת בהם לבד״ ודוק. והנה יש להעיר דיש מיני דיש וואשערס שיש בתוכם heating element לחמם המים בתוך הדיש וואשער [והיינו אלו שיש להם sani cycle] לפיכך יש לו דין כלי ראשון ובעי רותחין, ואלו שאין להם מעלה זו דין המים כעירוי ומהני ביד סולדת בהם לבד.

(פה) ע׳ אג״מ שם ואו״ח ח״א ס״ס ק״ד ודוק.

(פו) ע׳ אג״מ יו״ד ח״א ס׳ מ״ג, ח״ב ס׳ מ״ו וע׳ שם ס״ס כ״ח, כ״ט וח״ג ס׳ כ״ח ודוק.

(פז) ע׳ לעיל הערה פה.

(פח) ע׳ באג״מ (יו״ד ח״ג ס״ס כ״ח) שכתב להקל אף בתוך יב״ח בהגעלה ג׳ פעמים בשעת צורך גדול.

Coffee maker

8. An electric coffee maker which was used with chometz should not be kashered for Pesach (**פט**). One which was used around chometz may be kashered by boiling water inside (**צ**). However, since many electric coffee makers do not reach boiling, it is preferable that a hot stone or immersion heater should be added (**צא**). The spout must be thoroughly cleaned and hot water should be expelled from the spout (**צב**). It is preferable to pour hot water on the outside of the spout (**צג**).

Mixer, Food processer, "Kitchen-Aid," "Bosch"

9. A mixer, "Kitchen-Aid," "Bosch" and other food processers which were used for mixing dough or other chometz cannot be kashered for Pesach with הגעלה (**צד**). This is prohibited, because even after cleaning thoroughly, it is imposible to be certain that every particle of chometz has been removed (**צה**). In addition, if the dough is left to rise or if chometz is ground together with a דבר חריף (sharp food), ליבון קל is required (**צו**).

However, if they are completely overhauled (i.e. opened and cleaned thoroughly) and the blades and bowls are kashered with ליבון קל [if metal] or replaced, it is permissible (**צז**).

If these were used during the year only for fruits and vegetables but not for chometz [although used around chometz], they may be kashered for Pesach with הגעלה (**צח**).

The halachos of a grater and grinder were discussed earlier (see Chapter XIII B 3).

(**פט**) כך נראה לפי שיש מקומות שא"א לנקר היטב.

(**צ**) דכיון דאין בו חשש בעין רק אפשר שנפל עליו חמץ או נגע בו חמץ כשהיה חם יש להקל בהגעלה.

(**צא**) כמ"ש באג"מ או"ח ח"ג ס' נ"ח לענין הדיש וואשער.

(**צב**) משום דאפשר דבמשך השנה השתמשו במאכלים של חמץ כגון קאפפע שעושין מחמץ (ע' לעיל פ"ג הערה קיג) או אינסטענט מרק שיש בו חמץ כגון איטריות, ואף דע"פ רוב הברז עשוי מפלאסטיק דיש פוסקים דאין להגעילם לפסח (ע' לעיל פ' י"ג הערה ה', י') מ"מ כיון דנוהגין להגעיל רק אינו ב"י אם רוב השתמשות בחמץ הזה ע"י כלי שני (כגון ששם תחתיו כלי שיש בו חמץ ומוסיף מים מהסאמאוואר להכלי שתחתיו ועולה ומגיע עד לברז) נראה דיש לצרף דעת הפוסקים דאזלינן בתר רוב תשמישו דאין בו חמץ וכיון דרוב פוסקי זמנינו מקילין בהגעלת פלאסטיק יש להקל באופן זה.

(**צג**) מחשש שמא עירה חמץ עליו מבחוץ במקום שאין חמים שיצאו מהברז מגיעים.

(**צד**) דומיא לרמ"א ס' תנ"א ס' י"ח.

(**צה**) דומיא למ"ב שם ס"ק ק"ב.

(**צו**) ע' רמ"א ס' תנ"א ס' ט"ז ומ"ב שם ס"ק פ"ו וס"ק פ"ט.

(**צז**) ע' מחבר (ס' תנ"א ס' כ"ב) דבית שאור ובית חרוסת אסור ללוש בהם בלא הגעלה אבל ע"י הגעלה אם אינם של חרס שרי וע' מ"ב (שם ס"ק קל"א) דלפי מש"כ הרמ"א (שם ס' י"ז) המנהג „שלא להשתמש בכלי לישה משום דא"א לנקר בודאי יש להחמיר גם בבית שאור. ואם היא של מתכות כבר כתב הרמ"א לעיל בסט"ז גבי מדוכה שהשוו אותה הפוסקים לבית שאור דנוהגין לכתחלה ללבנה וכ"ש בבית שאור ממש" ונראה דה"ה הכא.

(**צח**) כך נראה אם אינם דברים חריפים ולא הודח עם כלים חמוצים.

Blender

10. A blender usually consists of the motor base, glass, plastic or pyrex jar, plastic cover and blades. In some models, the blades can be removed from the jar. In others, the blades are connected to the jar.

The motor base of a blender which was used for chometz should be washed thoroughly and checked for any particles of chometz and may then be used (צט). The jar, blades and top, however, must be replaced (ק). If the blades are removable, a Rav should be consulted whether the jar can be kashered (קא).

False teeth, dental apparatus

11. False teeth, partial dentures, retainers, bite plates and any other dental apparatus which can be removed, should not be used for hot chometz within 24 hours of kashering (קב). It should be removed from the mouth, cleaned thoroughly and boiling water from a כלי ראשון should be poured on it (קג). If this could damage the apparatus, a Rav should be consulted (קד).

Thermos bottle

12. A thermos bottle which was used for chometz cannot be kashered for Pesach (קה).

D. KASHERING RANGES AND STOVE TOPS

Gas and electric ranges

1. The tops of gas and electric ranges should be kashered with ליבון קל (קו). The recommended method is to first clean the burners, grates and pan below

---

(צט) פשוט דאין שם חמץ. והנה נראה דיש להקפיד לנקות גם חוט החשמל דלפעמים מתדבקים שם חמץ ואם מנקים הכלי ולא חוט החשמל ומניחים אותו על שלחן שהוכשר לפסח אפשר שיפלו מהחמץ הנדבק ויתערב במאכל בפסח.

(ק) דא״א לנקרם היטב.

(קא) דיש שנעשים מפיירקס, ע׳ לעיל פ׳ י״ג הערה כא.

(קב) ע׳ מהרש״ם ח״א ס׳ קצ״ז, מעד״ש ס׳ קט״ז ס״ק ח׳, שעהמ״ב שם ס״ק ד׳.

(קג) שם.

(קד) שעהמ״ב שם ס״ק ד׳ ושו״ת שבט הלוי או״ח ס׳ קמ״ח ויסו״י דף קס״ד.

(קה) כך נראה ע״פ מ״ב (ס׳ תנ״א ס״ק ק״כ וס״ק קנ״ו) לענין בוטעלקע״ס שפיהן שלהן צר מלמעלה וע׳ שעהמ״ב שם ס״ק י״ב, יסו״י דף קצ״ו.

(קו) כ׳ הרמ״א (ס׳ תנ״א ס״ס ד׳) „חצובה צריך ליבון״ וכ׳ המ״ב (שם ס״ק ל״ד) „חצובה צריך ליבון. הוא כלי שיש לה ג׳ רגלים ומעמידין עליה קדרה או מחבת בתנור על האור כל השנה ואם רוצה להשתמש בה בפסח צריך ללבנה באור לפי שלפעמים נשפך עליה עיסה ונבלע בה טעם חמץ ע״י האור. וזהו רק לכתחלה משום חומרא דחמץ דבאמת שתי קדרות הנוגעות זו בזו אין יוצאת הבליעה מזו לזו כמבואר ביו״ד סימן צ״ב ס״ז וגם יש לתלות שאף אם נשפך כבר נשרף והלך לו כיון שבכל שעה היא על האש וע״כ בודאי די לזה בליבון קל ובדיעבד אף אם נשתמש עליו בלי ליבון כלל ג״כ אין לאסור״ וע׳ באג״מ (יו״ד ח״א ס׳ נ״ט) שכ׳ „ובהברזלים שעל תנורי הגעז שבמדינתנו אין להחמיר בשאר איסורין וכו׳ ובפסח יש להחמיר לכתחלה״ וכן ע׳ שם (או״ח ח״א ס״ס קכ״ד).

(**קז**). For the kashering, it is advisable to cover the burners and grates with a *blech*, a piece of heavy duty aluminum foil or a kettle of water [these will spread the fire over the entire area*] (**קח**). Turn on the fire full force (**קט**).

We have learned (see Chapter XV C 3) that one can determine if ליבון קל has been achieved if a straw or paper will be burnt on the outside of the utensil kashered (**קי**). Therefore, when a straw, or piece of tissue paper will be burnt on the portion of the grates furthermost from the fire, the stove is kashered (**קיא**). [When grates glow they have exceeded this requirement] (**קיב**).

Normally, for a gas stove 15 minutes, and for an electric stove 5 minutes (after it has turned red), is certainly sufficient (**קיג**).

*Note: One should exercise caution where a gas stove is near curtains, because the *blech*, foil or kettle may widen the area of the fire. This should serve as a note of caution for all aspects of kashering. Since it is impossible to anticipate all situations where kashering may take place, one should exercise adequate safety precautions when kashering (**קיד**).

Areas between and below burners

2. This method (see 1) kashers both the grates and the burners (**קטו**). However, since the area between the grates is covered with enamel, and we have learned (see Chapter XIII A 9) that most Poskim consider enamel similar in halacha to china and cannot be kashered for Pesach (see ibid. 4), it should be cleaned thoroughly (**קטז**). After kashering the grates and burners, the area between the burners should be covered with a Pesach *blech* (i.e. one which has openings for the fires), aluminum foil and the like (**קיז**).

The same halacha applies for the area (i.e. pan) below the burners and grates (**קיח**). It should also be cleaned thoroughly and preferably covered with aluminum foil and the like (**קיט**).

(קז) אף שליבון קל שורף החמץ שהוא בעין כמ״ש בהגה בס׳ תנ״א ס״ד מ״מ מהראוי לנקותו תחלה קודם הליבון כי אפשר דיש מקום שאין האש מגיע שם ללבנו ונפל שם חמץ בעין.

(קח) דעי״ז מגיע האש לכל המקומות שמגיע לשם החמץ כשיש עליו כלי חמץ.

(קט) דבעינן ליבון.

(קי) ע׳ לעיל פ׳ ט״ו הערה צח.

(קיא) ע״פ הנ״ל.

(קיב) דהוה ליבון גמור כשהניצוצות ניתזין מהם ע׳ ס׳ תנ״א ס״ד.

(קיג) כידוע מנסיון.

(קיד) משום דכתיב „ונשמרתם מאד לנפשותיכם״ (דברים ד:ט״ו). **באתי** בזה להעיר על הזהירות הגדולה שצריכים להזהר להגן על עצמו ובני ביתו מלעשות דברים המביאים לידי סכנה ר״ל בעת הגעלת כלים, ובפרט כשמשתמשים בלפיד אש ועירוי במים רותחין, ואמרו חז״ל (חולין י.) „חמירא סכנתא מאיסורא״. כי שמעתי וראיתי כמה וכמה מאורעות שאירעו בעת הכשר והגעלת הבית לפסח. ואף דאמרו חז״ל (פסחים ח.) „שלוחי מצוה אינן ניזוקין״ מ״מ אמרינן שם „היכא דשכיח היזיקא שאני״.

(קטו) כך נראה.

(קטז) ע׳ לעיל פ׳ י״ג הערה כז לענין הכשר כלים אלו לפיכך יש לנקותו יפה ולכסותו.

(קיז) שם.

(קיח) מטעם הנ״ל דבמשך השנה שכיח ליפול שם חמץ בעין.

(קיט) ע׳ לעיל הערה קטז והטעם שכתבנו דרך לכתחלה יש לכסותו כי אינו שכיח שיפלו שם אוכלים ויבא לאכלם אח״כ.

Shabbos blech

3. On Shabbos, the minhag is to place a *blech* over the burners (see HALACHOS OF SHABBOS, XIV E 12). The *blech* used during the year for chometz may not be used for Pesach (without ליבון קל) (**קכ**), a special Pesach Shabbos *blech* should be used (**קכא**). For Shabbos of Pesach, one may remove the weekday Pesach *blech* (i.e. one with openings for the fires) and replace it with the Pesach Shabbos *blech* (**קכב**).

Corningware range

4. A corningware stove top may be kashered by cleaning it and turning it on to the highest setting for 10 minutes (**קכג**). After 24 hours of not using it for hot chometz, boiling water should be poured on the portions of the stove between the burners, and the areas *between* the burners should be covered with a Pesach *blech* (see 2), aluminum foil and the like (**קכד**).

Hotplate

5. A hotplate (i.e. an electric food warmer) upon which pots are placed only for warming may also be kashered with ליבון קל (**קכה**) (see 1).

E. KASHERING OVENS

Preparing the oven for kashering

1. Before kashering, the oven must be cleaned thoroughly (**קכו**). All dirt and rust must be removed (**קכז**). We have learned (see Chapter XIV A 4) that only

---

(קכ) דדינו כחצובה לעיל בהערה קו.

(קכא) מטעם הנ״ל.

(קכב) פשוט דאין לחוש דבזמן שמסיר פח הראשון יטעה להשתמש בלי פח.

(קכג) דאע״ג דנעשה ממין זכוכית ונוהגים שלא להכשיר כלי זכוכית לפסח (כמ״ש לעיל בפ׳ י״ג הערה יז) ואף לפי מש״כ שם (בהערה כא) בכלי זכוכית של פיירקס שאין להגעילם לפסח ולכאורה ה״ה בכלים אלו, מ״מ כיון דדינם כחצובה ולגבי חצובה כתב המ״ב (שם ס״ק ל״ד) דהוי כשתי קדירות הנוגעות זו בזו דאין יוצאת הבליעה מזו לזו וגם יש לתלות שאף אם נשפך כבר נשרף והלך לו כיון שבכל שעה היא על האש ורק לגבי חומרא דחמץ מחמרינן דבעי ליבון וסגי בליבון קל, שיעור זה הוי כליבון קל דקש נשרף עליו.

(קכד) ע׳ שם והנה לפי דעת הפוסקים דאפשר להגעיל כלי זכוכית אם נשפך עליו חמץ מהני הכא עירוי דכבולעו כך פולטו, ואף דכ׳ הרמ״א (ס׳ תנ״א ס׳ כ״ו) דהמנהג במדינות אלו שאין להגעיל כלי זכוכית מ״מ בהפסד מרובה כ׳ המ״ב (שם ס״ק קנ״ה) „יש לצדד להקל אף בזה אם היה אחר מעל״ע שהוא נותן טעם לפגם״ להקל בהגעלה, מ״מ כיון דאפשר לכסותו כך נראה דיש לנהוג לכתחלה.

(קכה) כך נראה דלא גרע מחצובה ברמ״א ס׳ תנ״א ס״ד שצריך ליבון קל.

(קכו) ע׳ לעיל הערה קז.

(קכז) לחוש לדעת הפוסקים (ע׳ מ״ז ס׳ תנ״ב ס״ק ד׳) דליבון קל אינו שורף הבלוע אלא מפליטו ואם הוא מכוסה בחלודה או טינופת צריך להסירו שלא יעכב ההכשר (וע׳ לקמן בפנים אצל אות קמב דכתבנו דעת הפוסקים דמהני ליבון קל בתנורים שלנו).

rust which has substance must be removed (קכח). Where the rust is only a dis-
coloration or an intangible spot it need not be removed (קכט).

The recommended procedure for preparing the oven for kashering is first to
use a chemical oven cleaner (קל). After the cleaner has been rinsed off, the oven
should be inspected for any dirt and tangible rust (קלא). All interior portions of
the oven should then be inspected (קלב) (e.g. inside of oven, racks, door, hinges,
floor of oven) (קלג); a flashlight is recommended for this purpose (קלד). After
the oven has been inspected and found perfectly clean, it is ready for kashering
(קלה).

Kashering gas and electric ovens

2. Many Poskim hold that our ovens require ליבון גמור (קלו) (see Chapter XV
C 3), that is, the walls of the oven must get red hot (קלז). Gas and electric ovens
— even at their highest setting do not reach this temperature (קלח).

According to these Poskim, ליבון גמור can be achieved only by using a blow
torch for 7 minutes on each area (קלט). However, according to these Poskim, a
more practical alternative is to clean the oven thoroughly and then cover the
complete interior (i.e. four sides, top and bottom) with aluminum foil or an
insert which encloses pots and food completely (קמ).

The view of other Poskim

3. Other Poskim hold that ליבון גמור is required only where the *issur* makes
direct contact with the oven (e.g. baker's oven) (קמא). However, since we cook
and bake in our ovens in pots and pans, even if they are open in the oven, the
only problem is זיעה — moisture reaching the walls and top of the oven, for
which ליבון קל will suffice (קמב).

(קכח) ע' לעיל פ' י"ד הערה ח'.

(קכט) שם.

(קל) מב' טעמים חדא דעי"ז יותר נקל להסיר
טינופת ועוד דאף אם ישאר טינופת שאינו
מוציאו אותו חומר הזה פוגמו.

(קלא) פשוט. והנה יש להזהר באותן מיני חומר
שצריכים להסירם בחומץ שלא להשתמש
בחומץ העשוי מחמץ, ואם כבר השתמש בחומץ
כזה צריך להדיחו במים היטב וכדאי להשתמש
גם במי סבון.

(קלב) ע' לעיל הערה קכז.

(קלג) פשוט.

(קלד) כידוע מנסיון שמסייע למצוא חלודה או
טינופת.

(קלה) ע' לעיל הערה קכז.

(קלו) דעת הגרמ"פ שליט"א כיון שתנורים
שלנו מצופים בפארצעלין שיש לו דין כלי חרס
צריך ליבון גמור וע' בשעהמ"ב (ס' קט"ז ס"ק
ב').

(קלז) ע' לעיל פ' ט"ו הערה צג.

(קלח) כידוע מנסיון.

(קלט) שמעתי מפי הגרמ"פ שליט"א.

(קמ) שם.

(קמא) דמש"כ המחבר (בס' תנ"א ס"ד) "כלים
שמשתמשים בהם ע"י האור כגון שפודים
ואסכלאות וכיוצא בהם צריכים ליבון והליבון
הוא עד שיהיו ניצוצות ניתזין מהם" איירי
בכלים שגוף האיסור נוגע בהם.

(קמב) ע' חזון עובדי' דף ע"ג ס"ק ד', יסו"י
ח"ו דף קנ"ז, ישכיל עבדי ח"ו אה"ע ס' פ"ח.
ומו"ר הגר"א קוטלר זצ"ל היה מורה להכשיר
תנורים דידן ע"י שיסיקנו לכמה שעות והיה
אומר מטעם כבולעו כך פולטו (ע' שו"ת מנחת
יצחק ח"ג ס' ס"ו) ואכמ"ל. והטעם שכתבנו
שעה כי לפי החוש נראה שאין חמימותו נוספת
אחר זמן אף יותר קצר משעה.

These Poskim hold that even should an *issur* — occasionally fall in the oven, as long as the oven has been cleaned and not used for 24 hours it can be kashered with ליבון קל (**קמג**). This can be achieved by setting it to the highest temperature (i.e. broil) for an hour (**קמד**). This method of kashering will suffice also for the racks, and also may be used when kashering an oven which is *trefa* (**קמה**).

This method will *not* suffice for the trays in the broiler portion of the oven (**קמו**). Since the food makes direct contact with the tray, ליבון גמור is required or the trays must be replaced (**קמז**).

Similarly, grills (indoor or outdoor) upon which non-kosher food has been broiled requires ליבון גמור (**קמח**). This may be accomplished by heating the grill (through the use of charcoal or other forms of fuel) until sparks fly or it becomes red hot (**קמט**).

Self cleaning oven

4. Most Poskim hold that a self cleaning oven may be kashered by running it through the self cleaning cycle (**קנ**). According to the view of many Poskim (see 2) who hold that ליבון גמור is required for gas and electric ovens, the door must be covered with aluminum foil and the like for Pesach (**קנא**). According to the view of the other Poskim (see 3) who hold that ליבון קל is sufficient, the amount of heat which reaches the door during the self cleaning process is sufficient (**קנב**).

Continuous cleaning oven

5. The continuous cleaning oven is considered like a conventional electric oven for the halachos of kashering (**קנג**). Therefore, according to the view of many Poskim (see 2) ליבון גמור is required using a blow torch (this may damage the surface), or an insert may be used (**קנד**). According to the view of the other Poskim (see 3) only ליבון קל is required and setting it to the highest temperature for an hour is sufficient (**קנה**).

(קמג) שם.
(קמד) שם.
(קמה) ע׳ שם וכך הורה מו״ר הגר״א קוטלר זצ״ל.
(קמו) דהוי כאסכלא במחבר שם.
(קמז) שם.
(קמח) שם.
(קמט) כידוע מנסיון.
(קנ) כך דעת הגרמ״פ שליט״א כיון שחומם מגיע ליותר מח׳ מאות מעלות פרנהייט והכל נשרף ומתנקה לגמרי מבליעה הוי כליבון גמור.
(קנא) כי לפי דעתו אין חום האש מגיע לדלת כבתוך התנור.
(קנב) דבודאי הוי החום יותר מקש נשרף אף בדלת.
(קנג) דאין חומם מגיע לשיעור תנורים המתנקים לבד שכתבנו בהערה קנ דמהני ליבון דידהו לכו״ע, לכן דינו כתנורים דידן.
(קנד) כד דעת הגרמ״פ שליט״א.
(קנה) ע׳ לעיל הערה קמב.

Microwave oven

6. A microwave oven may be kashered for Pesach [or from *trefa*] (קנו). It should be cleaned thoroughly and not used for 24 hours (קנז). A utensil filled with boiling water should then be placed in the oven (קנח). One may place a utensil filled with water in the oven and boil it there for this purpose, or it may be heated by conventional heat (קנט). The utensil should be held in the oven until a thick steam fills the oven, it may then be used for Pesach (קס).

This applies to ovens lined with stainless steel (קסא). It is questionable whether those which are lined with plastic, porcelain or enamel can be kashered for Pesach (קסב). In these microwave ovens, after cleaning thoroughly with soap and water, the complete interior should be covered and one may cook in them by placing food, pots and dishes in a closed plastic container (קסג).

An alternative suggestion is to cover the sides, door and back with cardboard, plastic, contact paper and the like, the top and bottom with cardboard, glass or any other suitable material allowing space for the fan to function (קסד). One may then cook with the pot and food enclosed completely (קסה). This procedure is also the *preferred* method for preparing microwave ovens lined with stainless steel for Pesach (קסו).

Convection oven, Convection-microwave oven

7. A convection oven may be kashered for Pesach in the same manner as a conventional electric oven (קסז) (see 2,3,5).

(קנו) הנה אופן בישול בתנורי מייקרו־וייו שונה מתנורים דעלמא דאין מבשלים ע״י אור כ״א ע״י כח חדש שמנענע את האוכל ועי״ז מכשיר את האוכל לאכילה כבישול, ואף שאין הבישול ע״י האור מ״מ יוצא ממנו זיעה כאוכל המבושל ע״י האור וצריך להגעילו ככלי הבולע חמץ ע״י זיעה. ועוד הרבה פעמים נופל מהכלי על קרקעית התנור וצריך להגעילו ככלי שנשפך עליו חמץ. לפיכך קודם הכשירו צריך לנקותו תחלה ולהמתין מעל״ע מעת השתמש בו, ושמעתי מפי הגרמ״פ שליט״א דאח״כ יניח בו כלי שיש בו מים רותחים וכפי תשמישו הכשרו כשם שבולע בזיעה כך הכשירו בזיעה לפיכך הכשרו כשהתנור מלא מזיעה (ונראה דהמקום שנשפך עליו חמץ יגעילנו בעירוי או יכסנו) וע׳ באג״מ (יו״ד ח״א ס״ס) ודוק.

(קנז) שם.

(קנח) שם.

(קנט) כך נראה דומיא לחמי טבריה ע׳ ס׳ תנ״ב ס״ה דאף דאין מגעילין בחמי טבריה אפילו כלים שדינם ככלי שני מפני שאינה תולדות האור וכבולעו כך פולטו, מ״מ כ׳ הרמ״א שם „מיהו אם נשתמש בו רק במי טבריה מגעילו בהן״ וע׳ במ״ב שם ס״ק כ״ד שכ׳ „מגעילו בהן. או בחמי האור״.

(קס) ע׳ לעיל הערה קנו.

(קסא) דהוי כלי מתכת דכ׳ המחבר (ס׳ תנ״א ס״ח) „דינם להכשירם בהגעלה״.

(קסב) ע׳ לעיל פ׳ י״ג הערה ה׳, י׳, טז, כז.

(קסג) דאפשר יש מקומות שזיעת ההגעלה לא הגיע.

(קסד) כך נראה עדיף דעי״ז אין הכלי מגולה למקום שיש שם זיעת החמץ וע׳ מנחת יצחק ח״ג ס׳ כ״ו אות ה׳.

(קסה) כך נראה.

(קסו) כך נראה כמ״ש לעיל בהערה קסד.

(קסז) דבולע ע״י האור.

A convection-microwave oven may *not* be kashered in the manner described for a microwave oven (see 6), but must be kashered like a conventional electric oven (קסח) (see 2,3). The reason is that since it was used as a convection oven, its walls have absorbed the taste of the food through heat, and, therefore, must be purged through heat (קסט).

(קסח) מטעם הנ"ל. (קסט) כך נראה.

סימנים וסעיפים שבשלחן ערוך המשתייכים לפרק זה

תנ"א:ג,ד,ה,ו,ח,י"א,י"ד,ט"ו,ט"ז,י"ז,יח,כ,כב,כ"ו
תנ"ב:ה

Section Five
ערב פסח

EREV PESACH

Chapter Seventeen – Halachos Concerning the Fourteenth of Nissan

E. Engaging in Work on Erev Pesach
F. Eating on Erev Pesach
G. General Halachos Concerning Erev Pesach

Chapter XVII Halachos Concerning Erev Pesach

A. BEDIKAS CHOMETZ

Introduction

1. Eating and possessing chometz on Pesach is prohibited by the Torah* (א). What is chometz?

Any article made from the five types of grain (wheat, spelt, barley, oats and rye) which has been in contact with water and has remained together 18 minutes or longer without manipulation is considered chometz (ב). [See Chapter II B 1,2].

We are required to search for and dispose of all chometz and leaven in our possession before Pesach (ג). The search for chometz is called *bedikas chometz* (ד).

*Note: Although many of the halachos in this chapter have been discussed elsewhere in this work, they are summarized and repeated here in order to present a useful chronological guide.

The time for the bedikah

2. *Bedikas chometz* is conducted on the evening of the fourteenth of Nissan (ה). This search for chometz should commence in the very beginning of the evening (ו)—at צאת הכוכבים—as soon as three medium-size stars appear (ז). It should be conducted by the light of a single candle (ח). A flashlight may be used to aid in the search (ט).

Before beginning the bedikah

3. Before beginning, all rooms requiring *bedikah* must be swept and cleaned (י). The minhag is to clean the entire house by the thirteenth of Nissan,

---

(א) ע׳ רמב״ם פ״א דהל׳ חו״מ ה״א,ב׳.

(ב) ע׳ שם פ״ה ה״א,ב׳ ושיעור מיל בס׳ תנ״ט ס״ב.

(ג) ע׳ רמב״ם שם פ״ב ה״א,ג׳.

(ד) ע׳ ס׳ תל״א ובכ״מ.

(ה) תנן (פסחים ב.) „אור לארבעה עשר בודקין את החמץ לאור הנר" ובשו״ע (ס׳ תל״א ס״א) כ׳ המחבר „בתחלת ליל י״ד בניסן בודקין את החמץ לאור הנר".

(ו) ע׳ מחבר שם שכ׳ „בתחלת ליל וכו׳". וכ׳ במ״ב שם „פי׳ תיכף אחר יציאת הכוכבים וכו׳".

(ז) ע׳ שם ובגר״א שם ס״ק א׳ שהביא פי׳ הראב״ד, וע׳ גר״ז ס׳ תל״א ס״ה ובקו״א ס״ק א׳.

(ח) ע׳ ס׳ תל״ג ס״ב שכ׳ „אין בודקין וכו׳ אלא בנר של שעוה" וברמ״א הוסיף „והוא יחידי".

(ט) שמעתי מפי מו״ר הגר״א קטלר זצ״ל דלא גרע מנר ויבדל״ח שמעתי מפי הגרמ״פ שליט״א דעדיפא מנר. וע׳ בשעהמ״ב ס׳ קי״א ס״ק ד׳ לענין בדיקה באור החשמל.

(י) ע׳ רמ״א ס׳ תל״ג ס׳ י״א ומ״ב ס״ק מ״ו.

in order to perform the *bedikah* properly at the beginning of the evening of the fourteenth (**יא**).

Before beginning the *bedikah,* many have a minhag to place ten pieces of bread to be found during the search (**יב**). The brocho ״על ביעור חמץ״ is recited (**יג**), and a diligent, thorough search is conducted throughout the house (**יד**). One is required to check all his premises and possessions (e.g. basement, attic, factories, offices, car) (**טו**), and in all places in which chometz may have been brought (e.g. pockets, briefcases) (**טז**).

The minhag is to use a feather to assist in removal of all chometz crumbs (**יז**), and a wooden spoon to collect particles of chometz (**יח**). These should be burned the following morning together with the chometz (**יט**).

Activities prohibited during the time of the bedikah

4. Once the time for the *bedikah* arrives, one may not engage in any work (**כ**), nor may he take a haircut, bathe or engage in any similar activity (**כא**). One may not even begin any of these activities within the half hour before the time of *bedikas chometz* (**כב**).

Place all chometz in a secure place

5. After the *bedikah* is completed, all chometz—whether it is to be eaten that night or in the morning, or whether it is to be sold to a gentile or burned in the morning (see D)—should be placed in a secure location and only moved around with extreme caution (**כג**). Should the chometz not be kept in a secure place, but where children, rodents or others could have moved it around, another *bedikah* may be required (**כד**).

(יא) שם.

(יב) רמ״א ס״ס תל״ב ומ״ב ס״ק י״ב,י״ג.

(יג) ס׳ תל״ב ס״א.

(יד) ע׳ ס׳ תל״א ס״א, ס׳ תל״ג ס״ג ובכ״מ.

(טו) ע׳ מתנ׳ ב. וס׳ תל״ג ס״ג ומ״ב ס״ק י״ג ובכ״מ. [ונראה דבית חרושת וכדומה שאין הוא בעצמו משתמש שם כלל ויש לו מנהל עכו״ם שמנהל העסק ואין הוא בעצמו נכנס ובא שם כלל הוי כהשאיל המקום ביד עכו״ם, ואע״ג דחייב למכור את חמצו ולבטל מ״מ א״צ לבדוק].

(טז) ע׳ שם. [ע׳ רמ״א ס׳ תל״ג ס׳ י״א שכ׳ „והכיסים או בתי יד של בגדים שנותנים בהם לפעמים חמץ צריכין בדיקה" וע׳ מ״ב ס״ק מ״ז שכ׳ „והעולם נוהגין רק לנער הכיסים בשעת הביעור ונכון לבדוק אותם בשעת הבדיקה ומ״מ צריך לחזור ולנערם בשעת הביעור וכו׳" מל׳ המ״ב שכ׳ „לבדוק אותם בשעת הבדיקה" משמע כגדרי מצות בדיקה דהיינו לאור הנר, ונראה דאם ממשמש בכיסו א״צ אור הנר ע׳ ט״ז יו״ד (ס׳ קצ״ט ס״ק ד׳) שכ׳ לענין משמוש היד בחפיפה „אין לך בדיקה גדולה מזו" [ואף דבסדרי טהרה שם סס״ק ה׳ פליג על זה וגם בערה״ש ס״ז כתב על הט״ז וא״א לומר כן, מ״מ לענין כיסים כך שמעתי מפי הגרמ״פ שליט״א] ודוק.

(יז) מ״ב ס׳ תל״ג ס״ק מ״ו.

(יח) כן המנהג ונראה דהוא ע״פ מהרי״ל הובא ברמ״א ס״ס תמ״ה ומ״ב ס׳ תמ״ה ס״ק ו׳ וכ״כ הגר״ז ס׳ תמ״ה ס״ז.

(יט) ע׳ שם.

(כ) ס׳ תל״א ס״ב.

(כא) ע׳ גר״ז ס׳ תל״א ס״ה ומ״ב ס״ק ה׳ שהביא מס׳ רל״ב.

(כב) מ״ב שם ס״ק ה׳ והטעם כ׳ במ״ב שם „דלמא אתי לאמשוכי". ולענין לימוד בהחצי שעה ע׳ מ״ב ס׳ תל״א ס״ק ז׳. ולעיל פ״ו הערה כג.

(כג) מ״ב ס׳ תל״ד ס״ק ב׳.

(כד) ע׳ שעה״צ שם ס״ק ד׳ מחיי״א.

Bitul chometz

6. Immediately following the *bedikah,* one is required to nullify the chometz (**כה**). The declaration at night nullifies only unknown chometz (חמץ שאינו ידוע) (**כו**). Therefore, he will be required to nullify the chometz again the following morning (**כז**) (see D 4–6). The following is the *nusach* for the declaration at night (**כח**): "כל חמירא וחמיעא דאיכא ברשותי דלא חמיתיה ודלא בערתיה ודלא ידענא ליה ליבטל ולהוי הפקר כעפרא דארעא".

The declaration in English

7. Since the *bitul* (nullification) must be said in a language which he understands (**כט**), if he does not understand the language of the *bitul* (Aramaic) but understands English, the following declaration may be used: "All chometz and leaven which is in my domain, which I have not seen and which I have not destroyed and of which I have no knowledge, shall be nullified and become *hefker* (renounced property) like the dust of the earth."

We have discussed here only *some* of the basic halachos of *bedikas chometz.* These halachos were discussed in detail previously (see Chapters V–XI)..

B. THE FAST OF THE FIRST-BORN

Reason for the fast

1. First-born sons (בכורים)—either from the father or mother—are required to fast on Erev Pesach (תענית בכורים) (**ל**). The reason for the fast is to recall the miracle that they were saved during מכת בכורות, "the plague of the first-born" (**לא**). A son born after an earlier child was miscarried is also required to fast (**לב**).

When the child is young

2. When the child is young (under Bar Mitzvah), the father fasts instead of him (**לג**). If the father is himself a בכור (so that he is required to fast himself) (**לד**), some Poskim hold that the minhag is that the mother fasts in place of the child (**לה**). Other Poskim hold that she is not required to fast, because the fast of the

---

(כה) ס׳ תל״ד ס״ב.

(כו) ע׳ מ״ב ס׳ תל״ד ס״ק ז׳.

(כז) שם.

(כח) ע׳ ס׳ תל״ד ס״ב ומ״ב ס״ק ח׳ וכ׳ הבאה״ט ס׳ תל״ד ס״ק ז׳ מהב״ח והח״י „המדקדק במעשיו יאמר נוסח זה״.

(כט) רמ״א ס׳ תל״ד ס״ב.

(ל) ס׳ ת״ע ס״א וכ׳ במ״ב (ס״ק ב׳) הטעם „שמכת בכורות היתה בכולם וכו׳״. כתב המחבר שם „ויש מי שאומר שאפילו נקבה בכורה מתענה (ואין המנהג כן)״ וע׳ הטעם במ״ב ס״ק ג׳,ד׳.

(לא) מ״ב ס״ק א׳ מטור.

(לב) מ״ב ס״ק ב׳ וכ׳ שם „וכ״ז דוקא בנפל ודאי אבל במי שנולד אחר בן ט׳ אע״פ שמת תוך ל׳ אין צריך להתענות״.

(לג) רמ״א ס׳ ת״ע ס״ב וכ׳ במ״ב (ס״ק י׳) „ובעוד שלא נתמלאו לבנו ל׳ יום אין צריך להתענות בשבילו״.

(לד) מ״ב ס״ק ח׳.

(לה) ע׳ רמ״א שם.

father also suffices for the child (לו). If she is suffering from the fast, she may rely on this view (לז). A pregnant or nursing mother who is suffering from the fast, is not required to fast—even if she has no husband who is fasting (לח). A woman within thirty days of childbirth should also not fast in her child's place; if, however, she already fasted for him at one time, a Rav should be consulted (לט). However, the minhag nowadays is that a mother does not fast instead of her child (מ).

Is עננו said?

3. A first-born who fasts should say "עננו" during Mincha in the brocho שומע תפלה (מא). It is preferable that a first-born should not be the *chazan* when ten בכורים are present (מב). The reason is that he would then be required to say "עננו" in חזרת הש"ץ, and there is a view which holds that it is not proper to mention the fast day publicly, since it is the month of Nissan (מג) (see Chapter I D 4). The halachos concerning the davening on Erev Pesach were discussed previously (Ibid. 3).

When does the fast end?

4. A first-born who fasts is required to fast until צאת הכוכבים that is, until stars are visible (מד). One who has a headache or whose eyes hurt because of the fast, may break his fast (מה). If fasting would interfere with his ability to properly fulfill the mitzvos of eating matzah and marror or drinking the four cups, it is preferable that he should not fast—in order that he fulfill these mitzvos properly (מו).

Siyum Bechorim

5. The halacha is that the first-born may eat at a *seudas mitzvah* (e.g. *Bris Milah, Pidyon Haben*) (מז). The minhag in many communities is that a first-born who makes or attends a *Siyum* (the completion of a *Mesechta* of the Talmud or of a *Seder* of the Mishnah) may partake of the refreshments served, since this is a *seudas mitzvah*. [Since it is then not considered a fast day, he may

---

(לו) מ"ב ס"ק ט' בשם „יש מהפוסקים".

(לז) מ"ב שם.

(לח) שם.

(לט) דכ' המ"ב שם „הוי נדר וצריך התרה".

(מ) ערה"ש ס' ת"ע ס"ד [וע"ש שכ' כן גם בהא דכ' הרמ"א „ואם אין האב בכור האב מתענה בעד בנו עד שיגדל"].

(מא) מ"ב ס"ק ב'.

(מב) שם.

(מג) שם.

(מד) שם.

(מה) שם.

(מו) שם וע"ש שכ' „ומ"מ בזה ובזה טוב יותר שיאכל רק מיני תרגימא".

(מז) ע' מ"ב (שם ס"ק י') וערה"ש (ס' ת"ע ס"ה) וגר"ז שם ס"ח.

eat and drink later] (מח). For the halachos of a Siyum, see A SUMMARY OF HALACHOS OF THE THREE WEEKS, Chapter III C 6, 7.

C. PROHIBITION OF EATING CHOMETZ

Prohibition against eating and possessing chometz

1. We have learned (see A 1) that eating chometz on Pesach is prohibited by the Torah. Not only is eating chometz and leaven prohibited by the Torah on Pesach, it is also prohibited from the beginning of the seventh hour on Erev Pesach (מט). In addition to the prohibition against eating chometz, the Torah also commanded us to dispose of all chometz and leaven from our domain before the seventh hour on Erev Pesach (נ).

During the fifth hour

2. Since a person may make an error in time and assume that it is before the seventh hour, when, in fact, it may be afterwards, חז"ל prohibited eating chometz after the end of the fourth hour* (נא). During the fifth hour, one may still derive benefit from the chometz (נב). During the sixth hour, however, eating and deriving benefit are both prohibited מדרבנן (נג). Although one may fulfill the mitzvah of disposing of chometz at any time during the thirty days before Pesach, chometz should preferably be disposed of during the fifth hour on Erev Pesach (נד).

* Note: The length of a halachic hour is determined by dividing the total of minutes from עלות השחר (halachic dawn) until צאת הכוכבים (when the stars are visible) or, according to some Poskim, from sunrise until sunset, into twelve portions.

(מח) כ' המ"ב שם „ויש מקומות שנהגו הבכורים להקל ולאכול בסעודת מצוה וכן נוהגין כהיום בכמה מקומות במדינתנו להקל ולאכול אף בסעודת סיום מסכת ואף שהבכורים בעצמן לא למדו את המסכת מ"מ כיון שאצל המסיים הוא סעודת מצוה מצטרפים לסעודתו והמנהג שמתקבצים להמסיים קודם שסיים ומסיים לפניהם המסכת ושומעים ומצטרפים עמו בסיומו ואח"כ עושין סעודה" ובערה"ש (ס' ת"ע ס"ה) תמה „ואינו ידוע מאין להם להקל כל כך אם לא שנאמר דמפאת חלישות הדור והטורח רב בע"פ ואכילת המרור ג"כ אינו יפה לבריאות ולכן יחשבו א"ע כאינם יכולים להתענות ולפי שבגמ' לא נזכר כלל מזה וגם בירושלמי המסקנא דא"צ להתענות ואינו אלא מנהג ע"פ מס' סופרים לכן לא מיחו חכמי הדור בזה וצ"ע" וע' בחק ישראל (על הלכות ע"פ שחל בשבת ס"ק ח') שהאריך בזה ואכמ"ל. **מצאתי כתוב בת' הגרי"א הענקין זצ"ל (כת"י משנת תש"ח) וז"ל „וע"ד סיום — הנה כידוע תענית בכורים אינו חיוב מדינא דגמרא ולפנים נהגו בו ועתה חדלו — וממילא — כבכל מנהג,** אם חדלו מלנהגו בטל חיובו. וע"כ מקילים בכל טצדקי. ואמנם לו היה חיוב, אין הסיום שלנו נחשב כיון שאין עושים בו סעודה, וכל עיקרו בא רק לפטור מן התענית — ועל כן ראוי שכל בכור יתן צדקה לפדיון התענית וצדקה בודאי פוטרת בתענית מנהג, ובצרוף הצדקה אפילו סיום מסכת משניות יש לצרף. ואם ירצה ללמוד ירושלמי — טוב ועכ"פ נראה שהעיקר בזה הוא צדקה והשאר טפלים". ומה שכתבנו דמותר לאכול אח"כ ע' מ"ב ס' תקס"ח ס"ק י"ח.

(מט) ע' ס' תמ"ג ס"א ובכ"מ. וע' מ"ב שם ס"ק א' דכמה פוסקים ס"ל דהמשהה חמץ בע"פ משש שעות ומעלה עד הלילה אינו עובר על ב"י וב"י מ"מ עובר על עשה דתשביתו.

(נ) ע' שעה"צ ס' תל"א ס"ק י"ג, ובגר"ז שם ס"ה כ' „בתחילת שעה ז'" [וע' מרדכי ריש פסחים ס' תקל"ג ובדברי יחזקאל ס"י ובשו"ת פרי יצחק ס' י"ז ואכמ"ל].

(נא) ס' תמ"ג ס"א.

(נב) שם.

(נג) שם.

(נד) ע' מ"ב ס' תמ"ה ס"ק ז',ח'.

Eating Pesach food prepared with a chometz utensil

3. Not only is eating actual chometz prohibited, but even eating food prepared in a chometz container (e.g. pot) or with a chometz utensil (e.g. spoon, knife) is prohibited. The reason is that vessels absorb the taste of the food. Therefore, when used with Pesach food, the taste will enter the food from the utensil, and one will be eating chometz on Pesach (**נה**). For this reason, it is essential to have separate pots, dishes, silverware and the like—which were not used for chometz—both for dairy and meat, for exclusive Pesach use.

Kashering

4. Under specific conditions, certain utensils which have been used throughout the year may also be used on Pesach (**נו**). These vessels must be *kashered* prior to use (**נז**), that is, they must be halachically cleaned or purged of the presence of any chometz. Even the stove, oven, sink and other kitchen surfaces and appliances must be *kashered* for Pesach use (**נח**). *Kashering* for Pesach should preferably be completed before the beginning of the fifth hour on Erev Pesach, that is, as long as chometz may still be eaten (**נט**). If one did not *kasher* before this time, a Rav should be consulted (**ס**).

The halachos concerning *kashering* are discussed in detail previously (see Chapters XII–XVI).

D. BIYUR AND MECHIRAS CHOMETZ

Chometz must be disposed of on Erev Pesach

1. The Torah commanded us to dispose of all chometz on Erev Pesach, as it says in the Torah'' ''אך ביום הראשון תשביתו שאור מבתיכם ''but on the first day you shall dispose of leaven from your houses'' (**סא**). The Talmud determines that, according to Torah law, this disposal must take place on Erev Pesach before the seventh hour (**סב**). Since a person may make an error in time, we have learned (see C 2) that חז״ל required that this disposal take place during the fifth hour on Erev Pesach (**סג**).

(נה) ע׳ ס׳ תנ״א ובכ״מ [יש לעיין אם יש להקל בעי״פ באינו ב״י ע׳ רמ״א ס׳ תמ״ז ס״ב ברמ״א, ולענין פסח ע׳ ב״ה שם ס״ד ונתבטל ואכמ״ל].

(נו) ע׳ שם.

(נז) שם.

(נח) ע׳ לעיל (בפרקים יב־טז) מש״כ בענינים אלו.

(נט) ע׳ ס׳ תנ״א ס״ט וס׳ תנ״ב ס״א.

(ס) ע׳ ס׳ תנ״ב ס״א ומ״ב שם.

(סא) שמות י״ב:ט״ו.

(סב) ע׳ שעה״צ ס׳ תל״א ס״ק י״ג וגר״ז ס׳ תל״א ס״ה וס׳ תמ״ה ס״א, [ע׳ מש״כ לעיל הערה נ׳].

(סג) ע׳ ס׳ תל״ד ס״ב ותמ״ג ס״א ומ״ב ס״ק ג׳ ובכ״מ.

Methods of disposal of chometz

2. According to Torah law, there are two methods by which one can dispose of chometz (סד):

a) *bitul chometz*—nullifying the chometz, and
b) *biyur chometz*—destroying the chometz. Although this may be accomplished by various methods, the minhag is to burn the chometz (סה).

Although either of these methods would be adequate to effectively eliminate the chometz from his domain, חז"ל, however, required the use of both methods (סו). [See Chapter V B 2 for reasons].

How is the chometz burned?

3. Therefore, on Erev Pesach during [or before] the fifth hour, the chometz should be burned until it becomes completely charred (סז). [For additional halachos and minhagim of *biyur chometz*, see ibid., Chapter X].

Bitul chometz should follow biyur chometz

4. The nullification of the chometz (*bitul chometz*) should follow the burning of the chometz (סח) [see ibid., Chapter IX B 9 for reason]. However, if one, in error, had nullified the chometz before the burning, he should, nevertheless, burn the chometz (סט). The chometz must be nullified [at the latest] shortly before the end of the fifth hour. For once the sixth hour has arrived, it is no longer his chometz to nullify (ע). Therefore, it is necessary to burn the chometz early enough so that it should be completely burned and the *bitul* completed before the end of the fifth hour (עא).

What does the bitul by day accomplish?

5. Although we have learned (see A 6) that the *bitul* at night nullifies only unknown chometz (חמץ שאינו ידוע), with the bitul during the morning he renounces *all* chometz in his domain, both known (חמץ ידוע) and unknown (חמץ שאינו ידוע) (עב).

(סד) מ"ב ס' תל"א ס"ק ב'.
(סה) רמ"א ס' תמ"ה ס"א.
(סו) חיי"א כלל קי"ט ס"ד, גר"ז ס' תמ"ה ס"ב ומ"ב ס' תל"א ס"ק ב' ובכ"מ.
(סז) גר"ז ס' תמ"ה ס"ד ומ"ב ס' תמ"ה ס"ק א'.
(סח) רמ"א ס' תל"ד ס"ב וערה"ש ס' תל"ד ס"ו.
(סט) ע' ערה"ש שם וע' שו"ע ס' תמ"ו ס"א ומ"ב ס"ק ו' וע' ערה"ש שם שכ' „מה שעשה עשה".
(ע) מ"ב ס' תל"ד ס"ק י"ב ושעה"צ ס"ק כ' וערה"ש שם.
(עא) שעה"צ וערה"ש שם.
(עב) ע' מ"ב ס' תל"ד ס"ק ז' וערה"ש שם.

The declaration in the morning

6. The following is the proper declaration for the *bitul* in the morning: "כל חמירא וחמיעא דאיכא ברשותי דחמיתיה ודלא חמיתיה דבערתיה ודלא בערתיה דידענא ליה ודלא ידענא ליה ליבטל ולהוי הפקר כעפרא דארעא."

If one understands English, the following declaration may be said: "All chometz and leaven which is in my domain, which I have seen and which I have not seen, which I have destroyed and which I have not destroyed, of which I have knowledge and of which I have no knowledge, shall be nullified and *hefker* (renounced property) like the dust of the earth."

Mechiras chometz

7. There is a third method for disposing of chometz—*mechiras chometz*—the sale of chometz to a gentile (**עג**). Since the chometz then no longer belongs to the Jew, he does not violate the issurim [of **בל יראה** and **בל ימצא**] for possession of chometz (**עד**). The procedure for *mechiras chometz* is complex and requires a thorough knowledge of halacha. Therefore, communal *mechiras chometz*, administered and supervised by the *Bais Din* or local Rav was instituted. This procedure must be completed before the end of the fifth hour (**עה**). The laws of *mechiras chometz* were discussed in detail in Chapter XI.

E. ENGAGING IN WORK ON EREV PESACH

The reason for the prohibition against engaging in work

1. Erev Pesach is unlike the day before other *Yomim Tovim* (**עו**). The reason is that during the time the *Beis Hamikdosh* existed, from noon on Erev Pesach was the time the *Korbon Pesach* (Passover sacrifice) was slaughtered (**עז**). We have learned (see Chapter I D 1 Note) that the day a person would offer his sacrifice was a Yom Tov for him, and he would not be permitted to do melacha (**עח**). Since Erev Pesach was the time when all Israel offered their *Korbon Pesach*, therefore, certain forms of work were prohibited (**עט**).

The halacha nowadays

2. Nowadays, after the destruction of the *Beis Hamikdosh*, we are no longer able to bring the *Korbon Pesach*. Nevertheless, the restriction against

---

(עג) ע' מתנ' כ"א. וס' תמ"ח ס"ג.

(עד) ע' ס' תמ"ה ס"ב וס' תמ"ח ס"ג.

(עה) ע' שעה"צ ס' תל"ד ס"ק כ' וס' תמ"ח ס"ד.

(עו) כמו שיתבאר.

(עז) רמב"ם פ"א דהל' ק"פ ה"א.

(עח) והוא מדרבנן כמ"ש בגר"ז (ס' תס"ח ס"א) ומ"ב (ס' תס"ח ס"ק א') והוא ע"פ הירושלמי, [וע' תוס' פסחים נ. ד"ה מקום ושו"ת חת"ס יו"ד ס' ק"ט ד"ה והתוספות דס"ל דהוא מדאורייתא], וע' ב"ה (ס' תס"ח ס"א ד"ה מחצות) „ורש"י פירש עוד טעם כדי שלא יהא טרוד במלאכה וישכח ביעור חמצו וכו'" ונ"מ לדינא כמ"ש שם, מ"מ מסיק „אלא דרוב הפוסקים תופסין טעם הירושלמי וא"כ אפשר דאין להחמיר".

(עט) ע' גר"ז ומ"ב שם וע' מ"ב ס"ק ז'.

performing melacha was not altered (פ). Therefore, from noon on Erev Pesach we are generally prohibited from performing any type of work which is restricted on Chol Hamoed (פא). The type of work which is permitted on Chol Hamoed is also permissible here (פב). Although there are Poskim who hold that even allowing a non-Jew to work for a Jew on Erev Pesach is prohibited (פג), the minhag is to permit it (פד). In some communities, the minhag is to refrain from work even during the morning hours (פה). One should conduct himself according to the minhag of his community (פו).

Taking a haircut, Cutting one's nails

3. One should take a haircut, shave and cut his nails before noon (פז) (see G 3). If, however, he forgot to do so, he may cut his nails in the afternoon (פח), but he may not take a haircut or shave unless it is done by a non-Jew (פט).

Many aspects of these halachos

4. There are many aspects to these halachos and to the rules governing its minhagim (צ). Therefore, in case of any question, a Rav should be consulted.

F. EATING ON EREV PESACH

Eating matzah on Erev Pesach

1. There is a mitzvah to eat matzah on the first night of Pesach in Eretz Yisroel and on the first two nights of Pesach outside of Eretz Yisroel (צא).

On Erev Pesach it is prohibited to eat the type of matzah which one could use to fulfill the mitzvah of eating matzah at the *Seder* (צב). It is even prohibited to serve matzah on Erev Pesach to children [boys or girls] who understand the

---

(פ) ע׳ גר״ז שם ס״ב שכ׳ הטעם „כיון שנאסר במנין חכמים וכו׳״ וכ׳ המחבר (ס׳ תס״ח ס״א) „העושה מלאכה בע״פ מחצות ולמעלה היו משמתין אותו״ וכ׳ במ״ב (ס״ק ב׳) „וגם אינו רואה סימן ברכה מאותה מלאכה״ ופי׳ הט״ז (שם ס״ק א׳) והגר״ז (שם ס״ג) „שמה שהוא משתכר במלאכה זו יהיה לו הפסד כנגדה במקום אחר״.

(פא) ע׳ מ״ב שם ס״ק ז׳ וקש״ע ס׳ קי״ג ס״ג, ובגר״ז (שם ס״ה) כ׳ „וקל הוא יותר מחולו של מועד״ וכ״כ בשעה״צ ס״ק ז׳.

(פב) שם.

(פג) מחבר ס׳ תס״ח ס״א מהמרדכי.

(פד) שם בשם הרוקח וכ׳ הרמ״א „וכן הוא המנהג״ וכ״כ בקש״ע שם.

(פה) ע׳ ס׳ תס״ח ס״ג ומ״ב ס״ק י״ב.

(פו) ע׳ מ״ב שם.

(פז) ע׳ מ״ב שם ס״ק ה׳.

(פח) שם.

(פט) שם.

(צ) ע׳ ס׳ תס״ח ס״ד לענין ההולך ממקום שעושין למקום שאין עושין, וע׳ בגר״ז (שם ס״ט) ומ״ב (ס״ק י״א) ובש״פ לענין לשנות ממנהג אבותיהם ואכמ״ל.

(צא) ע׳ רמב״ם פ״ו דחו״מ ה״א ופ״ח ה״א ושו״ע ס׳ תע״ה ס״א ומ״ב ס׳ תנ״ג ס״ק כ״א ובכ״מ.

(צב) רמ״א ס׳ תע״א ס״ב וכ׳ במ״ב (ס״ק י״א) „אסורים לאכול מדרבנן כדי שיהיה היכר לאכילתה בערב (רמב״ם)״. „וכל האוכל מצה בע״פ כבא על ארוסתו בבית חמיו וכו׳״ (כה״ח שם אות י״ט מירושלמי).

significance of the exodus from Egypt (**צג**). This issur applies during the entire day of Erev Pesach (**צד**). Some communities have a minhag not to eat matzah from Rosh Chodesh Nissan (**צה**).

This applies only to matzah made of flour and water [which is suitable for use on Pesach] (**צו**). Egg matzos* and the like, however, may be eaten even on Erev Pesach, until the end of the fourth hour (**צז**). There is a view which holds that one may eat egg matzos on Erev Pesach until the end of the sixth hour (**צח**).

* Note: Although egg matzos may be eaten on Erev Pesach until the prescribed time, they may not be eaten on Pesach—except in case of great need—for a person who is ill or old and requires it (**צט**). [See Chapter II B 7 for the reason].

Eating foods from matzah meal

2. Those who eat *gebrukt* (matzah which was in contact with water, see ibid. Chapter IV B) may eat cooked food made from Pesach matzah meal (e.g. kneidlach)—but not baked foods (if they were made from matzah meal, e.g. cakes, cookies) (**ק**). Even this type of matzah product may be eaten only until the end of the ninth halachic hour* (**קא**) [approximately 3 P.M. in the New York metropolitan area].

* Note: The reason one cannot eat cooked food made of matzah meal from the tenth hour is that any food made from the five types of grain [wheat, barley, oats, rye, or spelt] cannot be eaten after the ninth hour (**קב**). This halacha applies also to matzah and matzah products which one can not use to fulfill the mitzvah of matzah at the *Seder* (**קג**). The reason is that he should be able to eat matzah with an appetite at the *Seder* (**קד**). For this reason, even those foods which one is permitted to eat after the ninth hour (see 2), should not be eaten in large amounts (**קה**).

(צג) ע׳ רמ״א ס׳ תע״א ס״ב ומ״ב ס״ק י״ג.

(צד) כ׳ הרמ״א שם „אבל מצה שיוצאין בה בלילה אסורים לאכול כל יום ארבעה עשר״ וכ׳ במ״ב (שם ס״ק י״ב) „כל יום י״ד. היינו מעמוד השחר״.

(צה) ע׳ מ״ב שם שכ׳ „ויש נוהגים שלא לאכול מצה מר״ח״ וע׳ במעדני שמואל (ס׳ קי״ג ס״ק י״ב).

(צו) מחבר ורמ״א שם.

(צז) ע׳ ס׳ תע״א ס״ב דדעת המחבר דמותר לאכול מצה עשירה קודם שעה עשירית וע׳ שעה״צ ס׳ תמ״ד ס״ק א׳ וכה״ח אות כ״ג.

(צח) ע׳ נוב״י (מה״ק ס״ס כ״א הובא בשע״ת ס׳ תמ״ד על דברי ההג״ה ובמדינות וכו׳).

(צט) ס׳ תס״ב ס״ד בהגה.

(ק) ע׳ מ״ב ס׳ תמ״ד ס״ק ח׳ וע׳ שעה״צ שם ס״ק א׳ לענין חרעמזלי״ך, ומ״ב ס׳ תע״א ס״ק כ׳ וס׳ רצ״א ס״ק כ״ה. **עוגה שנעשה ממצה** מעה״ל אסור לאכול בע״פ ע׳ רמ״א ס׳ תע״א ס״ב ומ״ב ס״ק י״ט,כ׳ מנהג שלא לאכול מצה שרויה ע׳ מ״ב ס׳ תנ״ח ס״ק ד׳.

(קא) מ״ב ס׳ תמ״ד ס״ק ח׳ וס׳ תע״א ס״ק כ׳.

(קב) ע׳ ס׳ תע״א ס״א ומ״ב ס״ק ג׳ ושעה״צ ס״ק כ״א ובכ״מ.

(קג) שם ס״ב.

(קד) שם ס״א.

(קה) כ׳ המחבר שם „אבל אוכל מעט פירות או ירקות אבל לא ימלא כריסו מהם (ואם הוא איסטניס שאפילו אוכל מעט מזיק באכילתו הכל אסור)״.

Eating other foods

3. From the tenth hour on Erev Pesach (see 1), one may eat fruit, meat, fish, eggs (קו), and vegetables—raw or cooked (קז). However, even of these foods he is permitted to eat only moderate amounts and not large quantities (קח). The reason for this is that he should be able to eat matzah at the *Seder* with an appetite (קט).

Drinking wine and other beverages

4. Similarly, one may not drink an amount of wine which may adversely affect his appetite for matzah at night (קי). In addition, he may become inebriated and not be able to fulfill the mitzvos of the night properly (קיא). This halacha applies to other intoxicating beverages as well (קיב).

G. GENERAL HALACHOS CONCERNING EREV PESACH

One should not say "This meat is for Pesach"

1. One should exercise caution not to say [concerning any piece of meat] "this meat is for Pesach" (קיג). The reason is that it should not appear as if he is designating it for a *Korban Pesach* (קיד). Therefore, one should rather say "this meat is for use on Pesach" or "this meat is for Yom Tov" (קטו). There are Poskim who hold that this applies to all types of meat—animals, fowl or even fish (קטז). Similarly, one should not say "here is money, go buy meat for Pesach" (קיז). If, however, one did say "this meat is for Pesach" or instructed someone to buy meat "for Pesach," it may, nevertheless, be eaten (קיח).

(קו) ע׳ ס׳ תע״א ס״א ומ״ב ס״ק ג׳.

(קז) כ׳ המחבר שם „או ירקות״ ובמ״ב (ס״ק ד׳) כ׳ „או ירקות. בין חי בין מבושל״ ובשעה״צ (ס״ק ה׳) כ׳ „וכן נהגו העולם לאכול בע״פ תפוחי אדמה״. כ׳ הרמ״א ס״ב „ויש נוהגין שלא לאכול חזרת בע״פ כדי לאכול מרור לתיאבון וכו׳״ וכ׳ על זה במ״ב (ס״ק ט״ו) „ואין למנהג זה טעם״. וכ׳ הרמ״א שם „ויש מחמירין עוד שלא לאכול פירות כדי לאכול החרוסת לתיאבון ואין לחוש למנהג ההוא״ ע״ש.

(קח) מחבר שם ס״א.

(קט) שם.

(קי) כ׳ המחבר שם „ויין מעט לא ישתה משום דמיסעד סעיד אבל אם רצה לשתות יין הרבה שותה מפני שכשהוא שותה הרבה גורר תאות המאכל״ ובמ״ב (ס״ק ח׳) כ׳ „ומ״מ לא ישתה כ״כ עד שיהא שבע כי ודאי יקלקל תאות המאכל וגם יוכל להשתכר ויתבטל מצות הלילה״ ובב״ה (ד״ה ויין) מסיק „וכן מסתברא שתלוי הכל לפי טבע אותו האדם לפי מה שהוא מרגיש בנפשו דבר שגורר לבו לתאות המאכל או להיפך״.

(קיא) מ״ב שם.

(קיב) ע׳ שעה״צ ס״ק ט׳.

(קיג) כ׳ המחבר ס׳ תס״ט ס״א „אסור לומר על שום בהמה בין חיה בין שחוטה בשר זה לפסח לפי שנראה שהקדישו מחיים לקרבן פסח ונמצא אוכל קדשים בחוץ אלא יאמר בשר זה ליו״ט״ וע׳ מ״ב ס״ק ב׳ שכ׳ „דמה שנוהגין לומר בל״א בשר זה על פסח אפילו אמר כן בגדי וטלה ליכא קפידא וכו׳״ ובשעה״צ שם (ס״ק ח׳) כ׳ „והה״ה אם אמר כן בלה״ק״. [לפ״ז יש לתמוה על רוב הרבנים המכשירים אוכלים לפסח שכותבים „כשר לפסח״ אם לא נימא דבזה לא אמרינן כתיבה כדיבור וצ״ע].

(קיד) מחבר שם.

(קטו) שם.

(קטז) מ״ב ס״ק ב׳ בשם „ויש פוסקים שמחמירין״.

(קיז) מ״ב ס״ק ג׳.

(קיח) מ״ב ס״ק א׳.

Baking "Matzos Mitzvah"

2. It is a proper minhag to knead and bake "matzos mitzvah" (the matzos used at the *Sedorim* to fulfill the mitzvah of eating matzah) after noon on Erev Pesach, since this is the time when the *Korbon Pesach* was slaughtered (קיט). Since it is baked after the time chometz is prohibited (see C 1,2), it requires the maximum caution to prevent it from becoming chometz (קכ). Although this observance of baking "matzos mitzvah" after noon on Erev Pesach is practiced by some scrupulous individuals, other scrupulous individuals do not—because of the extreme scrutiny required to prevent it from becoming chometz (קכא).

Washing and shaving for Yom Tov

3. It is a mitzvah to wash oneself, take a haircut and shave on Erev Yom Tov for Yom Tov (קכב). We have learned (see E 3) that one should not take a haircut after noon on Erev Pesach, similarly, one should not shave after noon (קכג).

One should immerse himself after noon in honor of the festival (קכד). It is a proper minhag to study then the laws of the *Korbon Pesach* [these are found in many Haggados], thereby, *Hashem* will consider it as if he offered the Pesach sacrifice (קכה).

The halachos concerning preparation for the *Seder* will be discussed in Chapter XXIII.

When Erev Pesach falls on Shabbos, see ibid. C and Section Twelve.

(קיט) ס׳ תנ״ח ס״א.
(קכ) ע׳ ס׳ ת״ס ס״ג ומ״ב ס׳ תנ״ח ס״ק ג׳ ומעדני שמואל ס׳ ק״י ס״ק ק״ה.
(קכא) ע׳ מ״ב ס׳ תנ״ח ס״ק ג׳.
(קכב) רמ״א ס׳ תע״א ס״ג.
(קכג) כך נראה ע״פ מ״ב ס׳ תס״ח ס״ק ה׳ וע׳ ס׳ תס״ח ס״ה.
(קכד) מ״ב ס׳ תע״א ס״ק כ״ב.
(קכה) שם.

תלא:א,ב	תנא:א
תלב:א	תנב:א
תלג:ב,ג,יא	תנח:א
תלד:ב	תס:ג
תמג:א	תסח:א,ג,ד
תמה:א,ב	תסט:א
תמו:א	תע:א,ב
תמח:ג	תעא:א,ב,ג

Section Six
לילי הפסח
THE FIRST NIGHTS OF PESACH

Chapter XVIII Halachos Concerning the First Nights of Pesach

A. THE NIGHTS OF THE FIFTEENTH AND SIXTEENTH OF NISSAN

Kabolas Shabbos

1. On a normal Shabbos, we usher in the Shabbos by saying *Kabolas Shabbos** (א). When Yom Tov or Chol Hamoed occurs on Shabbos, the regular *Kabolas Shabbos* is not said (ב), instead a shortened version is said. Most communities which daven Nusach Ashkenaz begin with "מזמור שיר ליום השבת" [and "ה' מלך"] (ג). Nusach Sfard begins with "מזמור לדוד" and says the first two and last two stanzas of "לכה דודי" before saying "מזמור שיר ליום השבת" and "ה' מלך" (ד). "במה מדליקין" (for Nusach Ashkenaz and "כגונא" for Nusach Sfard) are omitted by many communities on a Yom Tov which occurs on Shabbos or Erev Shabbos, and is also omitted on Shabbos Chol Hamoed (ה).

* Note: The woman of the house ushers in the Shabbos and Yom Tov with candle lighting (see 14).

Maariv on Yom Tov

2. On Yom Tov, the Maariv is similar to the Maariv of Shabbos and other Yomim Tovim. We conclude "השכיבנו" with "ופרוש", [on Shabbos we say "ושמרו"] and "וידבר משה" (ו). This is followed by חצי קדיש and then the *Shmone Esray* of Yom Tov (ז).

What does the Shmone Esray of Yom Tov consist of?

3. The *Shmone Esray* consists of seven brochos, the usual first three opening brochos, the middle brocho of *Kedushas Hayom* [literally, sanctity of the day], and concludes with the usual final three brochos (ח).

(א) ע' ס' רס"א ס"ד ומ"ב ס"ק ל"א וס' רס"ב ס"ג ונו"כ שם ובכ"מ.

(ב) ע' שעה"צ ס' תפ"ח ס"ק א'.

(ג) ע' שם ושע"ת ס' ע"ר ס"ק א'. ומש"כ רוב קהילות לפי שיש כמה קהילות מאשכנז שמתפללים קבלת שבת כרגיל ויש שאף אומרים במה מדליקין, ואם ע"ש כבר היה יו"ט מדלגין התנערי.

(ד) מנהגים.

(ה) ע' ס' ע"ר ס"ב וע' הטעם במ"ב ס"ק ג', וע' לעיל הערה ג'.

(ו) כ' המחבר ס' רס"ז ס"ג „בברכת השכיבנו אינו חותם בה שומר עמו ישראל לעד וכו'" והטעם כ' במ"ב (ס"ק ז') „דבשבת א"צ שמירה כי השבת בעצמו הוא השומר אותנו". ואם שכח ואמר שומר עמו ישראל וכו' ע' מ"ב שם ס"ק ט'. עוד כ' שם מנהג לומר „ושמרו" בשבת ו„וידבר משה" ביו"ט. (קצ"ע אמ"ב ס' רס"ז ס"ק ט' שכ' שיעור תכ"ד „הוא כדי שיאמר שלום עליך רבי ומורי" ובמ"ב ס' תפ"ז ס"ק ד' כ' „רק כדי ג' תיבות" ובשעה"צ ס' תפ"ז ס"ק ג' כ' „ולפלא על פמ"ג שכתב ד' תיבות").

(ז) ע' ס' רל"ו ס"ב ומ"ב ס"ק ה' לענין קדיש.

(ח) ס' תפ"ז ס"א.

The middle brocho begins with "אתה בחרתנו"; we then say "ותתן לנו" [in which we say "את יום חג המצות הזה זמן חרותינו מקרא קודש וכו'" (ט)], "יעלה ויבוא" [in which we say "ביום חג המצות הזה" (י)], "והשיאנו" and we conclude with "מקדש ישראל והזמנים" (יא).

Errors in the middle of the fourth brocho

4. If one erred in *Shmone Esray* and began with "יעלה ויבוא" instead of "אתה בחרתנו", even if he reminded himself before concluding the brocho, he is not required to go back to "אתה בחרתנו" (יב).

If, however, one deleted "אתה בחרתנו" and "יעלה ויבוא" and began the middle brocho with "והשיאנו", although he said "מועדי קדשך", since he did not mention "חג המצות הזה", he has not fulfilled his requirement (יג).

If one concluded the brocho improperly

5. These halachos apply, if he completed the brocho properly (יד). If, however, he did not complete the brocho correctly, even if he said "אתה בחרתנו", he has not fulfilled his requirement (טו). Therefore, if he reminded himself after beginning "רצה", he is required to return to "אתה בחרתנו" (טז). If he completed *Shmone Esray* even if he had not yet separated his legs (עקר רגליו), he is required to repeat the entire *Shmone Esray* (יז).

Errors in the conclusion of the brocho

6. If one erred in the conclusion of the brocho and instead of saying "מקדש ישראל והזמנים" he said "מקדש ישראל", although he said "אתה בחרתנו" and the rest of the brocho properly, he has not fulfilled his requirement (יח). This halacha applies both to *Kiddush* and *Shmone Esray* (יט).

(ט) במחבר שם כ' „סדר היום וכו' וקדושת היום באמצע אתה בחרתנו וכו' ותתן לנו ה' אלקינו את יום חג המצות הזה את יום טוב מקרא קדש הזה וכו'" ובמ"ב (ס"ק א') כ' „ומנהגנו לומר את יום חג המצות הזה זמן חירותינו מקרא קדש וכו'" ע"ש.

(י) ע' מחבר שם.

(יא) שם.

(יב) ס' תפ"ז ס"ג וכ' במ"ב ס"ק י"א הטעם „דהרי מזכיר ענינו של יום ביעלה ויבוא". כתב המ"ב בשם דה"ח (ס"ק י"ב) „יצא. ואפילו אם נזכר קודם שחתם הברכה א"צ לחזור לאתה בחרתנו" וע' בשעה"צ (ס"ק ט') שכ' על זה „ולענ"ד אין דין זה ברור".

(יג) כ"כ במ"ב ס"ק י"א מדה"ח וכ' „אבל בפמ"ג מסתפק בזה". כ' הגר"ז (ס' תפ"ז ס"ב) „אבל מי שטעה והתפלל י"ח של חול בי"ט אם הזכיר י"ט בברכה אחת מהן כגון שאמר יעלה ויבא בעבודה והזכיר שם י"ט זה יצא וכו'" ע"ש הטעם.

(יד) מ"ב שם.

(טו) שם.

(טז) שם.

(יז) שם. ע' מ"ב ס' קי"ז ס"ק י"ח ובב"ה (שם ס"ה ד"ה כעקורים) וערה"ש ס' קי"ז ס"ו שכתבו דלא בעינן עקר ממש כדעת החיי"א אלא דתלוי באם רגיל לומר תחנונים וסיים תחנוניו ואמר אחריהם הפסוק יהיו לרצון וכו' וכ' המחבר (ס' קי"ז ס"ה) „ואם השלים תפלתו ואינו רגיל לומר תחנונים אחר תפלתו אע"פ שעדיין לא עקר רגליו כעקורים דמי".

(יח) ס' תפ"ז ס"א ומ"ב ס"ק ב'.

(יט) שם.

When Yom Tov falls on a weekday, if he concluded the brocho in error by saying "מקדש השבת", but then realized his error and corrected himself by saying "מקדש ישראל והזמנים," if this correction was made תוך כדי דיבור (**כ**) (literally, within the time needed for a greeting, that is, from the time he said מקדש השבת he did not pause longer than it takes a person to say three words) (**כא**), and then he said "מקדש ישראל והזמנים", he fulfilled his obligation (**כב**). Most Poskim hold that this halacha even applies if when he said "ברוך אתה ה'" he forgot or was unaware that it was Yom Tov (**כג**). If he corrected himself after pausing more than תוך כדי דיבור, he has not fulfilled his requirement, although he mentioned Yom Tov in the midst of the brocho, since the conclusion of the brocho was improper he is required to repeat the brocho (**כד**).

These halachos apply only if he paused after *concluding* the brocho improperly (**כה**). However, if he began the next brocho (that is, he said "רצה"), even if he said only one word, he cannot correct himself by saying "מקדש ישראל והזמנים" but is required to repeat the brocho (**כו**).

When Pesach falls on Shabbos

7. These halachos (see 6) apply when Pesach falls on a weekday (**כז**). When Pesach falls on Shabbos, some say in the midst of the fourth brocho "את יום המנוח הזה ואת יום חג המצות הזה" (**כח**), our minhag is to say "את יום השבת הזה ואת יום חג המצות הזה" (**כט**). Many say "באהבה מקרא קודש" (**ל**). "יעלה ויבוא" is said, and Shabbos is not mentioned in "יעלה ויבוא" (**לא**). He concludes "מקדש השבת וישראל והזמנים" (**לב**) (see 9).

If one did not mention Shabbos in the proper place

8. If one did not begin the fourth brocho with "אתה בחרתנו" but with "יעלה ויבוא" in which he mentioned Shabbos [that is, he said "ביום השבת הזה וביום חג המצות הזה"], he fulfilled his requirement, provided that he concluded the brocho properly (**לג**). If he forgot "אתה בחרתנו" and also did not mention Shabbos in

---

(**כ**) מחבר שם ומ"ב ס"ק ג'. ע' כה"ח (ס' תפ"ז אות י"א) לענין מי שחזר ואמר רק ישראל והזמנים ולא חזר לומר מקדש.

(**כא**) מ"ב ס"ק ד' (וע' לעיל הערה ו' מש"כ על זה).

(**כב**) ע' מחבר שם.

(**כג**) ע' מחבר שם שכ' „אחרי שהוא יודע שהוא יום טוב" וע' מ"ב (ס"ק ה') מש"כ בביאור דברי המחבר וכ' „אבל רוב הפוסקים ס"ל אע"פ שלא ידע שהוא יו"ט יצא כיון שנזכר בתוך כדי דיבור וחתם כדין כן פסקו הרבה אחרונים ועיין בביאור הגר"א שגם הוא מכריע כן להלכה" וכ"כ בחיי"א כלל כ"ח ס"ט וכ"מ מגר"ז ס' תפ"ז ס"א.

(**כד**) מ"ב ס"ק ד'.

(**כה**) ע' מ"ב שם ושעה"צ ס"ק ב'.

(**כו**) ע' ב"ה ס' תפ"ז ס"א ד"ה תוך דמסיק לחזור לתחלת הברכה וכן מסיק בכה"ח (שם אות י"ג).

(**כז**) ע' מחבר שם.

(**כח**) ס' תפ"ז ס"א.

(**כט**) מ"ב ס"ק ו' כ' „ומנהגנו לומר את יום השבת הזה ונהרא נהרא ופשטיה".

(**ל**) ע' מ"ב שם ס"ק א'.

(**לא**) ע' רמ"א ס' תפ"ז ס"ג ומ"ב ס"ק ט"ו וכ' שם מלבוש טעם נכון לזה.

(**לב**) ט' תפ"ז ס"א.

(**לג**) ס' תפ"ז ס"ג ומ"ב ס"ק י"א,י"ג.

"יעלה ויבוא" since he mentioned it in "והשיאנו" [that is, he said "והנחילנו ה' אלקינו באהבה וברצון בשמחה ובששון שבת ומועדי קדשך"] and he concluded the brocho properly, he has fulfilled his requirement (**לד**).

If he erred in the conclusion of the brocho

9. We have learned (see 7) that on Shabbos the fourth brocho concludes "מקדש השבת וישראל והזמנים" (**לה**). If he erred in the conclusion of the brocho and only mentioned Shabbos [that is, he said "מקדש השבת"] and began "רצה," he is not required to repeat the fourth brocho (**לו**). If, however, he only said "מקדש ישראל והזמנים" and omitted Shabbos, it is questionable whether he has fulfilled his requirement (**לז**).

ויכולו, ברכה אחת מעין שבע, Hallel

10. On Shabbos after *Shmone Esray*, "ויכולו" is said, but "ברכה אחת מעין שבע" is omitted (**לח**). In some communities, the minhag is to recite the complete *Hallel* with a brocho on the first night of Pesach in Eretz Yisroel and the first two nights outside of Eretz Yisroel (**לט**); this is the minhag of Nusach Sfard and Nusach הגר"א (**מ**). The complete Kaddish is said [followed by "עלינו"] (**מא**).

"ותודיענו" is added on Motza'ai Shabbos

11. On Motza'ai Shabbos, "ותודיענו" is added in the fourth brocho after "אתה בחרתנו" (**מב**). If one omitted "ותודיענו", he is not required to repeat *Shmone Esray*, because *Havdallah* will be included as part of *Kiddush* (**מג**). If, however, he ate before *Kiddush*, he is required to repeat *Shmone Esray* (**מד**).

One who forgot to recite "ותודיענו" but desires to do melacha [those forms of work which are prohibited on Shabbos but are permissible on Yom Tov] before reciting *Havdallah* [in *Kiddush*], should say "ברוך המבדיל בין קדש לקדש" [without mentioning שם ומלכות, that is, he should not say the words "ה' אלקינו מלך העולם"]

(לד) ע' מ"ב שם ס"ק י"ג משמע דכן ס"ל המ"ב אלא שנשאר בצ"ע אדברי הב"י (וע' מ"ב ס"ק ז'). [ספק אם הזכיר שבת נראה דבדיעבד א"צ לחזור דהרמ"א (ס' תכ"ב ס"א) כ' דאם הוא ספק אם הזכיר יעלה ויבוא או לאו דא"צ לחזור והטעם כ' במ"ב שם (ס"ק י') כיון שאין עוברין ל' יום שאין מזכירין יעלה ויבוא אין זה חזקה שלמה לומר שבודאי לא הזכיר, ואף שחולקים שם רוב האחרונים על הרמ"א וסוברים דמסתמא התפלל כמו שרגיל בכל יום בלא יעלה ויבוא מ"מ הכא אין רגילות וחזקה לומר תפלת יו"ט בלא שבת].

(לה) ס' תפ"ז ס"א.

(לו) מ"ב ס"ק ז' ובה"ה ד"ה מקדש.

(לז) ע' שם וע' חיי"א כלל כ"ח ס' י',י"א.

(לח) ס' תפ"ז ס"א ומ"ב ס"ק ט' וכ' שם הטעם דאין אומרים ברכה אחת מעין שבע „דלא נתקנה אלא מפני המזיקין (וכדלעיל בסימן רס"ח ס"ק כ' במ"ב) ובפסח הוא ליל שמורים".

(לט) ע' ס' תפ"ז ס"ד ורמ"א שם ומ"ב ס"ק ט"ז.

(מ) ע' מ"ב שם שכ' „ומנהג ספרדים לומר" וכן הוא גם מנהג נוסח ספרד.

(מא) ע' שם מ"ב ס"ק ט'.

(מב) ס' תצ"א ס"ב.

(מג) מ"ב שם ס"ק ד' ובה"ה ס' רצ"ד ס"א ד"ה ואם טעה.

(מד) שם.

(מה). Those forms of work are then permissible* (מו). Eating is still prohibited until after *Kiddush*—even if he said "ותודיענו" in *Shmone Esray* (מז).

* Note: The saying of "ותודיענו" or "ברוך המבדיל" allows the performance of melachos which are permissible on Yom Tov, only if Shabbos is over (מח). Women should exercise caution not to light the Yom Tov candles (see 14), cook or perform any preparation for Yom Tov until the usual time for Motza'ai Shabbos arrives, that is, until three medium-size stars are visible and she said "ברוך המבדיל" [or said "ותודיענו" in *Shmone Esray*] (מט).

Kiddush

12. Although the minhag in many communities is for the *chazan* to recite *Kiddush* in Shul after Maariv on Shabbos and Yom Tov (נ), it is omitted on the first two nights of Pesach (נא). The reason is that the purpose of reciting *Kiddush* in Shul is that those who have no wine of their own can fulfill their obligation by listening to the *Kiddush* recited by the *chazan* (נב). On the first two nights of Pesach, however, even a pauper who is maintained by public support must be furnished with four cups of wine for each of the *Sedorim* (נג). However, even if there is no other wine in town except for in Shul, *Kiddush* is still not recited in Shul (נד).

Sefiras Haomer

13. On the second night of Pesach we begin counting the *omer* (נה). The halachos of *Sefiras Haomer* are discussed in detail in *Section Nine* (Chapters XXVI-XXIX).

Lighting candles

14. Candles are lit by the woman of the house before Shabbos and Yom Tov (נו). On the first night of Yom Tov two brochos are recited: a) "להדליק נר של [שבת ושל] יום טוב" (נז) (words in brackets are added on Shabbos) (נח) and b)

(מה) מ"ב ס' רצ"ט ס"ק ל"ו.

(מו) היינו מלאכת אוכל נפש כמ"ש שם.

(מז) מ"ב שם.

(מח) ע' ס' רצ"ג ס"ב ומ"ב ס"ק ב' שהביא ס' רצ"ט ס"י ומ"ב שם ס"ק ל"ג ודוק.

(מט) ע' רמ"א ס' רצ"ט ס"י ומ"ב ס"ק ל"ו.

(נ) ס' רס"ט ס"א.

(נא) ס' תפ"ז ס"ב.

(נב) מ"ב שם ס"ק י'.

(נג) ע' מ"ב שם וס' תע"ב ס"ק מ"ב וס' ת"צ ס"ק י"ב.

(נד) כ"כ במ"ב ס' תפ"ז ס"ק י' שכן הסכימו האחרונים.

(נה) ס' תפ"ט ס"א.

(נו) ע' ס' רס"ג ס"ג וס"ה ומ"ב ס"ק י"א,י"ב. ביו"ט אם יש לברך הברכות קודם הדלקה ע' מ"ב ס' רס"ג ס"ק כ"ז (ובדרישה בשם אמו ובמ"א).

(נז) ס' רס"ג ס"ה ומ"ב ס"ק כ"ד.

(נח) מ"ב שם.

״שהחיינו״ (**נט**). On the second night of Yom Tov the candles must be lit after nightfall, that is, when three medium-size stars are visible (**ס**) (see Note after 11). One who recited ״שהחיינו״ on the first night, nevertheless, repeats it on the second night (**סא**).

Beginning the Seder

15. The *Seder* should begin immediately upon returning home after nightfall (**סב**). The halachos of the *Seder* are discussed in detail in the next section (*Section Seven*, Chapters XIX-XXIV).

(נט) ע׳ מ״ב שם ס״ק כ״ג שכ׳ „ואין צריך לברך זמן על ההדלקה״ וע׳ שעה״צ שהביא משע״ת וח׳ רע״א בשם שאילת יעב״ץ (סי׳ ק״ז) ומסיק במ״ב שם „מיהו במקום שנהגו אין למחות בידן״ ונראה דבמקומותינו נוהגות הנשים לברך שהחיינו, ועי׳ ברכ״י יו״ד סי׳ ר׳. **אשה** המדלקת ומברכת שהחיינו אם תענה אמן לברכת שהחיינו בקידוש ע׳ אג״מ או״ח ח״ד ס׳ ק״א, ואם מקדשת לעצמה לא תברך שהחיינו בקידוש כ״כ בס׳ מעיני הישועה ס״פ ט״ו.

(ס) ע׳ ס׳ תק״ג ס״א וב״ה ד״ה ביו״ט ובכ״מ.

(סא) ע׳ מ״ב ס׳ תע״ג ס״ק א׳ ושעה״צ ס״ק ג׳ ודוק. ואינה צריכה פרי חדש כמבואר במ״ב ס׳ ת״ר ס״ק ה׳.

(סב) ע׳ ס׳ תע״ב ס״א.

סימנים וסעיפים שבשלחן ערוך המשתייכים לפרק זה

ע״ר:ב	**תפ״ח:א**
תע״ב:א	**תפ״ט:א**
תפ״ז:א־ד	**תצ״א:ב**

Chapter XIX The Mitzvos of the Seder

A. INTRODUCTION

Five Mitzvos

1. On the first night of Pesach, the performance of five mitzvos is incumbent upon every Jew (א). Two of these mitzvos are required by the Torah (מדאורייתא) (ב), three are required by our sages (מדרבנן) (ג). Outside of *Eretz Yisroel* performance of these five mitzvos is also required by our sages on the second night of Pesach (ד). During the time of the *Beis Hamikdosh*, there were sixteen additional mitzvos associated with the *Korbon Pesach* (the Passover sacrifice) (ה).

Two Mitzvos d'Oraysa

2. The two mitzvos required by the Torah are:

a) אכילת מצה — the eating of matzah on the first night of Pesach, as it says ״בערב תאכלו מצות״ "in the evening you shall eat unleavened bread" (ו).

b) סיפור יציאת מצרים — relating the story of the exodus from Egypt, as is says ״והגדת לבנך ביום ההוא״ "you should relate to your son [the story of Pesach] on this day" (ז).

Three Mitzvos d'Rabonon

3. The three mitzvos required by the רבנן are:

a) ד׳ כוסות — drinking four cups of wine (ח),

b) אכילת מרור — eating *marror* (bitter herbs) (ט), and

c) הלל — reciting the *Hallel* (Psalms of praise) (י).

(א) כ׳ הרמב״ם (פ״ו מהל׳ חו״מ ה״א) „מצות עשה מן התורה לאכול מצה בליל חמשה עשר שנאמר בערב תאכלו מצות וכו׳״ וכ׳ (בפ״ז שם ה״א) „מצות עשה של תורה לספר בנסים ונפלאות שנעשו לאבותינו במצרים בליל חמשה עשר בניסן שנאמר זכור את היום הזה אשר יצאתם ממצרים כמו שנאמר זכור את יום השבת. ומנין שבליל חמשה עשר תלמוד לומר והגדת לבנך ביום ההוא לאמר בעבור זה בשעה שיש מצה ומרור מונחים לפניך״ אלו הב׳ מצוות מדאורייתא. ולענין מצוות דרבנן, כ׳ הרמב״ם (שם ה״ז) „וכל אחד ואחד בין אנשים בין נשים חייב לשתות בלילה הזה ארבעה כוסות של יין וכו׳״ [ובגמ׳ פסחים קי״ז: „ארבע כסי תיקנו רבנן וכו׳״] וכ׳ (שם ה׳ י״ב) „אכילת מרור אינה מצוה מן התורה בפני עצמה אלא תלויה היא באכילת הפסח. שמצות עשה אחת לאכול בשר הפסח על מצה ומרורים. ומדברי סופרים לאכול המרור לבדו בליל זה אפילו אין שם קרבן פסח״ וע״ש (בפ״ח ה״ה, ה״י ובמשנה קי״ז:) לענין מצות אמירת ההלל.

(ב) שם.

(ג) שם.

(ד) לענין מצה ע׳ חיי״א כלל קכ״ח ס׳ כ״ט ומ״ב ס׳ תע״ה ס״ק מ״ד, לענין סיפור יציאת מצרים ע״ש כלל ק״ל ס׳ י״א, לענין ד׳ כוסות ע״ש ס״י, לענין מרור ע״ש ס״ג, וה״ה לענין הלל וע׳ ברמ״א ס׳ תפ״א ס״ב „וכל דין ליל ראשון יש ג״כ בליל שני״.

(ה) ע׳ לעיל פ״ב הערה ב׳ מהרמב״ם בהקדמתו להל׳ קרבן פסח.

(ו) שמות י״ב: י״ח.

(ז) שמות י״ג ח׳.

(ח) ע׳ לעיל הערה א׳.

(ט) שם.

(י) שם.

The Seder

4. The procedure for the performance of these mitzvos on the first night of Pesach in *Eretz Yisroel* and on the first two nights of Pesach outside of *Eretz Yisroel* is called the *Seder* (literally, order or procedure) (**יא**).

We will now discuss, in detail, the mitzvos which are required by the Torah.

B. MATZAH

The mitzvah of eating matzah

1. Eating matzah on the first night of Pesach is a מצות עשה (a positive commandment), as it says in the Torah ״בערב תאכלו מצות״ (**יב**). This mitzvah applies in all places and in every generation (**יג**). Therefore, this requirement does not depend upon the presence of the *Korbon Pesach*,* but it is an independent mitzvah (**יד**) (see Chapter XXI A 1).

*Note: The *Korbon Pesach* can only be eaten in Jerusalem during the time of the *Beis Hamikdosh* (**טו**). It is to be eaten with the matzah and marror, as it says ״על מצות ומרורים יאכלוהו״ (**טז**), "you shall eat it with matzah and marror" (**יז**).

How much matzah must one eat?

2. A person is required to eat a כזית (the volume of an olive) of matzah on the first night of Pesach (**יח**). Once a person has eaten this כזית he has fulfilled the Torah requirement (**יט**). [Outside of Eretz Yisroel this is required מדרבנן on the second night as well, see A 1]. However, there are additional requirements מדרבנן (**כ**). These additional requirements and the measurement of a כזית will be discussed later (see Chapter XXI D 7, Chapter XXIV H).

(יא) ע׳ רמב״ם פ״ח דחו״מ ה״א וחיי״א כלל ק״ל.

(יב) כ׳ הרמב״ם (פ״ו דהל׳ חו״מ ה״א) „מצות עשה מן התורה לאכול מצה בליל חמשה עשר שנאמר (שמות י״ב:י״ח) בערב תאכלו מצות. בכל מקום ובכל זמן. ולא תלה אכילה זו בקרבן הפסח אלא זו מצוה בפני עצמה ומצותה כל הלילה״.

(יג) שם.

(יד) שם וע׳ ברמב״ם פ״ח שם ה״ח.

(טו) ע׳ בס׳ החינוך (מצוה ה׳ ובכ״מ) שכ׳ „ונוהגת בזכרים ונקבות בזמן הבית״ לענין הקרבת הק״פ וע׳ שם (במצוה ו׳) לענין אכילתה [ואף שלא כ׳ „ונוהגת וכו׳״ שם פשוט דאם אינו נשחט אינו נאכל], וע׳ במשנה (זבחים נ״ו:) דנאכל רק בירושלים כשאר קדשים קלים.

(טז) כ׳ הרמב״ם (פ״ח דהל׳ ק״פ ה״א) „אכילת בשר הפסח בליל חמשה עשר מצות עשה שנאמר (שמות י״ב:ח) ואכלו את הבשר בלילה הזה צלי אש ומצות על מרורים יאכלוהו״ וכ׳ שם (בה״ב) „ואין מצה ומרור מעכבין. אם לא מצאו מצה ומרור יוצאין ידי חובתן באכילת בשר הפסח לבדו. אבל מרור בלא פסח אינו מצוה שנאמר (במדבר ט:י״א) על מצות ומרורים יאכלוהו״.

(יז) שם.

(יח) כ׳ הרמב״ם (פ״ו דהל׳ חו״מ ה״א) „מצות עשה מן התורה לאכול מצה בליל חמשה עשר שנאמר בערב תאכלו מצות וכו׳ ומשאכל כזית יצא ידי חובתו״.

(יט) שם.

(כ) היינו כורך (ע׳ רמב״ם שם פ״ח ה״ח) ואפיקומן (שם ה״ט).

Who is required to eat matzah?

3. Although women are usually exempt from a מצות עשה שהזמן גרמא (a positive mitzvah whose observance depends upon a specific day of the year or time of day) (**כא**), their requirement for eating matzah on Pesach is similar to that of men (**כב**).

The reason is that the Torah says ״לא תאכל עליו חמץ שבעת ימים תאכל עליו מצות״ (**כג**) "you shall not eat with it [i.e. the *Korban Pesach*] chometz, seven days you shall eat with it matzos." Since the Torah equated the prohibition against eating chometz with the mitzvah of eating matzah, חז״ל [our sages] tell us that the Torah is saying whoever is prohibited from eating chometz on Pesach is required to eat matzah (**כד**). Since women are prohibited from eating chometz on Pesach similar to men, they are, therefore, required to eat matzah like men (**כה**).

Fathers are required to see that their children who have reached the age of חינוך (see Chapter XX C 3) eat a כזית of matzah (**כו**). Even young children who are able to eat matzah should also be encouraged to do so (**כז**).

Matzos must be from the five types of grain

4. One may fulfill his requirement for eating matzah only with matzah made from the five types of grain, which are wheat (חטה), spelt (כוסמת), barley (שעורה), oats (שבולת שועל) and rye (שיפון) (**כח**).

The reason [as in 3] is that the Torah says ״לא תאכל עליו חמץ שבעת ימים תאכל עליו מצות״ (**כט**), the Torah equated the prohibition against eating chometz with the mitzvah of eating matzah (**ל**). The Torah is saying, one can fulfill his requirement for eating matzah *only* with a substance which had the intrinsic potential of becoming chometz (**לא**) [but the process was impeded] (**לב**). Only the five types of grain have this intrinsic potential (**לג**). Therefore, one may fulfill his requirement for eating matzah only with matzah made from these five types of grain (**לד**).

(כא) תנן (קידושין כ״ט.) „וכל מצות עשה שהזמן גרמא אנשים חייבין ונשים פטורות״.

(כב) כ׳ הרמב״ם (שם פ״ו ה״י) „הכל חייבין באכילת מצה אפילו נשים ועבדים״ וכ׳ המחבר (ס׳ תע״ב ס׳ י״ד) „גם הנשים חייבות בארבע כוסות ובכל מצות הנוהגות באותו לילה״ וכ׳ המ״ב (שם ס״ק ס״ה) „מצות הנוהגות וכו׳. כגון מצה ומרור ואמירת הגדה״.

(כג) דברים ט״ז:ג׳ [ומה שהוספנו בסוגריים כ״כ בתרגום יונתן שם וע׳ בספורנו שם].

(כד) ע׳ גמ׳ (פסחים מ״ג:) „דאמר ר״א נשים חייבות באכילת מצה דבר תורה שנא׳ לא תאכל עליו חמץ וגו׳ כל שישנו בבל תאכל חמץ ישנו באכילת מצה והני נשי נמי הואיל וישנן בבל תאכל חמץ ישנן בקום אכול מצה״.

(כה) שם.

(כו) ע׳ רמב״ם (שם פ״ו ה״י) „קטן שיכול לאכול פת מחנכין אותו במצות ומאכילין אותו כזית מצה״ וע׳ תה״ד ס׳ קכ״ה ודוק.

(כז) ע׳ שם וע׳ במ״ב ס׳ תע״א ס״ק י״ג ודוק.

(כח) ע׳ רמב״ם שם פ״ו ה״ד וס׳ תנ״ג ס״א.

(כט) דברים ט״ז:ג׳.

(ל) ע׳ פסחים ל״ה. ורמב״ם שם ה״ד וע׳ מ״ב ס׳ תנ״ג ס״ק ג׳.

(לא) ע׳ שם.

(לב) פשוט.

(לג) ע׳ הערה ל׳.

(לד) שם.

With which fluids may matzah be made?

5. Matzah must be made exclusively from flour of the five types of grain (see 4) and water (**לה**). Nothing else may be added, because this may cause the process of חימוץ (becoming chometz) to be more rapid (**לו**). In addition, certain fluids (e.g., wine, oil, honey, milk, fruit juice, eggs) (**לז**) make the matzah into מצה עשירה (enriched unleavened bread) — even if no water is used (**לח**), and the Torah required the matzah eaten on the night of Pesach to be לחם עני (bread of poverty) (**לט**).

Even the water used for making matzos has specific requirements (מים שלנו) (**מ**). The entire process of matzah production for Pesach has stringent regulations (**מא**). The specifics are discussed in detail in the Shulchan Aruch (**מב**).

Matzah Shmurah

6. The Torah says "ושמרתם את המצות" (**מג**), "you shall *guard* the matzos". This is the source for the requirement of eating — on the *Seder* nights — "matzah shmurah," guarded or specifically supervised matzah (**מד**). What is *matzah shmurah?*

We know that *all* foods used on Pesach require supervision to guarantee that they do not contain chometz (**מה**) (see Chapter III B). This is especially crucial for matzos used on Pesach, because of the potential of the five types of grain to become chometz — if proper care is not given (**מו**).

Therefore, when the Torah says "you shall guard the matzos," it is not merely requiring *preventative* supervision, it is not only requiring us to prevent the matzah from becoming chometz (**מז**). In addition to preventative

---

(לה) ע׳ לעיל הערה כח וס׳ תנ״ה ס״א.
(לו) כ׳ המחבר (ס׳ תס״ב ס״ב) „מ״פ עם מים ממהרים להחמיץ יותר משאר עיסה וכו׳״ וע׳ בס׳ תנ״ה ס״ה וס״ו אם לש במלח ותבלין.
(לז) ע׳ מחבר (ס׳ תס״ב ס״א) וכ׳ המ״ב (שם ס״ק א׳) „מי פירות. כגון יין ושמן וה״ה דבש וחלב ושאר כל המשקין וכו׳״ וכ׳ המחבר (שם ס״ד) „מי ביצים ושאר משקים כולם הוו בכלל מ״פ״ וכ׳ המ״ב (שם ס״ק י״ד) „הוו בכלל מי פירות. ושייכא בהו דינים המבוארים בסעיף א׳ וב׳״.
(לח) שם.
(לט) דברים שם וע׳ פסחים ל״ו., וכ׳ המחבר (ס׳ תס״ב ס״א) „מי פירות בלא מים אין מחמיצין כלל וכו׳ אבל אין יוצא בה י״ח מפני שהיא מצה עשירה וקרא כתיב לחם עוני״ וע׳ במ״ב שם ס״ק א׳ ובא״א ס׳ תע״א ס״ק ה׳.
(מ) ע׳ ס׳ תנ״ה.
(מא) ע׳ ס׳ תנ״ג עד ס׳ תס״ב.
(מב) שם.

(מג) שמות י״ב:י״ז.
(מד) ע׳ ס׳ תנ״ג ס״ד וע׳ במ״ב שם ס״ק כ״א.
(מה) ע׳ לעיל בפ״ג שהארכנו בזה.
(מו) ע׳ מחבר שם ובכ״מ.
(מז) ע׳ תוס׳ (מ. ד״ה כי) שכ׳ „דעיקר שימור כדי שלא תחמיץ״ וכ״מ מהרא״ש (פ״ב ס״ס כ״ו) מרב האי גאון, וע׳ בב״י (ס׳ ת״ס ד״ה אין עושין המצות) מת׳ הרשב״א דבעינן כוונה לשם מצת מצוה וכ״כ הריטב״א שם [וכ״מ מגמ׳ (ל״ח:) „ושמרתם את המצות מצה המשתמרת לשם מצה יצתה זו שאינה משתמרת לשם מצה אלא לשום זבח״ אבל ע״ש ברש״י (ד״ה ושמרתם) ודוק], וכ׳ המחבר שם „החטים שעושים בהם מצת מצוה טוב לשמרן שלא יפלו עליהם מים משעת קצירה וכו׳״ וכ׳ המ״ב (שם ס״ק כ״א) „שעושין בהם מצת מצוה. ר״ל המצות שאוכלין בשתי הלילות הראשונות לקיים בהן מצות בערב תאכלו מצות הם צריכין שמירה יתירה ולא די לנו במה שאין לנו ריעותא של חשש חימוץ אלא שצריך שימור יתירה לשם

supervision, the Torah is also requiring *positive* supervision (**מח**). That is, matzos must be supervised during the various stages of the manufacturing process לשם מצת מצוה — specifically for the purpose of being used for the mitzvah of אכילת מצה (eating matzah) (**מט**). This is *matzah shmurah* — matzos guarded and protected from becoming chometz *and* specifically manufactured and supervised for the mitzvah of אכילת מצה (**נ**).

When is matzah shmurah required?

7. *Matzah shmurah* is *required* on the first night of Pesach in Eretz Yisroel and the first two nights of Pesach outside of Eretz Yisroel for the fulfillment of the mitzvah of אכילת מצה (**נא**). Matzos used for the fulfillment of this mitzvah are called מצת מצוה (**נב**).

From when is this supervision required?

8. There are various opinions among the Poskim concerning the time when the need for this supervision begins (**נג**).

Some Poskim hold that it is sufficient to begin this supervision from the time the grain is ground into flour (שמורה משעת טחינה) (**נד**). These are the usual machine matzos which are available for Pesach* [and are commonly referred to as מצות פשוטות] (**נה**).

Many Poskim hold that supervision of the matzah from the time the grain

---

מצות מצה דכתיב ושמרתם את המצות והיינו שצריך שישמור לשם מצה" וע' בערה"ש (ס' תנ"ג מס' י"ח ואילך) ובמקראי קודש (אפיית המצות ס"א).

(מח) שם.

(מט) שם וכ' הגר"ז (ס' תנ"ג ס' י"ד) „אין אדם יוצא י"ח אלא במצה ששמרה ישראל מחימוץ לשם הפסח שנ' ושמרתם את המצות שישמרנה ישראל לשם מצות מצה ויש אומרים לשם מצות בערב תאכלו מצות ויש אומרים לשם מצות ז' ימים תאכלו מצות דהיינו שאם שמרה לשם מצה שיאכלנה בז' ימי הפסח יוצא בה וכן עיקר".

(נ) ע' שם.

(נא) כ' המחבר שם „החטים שעושים בהם מצת מצוה" וכ' המ"ב שם „שעושין בהם מצת מצוה. ר"ל המצות שאוכלין בשתי הלילות הראשונות לקיים בהן מצות בערב תאכלו מצות".

(נב) שם.

(נג) כמו שיתבאר.

(נד) כ' המחבר שם „החטים שעושים בהם מצת מצוה טוב לשמרן שלא יפלו עליהם מים משעת קצירה ולפחות משעת טחינה וכו'" דעה הראשונה היא דעת הרי"ף (מ.) והרמב"ם (פ"ה מהל' חו"מ ה"ט) ומקורם מגמ' (שם) דאמר להו רבא „להנהו דמהפכי כיפי כי מהפכיתו הפיכו לשום מצוה" ופי' הרי"ף „כלומר הזהרו בהן שלא יבא עליהם מים פי' כיפי עמרים" והרי"ף גורס „לשום מצה" [כמו שדייק בערה"ש ס' תנ"ג ס"כ]. ודעה שני' (במחבר שם) היא דעת הרא"ש והשאילתות (הובא ברא"ש פ"ב ס' כ"ו), ופירש הרא"ש שם לענין רבא „ומחמיר על עצמו היה לשמור מצה של מצוה משעת קצירה".

(נה) כך נוהגים בתי אפיות מצות שבזמנינו.

is ground is insufficient (**נו**). These Poskim hold that matzos must be supervised from the time of harvesting (שמורה משעת קצירה) (**נז**). These are the matzos which are commonly known as "Shmurah Matzos" (**נח**). One should conduct himself like these Poskim and use *matzah shmurah* from the time of harvesting, for [at least, see 9] the *Seder* nights (**נט**).

> *Note: Although there are Poskim who hold that it is permissible to use matzos supervised from the time the flour is kneaded (שמורה משעת לישה) (**ס**), which would mean that it would even be permissible to bake matzos from commercial non-supervised flour (**סא**); this does *not* apply nowadays (**סב**). Since, nowadays, grain and flour are washed during the manufacturing process (**סג**), commercial flour should be considered as actual chometz (**סד**) (see Chapter II B 2). Therefore, one may not even *possess* this matzah [or this flour] during Pesach (**סה**).

Matzah shmurah for the entire Pesach

9. This positive supervision (see 6) is required for מצת מצוה (**סו**) (see 7). Is there a requirement or an *advantage* in eating *matzah shmurah* — from the time of harvesting — the entire Pesach?

Why should there be such a requirement or advantage? Firstly, many Poskim prefer this matzah because there is less of a chance of it becoming chometz (**סז**). Secondly, although a person is not required to eat matzah — except for the כזית required at the *Sedorim* (**סח**) (see 2), since some Poskim hold that by eating

---

(נו) ע׳ דעת הרי״ף והרמב״ם שם וע׳ בב״ה (ס׳ תנ״ג ס״ד ד״ה טוב) שכ׳ „ודעת הפר״ח להכריע דשימור משעת קצירה מדינא הוא ולעיכובא ואפילו בדיעבד וכדבריו נמצא בכמה ראשונים דשימור הוא משעת קצירה ואף דאם לא ימצא מצה ששמור מעת הקצירה לשם מצה בודאי נוכל לסמוך על דעת השו״ע ולברך ברכת אכילת מצה מ״מ לכתחלה בודאי נכון להחמיר למצה של מצוה ליקח דוקא מצה שמורה מעת הקצירה ובשם הגר״א הביאו ג״כ שהחמיר מאוד שלא לאכול רק מה ששמור משעת קצירה והוא היה נזהר בזה כל ימי הפסח ומטעם שמא ירד עליהם מים במחובר לאחר שנתייבש התבואה״.

(נז) שם.

(נח) פשוט.

(נט) ב״ה שם וערה״ש שם ס׳ כ״ג. **כתב** בארחות חיים (ס׳ תנ״ג אות י״ט על ס״ז ד״ה נשאלתי) בענין אחד שהוליך קמחא דפסחא בעגלות ונתהפכו איזו עגלות ויש לחוש שמא נתהפכו למקום של שלג ומים וכ׳ „עכ״פ לצורך ב׳ לילות הראשונים יש לחוש טפי דאינו בכלל שימור כמ״ש כה״ג הרמב״ן וריטב״א בחולין ב׳ דבקדשים דבעי שימור גם ס״ט ברה״ר טמא ואף שבפתיחת חיבורי דע״ת אות ה׳ הבאתי כמה סתירות לזה מ״מ מצינו בתשו׳ מהרמ״ל ומג״א סימן תס״ו סק״ט ובח״י סימן תנ״ה סקט״ז ובאה״ט סימן ת״ס סק״ט ושע״ת סימן תנ״ה סק״ט להחמיר בכל צד ספק לענין שמירה וכו׳״ וכה״ג מ״כ משו״ת שו״מ (מה״ק ח״ג ס׳ פ״ז ומה״ת ח״ג ס׳ פ״ד וס׳ קפ״ב).

(ס) שיטת הגאון (הובא בטור ס׳ תנ״ג) וכ״כ המחבר (ס׳ תנ״ג ס״ד) „ובשעת הדחק מותר ליקח קמח מן השוק״ והוא שמורה משעת לישה כמ״ש במ״ב (שם ס״ק כ״ד).

(סא) ע״פ הנ״ל.

(סב) כמו שנבאר בסמוך.

(סג) מ״ב שם וכך שמעתי ממומחים דכך עושים גם בזה״ז במקומותינו.

(סד) שם.

(סה) שם וכ׳ „ואף אם עבר ושהה יש אוסרין וכו׳״ ע״ש.

(סו) ע׳ לעיל הערה מז.

(סז) ע׳ לעיל הערה נו.

(סח) ע׳ רמב״ם פ״ו דהל׳ חו״מ ה״א.

matzah the entire Pesach one fulfills a mitzvah (**סט**), it should have the same characteristics as the matzah required at the *Sedorim* (**ע**).

Therefore, although eating *matzah shmurah* the entire Pesach is not mandatory (**עא**), many Poskim hold that, wherever possible, one should eat only *matzah shmurah* the entire Pesach (**עב**).

Hand matzah and machine matzah

10. Should one use hand *matzah shmurah* or machine *matzah shmurah?*

Assuming that both were baked with proper supervision, "18 minute" (see Chapter III A 14) machine *matzah shmurah* may be used for the *Sedorim* (**עג**). Many have a preference for hand *shmurah matzah* because there are Poskim who hold that the requirement for *positive* supervision לשם מצות מצה (see 6) cannot be properly fulfilled where the entire process is produced by machine (**עד**).

Wherever possible, one should try to be present at the baking of the matzos (**עה**).

The halachos of eating matzah are discussed in Chapter XXI D.

C. סיפור יציאת מצרים

The mitzvah is on the fifteenth of Nissan

1. Relating the story of the Exodus from Egypt on the first night of Pesach is a מצות עשה (a positive commandment), as it says in the Torah "זכור את היום הזה אשר יצאתם ממצרים" (**עו**), "remember this day on which you left Egypt".

How do we know that this requirement is to be fulfilled on the fifteenth night of Nissan? The Torah says "והגדת לבנך ביום ההוא לאמר" (**עז**), you should

---

(סט) כ׳ המחבר (ס׳ תע״ה ס״ז) „אין חיוב אכילת מצה אלא בלילה הראשון בלבד״ וכ׳ המ״ב (שם ס״ק מ״ה) „בלבד. ובשם הגר״א כתבו דעכ״פ מצוה איכא לאכול מצה כל שבעה אלא שאינו חיוב״ וכ״כ במ״ב (ס׳ ת״ס ס״ק ב׳) ובו״ה (ס׳ תנ״ג ס״ד ד״ה טוב) בשם הגר״א וע׳ בערה״ש (ס׳ תנ״ג ס׳ י״ט מפר״ח ושם בס׳ כ״ג), והחת״ס (יו״ד ס׳ קצ״א) הביא שיטת החזקוני על התורה (פ׳ בא) „דמצוה איכא באכילת מצה כל ז׳ אע״ג דהיא רשות ואי בעי לא אכיל כלל ומש״ה אין מברכין כל ז׳ על מצה מ״מ אי אכיל מצוה קעביד״ וע׳ במעשה רב (אות קפ״ה) ושדי חמד (חו״מ י״ד:י) וע׳ ברמב״ם שם „אבל בשאר הרגל אכילת מצה רשות רצה אוכל מצה רצה אוכל אורז או דוחן או קליות או פירות וכו׳״ ודוק וע׳ בבעה״מ (פסחים כ״ו: בדפי הרי״ף סד״ה כתב הרי״ף), וע׳ בס׳ המועדים בהלכה (דף רמ״ב ד״ה והבדל) ומ״ב ס׳ תרל״ט ס״ק כ״ד.

(ע) ע״פ הנ״ל.

(עא) שם.

(עב) ע׳ מ״ב וב״ה וערה״ש שם.

(עג) ע׳ שד״ח (י״ג:י״ב) ארחות חיים (ס׳ תנ״ג אות כ״א) ומקראי קודש (אפיית המצות ס״ג) והמועדים בהלכה (דף רמ״ד ד״ה עם) ובהגדה של פסח ע״ב מועדים וזמנים (מצות מצה אות א׳ ובהערות) ובש״א.

(עד) ע׳ שם.

(עה) כן נהגו אנשי מעשה בכל הדורות כמו שכ׳ הרא״ש (שם פ״ב ס״ס כ״ו והובא בשו״ע ס׳ ת״ס ס״ב וע׳ מ״ב שם וגר״ז ס׳ תנ״ג ס׳ ל״ג).

(עו) שמות י״ג:ג. **אף** שהרמב״ם הביא הפסוק הזה ע׳ בסה״מ (מ״ע קנ״ז) שהביא פסוק „והגדת לבנך וגו׳״.

(עז) שמות י״ג:ח.

relate to your son [the story of Pesach] on this day saying ״בעבור זה״ "because of this" (**עח**).

Since the Torah says ״**בעבור זה**״ "Because of *this,*" *this* implies that the mitzvah should be fufilled at a time when one is able to point to matzah and *marror* placed before him — which is at the *Seder* on the fifteenth night of Nissan (**עט**). Outside of *Eretz Yisroel* — where a second day of Yom Tov is required מדרבנן, the mitzvah of סיפור יציאת מצרים at the second *Seder* is required מדרבנן (**פ**).

Who is required to perform this mitzvah?

2. Although the Torah established the requirement of this mitzvah for a father relating the story to his son (**פא**), fulfillment of this mitzvah is not limited only to parents (**פב**). Even one who has no children must also fulfill this mitzvah (**פג**). Even great Torah scholars, who are fully aware of the story of יציאת מצרים, are also required to relate this story on the nights of Pesach (**פד**). Whoever elaborates in relating the story of יציאת מצרים is praiseworthy (**פה**).

Men and women

3. Both men and women are required to perform this mitzvah of סיפור יציאת מצרים (**פו**) as well as the other mitzvos required at the *Sedorim* (**פז**). Therefore, it is important to keep in mind that the women should be seated at the *Seder* table while the Haggadah is being recited — in order that they should hear the entire

---

(עח) שם.

(עט) כ׳ הרמב״ם (פ״ז מהל׳ חו״מ ה״א) „מ״ע של תורה לספר בנסים ונפלאות שנעשו לאבותינו במצרים בליל ט״ו בניסן שנאמר זכור את היום הזה אשר יצאתם ממצרים כמו שנאמר זכור את יום השבת. ומנין שבליל ט״ו ת״ל והגדת לבנך ביום ההוא לאמר בעבור זה בשעה שיש מצה ומרור מונחים לפניך. ואע״פ שאין לו בן. אפילו חכמים גדולים חייבים לספר ביצ״מ וכל המאריך בדברים שאירעו ושהיו ה״ז משובח״. **הקשו האחרונים** מאי שנא מצוה זו ממצותה בכל השנה דכ׳ הרמב״ם (פ״א דהל׳ ק״ש ה״ג) „ומצוה להזכיר יצ״מ ביום ובלילה שנאמר למען תזכור את יום צאתך מארץ מצרים כל ימי חייך״ ע׳ מנ״ח (מצוה כ״א) ואור שמח (בהל׳ ק״ש שם) ומקראי קודש (סדר ליל פסח ס׳ מ״ב) ובהמועדים בהלכה (דף רע״ח ד״ה ושאלה) וש״א.

(פ) חיי״א כלל ק״ל ס׳ י״א וע׳ רמ״א ס׳ תפ״א ס״ב.

(פא) דכתיב והגדת לבנך וגו׳.

(פב) ע״פ הרמב״ם הל׳ חו״מ שם.

(פג) שם.

(פד) שם.

(פה) שם.

(פו) בס׳ החינוך (מצוה כ״א) כ׳ ונוהגת בזכרים ובנקבות״ והקשה עליו המנ״ח „ולא מצאתי בשום פנים טעם למה יתחייבו נשים״ ודייק מרמב״ם דפטורות [ומסיק שם דמחוייבות מדרבנן]. הסברא לפטור הוא דהוי מ״ע שהזו״ג, הסברא לחיוב הוא „אף הן היו באותו הנס״ [לתירוץ קמא בתוס׳ מגילה (ד. ד״ה שאף) מהני סברת „אף הן״ לחייב רק מדרבנן, אבל לתירוץ ר׳ יוסף איש ירושלים שם משמע דמהני אף מדאורייתא] וכ׳ המחבר (ס׳ תע״ב ס׳ י״ד) „גם הנשים חייבות בארבע כוסות ובכל מצות הנוהגות באותו לילה״ וכ׳ המ״ב (שם ס״ק מ״ה) „מצות הנוהגות וכו׳. כגון מצה ומרור ואמירת הגדה״ והגר״ז (שם ס׳ כ״ה) כ׳ דחייבות מדרבנן מטעם דאף הן היו באותו הנס וע׳ בחיי״א (כלל ק״ל ס׳ י״ב) ובערה״ש (ס׳ תע״ב ס׳ ט״ו).

(פז) שם.

Haggadah. If a woman would have to leave the table, because she has a need to be preoccupied with other responsibilities (e.g. tending to an infant, preparing the meal) she is obligated to be present at least for Kiddush and from ''רבן גמליאל אומר'' until after the second cup (פח). [Because whoever did not say as a minimum the words and reasons of ''פסח מצה ומרור'' has not fulfilled his or her requirement] (פט). The minhag is also to call women in to be present for the reading of the Ten Plagues in order to declare to them how many miracles הקב''ה performed for the Jewish people (צ) (see 5).

Children

4. We have learned (see 2) that the Torah required a father to relate the story of the Exodus to his son (צא). Therefore, there is an obligation upon a father to see that his child, who is capable of understanding the story of יציאת מצרים, should hear the Haggadah (צב).

The minimum age of such a child will depend upon the level of his development and understanding (צג). Normally, a child of five or six should be capable, to some degree, of understanding the story of יציאת מצרים (צד).

Concerning this and the other mitzvos which apply on the *Seder* nights, the obligation applies equally for boys and girls (צה).

Note: Many parents keep their children up at the *Seder* only until they have recited מה נשתנה. They send them off to sleep right after that, before the children have heard an answer to their questions (צו). The mitzvah is ''והגדת לבנך'' *relating* the story of the Exodus — which should be done as an answer to the questions of מה נשתנה (צז). With the children not hearing [nor understanding, see 5] the answer to the questions of מה נשתנה, the father has not fulfilled properly the mitzvah of סיפור יציאת מצרים (צח). The Talmud relates that Rabbi Akiva would never say that it is time to leave the *Beis Medrash* — except for Erev Pesach (צט), in order to see that the children would go to sleep by day, to prepare themselves to be up at

---

(פח) כ' המ''ב (ס' תע''ג ס''ק ס''ד) ,,ולכן החיוב גם על המשרתת שתשב אצל השלחן ותשמע כל ההגדה ואם צריכות לצאת וכו'" וכ''כ בלקוטי מהרי''ח (דף ט''ו: ד''ה ועיין ברמ''א).

(פט) שם.

(צ) שם וכ' בב''ה (ס' תע''ב ס''ח סד''ה שלא) ,,ודע דלפי מה שפסק הש''ע דנשים חייבות ג''כ בד' כוסות כאנשים א''כ צריכות ליזהר שיאמרו סדר ההגדה על כל כוס וכוס או שעכ''פ ישמעו מבעליהן דאל''ה לדעת הפר''ח אפילו בדיעבד לא יצאו בשתיית הכוסות דהוו כמו ששתאו בבת אחת ואפי' לדעת הב''י שלא הפסידו בדיעבד מצות כוסות מ''מ תקנת חכמים הוא לשתותן על סדר הגדה דכל מצות הנוהגות באותו לילה נוהגות גם בנשים וכמבואר בסי''ד" וכעין זה כ'

בחיי''א (כלל ק''ל ס' י''ב).

(צא) דכתיב והגדת לבנך וגו'.

(צב) כ' הגר''ז (ס' תע''ב ס' כ''ה) ,,ואף הקטנים חייב אביהם לחנכם במצות וכו' וגם יש בהן דעת להבין מה שמספרים להם מיציאת מצרים באמירת ההגדה וכו'" ע''ש ודוק.

(צג) ע' שם.

(צד) ע' ערה''ש ס' תע''ב ס' ט''ו.

(צה) ע' ערה''ש וגר''ז שם.

(צו) ע' מ''ב ס''ס תע''ב.

(צז) ע' גר''ז ס' תע''ב ס' ל''א ומ''ב שם וש''א.

(צח) ע' מ''ב שם ,,דעיקר המצוה הוא התשובה על שאלת בנו''.

(צט) פסחים ק''ט. (וגם בערב יום הכפורים).

night during the Haggadah (ק). This emphasizes the importance of the children being present at the *Seder* [and understanding, see 5] at least for the minimal requirement (קא) (see 3).

Understanding the Haggadah

5. The mitzvah of סיפור יציאת מצרים is not only saying the Haggadah, but *understanding* its contents (קב). Therefore, it is essential that at least the minimal parts (see 3) should be translated and explained for any who may not understand the contents of the Haggadah (קג).

The reason for the importance of understanding the story of the Exodus from Egypt is because יציאת מצרים testifies that הקב"ה not only created the world but constantly directs and supervises every aspect of its development (קד). Therefore, יציאת מצרים is one of the foundations and pillars of our *Emunah* (קה).

This completes our discussion of the two mitzvos required by the Torah nowadays on the *Seder* nights. We will now begin our discussion of the three mitzvos required by the רבנן.

(ק) פרש"י שם „חוץ מערבי פסחים. כדי שישנו התינוקות ביום ולא בלילה בשעת הגדה" ונראה הטעם שנצרך לעשות כן בעצמו ולא סמך על אשתו דאפשר דההכשר לזה חלק מהמצוה דוהגדת לבנך וגו' שמוטל עליו.

(קא) ע"פ הנ"ל.

(קב) כ' הרמ"א (ס' תע"ג ס"ו) „ויאמר בלשון שמבינים הנשים והקטנים או יפרש להם הענין וכן עשה ר"י מלונדרי כל ההגדה בל' לעז כדי שיבינו הנשים והקטנים"

(קג) שם.

(קד) ע' רמב"ן סוף פרשת בא וע' ערה"ש (ס"ס תע"ב) „ויראה לי דאע"ג דבכל מקום אין הבנות בכלל חנוך מ"מ בליל פסח צריך לחנכן גם כן מפני שעיקר האמונה תלוי ביציאת מצרים".

(קה) שם ובכ"מ.

סימנים וסעיפים שבשלחן ערוך המשתייכים לפרק זה

תנ"ג:א	**תע"ג:ו**
תס"ב:א,ב,ד	**תע"ה:ז**
תע"ב:י"ד	

Chapter XX ד' כוסות — The Four Cups of Wine

A. INTRODUCTION

Reason for the Four Cups

1. We have learned (see Chapter XIX A 3, 4) that on the first night of Pesach in *Eretz Yisroel* and on the first two nights of Pesach outside of *Eretz Yisroel,* there is a mitzvah d'rabonon to drink four cups of wine (**א**). חז"ל established this requirement to drink wine דרך חירות (literally, in the manner of freedom), because wine is the drink of free men (**ב**). The reason for *four* cups is that we see that *Hashem* used four terms of redemption* in the Torah (ארבע לשוני גאולה) to promise the Jewish people their forthcoming deliverance from slavery (**ג**). Therefore, חז"ל ordained four cups of wine, to recall these four promises of redemption (**ד**).

*Note: The Four Terms of Redemption are: a) והוצאתי אתכם (**ה**), I shall take you out, b) והצלתי אתכם (**ו**) I shall save you, c) וגאלתי אתכם (**ז**) I shall redeem you, d) ולקחתי אתכם (**ח**) I shall take you.

When do we drink these four cups?

2. We are required to perform each of these four mitzvos with one of these four cups poured and in front of us (**ט**), and to drink each cup after the completion of its appropriate mitzvah (**י**). The mitzvos are: a) *Kiddush,* b) Reciting the Haggadah, c) *Birkas Hamazone,* d) *Hallel* (**יא**).

If a person drinks the Four Cups consecutively — without reciting the Haggadah between them — he has not fulfilled the mitzvah (**יב**), and he must drink three additional cups in their proper places (**יג**).

(א) ע' משנה (פסחים צ"ט:) „ולא יפחתו לו מארבע כוסות של יין וכו'" וגמ' שם (קי"ז:) „ארבע כסי תיקנו רבנן דרך חירות" וכ' הרמב"ם (פ"ז דהל' חו"מ ה"ז) „וכל אחד ואחד בין אנשים בין נשים חייב לשתות בלילה הזה ארבעה כוסות של יין" וכ' החיי"א (כלל ק"ל ס"י) „כל אחד מישראל, חייב לשתות ד' כוסות מדרבנן בשני הלילות".

(ב) גמ' (קי"ז:) שם.

(ג) ע' רשב"ם (שם צ"ט: ד"ה ולא) מב"ר.

(ד) כך נראה פירושו.

(ה) שמות ו:ו.

(ו) שם.

(ז) שם.

(ח) שם ו:ז.

(ט) כמו שרואין שצריכים למזוג הכוסות קודם התחלת קדוש, הגדה, ברכת המזון והלל (ע' רמב"ם פ"ח ה"א, ה"ב, וה"י).

(י) ע' רמב"ם (שם ה"א, ה"ה, ה"י, וה"י) וכ' המחבר (ס' תע"ב ס"ח) „צריך לשתות ארבע כוסות על הסדר ואם שתאן זה אחר זה שלא כסדר לא יצא" וכ' המ"ב (שם ס"ק כ"ד) „על הסדר. פירוש שיאמר ההגדה בינתים" וע' בב"ה (ד"ה שלא).

(יא) רמב"ם שם פ"ז ה"י.

(יב) איתא בגמ' (ק"ח:) „שתאן בבת אחת רב אמר ידי יין יצא ידי ארבעה כוסות לא יצא" פי' רשב"ם (ד"ה בבת אחת) „ונ"ל דהכי פירושו בבת אחת שלא על סדר משנתינו אלא שתאן רצופין" וכ' המחבר (ס' תע"ב ס"ח) „צריך לשתות ארבע כוסות על הסדר ואם שתאן זה אחר זה שלא כסדר לא יצא" וכ' המ"ב (שם ס"ק כ"ד) „על הסדר. פירוש שיאמר ההגדה בינתים" וע' מ"ב שם ס"ק כ"ה.

(יג) מ"ב שם ס"ק כ"ו.

How much of the cup must one drink?

3. We will learn (see D 1) that the cup must contain a minimum of a רביעית (**יד**) (a quarter of the measurement לוג — which is the volume of an egg and a half) (**טו**), yet one is not obligated to complete *all* the wine in the cup [although it is preferable] (**טז**) (see E 1). A person fulfills the mitzvah if he drinks most of a רביעית — for each of the Four Cups (**יז**) (see E 2). We will discuss later how much this amounts to in ounces and milliliters (see D 5) and in how short a duration of time this must be completed (see E 4).

B. MAY OTHER BEVERAGES BE USED INSTEAD OF WINE?

Wine is the preferred drink

1. The preferred drink for the Four Cups is grape wine (**יח**). Even if one is not accustomed to drink wine because he doesn't enjoy it, he is still required to drink these Four Cups (**יט**).

If it causes him discomfort

2. If one finds wine discomforting or even if it causes him a headache or the like, he is still required to strain himself to drink these four cups (**כ**). The Talmud relates how Rabbi Yonah would drink the Four Cups and would have a headache which lasted until Shavuos (**כא**) (see 3).

One may, however, dilute the wine with water — as long as he may properly recite upon it the *brocho* בורא פרי הגפן (**כב**). For the proper ratio of water to wine allowed under these circumstances, see 6. Concerning the use of grape juice as a substitute, see 5.

(**יד**) כ׳ המחבר (ס׳ תע״ב ס״ט) „שיעור הכוס רביעית״.

(**טו**) ע׳ מ״ב ס׳ רע״א ס״ק ס״ח ורשב״ם (שם ד״ה אמר ר״י).

(**טז**) כ׳ המחבר (ס׳ תע״ב שם) „וישתה כולו או רובו״ וכ׳ המ״ב (שם ס״ק ל׳) „כולו או רובו. היינו כולו לכתחלה או רובו בדיעבד״ ונכ׳ מזה לקמן בס״ד.

(**יז**) שם.

(**יח**) ע׳ משנה פסחים צ״ט: ואיתא שם „של יין״ ודוק וע׳ לקמן לענין מיץ ענבים ושאר משקין.

(**יט**) כ׳ המחבר (ס׳ תע״ב ס״י) „מי שאינו שותה יין מפני שמזיקו או שונאו צריך לדחוק עצמו ולשתות לקיים מצות ארבע כוסות״ וכ׳ המ״ב (שם ס״ק ל״ו) „לקיים מצות וכו׳. משא״כ בשבתות וימים טובים יכול לשמוע קידוש מאחר ויוצא בזה אבל הכא חל חיוב השתייה על כל אדם״.

(**כ**) ע׳ במחבר שם וכ׳ המ״ב (שם ס״ק ל״ה) „מפני שמזיקו. ר״ל שמצטער בשתייתו וכואב בראשו מזה ואין בכלל זה כשיפול למשכב מזה״.

(**כא**) איתא בירושלמי (פ״ג דשקלים ה״ב) „רבי יונה כד הוה שתי ארבע כסי דפסחא הוה חזיק רישא עד חגא״ וע׳ בק״ע שם ובנדרים (מ״ט: אמרו חכמים על רבי יהודה ברבי אילעי שהיה שותה ד׳ כוסות של פסח „וחוגרני צידעי מן הפסח עד העצרת״.

(**כב**) כ׳ המחבר (ס׳ תע״ב ס״ט) „שיעור הכוס רביעית לאחר שימזגנו (אם רוצה למזגו)״ וכ׳ המ״ב (שם ס״ק כ״ח) „לאחר שימזגנו. היינו דלא בעינן רביעית יין חי אלא רביעית ביחד עם המים שמזוג בו וכו׳״ וכ׳ המ״ב (שם ס״ק ל״ז) „ויכול למזגו היטב אכן בעינן שיהא עדיין ראוי לקידוש [עיין לעיל סימן ער״ב ס״ק ט״ז במ״ב]״.

One who may become ill

3. We have learned (see 2) that even one who finds wine discomforting, nevertheless, is required to drink the Four Cups (**כג**). However, one who may become *ill* from drinking wine — even if diluted with water (see 6), should not drink wine (**כד**). This rule will apply even if it would not cause him to become seriously ill — but it would cause him to become bedridden (**כה**). He is, however, required to drink grape juice (see 5) or חמר מדינה (see 7) — if it would not cause him to become bedridden (**כו**).

Red wine

4. The Talmud says ״רבי יהודה אומר צריך שיהא בו טעם ומראה יין״ (**כז**), "Rabbi Yehudah says that [the wine used for the Four Cups] should have the taste and appearance of wine." The Talmud says that the basis for the preference of wine with a specific *appearance* is that it says ״אל תרא יין כי יתאדם״ (**כח**) "look not after a wine which is red", indicating that a red wine is a desirable quality in wine (**כט**). In addition, red wine reminds us of the shedding of innocent blood which flowed when Pharaoh slaughtered the Jews (**ל**).

Therefore, red wine is preferred for the Four Cups — unless the white wine available is of a better quality (**לא**). Tokay wine is also considered as red for this preference (**לב**).

חירות — Grape juice

5. We mentioned (see 4) that Rabbi Yehudah said that the wine used for the Four Cups should also have the *taste* of wine, that is, the alcoholic taste of wine (**לג**). The רשב״ם explains that this we learn from the fact that we are cautioned not to become intoxicated (**לד**). This would indicate that, although grape juice is considered like wine for the brocho of בורא פרי הגפן and is suitable for use for Kiddush on Shabbos and Yom Tov, one should preferably *not* use grape juice for the Four Cups (**לה**).

(כג) ע׳ לעיל הערות יט וכ׳.

(כד) ע׳ מ״ב שם ס״ק ל״ה (הובא לעיל בהערה כ׳) וע״ש בס״ק ל״ז.

(כה) מ״ב שם (ס״ק ל״ה) וע׳ שעה״צ (שם ס״ק נ״ב) שכ׳ הטעם „כנ״ל פשוט דאין זה דרך חירות״.

(כו) ע׳ מ״ב (שם ס״ק ל״ז) שכ׳ „וגם יכול ליקח יין צמוקים או חמר מדינה״ ולענין מיץ ענבים נכ׳ לקמן בס״ד.

(כז) פסחים ק״ח:.

(כח) משלי כ״ג:ל״א.

(כט) ע׳ גמ׳ שם ותד״ה אל ומ״ב שם ס״ק ל״ח [ונראה דתיבת „אלמלא״ ט״ס וצ״ל „אלמא״].

(ל) מ״ב שם וע׳ רשב״ם ב״ב צ״ז: ד״ה כי יתאדם. שמשכר יותר מדאי.

(לא) כ׳ המחבר (ס׳ תע״ב ס׳ י״א) „מצוה לחזור אחר יין אדום (אם אין הלבן משובח ממנו)״.

(לב) שמעתי מפי הגרמ״פ שליט״א.

(לג) ע׳ בגמ׳ שם „רבי יהודה אומר צריך שיהא בו טעם ומראה יין״ ופי׳ רשב״ם (שם ד״ה אל) „וטעמא נמי בעי כדמזהר עליה שלא להשתכר בו״ ודוק.

(לד) רשב״ם שם.

(לה) ע׳ בגר״ז (ס׳ תע״ב ס׳ כ״ז) „כל היינות הכשרים לקידוש בשאר ימים טובי׳ ושבתות כשרי׳ לארבע כוסות וכו׳ ואפי׳ לכתחילה יכול לצאת בהם אם אין לו יין אחר משובח כמותם וכו׳״ מוכח דרק אם אין לו יין או שאינו שותה יין מחמת נדר [כמו שכ׳ שם] וכדו׳.

This we see further from the fact that the Talmud says that one who drinks wine [of the time of the Talmud (see 6)] without diluting it fulfills the mitzvah of drinking wine, but does not fulfill the requirement of חירות — the drink of free men (**לו**). Similarly, many Poskim hold that one who drinks grape juice fulfills the requirement for the Four Cups, but does not fulfill the preferred requirement of חירות* (**לז**).

Therefore, one who is able to drink wine without becoming ill (see 2, 3) should drink only wine for the Four Cups (**לח**). He may mix the wine with grape juice [or with water, see 6] — as long as the alcoholic taste of the wine can still be detected (**לט**). If he is unable to drink wine even mixed with grape juice [or water; see 6] grape juice alone would be the next preference (**מ**). If drinking grape juice undiluted is prohibited to him, water may be added (**מא**) (see 6). If

---

(לו) ע׳ גמ׳ (שם ק״ח:) „א״ר יהודה אמר שמואל ארבעה כוסות הללו צריך שיהא בהן כדי מזיגת כוס יפה שתאן חי יצא וכו׳ אמר רבא ידי יין יצא ידי חירות לא יצא״ ופי׳ רשב״ם „שתאן חי. שלא מזגן במים יצא וכו׳״ ופרש״י „שתאן חי. שלא מזגו במים״ „ידי יין יצא. ששתה ד׳ כוסות: ידי חירות לא יצא. כלומר אין זו מצוה שלימה״ ובמאירי (פסחים ק״ח: ד״ה שתאם) כ׳ „אבל לא ידי חירות שאין זו שתיה מהודרת״. ומש״כ יינות דזמן התלמוד ע׳ מ״ב (ס׳ תע״ב ס״ק כ״ח) ומש״כ מס׳ ער״ב ס״ק ט״ז.

(לז) שמעתי מפי הגרמ״פ שליט״א וכן יש להוכיח מר׳ יונה לעיל בירושלמי פ״ג דשקלים ה״ב ודוק, אלא מפורש במאירי (שם סד״ה ארבע) דשרי, וז״ל „ויין חדש מותר בו כמו שביארנו למעלה בענין קידוש״ וכ׳ שם (ק״ז. ד״ה התבאר) „אבל יין מגתו אעפ״י שלענין מזבח לא יביאהו עד שיעברו עליו שלשים יום, מ״מ הואיל ואם הביא כשר, לענין קידוש מקדש בו לכתחלה אפי׳ ביומו, וכמו שאמרו [שם בעמ׳ ב] סוחט אדם אשכול של ענבים ואומר עליו קידוש היום״ וע׳ במקראי קודש (ס׳ ל״ה) ושעהמ״ב (קיח:א) שהאריך בענין מיץ ענבים.

(לח) ע״פ הנ״ל, וכן מוכח מל׳ המחבר (ס׳ תע״ב ס׳ י״ב) „יוצאין ביין מבושל ובקונדיטון״ וכ׳ המ״ב (שם ס״ק ל״ט) „יוצאין ביין מבושל. ולכתחלה טוב יותר ליקח יין שאינו מבושל וכו׳״ וידוע דע״פ רוב מיץ ענבים שנמכר במדינותינו הוא יין מבושל. **ומה** שכתב דלכתחלה טוב יותר ליקח יין שאינו מבושל וכ׳ המ״ב שם „וכן כה״ג לענין קונדיטון״ והיינו כמ״ש המ״ב (שם ס״ק מ׳) „פי׳ שמעורב בו דבש ופלפלין״, ובזה״ז ישנם הרבה יינות כאלו (כגון סאנגרי״א) ואין להשתמש בהם לכתחלה לד׳ כוסות.

(לט) כך נראה דיין מזוג בזמן התלמוד היה מעורב במים וע׳ במ״ב (ס׳ ער״ב ס״ק ט״ז) כמה השיעור שיהא עדיין ראוי לקידוש ונראה דלענין ד׳ כוסות השיעור דאינו מתבטל תלוי אם עדיין ניכר טעמו החזק דכ׳ המ״ב שם „דלפי מה שמבואר לעיל בסימן ר״ד ס״ה בהג״ה דאחד משׁשה יין במים ודאי בטל ואין מברכין עליו בפה״ג״ וע״ש (במ״ב ס״ק כ״ט) שכ׳ „ובעינן רק שיהיה בו טעם יין שראוי לשתיה ע״י מזיגה זו ודרך בני אדם לשתותו במקום יין ע״י מזיגה זו דאל״ה אמרינן דבטלה דעתו אצל כל אדם״ ע״ש ודוק, ופשוט דמיץ ענבים דדינו כיין אלא שאינו יוצא בו חירות עדיפא ממים. **כתב** הרמב״ם (פ״ז מהל׳ חו״מ ה״ט) „ארבעה כוסות האלו צריך למזוג אותן כדי שתהיה שתיה עריבה הכל לפי היין ולפי דעת השותה״ לפ״ז אם לאדם זה לא ערב לו היין שלנו בלא מזיגה ביותר והיין כמו שהוא אינו עריבה לדעת השותה א״כ לצאת ידי חירות יש לשתותו דוקא במזיגה ואכמ״ל.

(מ) ע׳ לעיל הערה לה.

(מא) ע׳ בספר קול דודי (ס״ג ס״ז) שכ׳ „ובמיץ ענבים אין בו מים כלל״ וכמדומני דעכשיו יש שעושים את המיץ ענבים מתמצית שקורין concentrate ודרך בני אדם לשתותן, לכן ע״פ המחבר (בס׳ ר״ד ס״ה) שכ׳ „ונראה שמשערים בשעור שמוזגים יין שבאותו מקום״ שם יין עליו.

any of these are impossible, raisin wine or חמר מדינה (see 7) may be substituted (**מב**).

*Note: There is an additional advantage of some wines over grape juice. All grape juice is pasteurized. Some wines are not (**מג**). Many Poskim hold that the pasteurization process is considered בישול (cooking) (**מד**). Uncooked wine is preferred (**מה**).

Diluting

6. We have learned (see 1) that the preferred beverage is wine (**מו**). We have also learned (see 5) that one may mix the wine with grape juice or water to reduce its strength (**מז**). In the time of חז"ל, wines were strong and were difficult to drink without diluting (**מח**). Therefore, it was customary to mix it in a ratio of one part wine to three parts water (1:3) (**מט**). One is permitted to recite a בורא פרי הגפן on diluted wine as long as the ratio of wine to water is more than one part wine to six parts water (1:6) (**נ**).

This applies to the wines during the time of חז"ל (**נא**). Modern wines, however, are not as strong as theirs were (**נב**). In addition, many wines in the United States and in other countries have already been diluted (**נג**). For example, New York State wines may contain as much as thirty three percent liquid sugar (**נד**). This must be kept in mind when determining how much water may be added.

(מב) ע׳ מ"ב (ס׳ תע"ב ססק"ק ל"ז) שכ׳ „וגם יכול ליקח יין צמוקים או חמר מדינה".

(מג) שמעתי מעושי היין.

(מד) ע׳ אג"מ (יו"ד ח"ב ס׳ נ"ב) שכ׳ „ומדת החום לענין להתחשב יין מבושל פשוט שהוא ביד סולדת אף שלא מעלה רתיחות דיד סולדת הוא בחשיבות בשול לכל הדינים בדבר לח, ומש"כ הש"ך סימן קכ"ג סק"ז דהיינו שיתמעט ממדתו ע"י רתיחה פשוט שביד סולדת כבר נתמעט משהו, והוא בערך קע"ה מעלות לחומרא" וע׳ בת׳ הגרמ"פ שליט"א שבסוף ספר הלכות שבת (אות ט"ז ונדפס באג"מ או"ח ח"ד ס׳ ע"ד בישול אות ג׳) „מהראוי להחמיר כמדומני בשיעור ק"י [43 מעלות צלסיוס] הוא כבר חום גדול שיש לחוש ליד סולדת כפי מה שבדקנו בעצמינו. והספק יש לחוש עד ק"ס [71 מעלות צ׳] כי מדת ק"ס הוא ודאי יד סולדת אף לקולא" [ונראה דשיעור באג"מ יו"ד הוא בהשערה בעלמא משא"כ באג"מ או"ח הוא על ידי שבדק הגרמ"פ שליט"א מעצמו] והיינות שמבשלים שמעתי שמבשלים לשיעור 165°.

(מה) ע׳ לעיל הערה לח ושמעתי שיש מגדולי הוראה שבזמנינו שמפרשים בש"ך שם שיעור שיתמעט ממדתו ע"י רתיחה הוא שיעור בישול שמעלה רתיחות לפי דברם אין על המיץ ענבים ע"י פסתור שם מבושל.

(מו) ע׳ לעיל הערה יח.

(מז) ע׳ לעיל הערה לט וע׳ מ"ב ס׳ תע"ב ס"ק ל"ז.

(מח) ע׳ ס׳ ר"ד ס"ה.

(מט) ע׳ ס׳ ער"ב ס"ה ומ"ב ס׳ תע"ב ס"ק כ"ח.

(נ) ע׳ מ"ב ס׳ ער"ב ס"ק ט"ז ושעה"צ שם ס"ק כ"ה.

(נא) ס׳ ר"ד ס"ה.

(נב) ע׳ שם וכ׳ הרמ"א (ס׳ ער"ב ס"ה) „ויינות שלנו יותר טובים הם בלא מזיגה" וע׳ במ"ב שם ס"ק ט"ז.

(נג) ע׳ ספר קול דודי ס"ג ס"ז.

(נד) שם.

Application: Assuming wine contains 33% liquid sugar and the diluted mixture must contain less than six parts water to one part wine (**נה**), therefore, one may add up to 3.5 cups water to one cup of wine. One should add as little water as necessary for one to be able to drink it (**נו**).

Where diluting is necessary, as explained earlier (see 5) adding grape juice in place of water is preferable — where this is feasible (**נז**).

Raisin wine, חמר מדינה

7. If one is unable to drink wine or grape juice — even diluted, raisin wine* or חמר מדינה (literally, the wine or beverage of the country) may be used (**נח**).

What is חמר מדינה? חמר מדינה is a beverage which a person drinks or serves to a guest even when he is not thirsty (**נט**). That is, a person drinks this beverage because of its importance or preference (**ס**). This may vary from country to country (**סא**).

חמר מדינה in the United States would include alcoholic beverages (**סב**) [it goes without saying that those used on Pesach must be kosher for Pesach*] (**סג**), tea and coffee (**סד**). Milk is questionable (**סה**). Water (**סו**), soda (**סז**), and borscht (**סח**) cannot be used.

*Note: Although raisin wine made properly is considered as wine, we have included it with חמר מדינה — because it is usually not made properly for the halachos of Kiddush (**סט**). Therefore, it is comparable to חמר מדינה (**ע**).

During the year, whiskey and beer are considered as חמר מדינה (**עא**); for Pesach, since they are chometz, they are, of course, prohibited (**עב**).

(נה) ע׳ שם וס׳ ר״ד ס״ה ומ״ב שם ס״ק כ״ט. **כתב** בספר קול דודי (שם ס״ו) „יין בטל במזיגת אחד בששה של מים וזהו ביינות שלהם החזקים וביינות שלנו החלשים יש פלוגתא הרמ״א סובר שאף הם בטלים בששה חלקים מים והא״ר סבר שאפילו אם היין הוא הרוב ג״כ בטל (מחצית השקל סימן תעב אות יב). וא״א שליט״א פסק כהרמ״א.״

(נו) כך הוא החשבון ופשוט דתלוי במש״כ המ״ב שם „ובעינן רק שיהיה בו טעם יין שראוי לשתיה ע״י מזיגה זו ודרך בני אדם לשתותו במקום יין ע״י מזיגה זו דאל״ה אמרינן דבטלה דעתו אצל כל אדם״.

(נז) ע׳ לעיל הערה לט.

(נח) מ״ב ס׳ תע״ב ס״ק ל״ז.

(נט) כ׳ באג״מ (או״ח ח״ב ס׳ ע״ה) „וחשיבות משקה הוא שאין השתיה מחמת שצריכים להם לצמאם אלא שותים אותם אף בלא צורך לגופם אלא בשביל כבוד הסעודה וכבוד האורחים״.

(ס) ע׳ שם.

(סא) ע׳ מ״ב ס׳ רצ״ו ס״ק ט׳ וס״ק י״ב.

(סב) ע׳ אג״מ שם.

(סג) פשוט.

(סד) לענין טיי ע׳ ערה״ש (ס׳ ער״ב ס׳ י״ד) ואג״מ שם ופשוט דבאמריקא קאפפע הוי חמר מדינה.

(סה) ע׳ מ״ב ס׳ ער״ב ס״ק כ״ה ואג״מ שם.

(סו) ס׳ רצ״ו ס״ב.

(סז) שמעתי בשם מו״ר הגר״א קוטלר זצ״ל וע׳ אג״מ שם.

(סח) מ״ב ס׳ רצ״ו ס״ק י׳.

(סט) כ׳ המחבר (ס׳ ער״ב ס״ו) „יין צמוקים מקדשין עליו (והוא שיש בהן לחלוחית קצת בלא שרייה)״ וע׳ מ״ב שם (ס״ק ט״ו־י״ז, כ״ב) וב״ה שם ד״ה מקדשין.

(ע) כך נראה ואיירי במקום שרגילין לשתותו כמ״ש המ״ב בס׳ רצ״ו ס״ק ט׳.

(עא) ע׳ ס׳ רצ״ו ס״ב שכ׳ „אבל על השכר מבדילין אם הוא חמר מדינה״ וע״ש במ״ב שם ס״ק ט׳ לענין יי״ש וע׳ באג״מ שם.

(עב) פשוט.

Summary of beverages to be used for the Four Cups

8. We will now list the beverages which may be used for the Four Cups in their order of preferability:

a) wine
b) wine with grape juice added
c) wine with water added
d) grape juice
e) grape juice with water added
f) raisin wine*, חמר מדינה (**עג**).

*See Note after 7.

One who does not have sufficient wine

9. One who has only enough wine [even after diluting] for four cups on one of the two nights, should use it all for the first night of Pesach (**עד**).

C. WHO IS REQUIRED TO DRINK THE FOUR CUPS?

Men, Women

1. Who is required to drink the Four Cups? Men are required (**עה**). Women are also required to drink the Four Cups (**עו**). Although this is a mitzvah whose observance depends upon a specific time — from which women are usually exempt (see Chapter XIX B 3), women are required to fulfill *this* mitzvah — because they also experienced the miracle of the Exodus (**עז**). Since their requirement in this mitzvah is similar to that of men, they also must drink a

---

(עג) ע׳ ס׳ תע״ב ס״י־י״ב לענין איזה מין יין קודם לחבירו ולענין קדימת יין דהוא קודם לשאר משקים, ואח״כ בא יין המעורב עם מיץ ענבים דגם עליו שם יין אלא שאינו יוצא בו חירות לפיכך כולו יין עדיף ממנו אבל יין המעורב במיץ ענבים קודם ליין המעורב במים. ואח״כ בא מיץ ענבים דשם יין עליו ופשוט דקודם למיץ ענבים המעורב במים או לחמר מדינה. וע׳ לעיל הערה סט מש״כ לענין יין צמוקים.

(עד) כ׳ המ״ב (ס׳ תע״ב ס״ק מ״א) „ומי שאין לו אלא ד׳ כוסות אחר המזיגה יקחם הכל ללילה ראשונה. ונר ביתו עדיף מארבע כוסות משום שלום בית. ומי שאין לו אלא ב׳ וג׳ כוסות עיין סימן תפ״ג במ״א ס״ק ב׳ איך ינהג״.

(עה) כ׳ הרמב״ם (פ״ז דחו״מ ה״ז) „וכל אחד ואחד בין אנשים בין נשים חייב לשתות בלילה הזה ארבעה כוסות של יין״.

(עו) רמב״ם שם וכ׳ המחבר (ס׳ תע״ב ס׳ י״ד) „גם הנשים חייבות בארבע כוסות ובכל מצות הנוהגות באותו לילה״ ומקורם מגמ׳ (פסחים ק״ח.) „ואמר ר׳ יהושע בן לוי נשים חייבות בארבעה כוסות הללו שאף הן היו באותו הנס״ ופרש״י והרשב״ם „בשכר נשים צדקניות שבאותו הדור נגאלו״ וע׳ תוס׳ שם (ד״ה שאף) שכ׳ „ואי לאו האי טעמא לא היו חייבות משום דנשים פטורות ממצות עשה שהזמן גרמא אף ע״ג דארבעה כוסות דרבנן כעין דאורייתא תיקון״.

רביעית of wine or the other beverages discussed earlier (see B) — in the same manner as men are required (**עח**).

We discussed earlier (see B 3) that one who may become ill, should drink grape juice or חמר מדינה — if it would not cause him to be bedridden (**עט**).

Poor

2. Even a pauper, who is maintained by public support must be furnished with the Four Cups for each of the *Sedorim* (**פ**). If this was not given to him, he is required to sell *even his garment* or to borrow money in order to obtain the Four Cups (**פא**).

Children

3. Fathers are obligated to see that their children also drink the Four Cups at the proper places in the Haggadah (**פב**) (see A 2). This halacha applies only for children who have reached the age of חינוך (age of training for mitzvos) (**פג**).

When is a child considered, in halacha, as having reached the age of חינוך? If he is able to understand the concept of *Kedushas Yom Tov* (the sanctity of the festival), he should drink the cup of Kiddush (**פד**); if he is capable of understanding the story of the Exodus, he should drink the second cup — upon which the Haggadah is said (**פה**). The same approach applies to the other two cups as well (**פו**). The age when a child may be considered as having reached the age of חינוך may be as young as five or six (**פז**).

Girls also have the same requirement as boys for the Four Cups and the other mitzvos which apply on the *Seder* nights (**פח**) (see B 3).

How much should children drink?

4. Although fathers are obligated to see that their children drink the Four Cups, and that their cups should contain a רביעית (**פט**), the children are not

---

(עז) ע׳ שם ומ״ב ס״ק מ״ד וגר״ז שם ס׳ כ״ה.

(עח) ע׳ מחבר ומ״ב שם. **ומש״כ** שצריכה לשתות רביעית דכ׳ המחבר (שם ס״ט) „שיעור הכוס רביעית וכו׳ וישתה כולו או רובו״ וע׳ מ״ב שם ס״ק ל׳. **ומש״כ** כדרך אנשים, יש סברא דנשים לית בהו חירות ביין כדרך שאמרו (פסחים ק״ט:) לענין שמחת יו״ט נשים בראוי להם ודוק. וע׳ מש״כ בסוף הערה לט ודוק.

(עט) ע׳ מ״ב שם ס״ק ל״ה.

(פ) כ׳ המחבר (ס׳ תע״ב ס׳ י״ג) „אפילו עני המתפרנס מן הצדקה ימכור מלבושו או ילוה או ישכיר עצמו בשביל יין לד׳ כוסות״ וע׳ מ״ב שם ס״ק מ״ב.

(פא) שם.

(פב) ע׳ גר״ז תע״ב ס׳ כ״ה.

(פג) שם ומחבר ס׳ תע״ב ס׳ ט״ו וע׳ מ״ב שם ס״ק מ״ו ושעה״צ ס״ק ס׳.

(פד) ע׳ גר״ז שם.

(פה) שם.

(פו) שם.

(פז) ע׳ ח״י ס׳ תע״ב ס״ק כ״ז וערה״ש ס״ס תע״ב.

(פח) כ׳ הגר״ז שם „ואף הקטנות שהגיעו לחינוך דינם כקטנים״ וכן כ׳ בערה״ש שם „ויראה לי דאע״ג דבכל מקום אין הבנות בכלל חנוך מ״מ בליל פסח צריך לחנכן גם כן מפני שעיקר האמונה תלוי ביציאת מצרים״.

(פט) ע׳ ח״י שם.

required to drink most of the רביעית — as adults are (**צ**) (see A 3). If they are capable of drinking an amount which would fill one side of *their* mouth they should do so, if not, they should drink even a smaller amount (**צא**). For this reason, it is recommended that grape juice should be used for a child (**צב**).

D. HOW LARGE IS A רביעית?

How large must the cup be?

1. We have learned (see A 3) that the cup used for the Four Cups must contain a minimum of a רביעית of wine (**צג**). We have also learned (ibid.) that a רביעית (literally, a quarter) is a quarter of the measurement לוג (**צד**). How large is a רביעית?

Determining the size of a רביעית

2. According to חז״ל, there are two methods of determining the *shiur* (measurement) of a רביעית (**צה**).

The Talmud says that where the Torah requires a רביעית, it is the combined volume of the width of two thumbs by the width of two thumbs, and its height must be the width of 2.7 thumbs (2x2x2.7) (**צו**).

We are told of a second method to determine the volume of a רביעית (**צז**). A רביעית contains the volume of an egg and a half (**צח**).

נתקטנו השיעורים

3. The נודע ביהודה points out that these two methods do not concur (**צט**). He found that the measurement according to thumbs is double that of eggs (**ק**). Since we cannot assume that our thumbs are twice the size of the thumbs of the time of חז״ל, he concludes that it must be that our eggs are half the size of the eggs of the time of the Talmud (**קא**).

(**צ**) כ׳ המ״ב (שם ס״ק מ״ז) „עיין בסימן רע״א סי״ג בבה״ל שצדדנו דקטן אינו צריך לשתות רוב רביעית רק כמלא לוגמיו דידיה״ ובערה״ש שם כ׳ „ואין צריכין לשתות אלא מעט״.

(**צא**) שם.

(**צב**) כך נראה דבמיץ ענבים יכול לשתות כמלא לוגמיו וכ׳ המאירי (שם ק״ח: ד״ה התינוקות) „שהתינוקות אין להם שמחה כל כך ביין״ וע׳ במקראי קודש (ס׳ ל״ה) לענין אם בד׳ כוסות צריך דוקא יין המשמח.

(**צג**) ס׳ תע״ב ס״ט.

(**צד**) ע׳ מנחות פ״ז:.

(**צה**) ע׳ חזו״א ס׳ ל״ט ס״ה.

(**צו**) ע׳ גמ׳ (פסחים ק״ט.) „א״ר חסדא רביעית של תורה אצבעים על אצבעים ברום אצבעים וחצי אצבע וחומש אצבע״ וע׳ ברמב״ם (פט״ו דהל׳ נ״כ ה״ד, ופ״ו דבכורים ה׳ ט״ו) דאצבע היא הגודל.

(**צז**) ע׳ רשב״ם שם ק״ט: ד״ה דהיינו וב״ב צ. ד״ה ורביעית וע׳ מ״ב ס׳ רע״א ס״ק ס״ח.

(**צח**) שם.

(**צט**) בצל״ח פסחים קט״ז סד״ה שם במשנה וז״ל „ואמנם לפי שנתברר לי עפ״י מדידה שהביצים המצויות עתה בימינו הנה הביצה שלימה שבזמנינו הוא רק חצי ביצה מבצים שבהם דברה התורה״.

(**ק**) שם.

(**קא**) ע׳ שם ובס׳ שיעורין של תורה פ״א.

Therefore, he says, where the Torah requires a כזית [the size of an olive — which we consider *half* the volume of an egg (**קב**)] as in the case of matzah (see Chapter XIX B 2), we should take *double* the volume of a כזית — which is the volume of an egg (**קג**). This is to compensate for eggs having been reduced to half their original size (**קד**). Similarly, where a רביעית is required by the Torah, we should take double the egg and a half — or the volume of three eggs (**קה**).

Although there are Poskim who agree with the נודע ביהודה (**קו**), there are Poskim who disagree and refute his proof (**קז**).

The שערי תשובה and the משנה ברורה conclude that one should conduct himself like the נודע ביהודה — to double the measurement — where we are dealing with a mitzvah of the Torah (e.g. eating matzah), but for a mitzvah d'rabonon (e.g. the Four Cups, *Korech*, *Afikoman* see Chapter XXI D 7, *marror* see ibid.) we may assume that the measurements have not changed (**קח**). In case of illness or if one cannot eat or drink the larger amount, one may rely on the Poskim who hold that our measurements have not changed — even for the Torah mitzvos (**קט**).

Size of cup to be used for the Four Cups*

4. Therefore, since the mitzvah of the Four Cups is מדרבנן, one may use the smaller measurement — which is an egg and a half (**קי**). However, when Pesach falls on Shabbos, since Kiddush of the evening is required by the Torah (**קיא**) [although the requirement to use a cup of wine is מדרבנן (**קיב**)] one should preferably use the larger measurement for the first cup (**קיג**).

*Note: We learned earlier (see B 6) that grape juice or water may be added to the wine (**קיד**). Therefore, the cup must contain a רביעית — regardless of whether it is straight or even diluted (**קטו**).

A רביעית in ounces and liters

5. In determining the measurements of a רביעית in ounces and grams, ספר שיעורי המצוות [based upon the measurements of the חזון איש זצ״ל] says that the

---

(קב) ע׳ ס׳ תפ״ו.

(קג) צל״ח שם וע׳ נוב״י או״ח מה״ק ס׳ ל״ח.

(קד) ע״פ הנ״ל.

(קה) צל״ח שם.

(קו) הגר״א (במעשה רב אות ע״ד, ק״ה).

(קז) ע׳ חת״ס או״ח ס׳ קכ״ז וס׳ קפ״א, ובערה״ש ס׳ תע״ב ס׳ י״ב, וס׳ קס״ח ס׳ י״ג וביו״ד ס׳ שכ״ד (ס״ה־י׳), וע׳ חזו״א ס׳ ל״ט וש״פ.

(קח) ע׳ ס׳ רע״א ס׳ י״ג וב״ה ד״ה של ומ״ב ס׳ תפ״ו ס״ק א׳ ושע״ת ס׳ תפ״ו.

(קט) ע׳ מ״ב ס׳ תפ״ו שם מח״א.

(קי) „ע׳ מ״ב ס׳ תפ״ו שם.

(קיא) ע׳ ס׳ רע״א ס״ב.

(קיב) ע׳ מ״ב שם ס״ק ב׳.

(קיג) ע׳ בב״ה (ס׳ רע״א ס׳ י״ג ד״ה של רביעית) וז״ל „ולמעשה נראה דלענין דאורייתא כגון כזית מצה בליל פסח בודאי יש להחמיר כדבריהם וכן לענין קידוש של לילה דעיקרו הוא דאורייתא ג״כ נכון לחוש לכתחלה לדברי הצל״ח הנ״ל וכו׳״.

(קיד) ע׳ לעיל הערה לט.

(קטו) ס׳ תע״ב ס״ט ומ״ב שם ס״ק כ״ח וכ״ט.

רביעית should contain 150 ml of water (5.07 fluid ounces) (**קטז**). [This is based upon נתקטנו השיעורים] (**קיז**) (see 3). The Chofetz Chaim says that one should preferably use a cup which holds the volume of two eggs [approximately 4 fluid ounces (118.28 ml)] (**קיח**).

In ספר קול דודי [based upon the measurements of מרן הגאון מוהר״ר משה פיינשטיין שליט״א] the measurements using thumbs (see 2) are determined as 4.42 fluid ounces (130.7 ml) and using eggs at 3.3 fluid ounces (97.6 ml) (**קיט**).

Except for the first cup (when Pesach occurs on Shabbos) if one has a difficulty drinking wine, he should take a smaller cup of wine [3 ounces (88.7 ml), which is equal to 1 1/2 eggs* and exceeds the measurement of הגרא״ח נאה זצ״ל 86 ml] rather than using grape juice (see B 5) and losing the advantage of חירות (**קכ**). For the first cup (when Pesach occurs on Shabbos) one should preferably take the larger amount (4 — 5.07 fluid ounces) (**קכא**).

*Note: According to this author's measurements, the **אצבע** or thumb is .885 inches (2.24 cm) (**קכב**). Therefore, the cup of רב חסדא (**קכג**) which is 2x2x2.7 thumbs is equivalent to 1.77x1.77x2.3895 inches or 7.486 cubic inches (**קכד**). (One cubic inch holds .554 fluid ounces) (**קכה**). Therefore, 7.486x.554 (the רביעית based on thumbs) equals 4.147 ounces (**קכו**).

According to our measurements, we determined that a כביצה is the displacement of two fluid ounces (**קכז**). Therefore, a רביעית based upon eggs (the רביעית is one and a half eggs, see D 2) equals three fluid ounces (88.7 ml) (**קכח**).

It is interesting to note that the cup used by the Chofetz Chaim זצ״ל for kiddush holds 5 fluid ounces (148 ml), the cup used by Reb Yisroel Salanter זצ״ל holds 4.1 fluid ounces (121.2 ml) when filled to capacity (**קכט**).

(קטז) כ׳ בס׳ שיעורין של תורה (בקו׳ שיעורי המצוות או׳ י״ח) „הרביעית צריך שיהי׳ בו בית קיבול של 150 צ״מ מעוקבים המכיל 150 גרם מים וסימנך „כוס הגון״ בגימ׳ 150״.
(קיז) ע׳ בחזו״א בקונטרס השיעורים (או״ח ס׳ ל״ט).
(קיח) ב״ה ס׳ רע״א ס׳ י״ג ד״ה של רביעית.
(קיט) ס׳ קול דודי ס״ב ס״ו. **כתב** שם במהדורא שני׳ (שנת תשל״ד) וז״ל „הגה — השיעור של 2.2 היא לחומרא אבל יותר מסתבר שהוא מעט פחות משתי פלואיד אונצעס והרביעית תהיה 2.9 פלואיד אונצעס״.
(קכ) כך נראה.
(קכא) ע׳ ב״ה שם.
(קכב) ע׳ אג״מ (או״ח ח״א ס׳ קל״ו) דאמה של תורה שהיא כ״ד אצבעות מדת כ״א אינטשעס ורביע [ולפ״ז האצבע .885 אינטש (2.24 צענטימיטער) וכן מצאנו במדידתנו, ובאג״מ או״ח ח״ג ס׳ ק׳ שכ׳ דשיעור אצבע הוא ג׳ רבעי אינטש בערך איירי באצבע הסמוך לאגודל והוא לחומרא] לפ״ז ודאי יש לסמוך בד׳ כוסות דהוי דרבנן על שיעור זה ע״פ האצבע .885 אינטש אף לכתחלה דהב״ה (ס׳ רע״א ד״ה של רביעית) כ׳ „ועכ״פ יראה לכתחלה שיחזיק הכוס כשני ביצים עם הקליפה״ ולפי מדידתנו הוא ד׳ אונצעס וכ׳ שיעור זה אף בכוס קידוש של שבת [ומדידות ספר קול דודי הם בהוספות חצי אצבע ודוק].
(קכג) ע׳ גמ׳ (פסחים ק״ט.) „א״ר חסדא רביעית של תורה אצבעים על אצבעים ברום אצבעים וחצי אצבע וחומש אצבע״.
(קכד) כך היא שיעורו ע״פ מדידתנו.
(קכה) ע״פ הנ״ל.
(קכו) שם.
(קכז) דצריכים ביצה בינונית וידוע דהביצה בינונית היא מה שקורין לארד״ש דרוב ביצים הנולדים הם מסוג זה.
(קכח) כך היא השיעור לפי מדידתנו.
(קכט) שמעתי מבני משפחתם שכך מצאו ע״פ מדידתם, כי נמצאים כוסם אצל בני משפחתם.

E. HOW TO DRINK THE FOUR CUPS

Introduction

1. We have learned (see A 3, D 1) that the cup used for the ד' כוסות must contain a רביעית (קל). We have also learned that one is not required to complete all the wine in the cup (קלא). We will now explain the halachos of drinking the wine in detail.

If the cup contains only a רביעית

2. If the cup contains *only* a רביעית, he should preferably complete the *entire* cup (קלב). However, if he is unable to finish the cup, but has completed *most* of the רביעית (רוב רביעית), he has fulfilled the mitzvah (קלג). This *shiur* [of most of the רביעית] is equivalent to מלא לוגמיו (literally, a quantity of liquid which fills one cheek of an average person) (קלד).

רוב כוס

3. If the cup is *larger* than a רביעית, the רמב"ן holds that one must drink most of the contents of the cup (קלה); the ר"ן, however, holds that it is sufficient to drink most of a רביעית (קלו). One should preferably conduct himself like the רמב"ן and drink [all or at least] most of the cup — even if larger than a רביעית (קלז). Therefore, it would be advisable to use a smaller cup containing just a רביעית (see D 5) and [preferably] complete it (see 2) (קלח). However, the halacha is like the ר"ן that even if one drank most of a רביעית of a large cup he has fulfilled his requirement (קלט).

(קל) ס' תע"ב ס"ט.

(קלא) ע' לעיל הערה טז.

(קלב) מחבר שם ומ"ב שם ס"ק ל'.

(קלג) שם.

(קלד) תנן (יומא ע"ג:) „והשותה מלא לוגמיו" ובגמ' שם (פ.) „אמר רב יהודה אמר שמואל לא מלא לוגמיו ממש אלא כל שאילו יסלקנו לצד אחד ויראה כמלא לוגמיו" וע' תוס' (פסחים ק"ח: ד"ה רובא) שכ' „רובא דכסא. היינו כמלא לוגמיו כדפי' לעיל' וכ"כ הר"ן (ד"ה אם) וכ' בב"ה (ס' תע"ב ס"ט ד"ה וישתה) „והנה רוב רביעית הוא שיעור מלא לוגמא באדם בינוני ואם הוא אדם גדול שמלא לוגמיו דידיה הוא יותר מרוב רביעית צריך דוקא מלא לוגמיו דידיה וכו' וע"ש שכ' „דלענין ד' כוסות בעינן דוקא רוב כוס לחומרא וכגון שהוא אדם קטן שנעשה בן י"ג דמלא לוגמיו דידיה הוא פחות מרוב רביעית צריך דוקא רוב רביעית וכו'".

(קלה) כ' המחבר שם „וישתה כולו או רובו ואם יש בו הרבה רביעיות שותין ממנו כל כך בני אדם כמנין רביעיות שבו" והוא דעת הכל בו וא"ח וכך הוא דעת הר"ן שם שכ' (ד"ה השקה מהן) „והוא דשתה רובא דכסא. כלומר דשתי כל חד וחד רובא של רביעית וקמ"ל שאין צריך שיהא לכל אחד כוס חלוק בפני עצמו" וכ"כ הגר"א (ס' תע"ב ס"ק כ"ב) ע"ש. אבל המחבר כ' שם „וי"א שצריך לשתות רוב הכוס אפילו מחזיק כמה רביעיות" והוא דעת הרמב"ן המובא בב"י (שם ד"ה ומ"ש וא"צ).

(קלו) שם.

(קלז) גר"ז ס' תע"ב ס' י"ט ומ"ב שם ס"ק ל"ג אבל בערה"ש (שם ס' י"ג) פסק להלכה כהרמב"ן.

(קלח) ע' גר"ז ומ"ב שם.

(קלט) גר"ז ומ"ב שם.

If the cup contains only a רביעית, one should drink it in its entirety for the fourth cup (**קמ**). The reason for this is because a ברכה אחרונה is recited after the fourth cup, and may be said only after one has completed a רביעית (**קמא**).

Within how short a period should one drink the cup?

4. We will learn (see Chapter XXI D) that one must complete the כזית of matzah within a time period called כדי אכילת פרס — which one should consider as no longer than 9 minutes and preferably within 2 minutes (**קמב**). Concerning marror, we will learn (see Chapter XXI D 8) that since it is מדרבנן nowadays, if he completed it within 9 minutes he has fulfilled his mitzvah (**קמג**). The reason there is a required time limit is that eating a כזית in a longer period of time is comparable to eating part of the כזית one day and finishing it another day (**קמד**). That is, the entire כזית is not joined together (**קמה**).

Similarly, when drinking each of the Four Cups, there is a time limit (**קמו**). Within how short a period of time must one complete each of the Four Cups?

Preferably, one should drink most of the רביעית [or most of the cup, see 3] at one time — without pausing (**קמז**). However, if he paused while drinking the required amount of wine, he has fulfilled his requirement if he completes the *shiur* in a certain time limit (**קמח**).

Some Poskim hold that this time limit is כדי שתיית רביעית (literally, the time it would take a person to complete a רביעית) (**קמט**). The משנה ברורה explains that since the proper manner of drinking a רביעית of wine is in two swallows (**קנ**), one should complete the רביעית in two swallows — with a minimum pause between them (**קנא**).

Most Poskim hold that the *shiur* for completing the drinking of liquids is the same as eating matzah and *marror*, namely כדי אכילת פרס (**קנב**).

Therefore, although the preferred manner of drinking the רביעית is by drinking most of the רביעית in one swallow and completing the רביעית in the second swallow (**קנג**), if he sips the wine or paused more than כדי שתיית רביעית he is, nevertheless, not required to drink the cup again (**קנד**). However, if complet-

---

(קמ) כ׳ המ״ב (ס׳ תע״ב ס״ק ל׳) „אך כוס רביעית ישתה כולו כדי שיהא יכול לברך ברכה אחרונה לכו״ע״.

(קמא) שם. ופשוט דאם אחר יברך להוציא לו דא״צ לשתות כל הכוס.

(קמב) ע׳ חת״ס ח״ו ס׳ ט״ז וחזו״א ס״ס ל״ט.

(קמג) ע׳ לקמן בפ׳ כ״א הערה קיז.

(קמד) כ״מ פ״ד מהל׳ חו״מ ה״ח.

(קמה) ע׳ משנה כריתות י״ב: וגמ׳ יומא פ: ורש״י פסחים מ״ד. ד״ה ומשני ובכ״מ.

(קמו) כמו שיתבאר.

(קמז) כ׳ הרמ״א (ס׳ תע״ב ס״ט) „וצריך לשתות השיעור שלא בהפסק גדול בינתים״ וכ׳ המ״א (ס״ק י״א) „ולכתחלה ישתה רוב רביעית בבת אחת״ וכ״כ הגר״ז (שם ס״כ) והמ״ב סס״ק ל״ד.

(קמח) כמו שיתבאר.

(קמט) מ״א גר״ז ומ״ב שם.

(קנ) ס׳ ק״ע ס״ח.

(קנא) ע׳ מ״ב שם ושעה״צ ס׳ ר״י ס״ק י״א.

(קנב) מ״ב ס׳ תע״ב ס״ק ל״ד וגר״ז ומ״א שם.

(קנג) ע׳ לעיל הערה קמז ומש״כ ע״פ ס׳ ק״ע ס״ח.

(קנד) מ״ב ס׳ תע״ב שם.

ing the רביעית took longer than nine minutes he must drink the cup again (קנה) and recite a new brocho בורא פרי הגפן upon it (קנו).

Reclining, Drinking between the cups

5. We will learn (see Chapter XXII A 2) that one must recline while drinking each of the cups (קנז). We will discuss by each cup what one should do if he drank the cup without reclining (קנח) (see Chapter XXIV) and when one is permitted to drink between cups (קנט).

What kind of cup may be used?

6. Although there is no requirement concerning from which material the cup used for the Four Cups should be constructed, however, a paper cup should not be used — except in case of great necessity (קס). A plastic cup may be used (קסא). One should use an elegant vessel (within his means) for the cup used for the Four Cups (קסב) (see Chapter XXIII A 2).

Who should pour the wine?

7. It is preferable, where this is possible, that the master of the house should not pour his own cup but another person should pour it for him (קסג). In this manner it appears that he is being served as a free man and one of nobility, thereby recalling the Exodus from Egypt (קסד).

(קנה) כ׳ המ״ב שם „ואם שהה יותר משיעור זה אין מצטרף תחלת השתיה לסופה ואפילו בדיעבד לא יצא וצריך לחזור ולשתות וכו׳ ״.

(קנו) כ׳ השעה״צ (שם ס״ק מ״ז) „ומסתברא דצריך ג״כ לברך מחדש דהוי כנמלך לדידן דמברך על כל כוס וכנ״ל״.

(קנז) ע׳ ס׳ תע״ב ס״ז.

(קנח) ע׳ לקמן בפ׳ כ״ד.

(קנט) ע׳ ס׳ תע״ג ס״ג ומ״ב שם.

(קס) ע׳ אג״מ או״ח ח״ג ס׳ ל״ט.

(קסא) כך נראה.

(קסב) ע׳ ס׳ תע״ב ס״ב ומ״ב שם ס״ק ו׳.

(קסג) ע׳ רמ״א ס׳ תע״ג ס״א וגר״ז שם.

(קסד) גר״ז שם.

סימנים וסעיפים שבשלחן ערוך המשתייכים לפרק זה

ר״ד:ה	רצ״ו:ב
רע״א:ב,י״ג	תע״ב:ז־ט״ו
ער״ב:ה,ו	תפ״ו:א

Chapter XXI מרור — The Bitter Herbs

A. INTRODUCTION

The mitzvah of eating Marror

1. Eating *marror* on the *Seder* nights is a mitzvah (**א**). This mitzvah differs from that of eating matzah (**ב**). We have learned (see Chapter XIX B 1) that eating matzah on the first night of Pesach is a מצות עשה (a positive commandment) required by the Torah — which applies in all places and at all times (**ג**). We have also learned that it is an independent mitzvah and does not depend upon the presence of the *Korbon Pesach* (the Passover sacrifice) (**ד**). This is not the case with *marror* (**ה**).

The mitzvah of the *Torah* of eating *marror* is *not* an independent mitzvah (**ו**). The Torah says "על מצות ומרורים יאכלוהו" (**ז**), you should eat it [referring to the *Korbon Pesach*] with matzah and *marror* (**ח**). Therefore, the mitzvah of the Torah of eating *marror* is dependent upon eating the *Korbon Pesach* (**ט**); one cannot fulfill the Torah commandment of eating *marror* without matzah* *and* the *Korbon Pesach* (**י**). However, חז"ל required the eating of *marror* on the *Seder* nights — even without the *Korbon Pesach*, and this requirement is a *mitzvah d'rabonon* (**יא**).

*Note: We have learned earlier (see Chapter XIX B 1) that there is a second mitzvah of eating matzah which applies nowadays (**יב**). This is derived from "בערב תאכלו מצות" (**יג**).

(א) ע׳ לעיל פ׳ י"ט הערה ט׳.

(ב) כמו שיתבאר.

(ג) ע׳ שם הערה יב מהרמב"ם (פ"ו דהל׳ חו"מ ה"א).

(ד) דכ׳ הרמב"ם שם „ולא תלה אכילה זו בקרבן הפסח אלא זו מצוה בפני עצמה".

(ה) כמו שיתבאר.

(ו) כ׳ הרמב"ם (פ"ז שם ה׳ י"ב) „אכילת מרור אינה מצוה מן התורה בפני עצמה אלא תלויה היא באכילת הפסח. שמצות עשה לאכול בשר הפסח על מצה ומרורים".

(ז) במדבר ט:י"א.

(ח) ע׳ שם.

(ט) רמב"ם שם.

(י) ע׳ פסחים (ק"כ.) „אמר רבא מצה בזמן הזה דאורייתא ומרור דרבנן ומאי שנא מרור דכתיב על מצות ומרורים יאכלוהו בזמן דאיכא פסח יש מרור ובזמן דליכא פסח ליכא מרור מצה נמי הא כתיב על מצות ומרורים יאכלוהו מצה מיהדר הדר ביה קרא בערב תאכלו מצות" ע"ש.

(יא) כ׳ הרמב"ם (שם) „ומדברי סופרים לאכול המרור לבדו בליל זה אפילו אין שם קרבן פסח" וכ׳ המ"ב (ס׳ תע"ג ס"ק ל"ג) [על מש"כ המחבר (ס׳ תע"ג ס"ה) „אלו ירקות שיוצאין בהם ידי חובתו וכו׳"] „ידי חובתו. ר"ל ידי מצות מרור לקיים מה דכתיב על מצות ומרורים יאכלוהו ועכשיו שאין לנו פסח מצות מרור אינו אלא מדרבנן".

(יב) כ׳ הרמב"ם (פ"ו דהל׳ חו"מ ה"א) „מצות עשה מן התורה לאכול מצה בליל חמשה עשר שנאמר (שמות י"ב:י"ח) בערב תאכלו מצות. בכל מקום ובכל זמן. ולא תלה אכילה זו בקרבן הפסח אלא זו מצוה בפני עצמה ומצותה כל הלילה".

(יג) שמות י"ב:י"ח.

The reason for this requirement

2. The reason for the requirement of eating *marror* is to remind us that the Egyptians embittered the lives of our forefathers in Egypt, as it says "וימררו את חייהם וגו'" (**יד**) "they made their lives bitter."

How much marror must one eat?

3. How much *marror* must a person eat on Pesach? A person is required to eat a כזית (the volume of an olive) of *marror* (**טו**) (see D 1, 2).

B. SPECIES TO BE USED FOR MARROR

What species are called marror?

1. With which species does a person fulfill his mitzvah of eating *marror*? The Mishna lists five types of plants which are considered *marror* (**טז**). They are: a) חזרת, b) עולשין, c) תמכא, d) חרחבינא, e) מרור (**יז**). חז"ל have determined that no other species is called *marror* except for these five species (**יח**).

Although various opinions have been offered to define these five species, we may only use those species which are known by tradition to be *marror* (**יט**). What are these species?

Romaine lettuce, lettuce

2. The first species, חזרת, the Talmud defines as חסא (**כ**). The Poskim called it "לטוגא" or "שאלאטי"ן" — which is a type of lettuce (**כא**). Most Poskim consider the "שאלאטי"ן" as the leafy [or cos] variety known as romaine lettuce (**כב**). Some Poskim hold that the head variety (Lactuca sativa) known as crisp head or iceberg lettuce may be used for *marror* (**כג**) (see 4).

(יד) שמות א:י"ד, וע' מתנ' (קט"ז:) „מרור על שום שמררו המצריים את חיי אבותינו במצרים וכו'".

(טו) כ' המחבר (ס' תע"ה ס"א) „ואח"כ יקח כזית מרור וכו'" וכ' בחיי"א (כלל ק"ל ס"ג) „וצריך לדקדק בזה שיאכל לא פחות מכזית, דכל דבר שמצותו לאכול, אינו פחות מכזית" וע' בשע"ת (ס' תע"ה ס"א) ובארחות חיים (ס' תע"ה אות ח') אי יוצא במרור בפחות מכזית, וע' בשאג"א (ס"ק), וגר"ח על הש"ס (בענין כזית באכילת מרור) ואג"מ (או"ח ח"ג ס' ס"ו), וע' בשע"ת (ס"ס תע"ה) לענין אי יש מצוה באכילת חצי כזית היכא שאין לו יותר.

(טז) פסחים ל"ט.

(יז) שם.

(יח) כ' הגר"ז (ס' תע"ג ס' כ"ז) „לפי שנאמר בתורה מרור סתם וקיבלו חכמים שאין שום מין ירק מר נקרא בשם מרור סתם אלא ה' מיני ירקות אלו".

(יט) ע' בגר"ז שם וכ' החיי"א שם „אך כיון שאין אנו בקיאים בירקות אלו בשמותם, ולכן המרור הנהוג במדינתנו הוא „חריין" והוא תמכא שנזכר במשנה" ובמ"ב (ס' תע"ג ס"ק ל"ד) כ' רק דידוע לנו „שתמכא הוא חריי"ן בלשוננו ועל חזרת כתב הח"י וכן הח"צ שהוא מה שאנו קורין שאלאטי"ן" וע' בכה"ח (ס' תע"ג אות ע"ב) שהאריך בביאור שמות מיני מרור הידועים לנו.

(כ) פסחים ל"ט.

(כא) ע' רש"י שם שכ' „חסא. ליטוגא" ובמ"ב שם כ' מהחכ"צ (ס' קי"ט) שאלאטי"ן.

(כב) שמעתי מפי הגרמ"פ שליט"א וכן נהוג עלמא.

(כג) כן נהג מו"ר הגר"א קטלר זצ"ל. ואף ששמעתי שיש גדולים שאומרים שאין זה מרור כי רק רומין לעטי"ס נחשב חזרת ואין זה אותו המין מ"מ ע' בכה"ח שם שכ' „ובספרי רפואות ימצא ממנה ז' מינים".

Why is lettuce "bitter" herbs?

3. Why can lettuce or romaine lettuce be used for *marror* — it is not bitter? The Talmud Yerushalmi explains that the development of the חזרת simulates the situation of our forefathers in Egypt (**כד**). "מה חזרת תחילתה מתוק וסופה מר כך עשו המצריים לאבותינו במצרים" "in the same manner as the חזרת is at first sweet and then later becomes bitter [when it is held in the earth for a long period of time] so was the situation of our forefathers in Egypt." At first they were treated royally and settled in the best of the land of Egypt. Later they were encouraged to work for the Egyptians and paid for their work until gradually they were enslaved and their lives were made bitter from the forced and backbreaking toil (**כה**).

According to the *Chazone Ish* זצ"ל, the romaine lettuce must contain some bitterness in taste (**כו**). Other Poskim disagree (**כז**). The minhag is to use the lettuce even if it is still sweet-tasting (**כח**).

The problem with lettuce

4. The problem with romaine lettuce* is that frequently there are small bugs present which blend into the color of the leaf or are camouflaged by the folds of the leaf (**כט**). These are not readily discernible to inexperienced people or those with poor eyesight (**ל**).

*See Note on page 236.

(כד) ע' ירושלמי פ"ב דפסחים ה"ה וגר"ז (ס' תע"ג ס"ל) ומ"ב (שם ס"ק מ"ב).
(כה) שם.
(כו) כ' החזו"א (או"ח ס' קכ"ד דף ל"ט) „ולעולם אין יוצאין בו אלא בשכבר נפול בו המרירות וכו' וצריך ליזהר שלא לצאת בו עד שיתמרר ובסופו הוא מר כלענה כמש"כ הח"צ שם וצריך ליקח קדם שיתמרר כל כך".
(כז) כ' הגר"ז שם „ומצוה לחזור אחריה אף כשהיא מתוקה" וכ"מ מערה"ש (שם ס' ט"ו) „ואע"ג דחזרת אין בו מרירות כלל".
(כח) ספר קול דודי (ס' ט"ו אות י"ט).
(כט) כ' המחבר (ס' תע"ג ס"ה) „ועיקר המצוה בחזרת" וכ' המ"ב (שם ס"ק מ"ב) „בחזרת. שהוא זכר לשעבוד מצרים שהיה תחלתו רך ולבסוף קשה וכן הוא ג"כ טבע חזרת שתחלה מתוק וסופה מר. וכתבו האחרונים דאפילו הוא ביוקר קצת יותר משאר מרור ג"כ נכון להדר אחריו אכן כתבו [ובשעה"צ שם ס"ק נ"ח כ' „תשו' ח"ס או"ח סי' קל"ב"] שבמין חזרת (היינו שאלאטי"ן) מצוי מאוד בימי פסח תולעים קטנים שאינם נכרים לחלושי עין ע"כ מי שאין לו אנשים מיוחדים בעלי יראה שיבדקנו כראוי טוב יותר ליקח תמכא (שקורין חריי"ן) אף שהוא שלישי לפי הסדר שהם שנויים כי חלילה להכשל בלאו משום קיום עשה דרבנן ובפרט שאפשר לקיים שניהם ע"י תמכא". לענין שרצים שאפשר לראותם רק ע"י זכוכית שקורין magnifying glass וכ"ש ע"י כלי שקורין microscope ע' ערה"ש (יו"ד ס' פ"ד ס' ל"ו) שכ' בזה „יש מי שכתב בשם חכמי הטבע דהמסתכל בזכוכית המגדלת שקורין ספאקטיוו"א יראה בחומץ מלא תולעים והנה בחומץ אין חשש כמו שנתבאר דהתולעים המתהוים בתלוש התירה התורה אמנם שמעתי שבכל מיני מים וביחוד במי גשמים מלא ברואים דקים שאין העין יכולה לראותם וכו' ולפ"ז איך אנו שותים מים שהרי אלו הברואים נתהוו במקורם אמנם האמת הוא דלא אסרה תורה במה שאין העין שולטת בו דלא ניתנה תורה למלאכים דאל"כ הרי כמה מהחוקרים כתבו שגם כל האויר הוא מלא ברואים דקים מן הדקים וכשהאדם פותח פיו בולע כמה מהם אלא ודאי דהבל יפצה פיהם ואף אם כן הוא כיון שאין העין שולט בהם לאו כלום הוא אמנם במה שהעין יכול לראות אפילו נגד השמש ואפילו דק מן הדק הוה שרץ גמור" וכן ע' באג"מ (אה"ע ח"ג ס' ל"ג ד"ה אבל) שכ' „דפשוט שכל עניני התורה נידונין כפי שרואין ושומעין בעצם לא ע"י מכונות וכדומה, וכמו שרצים שלא נראו לעין אלא ע"י דבר המגדיל שאינו כלום דהא כל האויר שאדם שואף לתוכו

Therefore, although this species of *marror* is the most preferred of the five species (**לא**) (see 6), unless the leaves are inspected carefully by a meticulous person who is a ירא שמים (G-d fearing), one should rather use the third species תמכא, horseradish (**לב**) (see 5). Eating insects is prohibited by the Torah (**לג**), and Torah law cannot be violated to fulfill a *mitzvah d'rabonon* — especially when one can fulfill the mitzvah of *marror* and not violate any Torah law by eating horseradish (**לד**).

*Note: Although this problem is most frequently prevalent with romaine lettuce, in some areas it may exist — to a smaller degree — even with iceberg lettuce (**לה**). Therefore, unless certain to the contrary, all lettuce should be inspected for insects (**לו**).

The other four species

5. What are the other four species? The second species, עולשין is considered by some Poskim to be endives or escarole (**לז**).

The third species, תמכא, we learned is horseradish (חריי"ן) (**לח**).

The last two species, חרחבינא and מרור most Poskim hold that their definition is no longer known to us through tradition (**לט**) (see 1).

הוא מלא משרצים כאלו שנקראו מיקראבין שע"י ספאקטיווע המגדיל ערך אלף פעמים ויותר הן נראים ואין שום איסור בזה וכו'" ע"ש וע' באג"מ (יו"ד ח"ב ס' קמ"ו ד"ה ומה שכתר"ה) וע' בינת אדם (כלל ל"ח ס"ק ל"ד והוא אות מ"ט) ותפ"י (ע"ז פ"ב מ"ו בבועז אות ג') ומחזה אליהו (ס' צ"א) וש"א ואכמ"ל.

(ל) מ"ב ס' תע"ג ס"ק מ"ב.

(לא) שם.

(לב) שם.

(לג) ע' שם ורמב"ם פ"ב מהל' מאכ"א ושו"ע יו"ד ס' פ"ד וערה"ש יו"ד שם.

(לד) מ"ב שם.

(לה) שמעתי בשם מו"ר הגר"א קטלר זצ"ל וכן ראיתי כמה פעמים, אבל אין זה שכיח כ"כ כתולעים במין שאלאטין שקורין רומין.

(לו) ע"פ הנ"ל. **לענין** בדיקת החזרת מתולעים מצאתי אופן בדוק ומנוסה להחזיק את העלה למעלה דרך אור השמש או אור אחר המאיר ואז ניכר התולעת כנקודה שחורה (או ירוקה או לבנה) וכך מצאתי שכ' בת' מחזה אליהו (ס"צ) וע"ש לענין מש"כ לטבול החזרת בתוך חומץ חי, ואף שכתבו תוס' (פסחים קט"ו: ד"ה קפא) והאבודרהם דהחומץ שבחרוסת ממית את התולעים, מ"מ אין זה מועיל לנו דגם תולעים מתים אסורים מדאורייתא, ועוד מהיכי תיתי דיש לסמוך על זה לבד על כל מיני תולעים הנמצאים עתה (דידוע דיש כמה מיני תולעים בחזרת בזה"ז) ורק ע"י בדיקה בעין דרך אור המאיר דמקובל מרבותינו ז"ל יש לסמוך ע"ז. וע"ש (בס' צ"ב) לענין אם שרייתם בחומץ פוסלן למצותן מחמת כבוש. אלו שמניחים החזרת במי מלח שאינו נאכל מחמת מלחו ומשארים שם שיעור כדי שירתיח חשוב כמבושל בכה"ג ופסול למרור.

(לז) ע' כה"ח ס' תע"ג אות ע"ב.

(לח) מ"ב שם וס"ק ל"ד. **כתב** בליקוטי מהרי"ח (דף י"ב) „והנה במדינותינו שאין **נמצא** כל כך הירק שלאטין בימי הפסח המנהג ליקח תמכא שקורין (חריין קריין) ועיין בח"ס שם רמז ע"ז תמכא היא ר"ת „תמיד „מספרים „כבוד „קל ע"ש ולענ"ד נראה להטעים דבריו הקדושים דר"ל דגם בעת אשר אצלנו ח"ו בבחינת מרור בכ"ז מספרים כבודו ית"ש ולא כעכו"ם שכתב בהם והי' כי ירעב והתקצף וכו'".

(לט) כ' בכה"ח (ס' תע"ג אות ע"ב) „עולשין בגמ' הינדב"י ופרש"י קרישפל"א והערוך פי' עולשין דמישטקי ובלע"ז סינצינ"י וי"א כיספינ"ו עכ"ל. ובש"ל כתב מצאתי שהוא אסחרול"א (נראה דהוא escarole) וי"א בלע"ז דאמטיק"א אנדיבי"א (נראה דהוא endives) וכ"כ הרע"ב שהוא אנדיבי"א והוא מצוי אצלנו

The most preferred of the five species

6. Although all five species may be used for *marror*, the most preferred is the חזרת (מ), because (as explained in 3) it recalls the situation of our forefathers in Egypt (מא). Therefore, even if it is more expensive than the other species, it is preferred (מב) (see 4). If חזרת is not available, the species should be used in the order listed (מג) (see 1).

If none of these species is available, one should use any bitter vegetable to recall the bitterness of Egypt (מד). However, the brocho of על אכילת מרור is not recited (מה).

Which portion of the vegetable may be used?

7. Which portion of the vegetable may be used to fulfill the mitzvah of *marror*? One may use the leaves and the stalk but not the roots (מו). There is, however, a difference between using the leaves and the stalk (מז). The leaves may be used only if they are fresh and moist, while the stalk may be used even if it is dry (מח).

שמבשלין אותו ואוכלין אותו עם צוקר וחומץ לבטל המרירות ובהגמ״י כתב שהוא קרבי״ל והוא ג״כ מצוי אצלינו אך במהרי״ל כתב כיון שבסידורים כתב ליקח קרב״ל לטיבול ראשון משמע דאינו יוצא בו י״ח מרור. ותמכא וכו׳. חרחבינה איתא בש״ס אצוותא דדיקלא ופרש״י מידל״א [ובפרש״י שלנו „ווידיל״א״] וברוקח אגרורי״ן מרור בש״ס מררייתא ופירש״י אמירופיי״ל [ובפרש״י שלנו „אמירפויי״ל״] תפורץ. ובאגודה שהוא ווערמוט״א דהיינו לענה. ח״י או׳ ח״י״ [לענין לענה ע׳ בב״ה ס׳ תע״ג ס״ה ד״ה יקח) וע׳ במ״ב (ס׳ תע״ג ס״ק ל״ד) „ומשום שאין אנו יודעין בבירור איזה הם בלשוננו וכו׳״ וכ״כ (שם בס״ק ל״ה) „מרור הוא ג״כ מין ירק מר הידוע להם וכו׳״ משמע דלית ליה קבלה לאלו. וכיון שכ׳ בכה״ח שם שמות למינים אלו יש לעיין אם מי שאין לו קבלה לזה יכול לסמוך על קבלה של אחר, דהא רואים שם מחלוקת באיזה מהמינים.

(מ) כ׳ המחבר (ס׳ תע״ג ס״ה) „ועיקר המצוה בחזרת ואם אין לו חזרת יחזור אחר ראשון ראשון כפי הסדר שהם שנויים״ וכ׳ המ״ב (שם ס״ק מ״ב) „בחזרת. שהוא זכר לשעבוד מצרים שהיה תחלתו רך ולבסוף קשה וכן הוא ג״כ טבע חזרת שתחלה מתוק וסופה מר״ וע׳ בכה״ח (שם סוף אות ע״ב) שכ׳ בשם הלבוש „דנוהגין לחזור אחר חסא אפי׳ לקנותו בדמים יקרים דשמא סימנא מילתא הוא כלומר לרמז דחס רחמנא עלן״ ומש״כ דנוהגין לחזור אחר חסא כ״כ גם במ״ב שם וגר״ז (שם ס״ל) ע״ש.

(מא) מ״ב שם.

(מב) שם.

(מג) מחבר שם.

(מד) כ׳ הרמ״א שם „ואם אין לו אחד מאלו הירקות יקח לענה או שאר ירק מר״ וע׳ במ״ב (שם ס״ק מ״ו) דהיינו „אותם שיש להם סימנים המוזכרים בש״ס וכו׳״ ע״ש וע׳ גר״ז שם ס׳ ל״א שכ״כ ואח״כ כ׳ „ואם אין לו ירק שיש לו שרף ופניו מכסיפין טוב שיאכל איזה ירק אחר שיש בו מרירות קצת לזכר בעלמא וא״צ כזית״ [וכ״מ ממ״ב שם ס״ק מ״ג ודוק].

(מה) מ״ב שם.

(מו) כ׳ המחבר שם „ויוצאים בעלין שלהם ובקלחן אבל לא בשורש אלא שבעלין אין יוצאין אא״כ הם לחים ובקלחים יוצאים בין לחים בין יבשים אבל לא כבושים ולא שלוקים ולא מבושלים״ וע׳ במ״ב (שם ס״ק ל״ו) „אבל לא בשורש. פי׳ שרשים קטנים המתפצלים לכאן ולכאן בתחתיתו או בצדדיו אבל בשורש הגדול שבו עומד הירק הוא הקלח״.

(מז) שם.

(מח) שם.

The reason for this difference is that when the leaves dry they lose the taste of the *marror*, while the stalk — because it is thick — still retains its taste (**מט**).

Chopped, ground and grated marror

8. The *marror* need not be eaten whole (**נ**). It may be chopped, ground or grated [or broken down by some other means] (**נא**). When using horseradish for *marror*, care should be taken *not* to eat it whole — because its use in this form is dangerous and, therefore, not a mitzvah (**נב**). For this reason, it should be grated [or otherwise broken down] and left uncovered until used — in order to release *some* of its strength (**נג**).

According to the Vilna Gaon, the horseradish should not be grated until returning home from Shul and then it should be kept covered until the beginning of the *Seder*, when it should be spread on a plate to weaken its strength (**נד**). Other Poskim hold that it may be ground and uncovered earlier, because it will still retain sufficient strength of *marror* (**נה**). [When Pesach falls on Shabbos, see Chapter XXIII C 3].

Marror which has been cooked or preserved

9. One does not fulfill his obligation with *marror* which has been cooked or preserved — because its taste is weakened and is no longer considered as *marror* (**נו**). Therefore, one should not keep the *marror* soaked in water for 24 hours or longer (**נז**). However, horseradish kept in water 24 hours or longer may be used — if no other *marror* is available, while leaves of lettuce in water for that same period may not be used (**נח**).

For this reason, commercially produced grated horseradish may not be used (**נט**). Since vinegar is added, it is considered preserved (**ס**) [see Chapter XXIII Note after C 5].

(מט) כ׳ המ״ב (שם ס״ק ל״ז) „אא״כ הם לחים. דיבשים אין בהם טעם מרור והרי הם כעפרא בעלמא משא״כ בקלח דמתוך שהוא עב אפילו הוא יבש אינו מפסיד טעמו וכו׳״.

(נ) ע׳ מ״ב שם ס״ק ל״ו.

(נא) ע׳ שם וע׳ בליקוטי שו״ת מהרא״ל (ס״ו) שג״כ השיג על הגאון מליסא המובא בשעה״צ שם ס״ק מ״ו.

(נב) מ״ב שם וע׳ שעה״צ שם.

(נג) שם.

(נד) מ״ב שם.

(נה) קול דודי (ס׳ ט״ו אות י״ד) מהגרמ״פ שליט״א וכן שמעתי שנהג מו״ר הגר״א קוטלר זצ״ל וכ״מ דעת המ״ב שם קודם שהביא דעת הגר״א.

(נו) כ׳ המחבר שם „אבל לא כבושים ולא שלוקים ולא מבושלים״ וכ׳ במ״ב (שם ס״ק ל״ט) הטעם „וכולהו מפני שאין בהם טעם מרור עי״ז״ וע׳ ערה״ש (שם ס׳ ט״ו) שהקשה „ואע״ג דחזרת אין בו מרירות כלל זהו מפני שטבעו כך אבל זה שיש בו מרירות כשנפסד המרירות שבו אין זה מרור שהרי נשתנה מגידולו״.

(נז) מ״ב שם ס״ק ל״ח וערה״ש שם, וע׳ בכה״ח (שם אות פ״א) „אם שרה כ״ג שעות וסלקוהו ממים ואח״כ שרו עוד כ״ג וכו׳״.

(נח) מ״ב שם.

(נט) ע׳ מ״ב וערה״ש שם.

(ס) ע״פ הנ״ל.

All species, leaves and stalks may be joined

10. We have learned (see A 3) that the minimum amount of *marror* to be eaten is a כזית (**סא**). One is not required to eat this כזית from only one species (**סב**). One may combine all species of *marror* for this requirement (**סג**). Similarly, one may combine both leaves and stalks together (**סד**).

C. WHO IS REQUIRED TO EAT MARROR?

Men, women, children

1. Both men and women are required to eat *marror* (**סה**). Fathers are also obligated to see that their children eat a כזית of *marror* — if they have reached the age of חינוך (**סו**) (see Chapter XX C 3). For children, especially, it is recommended that lettuce or romaine lettuce should be used (**סז**).

One who is weak, ill, or has a sensitivity to a food

2. One who is weak or ill should not force himself to use horseradish stalks [even ground] — even if he has a minhag to use only horseradish, or if no other species is available (**סח**). He may use the horseradish leaves — if they are fresh (**סט**).

One who is ill or has a sensitivity to one of the species (see B 1, 6), may use whichever species is pleasant to him or agrees with him (**ע**). He may also eat the כזית slowly, as long as it is within the time limit of כדי אכילת פרס (**עא**) (see D 8).

If eating *marror* will not affect a person's health, he should force himself to eat a כזית of *marror* — although it is difficult — in order to fulfill this mitzvah (**עב**).

If a person — because of illness — is unable to eat a כזית of any species of *marror*, he should attempt, at least, to eat or chew part of a כזית — in order to recall the bitterness of Egypt (**עג**). A brocho, however, may not be recited (**עד**).

(סא) ע׳ לעיל הערה טו.

(סב) כ׳ המחבר שם „וכולם מצטרפים לכזית שהוא השיעור שלהם" וכ׳ המ"ב (שם ס"ק מ׳) „וכולן וכו׳. ר"ל כל חמשה מינים הנ"ל ולא אמרינן כיון דכל ירק יש לו בודאי טעם מר בפ"ע לא מצטרפי דטעמיה דחד מיבטיל בחבריה קמ"ל כיון דעכ"פ יש לכולם טעם מרירות מצטרפין".

(סג) שם.

(סד) נראה דכ"ש הוא משם.

(סה) כ׳ המחבר (ס׳ תע"ב ס׳ י"ד) „גם הנשים חייבות בארבע כוסות ובכל מצות הנוהגות באותו לילה" וכ׳ המ"ב (שם ס"ק מ"ה) „מצות הנוהגות וכו׳. כגון מצה ומרור ואמירת הגדה".

(סו) דדינו כד׳ כוסות דכ׳ המחבר (ס׳ תע"ב ס׳ ט"ו) „תינוקות שהגיעו לחינוך מצוה ליתן לכל אחד כוסו לפניו" ע"ש.

(סז) כך נראה וע׳ בסמוך.

(סח) ע׳ מ"ב ס׳ תע"ג ס"ק ל"ח וערה"ש ס׳ י"ד.

(סט) שם.

(ע) מ"ב שם ס"ק מ"ג.

(עא) שם.

(עב) ע׳ גר"ז שם ס׳ ל"א ושעה"צ ס"ק ס"א.

(עג) מ"ב שם.

(עד) שם.

D. GENERAL HALACHOS OF EATING MATZAH AND MARROR

Shiur of matzah and marror

1. We have learned (see A 3 and Chapter XIX B 2) that the *shiur* of matzah and *marror* is a כזית (the volume of an olive) (**עה**). We have also learned (see Chapter XX D 3) that a כזית is half the volume of an egg (**עו**). Although the Rambam holds that a כזית is a third of an egg (**עז**), we may not rely on the view of the Rambam — except in case of illness (**עח**) (see 2, 9) [or בדיעבד (a term used to describe a situation after it was done) for a mitzvah d'rabonon (**עט**)].

How much matzah and marror must one eat?

2. We explained earlier (see Chapter XX D 3) that the נודע ביהודה holds that our eggs are half the size of those of the time of the Talmud (**פ**). We said that the שערי תשובה and the משנה ברורה say that when we are dealing with a mitzvah d'oraysa (e.g. matzah) we should double the measurement (that is, eat twice the size of a [present day] כזית — which would then be the size of an egg) and for a mitzvah d'rabonon (e.g. *marror*) it is sufficient to eat only a [present day] כזית (half the size of an egg) (**פא**). In case of illness, we have learned (see 1) that one may rely on the Rambam and even eat only a third the volume of an egg (**פב**).

Determining the size of a כזית of ground horseradish

3. We explained earlier (see Chapter XX D 5 and Note ibid. after D 5) that a כביצה is the displacement of two fluid ounces (**פג**). Therefore, the amount of ground horseradish required for a כזית would be half of that, or one fluid ounce (**פד**);* in case of illness 2/3* of a fluid ounce (19.7 ml) is sufficient (**פה**).

*Note: According to ספר קול דודי, the measurements are 1.1 fluid ounces (32.5 ml) and if that is too difficult (e.g. in case of illness) .7 of an ounce (20.7 ml) would suffice (**פו**).

Determining the size of a כזית of romaine lettuce

4. In order to determine the size of a כזית of leaves of romaine lettuce, the leaves must be measured when they are compacted together, because the spaces between the leaves cannot be considered as part of the כזית (**פז**).

(**עה**) ע' לעיל הערה טו ולעיל פ' י"ט הערה יח.
(**עו**) ע' ס' תפ"ו.
(**עז**) ע' גר"ז ס' תפ"ו ס"א ומ"ב שם ס"ק א'.
(**עח**) מ"ב ס' תפ"ו סק"א.
(**עט**) מ"ב שם.
(**פ**) ע' לעיל פ"כ הערה צט.
(**פא**) ע' שם הערה קח.
(**פב**) מ"ב שם.
(**פג**) ע' בפנים שם אצל הערה קכז.
(**פד**) ע"פ הנ"ל.
(**פה**) מ"ב שם.
(**פו**) ספר קול דודי (ס' ט"ו אות ו').
(**פז**) מ"ב ס' תע"ג ס"ק מ"א וכ' שם „ויש ליזהר בזה דאל"כ הוי ברכה לבטלה כיון שמברך על אכילה ואכילה בכזית משמע וגם אינו מקיים בזה מצות מרור".

Therefore, [considering the כזית as 1 fluid ounce], the amount of leaves required is a quantity sufficient to fill a one ounce glass (**פח**). According to ספר קול דודי, the leaves should cover an area of 8 x 10 inches (20.3 cm. x 25.4 cm.) (**פט**).

Do air spaces count?

5. In determining the size of the matzah required, we should note that many matzos contain air spaces (**צ**). Those air spaces which create a cavity in the matzah cannot be included in the *shiur* of כזית (**צא**). However, if there is no cavity but the matzah is elevated in many places like a sponge [as are many machine matzos and to a smaller degree hand matzos], these may be included in the *shiur* of כזית (**צב**).

Matzah is eaten three times

6. In determining the size of the matzah required, we should note that there are three times matzah is eaten at the *Seder:* a) מוציא מצה, b) כורך, c) אפיקומן (**צג**).

The first time matzah is eaten [for מוציא מצה], it is to fulfill a mitzvah d'oraysa (**צד**) (see Chapter XIX B 1). The second time matzah is eaten [for כורך], it is מדרבנן to recall the manner in which the mitzvah of eating matzah and *marror* was fulfilled during the time of the *Beis Hamikdosh* [according to Hillel] (**צה**).

The third time matzah is eaten [for Afikoman] is מדרבנן to recall the *Korbon Pesach* (the Passover sacrifice) which was eaten at the end of the meal (**צו**), or the matzah which was eaten with the *Korbon Pesach* (**צז**). Some Poskim hold that this is the main fulfillment of the *mitzvah d'oraysa* of eating matzah (**צח**).

Therefore, in determining how much matzah is required we should keep in mind that the first time the matzah is eaten it is required by the Torah, the second time it is a mitzvah d'rabonon (**צט**). For Afikoman, most Poskim hold that it is מדרבנן (**ק**); some Poskim hold that it is מדאורייתא (**קא**).

Determining the shiur of matzah

7. We have learned previously (see 2) that for a mitzvah d'oraysa we should double the size of a כזית — to the size of our eggs and for a mitzvah d'rabonon

---

(פח) ע"פ הנ"ל.

(פט) שם אות כ'.

(צ) כך הוא המציאות.

(צא) כ' המ"ב (ס' תפ"ו ס"ק ג') „וה"ה אם יש חלל במצה אינו מצטרף החלל לשיעור כזית וצריך למעכו אבל אם אין חלל במצה אפילו היא רכה ועשויה כספוג א"צ למעכו".

(צב) מ"ב שם וגר"ז ס' תפ"ו ס"ב וע' מ"ב ס' ר"י ס"ק א'.

(צג) כן היא ההלכה, ונבאר פרטיהם.

(צד) ע' ס' תע"ה ס"א ומ"ב שם ס"ק ט"ז ודוק.

(צה) שם.

(צו) רא"ש פ"י דפסחים ס' ל"ד.

(צז) רש"י ורשב"ם קי"ט: וע' במועדים וזמניט (ח"ז ס' קפ"ז).

(צח) רש"י ורשב"ם שם וגר"א ס' תע"ז ס"ק ג' וע' בשעה"צ ס' תע"ז ס"ק ד'.

(צט) ע"פ הנ"ל.

(ק) ע' מ"ב ס' תפ"ו סס"ק א'.

(קא) ע' גר"א ס' תע"ז שם.

we may consider the כזית as half the size of our eggs (קב). How much does this amount to in our matzos?

According to the ספר שיעורי המצוות [based upon the measurements of the חזון איש זצ"ל] half of a machine matzah* contains a כזית of matzah (קג). [This is not meant to indicate a preference for machine matzah, this is only used to indicate a standard size.]

According to ספר קול דודי, for מוציא מצה the size of the matzah should be 6 1/4 x 7 inches (15.9 cm x 17.8 cm) (קד). For כורך the matzah should be 4 x 7 inches (10.2 cm x 17.8 cm) (קה). For Afikoman, the matzah should be 6 1/4 x 7 inches (15.9 cm x 17.8 cm) (קו). [6 1/4 x 7 inches is about the size of a machine matzah.]

According to our measurements (see Chapter XX Note after D 5) the following chart represents the *shiur* of matzah (קז). According to these measurements, a person may fulfill all the required *shiurim* for כורך, מוציא מצה and Afikoman by eating a total of 1 1/4 hand matzos or 1 2/3 machine matzos (קח)**.

*Note: Machine matzos vary in size. Therefore, the author was unable to determine whether the size matzah measured by the חזון איש זצ"ל was the same as our machine matzah

**See **Note on page 243.

(קב) ע' לעיל פ"כ הערה קח.

(קג) ע' ס' שיעורי המצוות (אות כ"ו) שכ' „ע"פ מדידת מרן זצללה"ה התברר כי בחצי מצה רגילה של מכונית [מאשין מצה] יש כזית מצה בריווח" ובהערה הנדבק בספר כ' „ציירנו השיעור במצה של מכונית לפי שאותה מצה היא בכל מקום במדה שוה, אבל אין הכונה לומר איזו הוראה בענין מצה של מכונית".

(קד) כ"כ שם (ס' י"ד אות י"א) במהדורא שני'.

(קה) כ"כ שם (ס' ט"ז אות י"א) במהדורא שני'.

(קו) ע' שם (ס' י"ח אות ג') במהדורא שני' [ואף שכתוב שם 6 על 7 נראה דצ"ל כמ"ש דאם לאו סותר מש"כ שם בס' י"ד אות י"א].

(קז) ע' לעיל פ"כ הערה קכב לענין שיעור אצבע. וע"פ שיעור אצבע זה מדדתי ובאתי לשיעורים אלו.

(קח) דלמוציא מצה שהוא דאורייתא חיישינן לדעת הצל"ח (שכתבנו לעיל בפ"כ הערה צט והגר"א הובא שם בהערה קו) דנתקטנו הביצים וכ"כ בשע"ת (ס' תפ"ו) ובב"ה (ס' רע"א ס' י"ג ד"ה של רביעית) ומ"ב ס' תפ"ו ס"ק א'. ואף שכ' המחבר (ס' תע"ה ס"א) „ויאכלם בהסיבה ביחד כזית מכל אחד" ע' במ"ב (שם ס"ק ט') הטעם, וטעם זה הוא מחמת ספק דרבנן איזה ברכה קאי על השלימה ואיזה על הפרוסה [אבל לענין חיוב דאורייתא כ' הרמב"ם (פ"ו מהל' חו"מ ה"א) „ומשאכל כזית יצא ידי חובתו"], וכתבו השע"ת ומ"ב (בס' תפ"ו) דבשיעור דרבנן יש להקל כדעת הפוסקים דלא נתקטנו הביצים, לפיכך אין צריכים להכפיל שיעור המצה לב' כביצים, דשיעור כזית שכתבנו מטעם נתקטנו הביצים יש בה ב' כזיתים דרבנן שהם כזית א' דאורייתא (וע' בס' קול דודי ס' י"ד אות י"א). ויש עוד טעם למה א"צ לכפול הביצים דכ' בספר קול דודי (שם אות ג') „ונראה דרק מי שיגיע לידו כזית מכל אחת צריך ב' זיתים אבל מי שלא יגיע לידו כזית מכל אחת כמו המסובים א"כ די להם בכזית אחד אפילו מן ב' מצות אם א"א מאחת וכו'" לכן שיעור זה מספיק. ולכורך ואפיקומן שהם מצוות דרבנן יש להקל כדברי הפוסקים (הובאו שם בהערה קז) החולקים עליהם. אולם ע' בספר קול דודי (סימן י"ח אות ג') שכ' „אך מפני שהמהרי"ל כתב שצריך ב' זיתים וכתב הט"ז בשמו (ס' תע"ז) בס"ק א' דחביבה היא משאר מצות ששיעורן בכזית והמ"א ס"ק א' כתב הטעם של ב' זיתים אחד זכר לפסח ואחד זכר למצה הנאכלת עמו וכן כתב הב"ח דלהרשב"ם היתה רק זכר למצה ולהרא"ש רק זכר לפסח וא"כ די לכולן בכזית אחד וא"א שליט"א נוהג שקודם האפיקומן אומר הנני מוכן וכו' זכר לפסח וזכר לחגיגה ולכן צריך שני זיתים והוא

		In case of illness***		
Hand matzah (approx, 10 1/4″) [in diameter]	Machine matzah (6 1/8″ x 7″)	Hand matzah (approx. 10 1/4″) [in diameter]	Machine matzah (6 1/8″ x 7″)	
1/2	2/3	1/4	1/3	מוציא מצה
1/4	1/3	1/4	1/3	כורך
1/2	2/3	1/4	1/3	אפיקומן

Note: Although we have offered minimum amounts for eating matzah and *marror* and for drinking the Four Cups, with time limits in which this is required, this does not mean that one is required to eat or drink an abnormal amount or in an unusually rapid manner (קט**). The *shiurim* of the Torah and חז״ל represent a normal manner of eating for the average person (**קי**).

It should be noted that the *shiur* of כדי אכילת פרס will depend upon the size of the כזית (**קיא**). The larger one assumes as the size of the כזית, the larger the כדי אכילת פרס will be (**קיב**).

***Note: We have indicated a minimum amount to be eaten in case of illness [consisting of the combined requirement for the evening of 3/4 of hand matzah or one whole machine matzah] (**קיג**). Should these amounts still present a difficulty, a *Rav* should be consulted (see 1).

In how short a period should one eat the כזית?

8. Although it is preferable that each of the כזיתים of matzah and *marror* should be swallowed at one time (**קיד**), it must be completed within a time period called כדי אכילת פרס (**קטו**). We have learned previously (see Chapter XX E 4) that for *marror* — which is a mitzvah d'rabonon — if one completed the כזית within 9 minutes he has fulfilled his requirement (**קטז**). Similarly, כורך — which is also מדרבנן (**קיז**) — should be completed within 9 minutes (**קיח**).

בח״א סימן ק״ל סי״ד (כצ״ל)״ לכן כתבנו השיעור דנתקטנו הביצים באפיקומן [ואף שכ׳ שם „ומפני שהב׳ זיתים הם רק חומרא בעלמא יש לצאת בזיתים היותר קטנים וכו׳״ לא כתבנו כן לענ״ד דעלול ההמון לבא מזה לידי טעות].
(קט) דאף דבלע מצה יצא (בס׳ תע״ה ס״ג) מ״מ היינו בדיעבד (כמ״ש המ״ב שם ס״ק כ״ט) וכן (מחבר שם ס״ו) „אכל כחצי זית וחזר ואכל כחצי זית יצא וכו׳״ וכ׳ המ״ב (שם ס״ק מ״א) „יצא. היינו בדיעבד״ דהמצוה „בערב תאכלו מצות״ היינו אכילה כדרכה [כמ״ש המחבר שם ס״ג „ואם כרכם בסיב ובלעו אף ידי מצה לא יצא לפי שאין דרך אכילה בכך״], וכן לענין ד׳ הכוסות ע׳ לעיל (פ״כ הערה קנ, קנא) צריכים לשתות כדרך שתי׳ וע׳ במחה״ש (ס׳ תע״ה ס״ק ד׳) ובשו״ת חת״ס (ס׳ ק״מ ד״ה ובחי׳ ספ״ג) ובש״א ואכמ״ל. עיין בספר קול דודי (ס׳ י״ד אות י״ב) שכ׳ דשיעור כדי אכילת פרס אינו מתחיל מהזמן שנותן המצה או המרור בתוך פיו אלא מכשמתחיל הבליעה.
(קי) ע׳ שם.
(קיא) דכ׳ המ״ב (ס׳ תע״ה ס״ק מ״ב) „דצריך שלא ישהה מתחלת אכילה ראשונה עד סוף אכילה אחרונה יותר מכדי אכילת פרס דזה אין נחשב בכלל אכילה״ דכ׳ הכ״מ (פ״ד מהל׳ חו״מ ה״ח) „דלענין אכילה כל שהוא פחות מכזית בכדי א״פ ה״ל כאילו אכל חצי זית היום וחצי זית למחר״ ואם הכזית יותר גדול הדרך לאכלה בזמן יותר ארוך.
(קיב) ע״פ הנ״ל.
(קיג) ע׳ מ״ב ס׳ תפ״ו ס״ק א׳.
(קיד) ע׳ מ״ב ס׳ תע״ה ס״ק מ״א.
(קטו) ס׳ תע״ה ס״ו.
(קטז) ע׳ חת״ס ח״ו ס׳ ט״ז וחזו״א ס״ס ל״ט.
(קיז) ע׳ מ״ב ס׳ תע״ה ס״ק ט״ז.
(קיח) ע׳ שם וספר קול דודי ס׳ ט״ז אות י״א.

Concerning the כזית of matzah which is eaten for מוציא מצה, since this is a mitzvah d'oraysa, we have learned (see Chapter XX E 4) that one should preferably complete it within two minutes (קיט). Since we mentioned (see 7) That one should preferably eat two כזיתים for מוציא מצה, therefore, these two כזיתים [i.e. according to our measurements, 1/2 of a hand matzah or 2/3 of a machine matzah (קכ)] should preferably be completed within two minutes but not more than 18 minutes for both כזיתים combined (קכא). One should preferably conduct himself in the same manner for the two כזיתים eaten for Afikoman (קכב).

One who is ill

9. One who is ill and cannot eat the larger *shiur* of matzah [according to the נודע ביהודה], may rely on the Poskim who hold that our measurements have not changed and may eat the smaller *shiur* of matzah (e.g. 1/4 of a hand matzah for a כזית) (קכג). The matzah may be broken down into matzah farfel or ground into matzah meal (קכד). He may even soak it in water to soften it (קכה) [unless his minhag is not to eat *gebrukt*, see Chapter IV B 1].

Swallowing matzah and marror

10. A person should chew the matzah and *marror* (קכו). If a person swallowed matzah — without chewing it — he has fulfilled the mitzvah — although he does not taste the matzah (קכז). But if he swallowed *marror* without discerning its taste, he has not fulfilled his requirement, because he must feel the taste of the *marror* in his mouth (קכח).

One does not fulfill his requirement by eating stolen matzah

11. A person does not fulfill his requirement for eating matzah — if the matzah is stolen (קכט). Therefore, when purchasing matzah, if the seller speci-

---

(קיט) ע׳ חת״ס שם וע׳ בחזו״א שם.

(קכ) ע׳ לעיל בהערה קח.

(קכא) דאם ס״ל דנתקטנו הביצים נמצא דשיעור דחצי מצת יד הוא כזית אחת וצריך לאכלו בתוך ב׳ מינוט ולא יותר מט׳ מינוט, אבל אי סבירא לן דלא נתקטנו הביצים נמצא דשיעור דחצי מצת יד יש בו ב׳ כזיתים ואוכל א׳ למוציא וא׳ למצה ויש לו שיעור דב׳ כא״פ.

(קכב) ע׳ מ״ב ס׳ תפ״ו סס״ק א׳ דהוי דרבנן אבל באפשר בב׳ מינוט מרויח גם דעות הסוברים דאפיקומן הוא עיקר אכילתה.

(קכג) ע׳ מ״ב ס׳ תפ״ו ס״ק א׳ דבחולה שקשה לו לאכול מצה כחצי ביצה יכול לסמוך על הרמב״ם ולאכול כשליש ביצה. ונראה דבא״א לאכול כשליש ביצה יש לסמוך על הפוסקים דס״ל לא נתקטנו השיעורים.

(קכד) חיי״א ס׳ ק״ל סס״ב.

(קכה) ס׳ תס״א ס״ד ובה״ה ד״ה יוצא ומ״ב שם ס״ק י״ז וכ׳ שם „אך צריך ליזהר שלא יהיה שרוי מעל״ע דכבוש כמבושל״.

(קכו) מ״ב ס׳ תע״ה ס״ק כ״ט, ל׳.

(קכז) תע״ה ס״ג.

(קכח) שם.

(קכט) כ׳ המחבר (ס׳ תנ״ד ס״ד) „אין אדם יוצא י״ח במצה גזולה וכו׳״ ע״ש וכ׳ המ״ב (שם ס״ק ט״ו) „במצה גזולה. הטעם דילפינן מחלה בגז״ש דלחם לחם מה התם אין אדם מפריש חלה אלא מעיסה שלו דכתיב עריסותיכם אף כאן כן. ודוקא גזולה אבל אם שאל מצה יוצא בה דהא שאלה ע״מ לאכלה ולא להחזירה בעין א״כ הרי היא שלו ממש. כתבו הפוסקים דיש ליזהר כשאופין הרבה בתנור אחד והרבה פעמים מתחלפין המצות נכון שיאמרו כל מי שיגיע מצתי לידו יהיה לו במתנה דאל״ה יש בזה חשש מצה גזולה וכתבו עוד דטוב לומר כן גם בשעת טחינה דלפעמים מתחלף הקמח״.

fied that he is unable to [or doesn't want to] sell on credit, but that this is a cash sale, and the purchaser, nevertheless, took it without paying, and continues to delay payment, the matzos are not considered the property of the purchaser — but rather stolen matzos (**קל**). Therefore, even if he ate the matzos, he has not fulfilled the mitzvah of eating matzah (**קלא**).

One does not fulfill his requirement by eating stolen Marror

12. Similarly, one does not fulfill his requirement for eating *marror* — if the *marror* is stolen (**קלב**). Therefore, when purchasing *marror* from a gentile, one should not uproot it himself from the gentile's farm or garden — even if the gentile instructed him to do so (**קלג**). The gentile himself must uproot it (**קלד**).

(קל) כ׳ המ״ב שם „ויש עוד פרט אחד מה שמצוי להכשל בו כגון אם קנה מצה ומשכן לרשותו אם המוכר גלה דעתו בעת מכירתו שדחוק למעות ואינו יכול למכור בהקפה וע״כ עייל ונפיק אחריו אזוזי ומדחהו בלך ושוב ואינו נותן לו מדינא לא קנה כמבואר בח״מ סי׳ ק״ץ סי״ז וממילא אינו יוצא בהם אח״כ ידי חובת מצה מן התורה״.

(קלא) שם. **כתב** בכה״ח (ס׳ תנ״ה אות מ״א) „וכשקונה מצה ישתדל לפרוע קו״פ כדי לצאת י״ח אליבא דכ״ע שיקנה בקנין דאורייתא וכו׳״. וכ׳ בשע״ת (ס״ס תנ״ד) „ומ״מ במצה גזולה לא נפיק בליל יום טוב שני אע״פ שהוא מדרבנן״. ולענין מרור ביו״ט שני ע׳ כה״ח ס׳ תנ״ד אות כ״ט.

(קלב) כ׳ המ״ב (ס׳ תע״ג ס״ק ל״ג) „כשם שאין יוצאין במצה גזולה וכנ״ל בסימן תנ״ד כך אין יוצאין במרור גזול וע״כ יש ליזהר שלא יעקור ישראל בעצמו המרור מקרקע של נכרי אף שהוא נותן לו רשות דסתם עכו״ם גזולי ארעתא נינהו וכו׳״ ע״ש וע׳ בב״ה ס׳ תנ״ד ס״ד ד״ה אין.

(קלג) שם.

(קלד) ע׳ שם הטעם.

סימנים וסעיפים שבשלחן ערוך המשתייכים לפרק זה

תנ״ד:ד	**תע״ה:א,ג**
תע״ב:י״ד	**תפ״ו**
תע״ג:ה	

Chapter XXII הסיבה — Reclining

A. INTRODUCTION

Reason for reclining

1. In each and every generation a person is required to act as if he himself had just been freed from Egyptian bondage as it says ''ואותנו הוציא משם'' (א) ''and he took us out from there'' [Egypt]. For this reason הקב"ה commanded us in the Torah ''וזכרת כי עבד היית'' (ב) ''and you shall remember that *you* were a slave, that is, as if you yourself were a slave and had been freed and redeemed'' (ג).

Therefore, when a person dines on this night he is required to eat and drink in a reclining position (הסיבה) — in the manner of free men and royalty (ד).

When is reclining required?

2. When is reclining required? One is required to recline while eating מוציא מצה, כורך, Afikoman (ה) and while drinking the Four Cups (ו). It is preferable to recline while eating and drinking the entire *Seder* meal (ז).

Concerning כרפס, there are various opinions among the Poskim (ח). Unless one has a minhag to the contrary, it is preferable to recline (ט).

(א) כ׳ הרמב"ם (פ"ז מהל׳ חו"מ ה"ו) „בכל דור ודור חייב אדם להראות את עצמו כאילו הוא בעצמו יצא עתה משעבוד מצרים שנאמר ואותנו הוציא משם וגו׳ [דברים ו:כ"ג] ועל דבר זה צוה הקב"ה בתורה וזכרת כי עבד היית [שם ה:ט"ו] כלומר כאילו אתה בעצמך היית עבד ויצאת לחירות ונפדית". **בלילי הפסח עושים** כמה דברים דרך חירות כגון היין ששותין צ"ל שתי׳ של חירות ע׳ לעיל פ"כ, ויסדר שלחנו יפה בכלים נאים כפי כחו כמו שנכ׳ לקמן בפ׳ כ"ג, ואחר ימזוג לבעה"ב כמו שנכ׳ לקמן בפ׳ כ"ד.

(ב) שם.

(ג) שם.

(ד) כ׳ הרמב"ם (שם ה"ז) „לפיכך כשסועד אדם בלילה הזה צריך לאכול ולשתות והוא מיסב דרך חירות" וכ׳ הגר"ז (ס׳ תע"ב ס"ז) „ויכין מקום מושבו שישב בהסיבה דרך חירות כדרך שהמלכים והגדולים אוכלים".

(ה) כ׳ המחבר לענין הכזיתים של מוציא ומצה (ס׳ תע"ה ס"א) „ויאכלם בהסיבה ביחד כזית מכל אחד". ולענין כורך כ׳ שם „ואח"כ נוטל מצה שלישית ובוצע ממנה וכורכה עם המרור וכו׳ ואוכלן ביחד בהסיבה" ולענין אפיקומן כ׳ המחבר (ס׳ תע"ז ס"א) „לאחר גמר כל הסעודה אוכלים ממצה השמורה תחת המפה כזית וכו׳ ויאכלנו בהסיבה".

(ו) ע׳ ס׳ תע"ב ס"ז וס׳ תע"ג ס"ב.

(ז) כ׳ הרמ"א ס׳ תע"ב שם „ולכתחלה יסב כל הסעודה" וכ׳ המ"ב (שם ס"ק כ"ג) „כל הסעודה. באכילתו ובשתייתו ובדיעבד **יצא בשעת אכילת כזית מצה וד׳ כוסות ולגבי שמש** כיון שהוא טרוד דיינינן ליה כדיעבד לגבי כל אדם" וע׳ בחידושי הגר"ח על הש"ס (בענין מצות הסיבה בפסח).

(ח) ע׳ כה"ח ס׳ תע"ג אות קי"ד ולקוטי מהרי"ח (דף ט"ז. ד"ה והנה) וס׳ קול דודי (ס"ט אות ח׳).

(ט) כך נראה כיון שאף במרור מותר להסב כמ"ש במ"ב ס׳ תע"ה ס"ק י"ד וכ׳ בס׳ קול דודי שם סברא להסיבה בכרפס „פשוט משום חירות שזהו טעם הכרפס ומסתברא נראה לעשות כן" מ"מ מסיק „אבל נוהגים שלא להסב".

One is not required to recline while eating the *marror* — since it recalls the bitterness of bondage (**י**).

The view of the ראבי"ה

3. There is a view which holds that since nowadays it is not the custom of free men or nobility to recline, reclining is *not* required nowadays (**יא**).

Most Poskim disagree with this view and hold that where reclining is required (e.g. eating matzah, drinking the Four Cups) if one ate or drank without reclining he has not fulfilled his requirement, and must eat or drink again (**יב**).

We will אי"ה discuss by each individual mitzvah how one should conduct himself if he ate or drank without reclining (see Chapter XXIV).

B. WHAT IS CONSIDERED AS הסיבה?

Preferred position

1. What is הסיבה? The preferred position for reclining is that while seated near the table on a couch, bed or chair, he leans to the left, with a pillow or cushion to support his head (**יג**).

If he has no pillow or cushion

2. Even if he has no pillow or cushion for support, he should recline on a bench or chair (**יד**), placing a garment or some other object under his head (**טו**).

If he has no bench or chair

3. Even if he has no bench or chair and is forced to sit on the floor, he must still recline (**טז**). In case of necessity, he may even support himself by leaning on

---

(י) ע' ס' תע"ה ס"א ומ"ב ס"ק י"ד.

(יא) דעת הראבי"ה הובא בהגה"מ (פ"ז דהל' חו"מ ה"ז אות ב') וז"ל „רבי אבי"ה כתב שאין אנו צריכין הסיבה בזמן הזה שהרי בני חרי אינן מסובין ואדרבה ישיבה כדרכן הויא דרך חירות אמנם יחידאה היא".

(יב) כ' המחבר (ס' תע"ב ס"ז) „כל מי שצריך הסיבה אם אכל או שתה בלא הסיבה לא יצא וצריך לחזור לאכול ולשתות בהסיבה. הגה וי"א דבזמן הזה דאין דרך להסב כדאי הוא ראבי"ה לסמוך עליו שבדיעבד יצא בלא הסיבה (אגודה פרק ערבי פסחים) ונראה לי אם לא שתה כוס שלישי או רביעי בהסיבה אין לחזור ולשתות בהסיבה דיש בה חשש שנראה כמוסיף על הכוסות אבל בשני כוסות ראשונות יחזור וישתה בלא ברכה" וע' בב"ה שם (ד"ה ונ"ל).

(יג) כ' המ"ב (ס' תע"ב ס"ק ז') „שישב בהסיבה ר"ל ראשו מוטה לצד שמאל על המטה או על הספסל וכרים תחת ראשו אצל השולחן" וע' בחידושי הגר"ח על הש"ס (בענין הסבה דרך חירות).

(יד) כ' המחבר (ס' תע"ב ס"ב) „ויכין מקום מושבו שישב בהסיבה דרך חירות" וכ' הרמ"א שם „ואפילו עני שאין לו כרים ישב על הספסל" וכ' המ"ב (שם ס"ק ח') „יסב על הספסל כצ"ל. ולצד שמאלו. ואם אין לו ספסל והוא יושב על הקרקע (וכמו בארצות המזרח) גם כן צריך להסב על צד שמאל [פמ"ג] עוד כתבו הפוסקים דאם סומך עצמו על ברכי חבירו גם זה מיקרי הסיבה ע"פ הדחק אבל לא על ברכי עצמו דמיחזי כדואג".

(טו) כ' בערה"ש (שם ס"ד) אדברי הרמ"א „כלומר יעשה איזה הסיבה כל דהוא על הספסל להניח בגדו או חפץ אחר וכו'".

(טז) מ"ב שם.

his friend's leg (**יז**). Supporting himself on his own leg is not considered reclining, because it appears that he is worried — and this is not the manner of free men (**יח**).

Lying on one's back or face

4. We explained (see 1) that the position of reclining is leaning to the left (**יט**). Leaning on his right side is not considered as reclining (**כ**), (see 5) nor is lying on one's back or on one's face (i.e stomach) (**כא**), since free men do not eat or drink in this manner (**כב**).

Reasons for reclining on left side

5. There are two reasons why leaning on one's left side is considered as reclining — but *not* on one's right side:

a) It is not the normal manner of reclining — because the right hand generally is used for eating (**כג**).
b) "שמא יקדים קנה לושט" — The food may enter the windpipe instead of the esophagus. (**כד**).

Left-handed person

6. Since the second reason (שמא יקדים קנה לושט) is of greater significance [because it involves danger] (**כה**) even a left-handed person should eat and drink while reclining on the left side — as everyone else (**כו**). However, if a left-handed person mistakenly ate or drank while reclining on the right side, many Poskim hold that he has fulfilled his requirement (**כז**).

C. WHO IS REQUIRED TO RECLINE?

Even the poor

1. On the *Seder* nights *all* men are required to eat and drink while reclining

---

(יז) שם.

(יח) ע׳ מ״ב שם שכ׳ „מפני שנראה כדואג״ ובגר״ז (שם ס״ח) הוסיף „ואין זו דרך חירות״.

(יט) כ׳ המחבר (ס׳ תע״ב ס״ג) „כשהוא מיסב לא יטה על גבו ולא על פניו ולא על ימינו אלא על שמאלו (ואין חילוק בין אטר לאחר)״.

(כ) ע׳ שם וע׳ הטעם בסמוך.

(כא) מחבר שם.

(כב) כ׳ המ״ב (שם ס״ק ט׳) „לא יטה וכו׳. דזה לא מיקרי דרך חירות״ (וכ״כ הגר״ז שם ס״ט) וכ״נ פירושו ובערה״ש (שם ס״ה) הוסיף עוד טעם „שאין זה דרך הסיבה ולא דרך כבוד״.

(כג) כ׳ המ״ב (שם ס״ק י׳) „ולא על ימינו. דלא שמה הסיבה כיון שצריך לאכול בימינו ועוד טעם אחר יש דשמא יקדים קנה לוושט דוושט הוא בצד ימין וכשהוא מטה ראשו כלפי ימין נפתח הכובע שע״פ הקנה מאליו ויכנס שם המאכל ויבא לידי סכנה״.

(כד) ע׳ מ״ב שם וערה״ש ס״ה.

(כה) כ׳ המ״ב (שם ס״ק י״א) „והאי טעמא עדיפא לן משום דהוי סכנתא וחמירא סכנתא מאיסורא״.

(כו) רמ״א שם.

(כז) מ״ב שם, וע׳ שעה״צ ס״ק י״ג.

(**כח**). Even the poorest Jew may not fulfill his obligations of eating and drinking unless he is reclining (**כט**).

Are women required to recline?

2. Although we have learned (see Chapter XIX C 3) that women are required to perform all the mitzvos at the *Sedorim* like men, the minhag is that women are not required to recline (**ל**). The reason is that it never was the manner for the average woman to recline (**לא**).

A son in his father's presence

3. A son who is participating at the *Seder* with his father is, nevertheless, required to recline — even if his father is רבו מובהק (the *Rebbe* from whom he has learned most of his Torah) (**לב**). Although a son is required to honor and respect his father [and reclining is not a position one assumes in the presence of one to whom he should show respect] (**לג**), nevertheless, we assume that a father, in this instance, forgoes on this outward sign of respect (**לד**).

A talmid in the presence of his Rebbe

4. A student in the presence of his *Rebbe* may not recline even if he is not רבו מובהק (see 3), unless his *Rebbe* expressly permitted him to (**לה**). The reason is that "מורא רבו כמורא שמים" the respect one is required to give to his *Rebbe* is comparable to the fear of *Hashem* (**לו**). If his *Rebbe* permitted him to recline, many Poskim hold the he is *required* to recline (**לז**).

One who is present at the *Seder* of a *Gadol* (an eminent Torah sage) may not recline (**לח**). Even if he had not learned anything from him he is considered like his *Rebbe* and may not recline — unless expressly permitted to (**לט**).

(כח) ע׳ רמב״ם פ״ז דחו״מ ה״ז, וה״ח.

(כט) כ׳ הרמב״ם (שם ה״ח) „אפילו עני שבישראל לא יאכל עד שיסב״.

(ל) כ׳ המחבר (ס׳ תע״ב ס״ד) „אשה אינה צריכה הסיבה אא״כ היא חשובה״ וכ׳ הרמ״א ע״ז „הגה וכל הנשים שלנו מיקרי חשובות (מרדכי ריש פ׳ ע״פ ורבינו ירוחם) אך לא נהגו להסב כי סמכו על דברי ראבי״ה דכתב דבזמן הזה אין להסב״.

(לא) כ׳ המ״ב (שם ס״ק י״ב) „א״צ הסיבה. דסתם אשה אין דרכה להסב בשום פעם״ וכ״נ פירושו.

(לב) כ׳ המחבר (ס׳ תע״ב ס״ה) „בן אצל אביו צריך הסיבה אפילו הוא רבו מובהק״.

(לג) כ׳ המ״ב (שם ס״ק י״ד) „צריך הסיבה אפילו וכו׳. דאף דהבן חייב בכבודו ובמוראו וכ״ש אם הוא רבו מ״מ צריך הסיבה דמסתמא אב מחיל לבניה״ וכ״נ פירושו.

(לד) שם.

(לה) כ׳ המחבר שם „תלמיד לפני רבו א״צ הסיבה אפילו אינו רבו מובהק אא״כ יתן לו רבו רשות״ וכ׳ המ״ב (שם ס״ק ט״ו) „אינו צריך הסיבה. משום דברישא אמר צריך נקט הכא אינו צריך אבל באמת איסורא נמי איכא להסב בפניו דמורא רבו כמורא שמים״ וע׳ במ״ב (שם ס״ק י״ז) שצריך שירשהו בפירוש.

(לו) שם.

(לז) כ׳ המ״ב (שם ס״ק ט״ז) „אלא א״כ וכו׳. ואז מחויב להסב״ וע׳ בשעה״צ שם ס״ק כ׳.

(לח) כ׳ המחבר שם „ותלמיד חכם מופלג בדורו אעפ״י שלא למד ממנו כלום חשוב כרבו וא״צ הסיבה״ וע׳ בהערה לה ממ״ב שם ס״ק ט״ו דהאי א״צ פירושו איסורא נמי איכא וע׳ רמ״א לענין ב׳ שלחנות ומ״ב ס״ק י״ח מפר״ח ופמ״ג.

(לט) ע׳ מחבר שם.

Apprentice or student of a profession

5. An apprentice or student of a profession or trade who is present at the *Seder* of his master or instructor is required to recline (מ).

Waiter or servant

6. Similarly, a waiter or servant is also required to recline (מא). Even though he may be constantly occupied with the needs of the meal or the house, nevertheless, he, also, is required to act as a free man (מב). Therefore, he is required, at the least, to eat the כזיתים of matzah and Afikoman and drink the Four Cups while reclining (מג).

One who is in mourning

7. One who is in mourning (e.g. within the twelve month mourning period for his father or mother or within *Shloshim* of other relatives — i.e. Yom Tov interrupted the *Shiva*) (מד), although he is required to recline (מה), he should not recline in splendor — but should recline simply (מו) (e.g. on a couch with one pillow under his head or on his friend's lap) (מז).

(מ) מ"ב שם ס"ק י"ט וגר"ז ס' י"ב וע' שעה"צ שם ס"ק כ"ה.

(מא) כ' המחבר (ס' תע"ב ס"ו) „השמש צריך הסיבה" וע' במ"ב וגר"ז שם וע' במ"ב שם ס"ק כ"ג.

(מב) מ"ב שם ס"ק י"ט.

(מג) שם וס"ק כ"ג.

(מד) כ' המ"ב (שם ס"ק י"ג) „אבל תוך י"ב חודש על אביו ואמו או תוך שלשים על שאר קרובים כגון שלא נהג שבעה לפני הרגל אף שהוא חייב בהסיבה מ"מ הנכון שלא יסב על מטה כבודה וכלולה אלא יסב בשינוי קצת דהיינו על מטה וכר אחד תחת מראשותיו או על ברכי חבירו" וע' בגר"ז (שם ס"ג וט"ד). ולענין לבישת הקיטל ע' לקמן (פ' כ"ג הערות טו-יח).

(מה) שם.

(מו) שם.

(מז) שם.

סימנים וסעיפים שבשלחן ערוך המשתייכים לפרק זה

תע"ה:א   תע"ב:ב-ז

Chapter XXIII Preparation for the Seder

A. GENERAL PREPARATIONS

Seder table should be prepared before Yom Tov

1. The *Seder* table should be prepared before Yom Tov in order to facilitate commencing the *Seder* immediately upon returning home from Shul after nightfall (א).

The reason we are concerned with beginning the *Seder* promptly is in order that the children should be awake (ב). The Torah stresses the child in the mitzvah of relating the story of the exodus from Egypt at the *Seder* as it says "והגדת לבנך ביום ההוא" "you shall relate to your son on that day" (ג). Therefore, if the *Seder* begins without delay the child will ask מה נשתנה, the father will then be able to respond to his questions and properly fulfill the mitzvah of סיפור יציאת מצרים (ד).

Using elegant vessels

2. Although during the entire year it is best to minimize use at the table of elegant vessels (e.g. exquisite silver, china and linen) in order to recall the destruction of the *Beis Hamikdosh* (ה), on the *Seder* nights it is a mitzvah to set the table with the finest vessels [even borrowed] (ו) — in the manner of free men and royalty (ז).

Preparing for reclining

3. One's seat should be prepared so that he would be able to recline in the manner of free men and royalty (ח). The halachos of reclining were discussed in detail previously (see Chapter XXII).

(א) כ׳ המחבר (ס׳ תע״ב ס״א) „יהיה שלחנו ערוך מבעוד יום כדי לאכול מיד כשתחשך ואף אם הוא בבית המדרש יקום מפני שמצוה למהר לאכול בשביל התינוקות שלא יישנו אבל לא יאמר קידוש עד שתחשך״ וכ׳ המ״ב (שם ס״ק א׳) „כדי לאכול מיד. לאו דוקא והכונה כדי שיהיה אפשר לו להתחיל הסדר תיכף משתחשך ולא ישתהה״.

(ב) מחבר שם כפרש״י (ק״ט. ד״ה חוטפין מצה) וע׳ ערה״ש (שם ס״ב) עוד טעם „כדרך בני חורין ששולחנם ערוך זמן רב קודם האכילה״.

(ג) שמות י״ג:ח, וע׳ גר״ז ס׳ תע״ב ס״א.

(ד) ע׳ מ״ב שם ס״ק ג׳ ושעה״צ ס״ק ב׳.

(ה) כ׳ המחבר (ס׳ תע״ב ס״ב) „יסדר שלחנו יפה בכלים נאים כפי כחו״ וכ׳ המ״ב (שם ס״ק ו׳) „ואע״ג דבכל השנה טוב למעט בזה משום זכר לחורבן בליל פסח מצוה להרבות שזהו בכלל דרך חירות ואמרו על מהרי״ל שכשהיו בידו משכנות של נכרים כלים נאים לא היה משתמש בהם בשום פעם רק בפסח היה מנהגו להשים אותם על שולחן מיוחד לשמוח בראייתם״.

(ו) ע׳ שם.

(ז) כ׳ הגר״ז (שם ס״ו) „זכר לחירות״.

(ח) כ׳ המחבר (שם ס״ב) „ויכיו מקום מושבו שישב בהסיבה דרך חירות״.

The Kittel

4. There is a minhag for men to wear a *Kittel* (i.e. a white robe) at the *Seder* (**ט**). There are two reasons for this minhag:

a) The *Kittel* resembles the garments of the מלאכים (angels) (**י**). According to this reason, the *Kittel* is worn for *simcha* (**יא**).

b) The *Kittel* resembles shrouds (**יב**). Since at the *Seder* we conduct ourselves like free men and royalty, we are afraid that a person may tend to become overbearing and haughty (**יג**). Therefore, the *Kittel* reminds him of the day of his demise (**יד**).

Does a mourner wear a kittel?

5. Does a mourner wear a *Kittel?* According to the first reason (in 4, because of *simcha*), a mourner should not wear the *Kittel* (**טו**). According to the second reason (he should not become overbearing and haughty) the mourner may wear a *Kittel* (**טז**).

Although many Poskim hold that the minhag is for a mourner not to wear a *Kittel* (**יז**), however, one who desires to wear it is not rebuked (**יח**).

B. THE SEDER PLATE

Seder plate is placed before the master of the house

1. The *Seder* plate is placed before the master of the house (**יט**). Other members of the household do not require individual *Seder* plates, but will obtain their *Seder* foods from the master of the house (**כ**).

(ט) ע׳ מ״ב ס׳ תע״ב ס״ק י״ג.

(י) ע׳ ס׳ תר״י ס״ד ברמ״א.

(יא) כך נראה ביאורו וכ״כ בספר קול דודי (ס״ו אות ב׳).

(יב) ע׳ רמ״א שם.

(יג) כ׳ הגר״ז (ס׳ תע״ב ס״ד) לענין אבל ר״ל „ומ״מ יכול ללבוש הקיטל שלובשין בשעת עשיית הסדר שבגד זה הוא בגד מתים ולובשין אותו להכניע הלב שלא תזוח דעתו מחמת השמחה והחירות שעושין בליל זה״. **כתב** במקראי קודש (ס׳ נ״ב אות ב׳) טעם אחר למה נהגו ללבוש הקיטל דכל מנהגי הסדר בזמן הזה הם כמו בזמן שאכלו פסחים „וא״כ יש לאכול הפסח באימה וביראה כמו בשעת תפלה וכו׳״ ע״ש.

(יד) גר״ז שם.

(טו) כך נראה וכ״כ בספר קול דודי שם.

(טז) גר״ז שם אבל ע׳ בספר קול דודי שם שכ׳ „העיקר כמ״א [שכ׳ שהאבל לא ילבשנו] ובפרט שר״י העליר בהגדה שלו הביא שהגר״א סובר שטעם הקיטל כמלאכי השרת״.

(יז) כ׳ המ״ב (שם ס״ק י״ג) „וקיטל נהגו שלא ללבוש ומ״מ הלובש אין מוחין בידו״.

(יח) שם וע׳ שעה״צ שם ס״ק י״ז.

(יט) כ׳ המחבר (ס׳ תע״ג ס״ד) „מביאין לפני בעל הבית קערה שיש בה וכו׳״.

(כ) מ״ב שם ס״ק י״ז.

When should the *Seder* plate be brought to the table? Some have a minhag to bring it before Kiddush (**כא**). Others have a minhag to bring it after Kiddush (**כב**). One should conduct himself according to his minhag (**כג**).

Items on the Seder plate

2. The *Seder* plate consists of three matzos (**כד**) (see 3) *marror* (see 4), *charoses* (see 5), *karpas* (see 6), and two cooked (or roasted) foods (**כה**) (see 7). Salt water is also required to be used with the *karpas* (**כו**) (see Chapter XXIV D). According to the רמ״א, it is also on the *Seder* plate (**כז**). Most people conduct themselves like the אר״י ז״ל (see 10) who does not place the salt water on the *Seder* plate (**כח**).

Reason for three matzos

3. Every Shabbos and Yom Tov meal requires two loaves of either bread or matzah for לחם משנה (**כט**); why are *three* matzos required for the *Seder?* Two matzos are for לחם משנה — as every Yom Tov meal (**ל**); one matzah (i.e. the middle one) is broken in two at יחץ (see Chapter XXIV E) — with the larger portion hidden for Afikoman (**לא**) (see Chapter XXIV L). The top matzah and the smaller portion of the middle matzah is used for מוציא מצה (**לב**) (see Chapter XXIV H). The bottom matzah is used for כורך (**לג**) (see Chapter XXIV J).

Marror

4. We discussed earlier (see Chapter XXI B) which species of vegetables may be used for *marror.* The minhag of most people (see 10) is to place the *marror* to be used for the mitzvah of *marror* and the *marror* to be used for כורך (see Chapter XXIV J) separately on the *Seder* plate (**לד**).

(**כא**) ע׳ בס׳ קול דודי (סימן ו׳ אות ג׳) הנהגת הגרמ״פ שליט״א ומאבודרהם וממ״ז ס׳ תפ״ו.

(**כב**) ע׳ מחבר (ס׳ תע״ג) אחר שהביא דין קידוש (מס״א עד ס״ג) כ׳ (בס״ד) „מביאין לפני בעל הבית קערה וכו׳״ וכ״כ הגר״ז (שם ס׳ כ״ה) „ונהגו להביא כל דברים אלו לפני בעה״ב מיד אחר קידוש״ וע׳ בלקוטי מהרי״ח (דף י״ב.) שכ׳ „ובמט״מ משמע להכין הקערה מבעוד יום דכתב כשבא מביהכ״נ יהי׳ שלחנו ערוך ועליו קערה וכו׳״.

(**כג**) כך נראה. וע׳ לקמן פ׳ כ״ד הערה קיח.

(**כד**) כמחבר (שם ס״ד והוא שיטת הרא״ש פ׳ ע״פ ס״ל והמרדכי) ודלא כגר״א (בשו״ע שם ס״ק י״א) בשם הרי״ף והרמב״ם שכ׳ „וכן עיקר״.

(**כה**) כ׳ המחבר שם „ומרור וחרוסת וכרפס וכו׳ ושני תבשילין״.

(**כו**) כ׳ הרמ״א (שם ס״ד) „וחומץ או מי מלח״.

(**כז**) ע׳ רמ״א שם.

(**כח**) ע׳ ערה״ש ס׳ תע״ג ס׳ י״א וכה״ח שם אות ח״ן.

(**כט**) ס׳ רע״ד ס״א.

(**ל**) מ״ב ס׳ תע״ג ס״ק י״ח.

(**לא**) שם ומחבר ס׳ תע״ג ס״ו ומש״כ חלק היותר גדול יהא לאפיקומן כ״כ המ״ב שם ס״ק נ״ח.

(**לב**) ע׳ ס׳ תע״ה ס״א.

(**לג**) שם.

(**לד**) ע׳ גר״ז ס׳ תע״ג ס׳ כ״ו.

Charoses

5. The *charoses* is a mixture which should be made from fruits mentioned in *Tanach* symbolizing the Jewish people (e.g. apples, figs, dates, walnuts, almonds and pomegranates) (לה). These are chopped up or ground and red wine or wine vinegar is added (לו). The mixture should have a thick consistency, to recall the mortar from which our forefathers were compelled to make bricks in Egypt (לז). Spices, such as cinnamon and ginger, should be used — if they are in strandlike form — to recall the straw which was mixed with the mortar (לח). When Pesach falls on Shabbos, see C.

Karpas

6. For *karpas* we use a vegetable upon which the brocho בורא פרי האדמה is recited (לט). The reason for *karpas* is that since it is eaten before the meal the child will notice the difference between this night and the other nights of the year and will be stimulated to ask ''מה נשתנה'' (מ). Why was the species כרפס (see further) selected? Because by reversing the letters it reads ס' פרך, referring to the 600,000 Jews who toiled in bondage in Egypt (מא).

Although there is a preference for the species *karpas* [parsley (מב) or celery (מג)] any vegetable may be used (מד) — whether raw or cooked (מה); its brocho, however, should be a בורא פרי האדמה (מו). A vegetable which can be used for *marror* (see Chapter XXI B) should *not* be used as *karpas* (מז).

זרוע, ביצה

7. Two cooked foods are required on the *Seder* plate (מח), the זרוע (the shankbone) and the ביצה (an egg) (מט). The זרוע recalls the *Korbon Pesach* (Pesach sacrifice), the egg recalls the *Korbon Chagigah* (the festival sacrifice) (נ) (see 8).

The reason the זרוע is used is that, aside from recalling the *Korbon Pesach*, it also recalls the זרוע נטויה — the outstretched arm which *Hashem* displayed to the

---

(לה) ע' תוס' קט"ז. ד"ה צריך ורמ"א ס' תע"ג ס"ה ומ"ב שם ס"ק מ"ט וגר"ז שם ס' ל"ב.
(לו) רמ"א שם ומ"ב ס"ק מ"ח וכ' שם „מעט חומץ. של יין או יין אדום כדי לרכך אותו ויהיה זכר לדם".
(לז) רמ"א וגר"ז שם.
(לח) ע' רמ"א שם ומ"ב שם ס"ק נ' וגר"ז שם ס' ל"ג.
(לט) ע' ס' תע"ג ס"ד ומ"ב שם ס"ק י"ט, כ'.
(מ) מ"ב שם ס"ק כ"א וע' רש"י קי"ד. ד"ה עד.
(מא) מ"ב שם ס"ק י"ט.
(מב) בקש"ע (ס' קי"ח ס"ב) כ' „לצורך טיבול הראשון שהוא כרפס נוהגין הרבה ליקח

פעטערזייל וטוב יותר לקחת צעללער שיש לו טעם טוב כשהוא חי, והמובחר הוא לקחת צנון".
(מג) ע' שם ושו"ת חת"ס או"ח ס' קל"ב.
(מד) מ"ב שם ס"ק כ'.
(מה) ע' ערה"ש שם ס"י ודוק [ומש"כ בצלים או צנון ע' אג"מ (או"ח ח"א ס' ס"ב וס"ד) ובספר קול דודי (סימן ט' אות ב')], ומו"ר הגר"א קטלר זצ"ל לקח תפוח אדמה.
(מו) ע' שם ומ"ב שם.
(מז) מ"ב שם.
(מח) ס' תע"ג ס"ד.
(מט) שם.
(נ) שם.

Jewish people in Egypt (נא). If a זרוע is not available, another piece of meat — even without a bone — may be used (נב). However, if a shankbone [or other bone] is used, there should be some meat on it, since its purpose is also to recall the meat of the *Korbon Pesach* (נג). In addition, since a תבשיל (a cooked food) is required, a bone without meat is not called a תבשיל (נד). (Regarding roasting the זרוע and ביצה, see 9).

The egg

8. Various reasons are given why the egg was chosen for the cooked food to represent the *Korbon Chagigah*:

a) In Aramaic [the language of the Talmud] the egg is called ביעא (נה). Therefore, the egg is used to symbolize ״בעי רחמנא למפרק יתנא״ הקב״ה desired to liberate us (נו).

b) The egg is a mourner's food (נז). Therefore, an egg is used to symbolize our mourning for the destruction of the *Beis Hamikdosh* and our inability to offer the *Korbon Pesach* (נח).[Also Tisha B'Av always occurs on the same day of the week as the first night of Pesach] (נט).

Roasting the זרוע and the egg

9. The minhag is to roast the זרוע over the fire — similar to the *Korbon Pesach* (ס). Although the egg may be either roasted or cooked (סא), the minhag is to roast it too (סב).

Since the זרוע is roasted and the minhag is not to eat roasted meat on the nights of the *Seder* (סג) (see Chapter XXIV K 4), unless one expects to eat the זרוע on Yom Tov by day, one may not roast the זרוע on Yom Tov — but should do it before Yom Tov. (סד). It is not proper to throw away the זרוע, it should be eaten on Yom Tov by day (סה) (see C 2).

The order on the Seder Plate

10. There are two principle minhagim for arranging these articles on the *Seder* plate:

(נא) מ״ב שם ס״ק כ״ז.
(נב) שם.
(נג) שם.
(נד) גר״ז שם ס׳ כ״ב.
(נה) מ״ב ס׳ תע״ג ס״ק כ״ג וגר״ז שם ס״כ.
(נו) שם.
(נז) ע׳ יו״ד ס׳ שע״ח ס״ט ורמ״א או״ח ס׳ תע״ו ס״ב ובכ״מ.
(נח) רמ״א שם ומ״ב שם ס״ק י״ג וס׳ תע״ג ס״ק כ״ג.
(נט) רמ״א שם.
(ס) כ׳ המחבר (ס׳ תע״ג ס״ד) „והבשר נהגו שיהיה זרוע ונהגו שהבשר יהיה צלי על הגחלים״ וע׳ במ״ב שם ס״ק כ״ח, כ״ט.
(סא) ע׳ מחבר ורמ״א שם וע׳ מ״ב שם ס״ק ל״א.
(סב) רמ״א שם וע׳ במ״ב שם וכה״ח שם אות ס״ט.
(סג) ע׳ ס׳ תע״ו ומ״ב ס׳ תע״ג ס״ק ל״ב וכה״ח שם.
(סד) מ״ב שם וע׳ מ״ב (ס׳ תק״ג ס״ק ה׳) עצה איך לעשות ביו״ט.
(סה) ע׳ חיי״א הובא במ״ב ס׳ תע״ג ס״ק ל״ב.

a) According to the רמ״א, the *Seder* plate should be arranged so that a person should not pass over one mitzvah in order to fulfill another ("אין מעבירין על המצוות") (**סו**). In addition, the more important should be on his right (**סז**). Therefore, the following is the arrangement of the *Seder* plate according to the רמ״א (**סח**):

זרוע   ביצה

מרור   חרוסת

מצות

כרפס   מי מלח

b) According to the אר״י ז״ל, the *Seder* plate is placed above the three matzos (**סט**). The order is based upon principles of Kabbalah (**ע**). The following is the arrangement of the *Seder* plate according to the אר״י ז״ל (**עא**):

זרוע   ביצה

מרור

חרוסת   כרפס

חזרת

The ערוך השולחן says that this second order is our minhag (**עב**).

C. WHEN PESACH FALLS ON SHABBOS

Introduction

1. When Pesach falls on Shabbos, certain *Seder* preparations must be made before Shabbos, so as not to violate any of the prohibitions of Shabbos (**עג**).

Roasting the זרוע and egg

2. The זרוע (shankbone) and egg must be roasted before Shabbos (**עד**). If one forgot to roast them, one should use other cooked or roasted meat instead (**עה**) (see B 9 about Yom Tov).

Grinding the horseradish

3. If using horseradish for *marror*, it must be ground or grated before Shabbos and covered with a vessel until the *Seder* begins (**עו**) (see HALACHOS OF

(סו) כ' הרמ״א (ס' תע״ג ס״ד) „ויסדר הקערה לפניו בענין שא״צ לעבור על המצות דהיינו הכרפס יהא למעלה מן הכל והחומץ סמוך לו יותר מן המצות והמצות מן המרור והחרוסת והם יהיו יותר קרובים אליו מן הבשר והביצה (מהרי״ל)" וע' במ״ב (ס״ק כ״ה) שכ' „למעלה וכו'. פירוש בסמוך לו".

(סז) ספר קול דודי (סימן ו' אות ח').

(סח) ע״פ הרמ״א שם.

(סט) ע' באה״ט ס' תע״ג ס״ק ח', מ״ב שם ס״ק

כ״ו, כה״ח אות ח״ן, וערה״ש שם ס' י״א.

(ע) ע' באה״ט וכה״ח וערה״ש שם.

(עא) ע' שם.

(עב) ערה״ש ס' תע״ג ס' י״א.

(עג) כמו שיתבאר.

(עד) משום איסור בישול.

(עה) דכ' המ״ב (ס' תע״ג ס״ק כ״ז) „ומי שאין לו זרוע יקח שאר בשר אף בלא עצם" וע' ערה״ש (שם ס״ט) וכה״ח אות ס״ג.

(עו) מ״ב שם ס״ק ל״ו.

SHABBOS, Chapter XII C 13). If one forgot to grind or grate the horseradish before Shabbos, grinding or grating on Shabbos is prohibited (**עז**). One may, however, cut the horseradish into large pieces (**עח**) (ibid. A 8).

Even when grating horseradish on Yom Tov [not on Shabbos], a slight deviation should be used [e.g. turn the grater upside down or grate onto pieces of paper — rather than onto a plate] (**עט**).

Selecting leaves of lettuce

4. If using lettuce or romaine lettuce, one should preferably select the leaves before Shabbos (**פ**) (ibid. Chapter X C 5, F 20). If he did not select them before Shabbos, on Shabbos the exterior leaves may be removed for immediate use (**פא**) (see ibid. F 20). Where good and bad leaves are removed from the head and are mixed together, he may select only the good leaves from the inferior ones — and not vice versa and only for immediate use (**פב**) (see ibid.).

If one finds insects in the leaves on Shabbos or Yom Tov, he may wash off or even pull off the insects (**פג**), but should be careful *not* to intentionally kill them [because of שוחט] (**פד**).

Prepare salt water

5. The salt water should be prepared before Shabbos (**פה**). If he forgot to prepare it and no vinegar* is available, he may make a small amount of salt water (**פו**), that is, a minimal amount sufficient for the *Seder* (**פז**).

*Note: It goes without saying that the vinegar must be suitable for Passover use (**פח**). We have learned (see Chapter III B 4) that vinegar is usually made from grain (**פט**). Passover vinegar is prepared from other sources (**צ**).

Prepare the Charoses

6. The *Charoses* — which is ground or chopped up (טוחן) and then wine or vinegar* is added (לש) — must be prepared before Shabbos (**צא**). If one forgot to

*See Note after 5.

(עז) משום טוחן ע׳ ספר הלכות שבת פ׳ י״ב הערה קעו.
(עח) ע׳ שם בהערה לו,לז וקב דלאיסור טוחן בעינן דוקא דק דק.
(עט) ע׳ ספר הלכות שבת הערה קעו.
(פ) דכ׳ הרמ״א (ס׳ שי״ט סס״א) „ולכן מותר לברור הירק שקורין שלאטין מן העלין המעופשין שבו כל מה שצריך לאכול באותה סעודה״ וע׳ בספר הלכות שבת (פ״י הערה צד) ומש״כ שם בפנים מהאג״ט.
(פא) ע׳ שם הערה שכב מש״כ מהב״ה.
(פב) רמ״א ס׳ שי״ט ס״א ומ״ב שם ס״ק ז׳.
(פג) ע׳ חזו״א או״ח מ״ז:ט״ו.
(פד) ע׳ ס׳ שט״ז ס״ט ומ״ב שם ס״ק ל״ח.
(פה) ע׳ ס׳ שכ״א ס״ב ומ״ב ס׳ תע״ג ס״ק כ״א.
(פו) מ״ב שם.
(פז) גר״ז ס׳ תע״ג ס׳ י״ט.
(פח) פשוט דהרבה מהם נעשים ממיני דגן.
(פט) כנ״ל.
(צ) כידוע ממומחים.
(צא) משום איסורי טוחן ולש.

prepare it before Shabbos, he should cut up the fruit into large pieces just before the *Seder* (**צב**) (see HALACHOS OF SHABBOS, Chapter XII C 1, 3). Concerning adding the wine or vinegar, these should first be placed into the vessel and then the חרוסת is added (**צג**); he should not mix it with a spoon or other utensil, but should mix it by using his finger or by shaking the vessel (**צד**) (see HALACHOS OF SHABBOS, Chapter XIII D 5).

[The halachos of Hallel are discussed in Chapter XXIV N].

This completes our discussion of the mitzvos required by the Torah and by חז״ל on the first two nights of Pesach. We will now discuss the *Seder* itself, that is, the order and procedure of performing these mitzvos.

(צב) ע׳ בספר הלכות שבת (פ׳ י״ב בפנים אצל הערה קד).

(צג) ע׳ מ״ב ס׳ שכ״א ס״ק ס״ח וס׳ תע״ג ס״ק. מ״ח.

(צד) גר״ז ס׳ תע״ג ס׳ ל״ד וכ׳ במ״ב (שם ס״ק מ״ח) „אם חל בשבת יתן בו המשקה מערב שבת ואם שכח עיין לעיל בסימן שכ״א סי״ו ובמ״ב שם ס״ק ס״ח״ ע״ש.

סימנים וסעיפים שבשלחן ערוך המשתייכים לפרק זה

Chapter XXIV The Seder

A. BEGINNING THE SEDER

Introduction

1. We have learned (see Chapter XXIII A 1) that the *Seder* table should be prepared before *Yom Tov*, in order to facilitate beginning the *Seder* promptly upon returning home from Shul after nightfall (**א**). We have also learned (ibid. 2) that the table should be set with the finest silver, china and linen, and that the seat should be prepared for reclining (**ב**) (ibid. 3). The *Kittel* is put on (**ג**) (ibid. 4). The *Seder* plate is brought to the table with the matzos and other items (**ד**) (ibid. B 2), and is placed before the master of the house* (**ה**). [Some bring the *Seder* plate after *Kiddush* (**ו**) (ibid. 1)].

*Note: Wherever we mention the master of the house we are referring to the person who conducts the *Seder*.

B. קדש — RECITE THE KIDDUSH

Each person should have his own cup

1. The *Kiddush* (literally, sanctification) is the first of the Four Cups (**ז**) (see Chapter XX). Normally on the evening of *Shabbos* or *Yom Tov* there is no obligation for each person to have his own cup for *Kiddush* (**ח**), nor is there a requirement for him to drink from the cup (**ט**). He may fulfill his obligation by hearing *Kiddush* from someone else (**י**). At the *Seder*, however, *each* of the participants — man, woman or child should have before him his own cup (**יא**) and is required to drink of this cup (**יב**) (see ibid. C 1, 3, 4).

Kiddush should not be recited before dark

2. Although on Shabbos and Yom Tov one may recite *Kiddush* before nightfall (**יג**), on the *Seder* nights, *Kiddush* may be recited only after nightfall, that is, after three medium-size stars are visible (**יד**).

(א) ע׳ לעיל פ׳ כ״ג הערה א׳.
(ב) ע׳ שם הערות ה׳, ח׳.
(ג) שם הערה ט׳.
(ד) שם הערות יט, כא, כב.
(ה) שם הערה יט.
(ו) ע׳ שם הערה כב.
(ז) ס׳ תע״ג ס״א.
(ח) ע׳ ס׳ רע״א ס׳ י״ד ומ״ב ס״ק ס״ט ובכ״מ.
(ט) שם, והיינו לעיכובא אבל מצוה מן המובחר שיטעמו כולם ע׳ שעה״צ ס׳ רע״א ס״ק ע״ג, וע׳ בהגדה מועדים וזמנים (דיני יו״ט אות ב׳ ובהערות שם) דיש מחמירין בקידוש ביום שאין יוצאין אלא אם כן כל השומע לצאת שותה יין אחר ששומע הברכה.
(י) ע׳ ס׳ רע״ג ס״ד.
(יא) ע׳ ס׳ תע״ב ס׳ י״ד וס׳ ט״ו ומ״ב ס״ק מ״ו, מ״ז.
(יב) ע׳ שם ס״ט.
(יג) ע׳ ב״ה ס׳ רע״א ס״א ד״ה מיד.
(יד) ס׳ תע״ב ס״א ומ״ב ס״ק ה׳.

The reason for this difference is that by reciting *Kiddush* on Shabbos or Yom Tov before nightfall, he ushers in its sanctity earlier [which is permissible] (טו). *Kiddush* on the *Seder* nights, however, is recited on the first of the Four Cups (טז), and as all the required mitzvos of the *Seder*, may be performed only at night — in a time suitable for eating matzah (יז).

Rinsing, pouring and filling the cup

3. The cup should be rinsed prior to use (יח). The wine is poured, preferably by someone other than the master of the house (יט) (see Chapter XX E 7). This and the other cups should be filled to capacity (כ).

One should intend for two mitzvos

4. Since with this cup of wine a person fulfills both his obligation for *Kiddush* and the first of the Four Cups (כא), one should intend before reciting the *Kiddush* to perform these *two* mitzvos (כב). Some have a minhag to recite before *Kiddush* "הריני מוכן לקדש ולקיים מצות כוס ראשון מארבע כוסות" ["I am ready to recite the *Kiddush* and to perform the mitzvah of the first cup of the Four Cups" (כג)]. If this is said, it must be added *before Kiddush* and not afterwards [before drinking] so that it should not be a הפסק (interruption) between the brocho and the drinking of the wine (כד).

The Order of Kiddush

5. *Kiddush* is recited (כה). When Pesach falls on a weekday the order of the brochos is (יק״ז) (כו): a) יין — "בורא פרי הגפן" [the brocho on wine], b) קידוש — "אשר בחר בנו" [the *Kiddush*] and c) זמן — "שהחיינו" [the brocho recited upon inaugurating a new Yom Tov] (כז).

When the Seder occurs on Shabbos

6. When the *Seder* occurs on Shabbos (Friday night), the *Kiddush* is said in the following order: a) "ויכולו" b) "בורא פרי הגפן" c) the *Kiddush* (כח). In the

---

(טו) ע' מ״ב ס' רס״ז ס״ק ה', וס' רע״א ס״ק

א', וס' תע״ב ס״ק ד'.

(טז) ס' תע״ג ס״א.

(יז) ע' תה״ד ס' קל״ז וגר״ז ס' תע״ב ס״ב

ומ״ב ס' תע״ב ס״ק ד'.

(יח) ע' מ״ב ס' רע״א ס״ק מ״ד.

(יט) דל' המחבר (ס' תע״ג ס״א) ,,מוזגין לו"

וכ״כ הגר״ז (שם ס״א) וכ' הרמ״א שם ,,ובעל

הבית לא ימזוג בעצמו רק אחר ימזוג לו דרך

חירות" וכ' המ״ב (שם ס״ק ט') ,,רק אחר ימזוג

לו. אם אפשר לו".

(כ) ע' ס' רע״א ס״י ומ״ב ס״ק מ״ב, מ״ד.

(כא) מ״ב הקדמה לס' תע״ג.

(כב) שם.

(כג) ע' שם ואף שכ' ,,מצות ד' כוסות" נראה

דאלו הנוהגים לאמרו המנהג לומר ,,כוס ראשון

מארבע כוסות" וכ״כ בהגדה מגדל עדר ובשאר

הגדות.

(כד) מ״ב שם.

(כה) ס' תע״ג ס״א.

(כו) ע' שם.

(כז) שם.

(כח) שם.

midst of the *Kiddush*, the additional words and phrases for Shabbos [which are found in the Haggadah] are said and one concludes "מקדש השבת וישראל והזמנים", d) "שהחיינו" (**כט**). [If one forgot שהחיינו, see 9].

When the Seder occurs on Shabbos

7. When the *Seder* occurs on מוצאי שבת (Saturday night) two additional brochos are added (**ל**). The order is (יקנה"ז) (**לא**): a) יין — "בורא פרי הגפן", b) קידוש — the *Kiddush*, c) נר — "בורא מאורי האש" [the brocho over the candles*]. d) הבדלה — "המבדיל בין קדש לחול" [the brocho of distinction between the sanctity of Shabbos and Yom Tov]. This brocho concludes "המבדיל בין קדש לקדש" (**לב**), e) זמן — "שהחיינו" (**לג**).

*Note: Some have a minhag to hold together two of the candles when reciting this brocho and to look at their fingernails bent close to their palm by the light of the candles — as is done every מוצאי שבת (**לד**). Others look at their fingernails by the light of the candles but do not put them together on Yom Tov (**לה**)

If one forgot Havdallah

8. If one inadvertently omitted *Havdallah* — whether he reminded himself before or after beginning the Haggadah, *Havdallah* should be recited over the second cup (**לו**). That is, after saying the brocho "גאל ישראל", the brochos of "בורא פרי הגפן", "בורא מאורי האש", and המבדיל are said (**לז**).

If he first reminded himself during the meal (שולחן עורך), he must stop eating and make *Havadallah* then (**לח**). He takes a cup of wine and says בורא מאורי האש [over the burning candles] and המבדיל (**לט**). The brocho בורא פרי הגפן is not said

---

(**כט**) ע' שם.
(**ל**) שם.
(**לא**) שם.
(**לב**) ע' פסחים ק"ד. וע' בלקוטי מהרי"ח (דף ט"ו ד"ה והנה) וכה"ח ס' תע"ג אות י"ט.
(**לג**) ס' תע"ג ס"א. **אין** מברכין על הבשמים בכל מוצ"ש ליו"ט כ"כ המ"ב (שם ס"ק ג') והטעם כ' בכה"ח (שם אות ח"י) „ומה שאין מברכין על הבשמים כתבו התו' בפסחים ק"ב ע"ב ד"ה רב משום דשמחת יו"ט ואכילה ושתיה מועיל כמו בשמים יעו"ש". **ומברך** שהחיינו קודם השתי' (מ"ב שם ס"ק א').
(**לד**) לענין מוצ"ש שאינו יו"ט ע' ס' רח"צ ס"ב לענין ב' נרות, וס"ג, ס"ד, ומ"ב שם ס"ק ט'. **ולענין** מוצ"ש שחל ביו"ט ראיתי ב' מנהגים, יש שמחזיקין ב' נרות יחד ומברכים בורא מאורי האש ומסתכלין בצפרניהם לאור הנר וכך שמעתי מהגרמ"פ שליט"א, ויש שמסתכלין בצפרניהם לאור הנר בלי להחזיקם יחד כי חוששים דכשיפרידם אח"כ אסור משום מכבה וכן שמעתי בשם הגר"י קמנצקי שליט"א.
(**לה**) שם.
(**לו**) ס' תע"ג ס"א ומ"ב ס"ק ד', ה' וע' בב"ה שם (ד"ה עד) אם נזכר קודם שאכל הכרפס והניח ב"וצ"ע לדינא". **כתב** המ"ב (שם ס"ק ד') „דאף אם נזכר קודם שהתחיל ההגדה ג"כ אין תקנה עד שישלים ההגדה אם לא שבשעת ברכת כוס ראשון כיון שישתה בין הכוסות וכדלעיל בסימן תע"ב ס"ז וע' ב"ה". **למנהג** הספרדים שאין מברכים על כל כוס אפשר שישתנה הדין הזה ע' מ"ב שם ס"ק ד' וכה"ח שם אות כ"ב.
(**לז**) שם.
(**לח**) מ"ב שם ס"ק ה' וכ' בשעה"צ (שם ס"ק ט"ו) „וה"ה אם נזכר מיד לאחר ששתה כוס השני צריך למזוג מיד כוס ג' ויבדיל עליו **ולא** יברך עליו בפה"ג אא"כ לא היה דעתו לשתות עוד בתוך הסעודה [אחרונים]".
(**לט**) מ"ב שם.

(מ) [because the brocho which was recited on the second cup immediately before the meal exempts it] (מא).

In the event one has forgotten until the very end of the meal or during the *Birkas Hamazone* (the blessing after the meal), *Havadallah* is then said over the third cup (מב).

If one remembers after the third cup, *Havdallah* is said over the fourth cup (מג). If he reminds himself after the fourth cup, a fifth cup is used for *Havdallah*, and the brochos בורא פרי הגפן, נר and המבדיל are recited (מד).

If one forgot שהחיינו

9. The brocho שהחיינו is recited on both nights of Pesach (מה). If one forgot to say שהחיינו after *Kiddush* on the first night of Pesach, he may recite it any time he may recall — either at night or during all of the first day (מו). Even should he recall while walking in the street that he omitted שהחיינו, as long as it is still the first day of Pesach it should be recited then (מז). The reason שהחיינו may be said at any time is that, although חז״ל incorporated שהחיינו into the *Kiddush*, שהחיינו is said essentially over the Yom Tov (מח).

If the entire first day of Yom Tov passed without saying שהחיינו, its recitation [of שהחיינו] at *Kiddush* on the second night fulfills his requirement (מט). If שהחיינו was omitted on the second night [even if he had said it on the first night] it is to be said during the second day or at any other time he may recall — until the end of Pesach (נ).

Drinking the cup while reclining

10. One must recline while drinking the first cup [and all the other cups] (נא). If one did not recline while drinking the first cup, and realized after its completion, he should not drink it again (נב). The reason is that since he would

---

(מ) שם.

(מא) שם.

(מב) שם.

(מג) שם.

(מד) שם.

(מה) ע' ס' תע״ג ס״א וגר״ז שם ס״ב.

(מו) כ' המ״ב (ס' תע״ג ס״ק א') „ומברך שהחיינו. קודם השתיה ואם לא בירך קודם השתיה מברך אח״כ אימתי שיזכור ביום א' ואפילו באמצע השוק דהזמן ארגל קאי ואם נזכר בליל ב' לאחר שקידש היום יפטור עצמו בשהחיינו שיברך על הכוס לאחר הקידוש ואם שכח לברך שהחיינו בקידוש ליל ב' אפילו אם בירך כבר בליל ראשון חייב לברך אימתי שנזכר בכל החג דהיינו עד סוף יו״ט האחרון של גליות וכן ה״ה בשאר יו״ט מחוייב לברך עד סוף יו״ט".

(מז) שם.

(מח) שם.

(מט) שם.

(נ) ע' מ״ב שם ושעה״צ ס״ק ג' ועיין כה״ח (שם אות י') לענין זמן בשמיני של פסח.

(נא) ס' תע״ג ס״ב.

(נב) כ' הרמ״א (ס' תע״ב ס״ז) „ונראה לי אם לא שתה כוס שלישי או רביעי בהסיבה אין לחזור ולשתות בהסיבה דיש בה חשש שנראה כמוסיף על הכוסות אבל בשני כוסות ראשונות יחזור וישתה בלא ברכה" וכ' המ״ב (שם ס״ק כ״א) „בלי ברכה. כתב מג״א דכל זה לעיקר הדין דרשות בידו לשתות כמה כוסות אבל למנהגנו שאין שותין שום כוס אפילו בין כוסות ראשונות וכדמבואר בסימן תע״ג ס״ג הוי ליה כנמלך ואם שותה צריך לברך. והוסיף עוד דלפי זה אפילו בין ראשון לשני אין כדאי שיחזור

be required to recite another brocho, it appears like he is adding a fifth cup to the Four Cups (**נג**). In this instance, we rely on the view of the ראבי"ה (see Chapter XXII A 3) who says that reclining is not required (**נד**).

For this reason, it is preferable to have in mind before reciting the brocho on the first cup the *possibility* of having to drink it again (**נה**). This will allow drinking another cup without a brocho — in the event the first is consumed without reclining (**נו**).

We explained earlier (see Chapter XX E 4) in how short a period of time one must drink the cup (**נז**).

A ברכה אחרונה is not recited

11. A ברכה אחרונה (a brocho recited after eating or drinking) is not recited after this cup (**נח**). It is recited only after the fourth cup (**נט**) (see N 5).

Drinking between the first two cups

12. The minhag is not to drink wine or any other intoxicating beverage between the first and second cups (**ס**). Drinking other beverages is permissible (**סא**) — if they are not חמר מדינה (**סב**) (see Chapter XX B 7).

וישתה דכיון שמברך עליו נראה כמוסיף עוד כוס על הכוסות [וכדמבואר בטור סימן תע"ג בשם אבי העזרי] ולכן לא יחזור וישתה ויסמוך על דעת אבי העזרי כמו בכוסות אחרונות ומיהו אם שכח ולא היסב בכוס שני יחזור וישתה בהסיבה בלי ברכה דלא הוי כנמלך שהרי גם בתוך הסעודה אם רוצה לשתות אין צריך לברך וסומך על ברכת כוס שני. ונכון שקודם שמברך על כוס ראשון יהיה בדעתו לחזור ולשתות בין הכוסות הראשונות ואז אפילו יטעה וישתה כוס ראשון בלי הסיבה יוכל לשתות כוס אחר בהסיבה ובלי ברכה ולא יהא נראה כמוסיף".

(נג) שם.

(נד) שם.

(נה) שם. וע' בבי"ה (ס' תע"ב ס"ז ד"ה אין) לענין כוסות האחרונות ויהיה נוגע גם לענין כוס זה אם שכח להתנות.

(נו) ע' לעיל הערה נב.

(נז) ע' לעיל פ"כ הערות קמט־קנו.

(נח) כ' המחבר (ס' תע"ג ס"ב) „שותה בהסיבה ואינו מברך אחריו" וכ' המ"ב (שם ס"ק י"א) „ואינו מברך אחריו. על הגפן וכו' אפילו שתה רביעית דסומך על מה שיברך (כצ"ל) ברהמ"ז לבסוף ועוד דהרי יברך ברכה אחרונה לסוף ד' כוסות ובסימן תע"ד יתבאר היטב" ע"ש.

(נט) שם וכ"כ הרמ"א (ס' תע"ד) „אבל ברכה אחרונה אין מברכין רק אחר האחרון לבד וכן דעת רוב הגאונים" וע' באשל אברהם (בוטשאטש) ס' תע"ד למה אין כאן חסרון של נתעכל היין.

(ס) כ' המחבר (ס' תע"ג ס"ג) „אם ירצה לשתות כמה כוסות הרשות בידו ומ"מ ראוי ליזהר שלא לשתות בין ראשון לשני אם לא לצורך גדול כדי שלא ישתכר וימנע מלעשות הסדר וקריאת ההגדה" וע' במ"ב (שם ס"ק י"ד) שכ' „ראוי ליזהר. וכן מנהגנו" וכ' (בס"ק ט"ז) „כדי שלא ישתכר. משמע דוקא יין או שאר משקין כה"ג המשכרין אבל משקה שאין משכר מותר לשתות בין הכוסות".

(סא) מ"ב שם ס"ק ט"ז.

(סב) גר"ז שם ס' י"ג.

C. ורחץ — WASH THE HANDS

Hands are washed without a brocho

1. The hands are washed before partaking of the *karpas* (**סג**) (see D) in the same manner as is done before eating bread or matzah (**סד**), except that the brocho על נטילת ידים is *not* recited (**סה**).

Reason for washing

2. Since the matzah is not eaten until later (see H), what's the reason for washing here?

There is a halacha of דבר שטיבולו במשקה, that is, prior to eating a food which has been washed or dipped in a liquid and is still moist, the hands should be washed — but no brocho is recited (**סו**).

Some Poskim hold that this was required only during the time of the *Beis Hamikdosh* when the highest standards of purity were in force (**סז**). Nowadays, since we are unable to reach this level of purity, we are required to wash in this manner only before eating bread or matzah (**סח**).

Even according to these Poskim, on Pesach it is specifically done to arouse the curiosity of children — to motivate them to ask (**סט**). Since during the year, after *Kiddush* we normally wash for bread, when eating the *karpas* the child will notice something unusual and ask (**ע**). This would lead to a full explanation of the story of the Exodus (**עא**).

D. כרפס — EAT THE KARPAS

Vegetable dipped in salt water

1. A vegetable of the *karpas* category (see Chapter XXIII B 6) (e.g. celery, parsley, potato, radish) should be dipped in salt water, vinegar or wine (**עב**) and distributed to all participants (**עג**). The brocho בורא פרי האדמה is recited and less

---

(סג) כ' המחבר (ס' תע"ג ס"ו) „נוטל ידיו לצורך טבול ראשון ולא יברך על הנטילה".

(סד) ס' קנ"ח מ"ב ס"ק כ'.

(סה) שם.

(סו) ע' ס' קנ"ח ס"ד ולגר"א מברך אם אוכל כזית לפי מה שכ' בשעה"צ ס' תע"ג ס"ק ע'.

(סז) ע' מ"ב ס' קנ"ח ס"ק כ' וגר"ז שם ס"ג.

(סח) ע' שם.

(סט) ע' ח"י ס' תע"ג ס"ק כ"ח וחיי"א (כלל ק"ל ס' י"ט אות ד') וערה"ש (שם ס' י"ח). **כתב** הנצי"ב בהקדמתו להגדת אמרי שפר [הובא במקראי קודש ס' ל"ט) טעם אחר, דהנהיגו חז"ל לעשות הסדר „כמו שהיו עושים במקדש זכר לפסח שהיה במקדש ואז שדיני טומאה וטהרה היו נוהגים היו נוטלים הידים לפני הכרפס". **אם** כל המסובים צריכים ליטול ידיהם או רק בעה"ב ע' במקראי קודש (ס' ל"ט).

(ע) ח"י וחיי"א שם.

(עא) כך נראה.

(עב) כ' המחבר (ס' תע"ג ס"ו) „ויקח מהכרפס פחות מכזית ומטבלו בחומץ ומברך בורא פרי האדמה ואוכל ואינו מברך אחריו" וכ' המ"ב (שם ס"ק נ"ד) „בחומץ. או ביין או במי מלח ולא אתי אלא לאפוקי שלא יטבול בחרוסת כי חרוסת אינו אלא לטיבול שני שמטבל המרור בחרוסת" ודלא כדעת הרמב"ם (פ"ח מהל' חו"מ ה"ב) דמטבל בחרוסת.

(עג) כ' הרמב"ם שם „ואוכל כזית הוא וכל המסובין עמו וכו'" ועל מש"כ לאכול כזית ע' בהגה"מ שם (ס"ק ד').

than the size of an olive is eaten* (עד). We have learned (see Chapter XXII A 2) that there are various opinions among the Poskim as to whether reclining is required. Unless one has a minhag to the contrary, it is preferable to recline (עה).

*Note: The reason less than a כזית is eaten is that the brocho בורא פרי האדמה should also exempt the *marror* (עו). If less than a כזית of *karpas* is eaten, a ברכה אחרונה is not required and the brocho of the *karpas* can exempt the *marror* from a brocho (עז).

Keep in mind the marror

2. When reciting the brocho on the *karpas* one should keep in mind that the brocho should also exempt the *marror* — which will be eaten later during the meal (עח) (see I). This is to avoid the problem of whether a separate brocho on the *marror* is required, since it is eaten *during* the meal (עט).

Reason for the karpas

3. We have learned (see Chapter XXIII B 6) that the reason the *karpas* is eaten here is to stimulate the child to ask ''מה נשתנה'' (פ). We have also learned that the reason the species ''כרפס'' was chosen is that by reversing its letters it reads ס' פרך, referring to the 600,000 Jews who toiled in bondage in Egypt (פא).

Reason for salt water

4. The reason the *karpas* is dipped in salt water is that it symbolically represents the tears of the Jewish people in their suffering (פב).

E. יחץ — BREAK THE MIDDLE MATZAH

Middle matzah is broken

1. The middle matzah is broken into two parts (פג). The larger portion is wrapped in a cloth, napkin or the like and is placed aside for use later as the

(עד) מחבר שם.

(עה) ע' לעיל פ' כ"ב הערות ח', ט'.

(עו) כ' המ"ב (שם ס"ק נ"ג) „פחות מכזית. לפי שבכזית יש ספק בברכה אחרונה אם יברך אותה או לא ע"כ טוב יותר שיאכל פחות מכזית שלא יהא בו חיוב כלל לכו"ע" וכ' (שם בס"ק נ"ה) „ומברך בורא פה"א. ויכוין לפטור בברכה זו גם המרור שיאכל אח"כ".

(עז) ע' שם וגר"ז שם ס' י"ז, י"ח וב"ה (שם ס"ו ד"ה ואינו).

(עח) מ"ב שם ס"ק נ"ה.

(עט) ע' גר"ז שם ס' י"ז.

(פ) ע' לעיל פ' כ"ג הערה מ'.

(פא) שם הערה מא.

(פב) שמעתי טעם זה אבל לא מצאתיו בספר ובשל"ה כ' זכר להמרירות והשעבוד.

(פג) כ' המחבר (ס' תע"ג ס"ו) „ויקח מצה האמצעית ויבצענה לשתים ויתן חציה לאחד מהמסובין לשומרה לאפיקומן ונותנין אותה תחת המפה וחציה השני ישים בין שתי השלימות".

Afikoman (**פד**) (see L). It is a minhag for the children to "steal" the Afikoman and hide it (**פה**). The reason for this is to keep them awake until the end of the meal when the Afikoman is "redeemed" and eaten (**פו**).

Minhag of putting on shoulder

2. Some have a minhag to place this portion of the matzah on their shoulders before putting it away for Afikoman (**פז**). The reason for this is to recall the Exodus when the Jews carried the dough on their shoulders (**פח**).

Reason matzah is broken

3. Why is the matzah broken at this point in the *Seder?*

The Torah calls matzah "לחם עוני" (**פט**). One of the ways the Talmud explains לחם עוני is "מה עני שדרכו בפרוסה אף כאן בפרוסה", in the same manner as the poor man is accustomed to sustaining himself only on a morsel here also we use a morsel (**צ**). The reason the *middle* matzah is selected is that the brocho of "על אכילת מצה" applies principally to the middle matzah (**צא**). The reason the matzah is broken at this point of the *Seder* is that the Haggadah must be recited on matzah which is fit to fulfill the mitzvah of matzah, and we are now prepared to begin מגיד (**צב**).

F. מגיד — RECITE THE HAGGADAH

Intending to perform the mitzvah

1. Before beginning the Haggadah one should have in mind to fufill the mitzvah of the Torah of סיפור יציאת מצרים (**צג**). Some say "הנני מוכן לקיים מצות סיפור יציאת מצרים" ["I am ready to perform the mitzvah of relating the story of the Exodus"] (**צד**).

Lift the Seder Plate and say "הא לחמא עניא"

2. The matzos are uncovered (**צה**), and the plate containing the matzos is

---

(פד) ע׳ מחבר שם ומ״ב שם ס״ק נ״ח.

(פה) ח״י ס׳ תע״ב ס״ק ב׳.

(פו) ע׳ רשב״ם פסחים ק״ט. ד״ה חוטפין.

(פז) מ״ב שם ס״ק נ״ט ע״פ שמות י״ב:ל״ד.

(פח) שם. **כתב** המ״ב שם „ויהיו נזהרין שיכרוך האפיקומן במפה שלא כיבסו בקראכמע״ל כי הכרים מסתמא מכובסין בקראכמע״ל״.

(פט) דברים ט״ז:ג.

(צ) פסחים קט״ו:.

(צא) מ״ב ס׳ תע״ג ס״ק נ״ז.

(צב) ע׳ גר״ז ס׳ תע״ג ס׳ ל״ו.

(צג) ע׳ מ״ב הקדמה לס׳ תע״ג.

(צד) ע׳ שם.

(צה) ע׳ גר״ז ס׳ תע״ג ס׳ מ״ד ודוק וע׳ רמ״א (ס׳ תע״ג ס״ו) „ויהיה הפת מגולה בשעה שאומר ההגדה וכו׳״ וכ׳ המ״ב (שם ס״ק ע״ו) „ויהיה הפת מגולה וכו׳. דלכן נקרא המצה לחם עוני שעונין עליו דברים״.

lifted for all to see (צו). The other items on the *Seder* plate need not be removed (צז). ״הא לחמא עניא״ is said aloud (צח). Some say ״כהא לחמא עניא״ (צט).

Seder plate is removed

3. The *Seder* plate containing the matzos is then removed from before the master of the house and is placed at the other end of the table — to appear as if the meal has been finished (ק). This is done in order for the child to ask "why are the matzos being removed, we haven't eaten yet?" (קא). The answer which would then be given is that we are not permitted to eat until we relate the story of the Exodus (קב).

Fill the second cup

4. After the *Seder* plate is removed, the second cup is filled (קג). The reason the cup is filled here is that, as we learned earlier (see Chapter XX A 2), the Haggadah is recited on the second cup (קד). Another reason the cup is filled here is to motivate the child to ask "why are we drinking again before the meal?" (קה). This will further stimulate him to ask about the other unusual procedures of the *Seder* (קו).

There is no need to rinse the cup now, since it was rinsed for the first cup (קז) (see B 3).

מה נשתנה is asked

5. The Four Questions (מה נשתנה) are asked by the child (קח). If the child does not know the questions, his father may aid him. If there are no children or

---

(צו) כ׳ המחבר (ס׳ תע״ג ס״ו) „ויגביה הקערה שיש בה המצות ויאמר הא לחמא עניא עד מה נשתנה״. **כתב** החיי״א (ס׳ ק״ל ס׳ י״ט את ז׳) „מגיד. אח״ז יגביה הקערה, ונוהגין שכל בני ביתו מגביהין הקערה. ולפעמים שאשתו נדה ואז מתביישת או שבאים לידי שחוק, ולכן יותר נכון שלעולם לא תגביה אשתו הקערה, כמו שנוהגין כמה גדולים״.

(צז) מ״ב שם ס״ק ס׳.

(צח) מ״ב שם ס״ק ס״א.

(צט) שם.

(ק) כ׳ המחבר שם „ואז יצוה להסירם מעל השלחן ולהניחם בסוף השלחן כאלו כבר אכלו כדי שיראו התינוקות וישאלו״ וכ׳ במ״ב (שם ס״ק ס״ה) „ואם השולחן קטן יסירם לגמרי מעל השולחן כי בלא״ה ליכא שינוי לתינוק״.

(קא) מ״ב שם ס״ק ס״ו.

(קב) שם.

(קג) כ׳ המחבר (ס׳ תע״ג ס״ז) „מוזגין לו מיד כוס שני כדי שישאלו התינוקות למה שותים כוס שני קודם סעודה״ וכ׳ במ״ב (שם ס״ק ס״ז) „מיד. ר״ל שלא ימתין במזיגת הכוס עד שיגיע ללפיכך שאז צריך לאחוז הכוס בידו אלא מיד שמסיר הקערה מעל השולחן מוזג״ וע׳ בכה״ח (שם אות קמ״ד) „מוזגין לו מיד וכו׳ משמע דדוקא לבעה״ב אבל לשאר המסובין א״צ למזוג מיד אלא עד לפיכך כי אז צריך להגביה כל אחד כוסו בידו כמ״ש לקמן״ [ונראה דלטעם המחבר א״צ למזוג לשאר המסובין אבל לפי מש״כ בסמוך בשם הרמב״ם דבעינן לקרוא עליו את ההגדה ל״ש בעה״ב משאר המסובין].

(קד) כ׳ הרמב״ם (פ״ז מהל׳ חו״מ ה״י) „כוס שני קורא עליו את ההגדה״.

(קה) ע׳ מחבר שם.

(קו) מ״ב שם ס״ק ס״ט.

(קז) מ״ב שם ס״ק ס״ח.

(קח) כ׳ החיי״א (כלל ק״ל ס׳ י״ט אות ז׳) „מוזגין כוס שני כדי שישאל התינוק מה נשתנה״.

others present, his wife asks the Four Questions or he may even ask them himself (**קט**). Even if the only ones present are Torah scholars, the מה נשתנה must be asked (**קי**).

The master of the house need not repeat the מה נשתנה before responding (**קיא**). Some have a minhag that the מה נשתנה is repeated (**קיב**)].

Seder plate is returned, Say the Haggadah

6. The *Seder* plate containing the matzos (which was removed previously, see 3) is returned to its proper position before the master of the house (**קיג**). The Haggadah is read beginning with "עבדים היינו" (**קיד**) and is not said while reclining (**קטו**).

Some have a minhag that the master of the house says the Haggadah while the assembled follow and listen (**קטז**). Others say along with the master of the house (**קיז**). One should conduct himself according to his minhag (**קיח**).

Understanding the Haggadah

7. We have learned (see Chapter XIX C 5) that the mitzvah is not only saying the Haggadah but understanding its contents (**קיט**). Therefore, preferably all of the Haggadah but at least the minimal parts (ibid. 3) should be translated and explained for any who may not understand its contents (**קכ**).

Matzos are uncovered

8. The matzos are uncovered before beginning "עבדים היינו" and are kept in this manner throughout מגיד (**קכא**). However, wherever the cup of wine is lifted

---

(קט) כ׳ המחבר (ס׳ תע״ג ס״ז) „ואם אין חכמה בבן אביו מלמדו. אם אין לו בן אשתו שואלתו ואם לאו הוא שואל את עצמו ואפילו תלמידי חכמים שואלים זה לזה מה נשתנה וכו׳״.

(קי) שם.

(קיא) מ״ב שם ס״ק ע׳.

(קיב) ע׳ לשון הרמב״ם (פ״ח דהל׳ חו״מ ה״ב) „וכאן הבן שואל ואומר הקורא מה נשתנה״.

(קיג) כ׳ המחבר (ס׳ תע״ג ס״ז) „וכשמתחיל עבדים היינו לפרעה מחזיר הקערה שבה המצות לפניו וקורא כל ההגדה״ וצריך לגלות המצות כמ״ש במ״ב שם ס״ק ע״ו.

(קיד) שם.

(קטו) מ״ב שם ס״ק ע״א משל״ה וכ״כ בכה״ח (שם אות קנ״א).

(קטז) כ״כ במעשה רב מהגר״א (אות קצ״א).

(קיז) ע׳ ב״ה (ס׳ תע״ב ס״ח סד״ה שלא) ודוק וכן הרבה נוהגים.

(קיח) כך נראה וכך ראיתי שכ׳ הגר״י קמנצקי שליט״א בהסכמת הגדה של פסח (הוצאת מסורה) „ובמקום שישנם חילוקי דעות קבע בפנים כהרוב ומ״מ לא השמיט לגמרי דעת המיעוט והביאם באותיות זעירות או מתחת לקו, ומי שימצא בדעה זו מנהג אבותיו יתנהג כפי קבלת אבותיו״.

(קיט) ע׳ לעיל פ׳ י״ט הערה קב.

(קכ) ע׳ רמ״א ס׳ תע״ג ס״ו ומ״ב ס׳ תע״ג ס״ק ס״ד.

(קכא) גר״ז שם ס׳ מ״ד ומ״ב שם ס״ק ע״ח.

(e.g. ״והיא שעמדה״) the matzah is covered (**קכב**). The matzah is again uncovered until ״לפיכך״ (**קכג**), where again the cup is lifted (**קכד**) (see 11).

Spill out drops of wine

9. When saying the words ״דם, ואש, ותמרות עשן״ the minhag is to spill out three drops of wine either with a finger or by pouring from the cup (**קכה**). This is repeated when enumerating each of the Ten Plagues and again for its abbreviations (**דצ״ך עד״ש באח״ב**) for a total of sixteen times (**קכו**).

The reason we use the finger for this is to recall the admission of Pharaoh's sorcerers that this was the finger of *Elokim* (**קכז**).

The minhag is to add wine to the cup to replace the wine which was spilled out (**קכח**). Some fill it before רבן גמליאל (**קכט**). Others fill it before the brocho אשר גאלנו (**קל**).

״רבן גמליאל״

10. We learned earlier (see Chapter XIX C 3) that all should preferably be present throughout the entire Haggadah and understand its contents. However, all are *obligated* to be present and to understand from רבן גמליאל (**קלא**).

When saying ״מצה זו,״ the broken middle matzah is lifted for all present to see (**קלב**). Similarly, when saying ״מרור זה,״ the *marror* is raised (**קלג**).

When saying ״פסח שהיו וכו׳,״ however, one should *not point to or raise the*

(קכב) כ׳ המ״ב (שם ס״ק ע״ג) „וכשיגיע ללפיכך מגביה וכו׳. ובשל״ה כתב דגם כשיאמר הפיסקא והיא שעמדה לאבותינו ולנו עד הקב״ה מצילנו מידם יאחז הכוס בידו ואז יהיה הפת מכוסה כשאוחז הכוס בידו״ והטעם שמכסים המצה כ׳ הגר״ז (שם ס׳ מ״ד) „שלא יראה הפת בושתו כשנוטלין הכוס״.

(קכג) כ׳ הרמ״א (שם ס״ז) „ויהיה הפת מגולה בשעה שאומר ההגדה עד לפיכך שאוחז הכוס בידו ואז יכסה הפת״ וע׳ מ״ב (שם ס״ק ע״ו) וערה״ש (שם ס׳ כ״ג).

(קכד) כ׳ המחבר (ס׳ תע״ג ס״ז) „וכשיגיע ללפיכך מגביה כל אחד כוסו בידו עד שחותם גאל ישראל״

(קכה) כ׳ הרמ״א שם „ונוהגין לזרוק מעט מן הכוס באצבע (ד״ע) כשמגיע לדם ואש ותמרות עשן וכן כשמזכיר המכות דצ״ך עד״ש באח״ב בכלל ובפרט הכל ט״ז פעמים״ וכ׳ המ״ב (שם ס״ק ע״ד) „נוהגין לזרוק באצבע ע״ש אצבע אלקים היא דלא כמ״ש בהגהת מנהגים לזרוק בזרת קטן״ וע׳ בערה״ש (שם ס׳ כ״ד) שכ׳ „ודעביד כמר עבד ודעבד כמר עבד״. **כתב** בשעה״צ (שם ס״ק פ״א) דאיסטניס **לא** יזרוק באצבעו אלא ע״י שפיכה מן הכוס.

(קכו) רמ״א שם וע׳ במ״ב שם ס״ק ע״ה לטעם ט״ז פעמים.

(קכז) ע׳ ד״מ שם ס״ק י״ח. **ואף שכ׳ שהוא ע״ש אמירת החרטמים אצבע אלקים ל״ד דאולי מטעם שהמכות בעצמם נעשו באצבע ודוק.**

(קכח) כ׳ בספר קול דודי (ס׳ **י״א אות י״ב**) „ונוהגים ששופכים לאיבוד המכות **ואין שותין** אותם וקודם שיתחיל ר״ג המנהג **למלאות** הכוסות מה שנחסר בשפיכה״ וע׳ **בכה״ח שם** אות קס״ה.

(קכט) ע׳ קול דודי שם ובסידור בית יעקב כ׳ „וימלא הכוס״ **אבל לא כ׳ אימתי.**

(קל) ע׳ שם.

(קלא) ע׳ מ״ב ס׳ תע״ג ס״ק ס״ד.

(קלב) כ׳ המחבר שם „וכשיגיע **למצה זו צריך** להגביה להראותה למסובין **שתחבב המצוה** עליהם״ וכ׳ הרמ״א ע״ז „**ויש להגביה מצה** הפרוסה שהיא כלחם עוני״.

(קלג) כ׳ המחבר שם „**וכן כשיגיע למרור זה״.**

shankbone (**קלד**), but rather one should look in its direction (**קלה**). The reason for this is that pointing to it or raising it appears as if he is dedicating it for a sacrifice — which is only permitted when the *Beis Hamikdosh* existed (**קלו**).

"לפיכך"

11. When reaching לפיכך, the matzah is covered (**קלז**) and is kept covered until the brochos on the matzah (**קלח**). The cup is raised and is held until the end of the brocho "גאל ישראל" (**קלט**). One who finds it difficult to hold the cup this long can wait until the beginning of *Hallel* (i.e. 'הללוי) (**קמ**).

The reason the cup is lifted is that we are beginning to say **שירה** (song of praise) which is to be said over a cup of wine (**קמא**).

In most Haggados, this portion ends with "וְנֹאמַר לְפָנָיו שִׁירָה חֲדָשָׁה" (**קמב**). Some Poskim say that it should read "וְנֶאֱמַר," because it refers to the redemption from Egypt (**קמג**).

The brocho "אשר גאלנו"

12. The brocho "אשר גאלנו" is said (**קמד**). In this brocho we normally say "מן הזבחים ומן הפסחים". When the *Seder* occurs on **מוצאי שבת** (Saturday night) some change the order of the words to "מן הפסחים ומן הזבחים" (**קמה**).

The second cup

13. According to the minhag of Ashkenazim, the brocho **בורא פרי הגפן** is recited on the second cup. According to the minhag of Sefardim, the brocho recited on *Kiddush* exempts this cup (**קמו**). One must drink the cup while reclining (**קמז**). If he drank the cup without reclining he must drink another cup, but no brocho is recited (**קמח**). We have learned (see B 11) that a **ברכה אחרונה** is not recited (**קמט**).

(קלד) מ״ב שם ס״ק ע״ב.
(קלה) ח״י שם ס״ק ל״ו.
(קלו) ע׳ גר״ז (שם ס׳ מ״ה) וערה״ש (שם ס׳ כ״ג) שכ׳ שלא יהא נראה כאלו הקדישו לכך ובמ״ב שם ס״ק ע״ב כ׳ „דהוי כמגביה קדשים בחוץ דנראה מזה שהקדישו לפסח״ וע׳ לעיל פ׳ י״ז הערה קיג.
(קלז) רמ״א שם.
(קלח) ע׳ ספר קול דודי ס׳ י״ג אות א׳ ודוק.
(קלט) מחבר שם.
(קמ) קול דודי (ס׳ י״א אות ט״ז) וע׳ ערה״ש (שם ס׳ כ״ג) שכ׳ „ואצלינו מניחים הכוס על השלחן כשמגיע להלל ואח״כ בהברכה נוטלין בידו עד גאל ישראל״.
(קמא) מ״ב שם ס״ק ע״ז.
(קמב) ע׳ מ״ב שם ס״ק ע״א וע׳ קול דודי (ס׳ י״א אות י״ז).
(קמג) שם.
(קמד) ע׳ רמב״ם פ״ח מהל׳ חו״מ ה״ה.
(קמה) ע׳ מ״ב שם ס״ק ע״ב ומשעה״צ ס״ק פ׳ משמע דלא ס״ל הכי וכן ע׳ ספר קול דודי (ס׳ י״א אות י״ח).
(קמו) מנהג אשכנז כרמ״א ס׳ תע״ד וכ׳ המחבר שם שלא לברך וכ׳ בכה״ח (שם אות א׳) „וכתב ב״י וכן נהגו שלא לברך בפה״ג אלא על כוס של קידוש וכוס של בהמ״ז עכ״ל וכך הם דבריו כאן בש״ע. וכ״ה מנהג הספרדים״.
(קמז) ס׳ תע״ב ס״ז וע׳ ס׳ תע״ג ס״ב.
(קמח) מ״ב שם ס״ק כ״א וע׳ שעה״צ ס׳ תע״ב ס״ק ל״א.
(קמט) רמ״א ס׳ תע״ד.

G. רחצה — WASH THE HANDS

Wash the hands with a brocho

1. The hands are washed and the brocho ״על נטילת ידים״ is recited (קנ). Although the hands were washed before *Karpas* (see C 1) they must be washed again (קנא). The reason this is required is that since the Haggadah and *Hallel* were said, we are afraid that during this extended period of time he may have touched something which would necessitate a new נטילת ידים (קנב).

H. מוציא מצה — THE BROCHOS ON THE MATZAH ARE RECITED

Reciting the brochos

1. The master of the house takes all three matzos (i.e. the two whole matzos and the broken middle matzah between them) in his hands (קנג). The brocho ״המוציא״ is said (קנד). The bottom matzah is released [it will be used for *Korech*, see J] (קנה) and the brocho ״על אכילת מצה״ is recited on the top matzah and the broken middle matzah (קנו). The matzos are not broken nor eaten until both brochos are recited (קנז). The brochos of the master of the house are recited for himself and for the other participants (קנח).

Reason for this procedure

2. The reason for this procedure is that every Yom Tov requires לחם משנה (double loaves) (קנט). In addition, there is a question whether the brocho of ״המוציא״ at the *Seder* is recited over the broken matzah [since there is a requirement for לחם עוני (poor man's bread, see E 3)] and the brocho ״על אכילת מצה״ is on the whole matzah or vice versa (קס). Therefore, to accommodate these considerations, all the matzos are held for the המוציא and the top whole matzah and broken middle matzah are both held for the brocho of ״על אכילת מצה״ (קסא).

Breaking and eating the matzos

3. After the brochos, the two matzos, that is, the top whole matzah and the

(קנ) כ' המחבר (ס' תע״ה ס״א) ״יטול ידיו ויברך על נטילת ידים״.

(קנא) שם מ״ב שם ס״ק א'.

(קנב) מ״ב שם וע' ב״ה ד״ה יטול.

(קנג) כ' המחבר שם ״ויקח המצות כסדר שהניחם הפרוסה בין שתי השלימות ויאחזם בידו ויברך המוציא ועל אכילת מצה ואחר כך יבצע מהשלימה העליונה ומהפרוסה משתיהן ביחד״ ולדעת הגר״א (ס' תע״ג ס״ק י״א) א״צ אלא ב' מצות ע״ש.

(קנד) מחבר שם.

(קנה) כ' המ״ב (שם ס״ק ב') ״ויניח השלישית להשמט מידו״ וע' במחבר שם ״ואח״כ נוטל מצה שלישית וכו'״.

(קנו) מ״ב שם ס״ק ב'.

(קנז) ע' גר״ז ס״ה ומ״ב שם ס״ק ב'.

(קנח) דבעינן לחם משנה ע' מ״ב שם ס״ק ב'.

(קנט) ס' תקכ״ט ס״א.

(קס) ב״ה ס' תע״ה ס״א ד״ה ויברך.

(קסא) ע״ש ומ״ב ס״ק ב'.

middle broken matzah should preferably be broken simultaneously (קסב) and a כזית from each should be eaten* (קסג).

> *Note: Since the matzos are not large enough to supply a complete כזית for all the participants, additional matzos should be added to achieve two כזיתים for each of the participants (קסד). The size of a כזית was discussed in detail earlier (see Chapter XXI D 7).

Why should two כזיתים be eaten?

4. The reason two כזיתים should be eaten is that there is a question whether the brocho of ''המוציא'' at the *Seder* is for the whole matzah and ''על אכילת מצה'' is on the broken matzah or vice versa (see 2). Therefore, a כזית should be eaten from each (קסה).

We will learn (see 5) that both כזיתים should be placed in the mouth simultaneously (קסו). Therefore, they should preferably be broken simultaneously — so that there should not be an interruption between breaking and eating the matzos (קסז).

We discussed earlier (see Chapter XXI D 7) the *shiur* of a כזית in our matzos and in how short a period of time it must be eaten (קסח) (ibid. 8). We have also learned that the matzah used on the *Seder* nights must be *matzah shmurah* (קסט) (see Chapter XIX B 6 — 8).

How to eat the matzah

5. Most Poskim hold that the matzah is not dipped in salt (קע).

The manner in which the two כזיתים of matzah are eaten is as follows (קעא). Both כזיתים are placed into his mouth and chewed simultaneously (קעב). He should attempt to swallow first one כזית of the matzah and then the second כזית

(קסב) ס' תע"ה ס"א ומ"ב שם ס"ק ג'.

(קסג) מחבר שם.

(קסד) כך נראה וע' לקמן בהערה קסז.

(קסה) ע' ב"ה שם ד"ה כזית ומ"ב שם ס"ק ט' וס"ק י' וערה"ש ס' תע"ה סס"ג.

(קסו) מ"ב שם.

(קסז) שם ס"ק ג'. עיין בספר קול דודי (ס' י"ד אות ג') „ונראה דרק מי שיגיע לידו כזית מכ"א צריך ב' זיתים אבל מי שלא יגיע לידו כזית מכל אחת כמו המסובים א"כ די להם בכזית אחד אפילו מן ב' מצות אם א"א מאחת ולהגר"א שהברכות קאי רק על הפרוסה א"כ אין צריך רק כזית אחד מן הפרוסה".

(קסח) ע' לעיל פ' כ"א.

(קסט) ע' לעיל פ' י"ט.

(קע) כ' המחבר שם „ויטבלם במלח" וכ'

הרמ"א שם „ואין המנהג לטבל במלח בלילה ראשונה דפת נקי א"צ מלח" והסביר המ"ב (שם ס"ק ד') „ואין המנהג לטבלם וכו'. ר"ל אף שבכל ימות הפסח מטבילין במלח אע"פ שהיא נקיה ואינה צריכה טיבול מן הדין וכדמבואר לעיל סימן קס"ז ס"ה מ"מ בלילות ראשונות של פסח אין נוהגין כן דטפי הוא נראה לחם עוני כשאינו טבול במלח" וע' בס' קול דודי (ס' י"ד אות ט') דלערה"ש ולהגרמ"פ שליט"א מטבלין במלח.

(קעא) כ' המחבר שם „ויאכלם בהסיבה ביחד כזית מכל אחד ואם אינו יכול לאכול כשני זיתים ביחד יאכל של המוציא תחלה ואח"כ של אכילת מצה".

(קעב) גר"ז ס"ו ומ"ב שם ס"ק ט'.

(קעג). If this is difficult, he fulfills his mitzvah as long as he swallows a כזית within a span of אכילת פרס (קעד) (preferably within two minutes but not longer than nine minutes (קעה), see Chapter XXI D 8).

Reclining

6. The matzah must be eaten while reclining (קעו). If he ate the matzah without reclining, another כזית must be eaten while reclining (קעז).

Should not speak

7. One should not speak from the time the brochos are recited on the matzah until after כורך (see J) — unless related to the meal (קעח). The reason for this is that according to Hillel, the main fulfillment of the mitzvah of matzah and *marror* was at כורך (קעט). Therefore, by not speaking, the brochos on the matzah and the *marror* apply also for the כורך (קפ).

Eaten before midnight

8. The first כזית upon which the brocho "על אכילת מצה" is recited must be eaten before חצות (halachic midnight) (קפא). If one was delayed and was unable to eat the first כזית מצה until after this time, it is questionable whether he can fulfill the mitzvah (קפב). Therefore, it is eaten, but the brocho "על אכילת מצה" is not recited (קפג).

If one started the Seder close to midnight

9. If one was delayed in beginning the *Seder* until close to midnight, he should recite *Kiddush*, drink the first cup, wash his hands, recite המוציא and על אכילת מצה, eat the matzah, recite על אכילת מרור, eat the *marror* [all before midnight], recite the Haggadah and then eat his meal (קפד).

(קעג) שם.

(קעד) מ״ב שם וע׳ מ״ב שם ס״ק י׳.

(קעה) ע׳ לעיל פ׳ כ״א הערה קטז.

(קעו) כ׳ המחבר שם „ויאכלם בהסיבה ביחד כזית מכל אחד״.

(קעז) ס׳ תע״ב ס״ז ומ״ב שם ס״ק כ״ב. **כתב** בב״ה (שם ד״ה לא) „נראה דלדעת המחבר אם גמר כל הסעודה ובירך בהמ״ז ואח״כ נזכר שלא היה בהסיבה צריך לחזור ולברך המוציא ועל אכילת מצה משא״כ להי״א א״צ לחזור ולברך על אכילת מצה. ופשוט דאף דלכתחלה מצוה לאכול שני זיתים בהסיבה כמבואר בסימן תע״ה מ״מ בדיעבד יצא בכזית אחד״.

(קעח) ע׳ מחבר (ס׳ תע״ה ס״א) „ומשבירך על אכילת מצה לא יסיח בדבר שאינו מענין הסעודה עד שיאכל כריכה זו כדי שתעלה ברכת אכילת מצה וברכת אכילת מרור גם לכריכה זו״.

(קעט) ע׳ מ״ב שם ס״ק כ״ד.

(קפ) מחבר שם וכ׳ המ״ב שם „ומ״מ אין זה אלא לכתחלה ובדיעבד אם סח בינתים א״צ לחזור ולברך על הכריכה״.

(קפא) כ׳ המחבר (ס׳ תע״ז ס״א) לענין אכילת האפיקומן „ויהא זהיר לאכלו קודם חצות״ וכ׳ המ״ב (שם ס״ק ו׳) „וכ״ש כזית הראשון שמברכין עליו על אכילת מצה שצריך ליזהר מאד שלא לאחרו עד אחר חצות ובדיעבד אם איחר מסתפקים הראשונים אם יצא ידי חובתו וע״כ יאכלנו ולא יברך עליו על אכילת מצה״.

(קפב) מ״ב שם.

(קפג) שם.

(קפד) שם.

I.מרור — THE BITTER HERBS ARE EATEN

Dip the marror into חרוסת

1. After eating the matzah he takes a כזית of *marror* (see Chapter XXI D 3,4) and dips it into חרוסת (קפה) (see Chapter XXIII B 5). It should not be held in too long so as not to lose the taste of the *marror* (קפו). Therefore, he should shake off any excess חרוסת (קפז).

The purpose of dipping the *marror* into the חרוסת was to neutralize the poisonous bitter taste [or an insect (ששמו קפא) which was present in the *marror*] (קפח). Although this problem is not present in our *marror*, the חרוסת is used to remind us of the mortar from which our forefathers were compelled to make bricks in Egypt (קפט) (ibid.).

Recite the brocho and eat a כזית

2. The brocho "על אכילת מרור" is recited; [one should have in mind that this brocho applies also for the *marror* which will be eaten at *korech* (see J)] and a כזית is eaten without reclining (קצ). We have learned (see Chapter XXI D 8) that the כזית of *marror* must be completed within the time span of כדי אכילת פרס (not longer than 9 minutes) (קצא).

Swallowing marror

3. We have learned (see Chapter XXI D 10) that a person should chew the *marror* (קצב). If one swallowed *marror* without discerning its taste, he has not fulfilled the mitzvah (קצג).

(קפה) כ' המחבר (ס' תע"ה ס"א) „ואח"כ יקח כזית מרור וישקענו כולו בחרוסת ולא ישהנו בתוכו שלא יבטל טעם מרירותו ומטעם זה צריך לנער החרוסת מעליו".

(קפו) שם.

(קפז) ע' שם וכ"נ פירושו וע' בס' קול דודי (ס' ט"ו אות ט') שכ' „ומפני שלא ראיתי מי שמנער וכו'".

(קפח) ע' גר"ז (שם ס' י"א) שכ' „וישקענו כולו בחרוסת כדי להמית את הקפא (פי' מין תולעת יש במרור והוא מת ע"י החרוסת) שבמרור שלא יזיקנו ועכשיו אין נוהגין לשקעו כולו אלא בטיבול מקצתו ויש שמיישבין המנהג לפי שקפא זה אינו מצוי בינינו ואין מטבילין בחרוסת אלא משום מצוה שהוא זכר לטיט" וע' במ"ב (שם ס"ק י"ג) שפי' „וישקענו כולו. כדי להמית ארס שבתוכו. ויש מקומות שאין נוהגין לשקע כולו אלא בטיבול מקצתו" וע' בשעה"צ

(שם ס"ק י"ג) שכ' „דבריח חרוסת סגי להמית הארס ואינו אלא משום מצוה זכר לתפוח" וע' בספר קול דודי (ס' ט"ו אות ח').

(קפט) גר"ז שם וע' שעה"צ שם טעם אחר והוזכר בגמ' קט"ז.

(קצ) כ' המחבר שם „ויברך על אכילת מרור ויאכלנו בלא הסיבה" והטעם כ' המ"ב (שם ס"ק י"ד) „ויאכלנו בלא הסיבה. שהוא זכר לעבדות ומ"מ אם רוצה לאכול בהסיבה רשאי".

(קצא) ע' לעיל פ' כ"א הערה קטז.

(קצב) כ' המחבר (ס' תע"ה ס"ג) „בלע מצה יצא אבל אם בלע מרור לא יצא דטעם מרור בעינן וליכא" וע' במ"ב (שם ס"ק כ"ט) דפי' בלע שלא לעסה ולא הרגיש טעמה.

(קצג) כ' המ"ב (שם ס"ק ל') „דטעם מרור בעינן. שירגיש המרירות בפיו זכר לוימררו את חייהם".

Eaten before midnight

4. We have learned (see H 8) that the matzah must be eaten before midnight (**קצד**). The *marror* must also be eaten before midnight (**קצה**). If one was delayed and unable to eat the *marror* until after midnight, the brocho "על אכילת מרור" is not recited (**קצו**).

J. כורך — EAT THE MATZAH AND MARROR COMBINATION

Introduction

1. The Talmud relates (**קצז**) that there is a dispute between Hillel and רבנן concerning the fulfillment of the mitzvah of "על מצות ומרורים יאכלוהו" "you shall eat it with matzah and marror" (**קצח**). Hillel holds that the mitzvah is to eat the matzah and the *marror* together (**קצט**). רבנן hold that the mitzvah is to eat them separately (**ר**).

Therefore, we first fulfill the mitzvos according to רבנן and then we eat the matzah and marror together (כורך), as required by Hillel (**רא**).

A sandwich is made

2. Therefore, using the bottom matzah, a sandwich is made consisting of a כזית of matzah and a כזית of *marror* (**רב**). [Concerning the size of the matzah, see Chapter XXI D 7]. When using horseradish for *marror*, it will suffice to use 2/3 fluid ounces (19.7 ml) for *korech* (**רג**) (see ibid. XXI D 3).

Should it be dipped in חרוסת?

3. There are various opinions among the Poskim whether the *marror* in the sandwich of *korech* should also be dipped in חרוסת (**רד**). One should conduct himself according to his minhag (**רה**).

(קצד) ע' לעיל הערה קפא.

(קצה) מ"ב ס' תע"ז ס"ק ו'.

(קצו) שם.

(קצז) פסחים קט"ו.

(קצח) במדבר ט:י"א.

(קצט) גמ' שם.

(ר) שם.

(רא) ע' מ"ב ס' תע"ה ס"ק ט"ז.

(רב) מ"ב שם וס"ק ט"ו וע' אג"מ (או"ח ח"ג ס' ס"ו) דכ' שפשוט שצריך כזית מרור גם לכורך. ומה שכתבנו שעושין כריכה היינו מצה למטה ולמעלה ומרור באמצע כך הוא הנהוג עלמא (וכן משמע מרשב"ם קט"ו. ד"ה כורכן) אבל אינו מעכב דל' הגמרא שם „והדר אכיל מצה וחסא בהדי הדדי וכו'" משמע רק דצריך לאוכלם יחד, ושמעתי שמו"ר הגר"א קוטלר זצ"ל היה מניח המרור ע"ג מצה ולא היה מקפיד לכורכו עם מצה למעלה וע' בהגדה של פסח עם ביאור מועדים וזמנים (סדר הלילה כורך ד"ה אמנם). כתב החיי"א (כלל ק"ל ס' י"ט אות י"א) „ודע שאין חילוק בין המרור שמברך עליו או שלוקח בכריכה וכו'" ע"ש.

(רג) ע' לעיל פ' כ"א בפנים אצל הערה פה.

(רד) כ' המחבר (ס' תע"ה ס"א) „וטובלה בחרוסת" והרמ"א שם כ' „וי"א דאין לטובלו וכן הוא במנהגים וכן ראיתי נוהגין" וע' במ"ב שם ס"ק י"ד-י"ט וס' תע"ו ס"ק י"ד וגר"ז ס' תע"ה ס' י"ט.

(רה) דכ' המ"ב (שם ס"ק י"ט) „היכי דנהוג נהוג".

Say זכר למקדש כהלל

4. Before eating *korech* the minhag is to recite ״זכר למקדש כהלל״ (**רו**). Some Poskim hold that it should be recited after eating the *korech* (**רז**), because as we learned (see H 7) one should not speak from the time the brochos are recited on the matzah until completing the *korech* (**רח**). Many say ״היה כורך מצה ומרור,״ while others say ״היה כורך פסח מצה ומרור״ (**רט**).

Eating while reclining

5. The *korech* sandwich is eaten while reclining (**רי**), because this combination represents, according to Hillel, the first time matzah was eaten at the *Seder* (**ריא**). However, if one forgot and ate *korech* without reclining, he is not required to repeat it (**ריב**).

Swallow the combination

6. The matzah and *marror* in this combination should be swallowed together (**ריג**). Although the full amount of matzah and *marror* need not be swallowed at one time, one should simultaneously place both in the mouth and chew them together (**ריד**). It must be completed within כדי אכילת פרס (not longer than 9 minutes) (**רטו**) (see Chapter XXI D 8).

(רו) כ׳ המחבר שם „ואומר זכר למקדש כהלל ואוכלן ביחד בהסיבה״.

(רז) ב״ה שם ד״ה ואומר. **עיין** בשעהמ״ב (ס׳ קי״ט ס״ק י׳) שכ׳ להצדיק המנהג לאומרו קודם אכילת הכריכה. ונראה דהמ״ב לשיטתו (בס׳ קס״ו ס״ק ג׳) שכ׳ לענין המנהג לומר מזמור ה׳ רועי בין נטילה להמוציא „ויותר נכון שיאמרנו אחר אכילת ברכת המוציא וכו׳״ אבל לאלו הנוהגים לאומרו בין נטילה להמוציא נראה דהכא נמי דאין לשנות מנהגם, דנראה דלא גרע משיחה בין ברכת לשמוע קול שופר והתקיעות דכ׳ המ״ב (בס׳ תקפ״ה ס״ק י״ח) „גם תקיעה ראשונה יקרא לפניו אע״ג דלא שכיח כ״כ שיטעה״ וע׳ בשעה״צ שם ס״ק ל״א שכ׳ „במקום שאין מנהג יותר טוב שלא להקרות בתקיעה ראשונה כדי שלא יהיה הפסק להמקרא״ מוכח דבמקום שיש מנהג יקרא לפניו, ולמה אלימא מנהג זה להפסיק בין ברכה למצוה דאסור מצד הדין [כי לחוש לטעות בתקיעה ראשונה הוא חשש רחוק] לשיחה עד אחר אכילת הכריכה דאסור רק מצד מצוה מן המובחר (כמ״ש הטור בס׳ תע״ה בשם אחיו רבינו יחיאל) ולכתחילה (כמ״ש המ״ב ס׳ תע״ה ס״ק כ״ד), ולמה לשבש הגירסא (ולומר „הוא שיטפא דלישנא״) בכל דפוסי השו״ע והגדות הישנות, וע׳ במקראי קודש ס׳ נ״ב ובהררי קודש שם אות 1.

(רח) ע׳ לעיל הערה קעח.

(רט) מ״ב שם ס״ק כ״א וע׳ בס׳ קול דודי (ס׳ ט״ז אות ט׳) [ומש״כ שם „מאחר שאנחנו אין כורכים פסח וכו׳״ לכאורה אינו מוכרח, דעושין זכר למקדש ולפי רש״י היה כורך המצה ומרור עם הפסח בזמן שבית המקדש קיים].

(רי) מחבר שם וע׳ מ״ב שם (ס״ק כ״ג) שכ׳ „בהסיבה. משום מצה שאוכל״.

(ריא) גר״ז שם ס״כ.

(ריב) גר״ז שם.

(ריג) ע׳ מ״ב שם ס״ק כ״ב.

(ריד) שם.

(רטו) ע׳ לעיל פ׳ כ״א הערה קיח.

K. שולחן עורך — EAT THE SEDER MEAL

Eat the Seder meal while reclining

1. The *Seder* meal is eaten (רטז). It is preferable that one should recline while eating and drinking the *entire* meal (ריז).

Eating or drinking excessively

2. During the meal, one should not eat or drink an excessive amount (ריח). Two reasons are mentioned by the Poskim:

a) He should have an appetite left to eat the Afikoman at the end of the meal (ריט), so that when eating the Afikoman it should not be considered to him as a burden (רכ).

b) He should not become tired and drowsy for the rest of the evening and not be able to say the *Hallel* and the rest of the requirements of the evening (רכא).

Eating eggs

3. Many begin the *Seder* meal by eating a hard boiled egg (רכב). Various explanations are given for this minhag:

a) Tisha B'Av always occurs on the same day of the week as the first night of Pesach (רכג), and we have learned (see Chapter XXIII B 8) that the egg is a mourner's food (רכד).

b) The egg, being a mourner's food, reminds us of the destruction of the *Beis Hamikdosh* — where we used to offer the *Korbon Pesach* (רכה). We have lost this privilege and are unable to offer the *Korbon Pesach* at this time (רכו).

c) We have learned (see Chapter XXIII B 8) that the egg on the *Seder* plate represents the *Korbon Chagigah* (רכז); it should, therefore, be eaten (רכח). [The reason the shankbone — which represents the *Korbon Pesach*

(רטז) כ' החיי"א (כלל ק"ל ס' י"ט אות י"ב) "שלחן עורך. אח"כ אוכל סעודתו".

(ריז) ס' תע"ב ס"ז ברמ"א ומ"ב שם ס"ק כ"ג.

(ריח) כ' הרמ"א (ס' תע"ו ס"א) "ולא יאכל ולא ישתה הרבה יותר מדאי שלא יאכל האפיקומן על אכילה גסה או ישתכר וישן מיד".

(ריט) רמ"א שם.

(רכ) ע' מ"ב שם ס"ק ו'.

(רכא) ע' רמ"א שם וערה"ש ס' תע"ו ס"ד וכ' המ"ב (שם ס"ק ז') "ותניא בתוספתא חייב אדם לעסוק בהלכות פסח כל הלילה".

(רכב) כ' הרמ"א (ס' תע"ו ס"ב) "נוהגים בקצת מקומות לאכול בסעודה ביצים זכר לאבלות ונראה לי הטעם משום שליל תשעה באב נקבע בליל פסח ועוד זכר לחורבן שהיו מקריבין קרבן פסח".

(רכג) רמ"א שם ומ"ב שם ס"ק י"ב.

(רכד) ע' יו"ד ס' שע"ח ס"ט.

(רכה) ע' רמ"א (ס' תע"ו שם) וערה"ש שם.

(רכו) ע' שם.

(רכז) ס' תע"ג ס"ד.

(רכח) מ"ב ס' תע"ו ס"ק י"א מהגר"א.

— is not also eaten, is that we do not eat roasted meat at the *Seder*. The egg is eaten even if it was roasted (רכט) (see 4).

This minhag of eating an egg should not be misconstrued as a mitzvah (רל). Some people, erroneously believe it to be a mitzvah and eat eggs [and other foods] excessively, and have no appetite left for the Afikoman (רלא).

Minhag of not eating roasted meat

4. The minhag is not to eat roasted meat on the *Seder* nights (רלב). The reason for this minhag is that one should not assume, in error, that he is eating the *Korbon Pesach* (רלג). This minhag includes not eating poultry or anything else roasted which requires slaughtering (רלד). Roasted fish and eggs may be eaten (רלה).

This minhag includes not eating meat whether roasted, barbecued or broiled over an open fire (רלו). Most Poskim prohibit eating pot roast [that is, meat roasted in a pot without any liquid added] (רלז). Even meat which was cooked and then pot roasted should not be eaten except in case of illness (רלח). Meat which was roasted and then cooked is permissible (רלט).

Minhag not to dip food

5. Some have a minhag not to eat any food dipped in liquid — except for the two required dipped foods [i.e. the *karpas* (see D) and *marror* (רמ) (see I).

The reason for this minhag is that the two *required* dipped foods should stand out prominently as *mitzvos* (רמא).

Complete meal before midnight

6. The meal should be completed early enough to allow the Afikoman to be eaten before midnight (רמב) (see L 6).

(רכט) ע' מ"ב שם וכ' „ושאר ביצים שאוכלים הוא משום שנשתרבב המנהג", וע' אג"מ או"ח ח"א ס' קנ"ו. ומש"כ לענין ביצה צלוי' ע' מ"ב ס' תע"ג ס"ק ל"ב.

(רל) מ"ב ס' תע"ו ס"ק י"ג מח"א.

(רלא) שם.

(רלב) כ' המחבר (ס' תע"ו ס"א) „מקום שנהגו לאכול צלי בלילי פסחים אוכלים מקום שנהגו שלא לאכול אין אוכלין גזירה שמא יאמרו בשר פסח הוא וכו'" וכ' המ"ב (שם ס"ק א') „ובאלו ארצות אין נוהגין לאכול צלי בשני הלילות וכו'".

(רלג) מחבר שם.

(רלד) כ' המחבר (ס' תע"ו ס"ב) „אפילו בשר עגל ועוף כל דבר שטעון שחיטה אסור לאכול

צלי במקום שנהגו שלא לאכול צלי".

(רלה) מ"ב שם ס"ק ט' והטעם כ' שם „לפי שאין דומין כלל לבשר ולא יטעו בהם".

(רלו) דכולם בכלל צלי הם.

(רלז) גר"ז שם ס"ד ומ"ב שם ס"ק א' מפני מראית עין [ודלא כערה"ש שם ס"ב] וע' בשע"ת שם ס"ק א'.

(רלח) שם.

(רלט) שם.

(רמ) כ' הרמ"א (ס' תע"ו ס"ב) „ויש נוהגין שלא לאכול שום טבול בלילה רק ב' טבולים שעושים בסדר" וע' במ"ב שם ס"ק י"ד..

(רמא) גר"ז שם ס"ז.

(רמב) ע' ס' תע"ז ס"א.

L. צפון — EAT THE AFIKOMAN

Introduction

1. After completing the meal, the portion of the broken middle matzah which was hidden earlier in the *Seder* (see E 1) is brought to the table and is eaten as a dessert (**רמג**).

Each of the participants is given a כזית of matzah (**רמד**) (see Chapter XXI D 7). It is preferable to eat two כזיתים of matzah (**רמה**).

The reason for the preference here of eating the equivalent of two כזיתים of matzah is that one כזית would serve to remind us of the *Korbon Pesach* and the other כזית recalls the matzah which was eaten with it (**רמו**) (see Note after H 3).

What is the Afikoman?

2. This matzah is called the Afikoman — which was the term used for dessert eaten at the end of a meal (**רמז**). On the *Seder* night, however, the last thing which was eaten during the time of the *Beis Hamikdosh* was the *Korbon Pesach* (**רמח**). Since the Afikoman is the last item of food eaten at the *Seder* (**רמט**), it represents the *Korbon Pesach* (**רנ**) or the matzah which was eaten with the *Korbon Pesach* (**רנא**). We will learn (see 9) that after the Afikoman one may not eat anything (**רנב**).

Eat the Afikoman while reclining

3. The Afikoman should be eaten while reclining (**רנג**) — without reciting a brocho (**רנד**). If one forgot and ate the Afikoman without reclining, if he did not

---

(רמג) כ׳ המחבר שם „לאחר גמר כל הסעודה אוכלים ממצה השמורה תחת המפה כזית כל אחד זכר לפסח הנאכל על השובע״.

(רמד) מחבר שם וכ׳ המ״ב (שם ס״ק ב׳) „כל אחד. ואף נשים חייבות בזה״.

(רמה) כ׳ המ״ב (שם ס״ק א׳) „ולכתחלה טוב שיקח שני זיתים אחד זכר לפסח ואחד זכר למצה הנאכלת עמו״ ולפי מש״כ לעיל (פ׳ כ״א הערה קח) הב׳ כזיתים דרבנן שווים לשיעור כזית א׳ דאורייתא ע״ש.

(רמו) שם.

(רמז) ע׳ רשב״ם קי״ט: ד״ה כגון.

(רמח) דתנן שם „אין מפטירין אחר הפסח אפיקומן״.

(רמט) כ׳ המחבר (ס׳ תע״ח ס״א) „אחר אפיקומן אין לאכול שום דבר״.

(רנ) כ׳ הרא״ש (פ׳ ע״פ ס׳ ל״ד) „הלכך נראה לי דאותה מצה אינה לשם חובה אלא אוכלין אותה זכר לפסח שהיה נאכל על השובע באחרונה ולפי שהוא זכר לפסח יש ליתן לה דין הפסח שלא לאכול אחריה״.

(רנא) רש״י ורשב״ם קי״ט: ד״ה אין.

(רנב) מחבר שם.

(רנג) כ׳ המחבר (ס׳ תע״ז ס״א) „ויאכלנו בהסיבה ולא יברך עליו״.

(רנד) ע׳ מחבר שם וכ׳ המ״ב (שם ס״ק ה׳) „ולא יברך עליו. שהוא רק לזכר וכנ״ל״. **כתב** המ״ב שם „כתב של״ה ראיתי מבני עליה שהיו מנשקין המצות והמרור וכן הסוכה בכניסתו וביציאתו וכן ארבעה מינים שבלולב והכל לחבוב המצוה ואשרי מי שעובד ה׳ בשמחה״.

recite *Birkas Hamazone* [nor did he wash מים אחרונים or say "הב לן ונברך"] (**רנה**), another Afikoman should be eaten — if it is not too difficult (**רנו**). However, if he already recited *Birkas Hamazone* [or washed מים אחרונים or said "הב לן ונברך"] we rely on the Poskim who say that eating the Afikoman while reclining is not required (**רנז**).

If he forgot to eat the Afikoman

4. These halachos apply if he ate the Afikoman but did not recline (**רנח**). If the Afikoman was not eaten at all, even if one washed מים אחרונים or said "הב לן ונברך," the Afikoman is eaten without any additional brochos (**רנט**).

If he forgot to eat the Afikoman and said *Birkas Hamazone,* but reminded himself *before* reciting the brocho on the third cup, he washes again, says המוציא, eats the Afikoman and recites *Birkas Hamazone* again (**רס**). He then recites the brocho on the third cup and drinks it (**רסא**).

If he reminded himself *after* the brocho was recited on the third cup, he washes again, says המוציא, eats the Afikoman and recites *Birkas Hamazone* again — but without a cup of wine (**רסב**).

If the Afikoman was lost

5. If the Afikoman was lost, other *matzah shmurah* may be substituted and eaten instead (**רסג**).

(רנה) כ׳ המ״ב (שם ס״ק ד׳) „ויאכלנו בהסיבה. ובדיעבד אם שכח ואכלו בלא הסיבה א״צ לחזור ולאכול אם קשה עליו האכילה״ ומשמע דאם אינו קשה עליו האכילה צריך לחזור ולאכול, ולכאורה סותר א״ע דבס׳ תע״ב כ׳ המ״ב (שם ס״ק כ״ב) „מיהו באפיקומן אם שכח לאכלו בהסיבה לא יחזור ויאכלנו דהא אסור לאכול שני פעמים אפיקומן״. וע׳ באג״מ (או״ח ח״ג ס׳ ס״ז) שכ׳ ישוב הסתירה וז״ל „נראה דבסימן תע״ז איירי כשעדיין הוא קודם בהמ״ז וגם קודם שנטל ידיו ולא אמר הב לן ונברך שודאי רשאי לאכול מצה אפילו הרבה זיתים לאפיקומן, ולכן אף כשכבר אכל כזית לאפיקומן ודאי יש לו להחמיר כשיטת רש״י ורשב״ם שיאכל עוד כזית אחר לאפיקומן, ורק כשקשה עליו האכילה אין לחייבו לאכול יותר וכו׳ ובסימן תע״ב איירי המ״ב אחר בהמ״ז שאף כשנזכר קודם ברכת בפה״ג על כוס שלישי הרי הוא ענין איסור לגרום ברכות הרבה שלא לצורך, ואף אחר שנטל ידיו ואמירת הב לן ונברך שאם נפטר באפיקומן שאכל בלא הסיבה אסור לאכול וכו׳״ ע״ש.

(רנו) ע׳ שם.

(רנז) שם.

(רנח) שם.

(רנט) כ׳ המחבר (ס׳ תע״ז ס״ב) „אם שכח ולא אכל אפיקומן ולא נזכר עד שנטל ידיו או שאמר הב לן ונברך אוכל אפיקומן בלא ברכת המוציא״ וע׳ במ״ב שם ס״ק ח׳.

(רס) כ׳ המחבר שם „ואם לא נזכר עד שבירך בהמ״ז אם נזכר קודם שבירך בפה״ג יטול ידיו ויברך המוציא ויאכל אפיקומן (ויחזור ויברך בהמ״ז ויברך בפה״ג וישתה הכוס)״ ולענין ברכת נט״י ע׳ מ״ב שם ס״ק ט׳ ושעה״צ שם ס״ק ט׳.

(רסא) רמ״א שם.

(רסב) כ׳ המחבר שם „ואם לא נזכר עד אחר שבירך בפה״ג לא יאכל אפיקומן ויסמוך על מצה שאכל בתוך הסעודה שכולן שמורות הן משעת לישה אבל במקום שנהגו לעשות שימור למצת מצוה משעת קצירה אפילו לא נזכר עד אחר ההלל יטול ידיו ויברך המוציא ויאכל האפיקומן״ וכ׳ הרמ״א שם „ויחזור ויברך על הכוס ואין לחוש במה שמוסיף על הכוסות״. ומש״כ בלא כוס הוא כהכרעת המ״ב שם ס״ק י״א, י״ז.

(רסג) כ׳ הרמ״א שם „ואם נאבד האפיקומן יאכל כזית אחד ממצה שמורה אחרת״.

Should be eaten before midnight

6. The Afikoman should be eaten before midnight, because the Afikoman recalls the *Korbon Pesach* which was eaten before midnight (**רסד**). However, even if it was delayed beyond midnight it should, nevertheless, be eaten (**רסה**).

Eat in one place

7. We have learned (see 1) that the Afikoman recalls the *Korbon Pesach* (**רסו**). There is a halacha that the *Korbon Pesach* must be eaten completely in one place, as it says in the Torah "**בבית אחד יאכל**," it should be eaten in one house (**רסז**). Therefore, the Afikoman also should not be eaten in two places (**רסח**). It is even prohibited to be eaten in two separate places in one room (e.g. part at one table, part at another table) (**רסט**).

If someone fell asleep

8. If a person fell asleep [not just dozed off] in the middle of eating the Afikoman, he may not continue eating it upon awakening (**ער**). The reason this is not permitted is that חז"ל considered this comparable to eating in two places (**רעא**).

However, if there are other participants at the *Seder* and only some of them fell asleep after beginning the Afikoman, as long as some members are still awake they may continue eating the Afikoman upon awakening (**ערב**).

Eating or drinking after Afikoman

9. There is a requirement that the taste of the Afikoman should remain in his mouth (**רעג**). Therefore, one may not eat anything after the Afikoman (**רעד**). If one did eat after the Afikoman, he is required to eat another כזית of matzah for Afikoman (**ערה**).

Concerning drinking after the Afikoman [aside from the two remaining

---

(רסד) כ׳ המחבר (ס׳ תע"ז ס"א) „ויהא זהיר לאכלו קודם חצות" וכ׳ המ"ב (שם ס"ק ו׳) „ויהא זהיר וכו׳. שכיון שהוא זכר לפסח צריך לאכלו בזמן פסח והפסח אינו נאכל אלא עד חצות" וע׳ בב"ה ד"ה ויהא.

(רסה) ע׳ שם.

(רסו) ע׳ לעיל הערה רמה.

(רסז) שמות י"ב:מ"ו, וע׳ במ"ב ס׳ תע"ח ס"ק ד׳.

(רסח) כ׳ הרמ"א (ס׳ תע"ח ס"א) „ולא יאכלנו בשני מקומות דלא עדיף מאלו הפסיק בשינה דאסור לאכלו משום דהוי כשני מקומות".

(רסט) מ"ב שם ס"ק ד׳.

(ער) כ׳ המחבר שם ס"ב „מי שישן בתוך הסעודה והקיץ אינו חוזר לאכול" וע׳ רמ"א שם (הובא לקמן בהערה רעב).

(רעא) מ"ב שם ס"ק ז׳.

(ערב) כ׳ המחבר שם „בני חבורה שישנו מקצתן בתוך הסעודה חוזרים ואוכלים נרדמו כלם ונעורו לא יאכלו נתנמנמו כלם יאכלו" וכ׳ הרמ"א שם „וכל זה אינו אלא שישנו לאחר שהתחילו לאכול האפיקומן אבל שינה קודם לזה לא הוי הפסק" וע׳ במ"ב שם ס"ק ח׳ ומש"כ לענין נתנמנמו ע׳ מ"ב שם ס"ק ט׳.

(רעג) מ"ב ס׳ תע"ח ס"ק א׳.

(רעד) כ׳ המחבר (ס׳ תע"ח ס"א) „אחר אפיקומן אין לאכול שום דבר".

(ערה) מ"ב שם.

cups of wine], there are various opinions among the Poskim (**רעו**). One may not drink an intoxicating beverage (**רעז**). One should preferably not drink any beverage except for water and the like — except in case of great necessity (**רעח**). Some Poskim allow tea, apple drink [but not apple cider or other strong beverage] (**רעט**), lemonade and seltzer (**רפ**).

M. ברך — RECITE BIRKAS HAMAZONE

The third cup is poured

1. After completing the Afikoman, the third cup is poured (**רפא**). If the cup is not perfectly clean, the cup should be rinsed beforehand (**רפב**). מים אחרונים is washed (**רפג**).

The master of the house is the מזמן

2. If there is a מזומן (three males 13 years old or above), the minhag at the *Seder* is for the master of the house to be the מזמן, that is, to lead *Birkas Hamazone* — even if there are guests. However, this is not required (**רפד**).

If there is a מזומן, only the מזמן is required to hold the cup in his hand (**רפה**). In the absence of a מזומן, all should lift their cups (**רפו**).

Birkas Hamazone is recited

3. *Birkas Hamazone* is recited including יעלה ויבוא (**רפז**). If the *Seder* occurs on Shabbos, רצה is also added (**רפח**). If רצה or יעלה ויבוא was omitted — even if he did not complete *Birkas Hamazone* but started the fourth brocho [by saying ברוך אתה ה' אמ"ה הקל], the entire *Birkas Hamazone* must be repeated with יעלה ויבוא [and רצה where required] (**רפט**).

The brocho is recited and all drink the third cup

4. After *Birkas Hamazone* the brocho בפה"ג is recited, and all participants

---

(רעו) ע' מ"ב שם ס"ק ב'.

(רעז) שם.

(רעח) ע' מ"ב שם וס' תפ"א ס"ק א'. ולענין ליל שני בחו"ל ע' לקמן בהערה שיז.

(רעט) מ"ב ס' תפ"א שם.

(רפ) ערה"ש ס' תפ"א ס"ג.

(רפא) כ' המחבר (ס' תע"ט ס"א) „אחר כך מוזגין לו כוס שלישי ומברך עליו ברכת המזון".

(רפב) מ"ב שם ס"ק א' וכ' שם „ואף מי שאינו נזהר בכל השנה לראות אם הוא נקי מ"מ בזה הלילה יזהר משום הידור מצוה".

(רפג) חיי"א כלל ק"ל ס' י"ט אות י"ד.

(רפד) כ' הרמ"א ס"ס תע"ט „ונהגו שבעל הבית מברך ברכת המזון בליל פסח שנאמר טוב עין הוא יבורך והוא מיקרי טוב עין שאמר כל דכפין ייתי וייכול וכו'" וכ' המ"ב (שם ס"ק י"ג) „שבעל הבית מברך. אף אם יש לו אורח ומ"מ אין קפידא בזה אם בירך אחר".

(רפה) ספר קול דודי (ס' י"ט אות ו'), וע"ש (אות ה') ובכה"ח (שם אות ג') איך לנהוג לענין שבע ברכות.

(רפו) שם.

(רפז) ע' רמ"א וחיי"א שם, ואומר יעלה ויבוא ע' ס' קפ"ח ס"ה.

(רפח) ס' קפ"ח שם.

(רפט) ע' ס' קפ"ח ס"ו ומ"ב שם ס"ק כ"ג וב"ה שם ד"ה עד ואכמ"ל. לענין נשים ע' בת' רע"א ס"א.

drink the third cup while reclining (רצ). If one drank the cup without reclining, he does not drink it again (רצא).

Drinking after the third cup

5. One may not drink wine or חמר מדינה (see Chapter XX B 7) between the third and fourth cups (רצב). Other beverages which one may drink after the Afikoman (see L 9) are permissible (רצג).

Open the door for שפך חמתך

6. Some fill the fourth cup right after *Birkas Hamazone* (רצד). Others wait until after שפך חמתך before beginning *Hallel* (רצה). In any case, the minhag is to fill one extra cup at this point (רצו). This cup is called כוס של אליהו הנביא (the cup of Elijah the prophet) (רצז).

The door is opened to demonstrate that tonight is ליל שמורים, a night of protective watching (רחצ). In the merit of our *Emunah* (faith) in *Hashem*, we will become deserving of His sending us the *Mashiach* (רצט). "שפוך חמתך" is said and the door is closed (ש).

N. הלל — RECITE THE HALLEL

Fill the fourth cup and say Hallel

1. Those who did not fill the fourth cup right after *Birkas Hamazone* (see M 6) fill it before *Hallel* (שא). The cup need not be rinsed (שב). The *Hallel* is said over the fourth cup (שג).

(רצ) כ׳ המחבר (ס׳ תע״ט ס״א) „אחר כך מוזגין לו כוס שלישי ומברך עליו ברכת המזון ובורא פרי הגפן ושותהו בהסיבה ולא יברך אחריו ולא ישתה יין בינו לכוס רביעי״.

(רצא) רמ״א ס׳ תע״ב ס״ז וע׳ בב״ה ד״ה אין.

(רצב) מחבר ס׳ תע״ט וע׳ במ״ב שם ס״ק ה׳. **כתב** הרמ״א שם „ומיהו מכוס שלישי יכול לשתות כמה פעמים והכל מחשב שתיה אחת אע״ג דהפסיק בינתים״ וע׳ במ״ב שם ס״ק ו׳, ז׳.

(רצג) ע״פ הנ״ל.

(רצד) כ״מ מגר״ז ר״ס ת״פ.

(רצה) חיי״א כלל ק״ל ס׳ י״ט אות ט״ו.

(רצו) מ״ב ס׳ ת״פ ס״ק י׳ וע׳ בספר קול דודי (ס׳ י״ט אות ג׳).

(רצז) שם.

(רחצ) שמות י״ב:מ״ב. כ׳ הרמ״א (ס״ס ת״פ) „וי״א שיש לומר שפוך חמתך וכו׳ קודם לא לנו (ר״ן פרק ע״פ) ולפתוח הפתח כדי לזכור שהוא ליל שמורים ובזכות אמונה זו יבא משיח וישפוך חמתו על המכחשים בה׳ (מהרי״ב) וכן נוהגין״.

(רצט) רמ״א שם.

(ש) ע׳ שם.

(שא) כ׳ המחבר (ס׳ ת״פ) „כוס רביעי מתחיל לא לנו וגומר עליו את ההלל וכו׳״.

(שב) ס׳ קול דודי ס״כ אות א׳.

(שג) מחבר שם. **כתב** המ״ב (שם ס״ק ב׳) „מי שאירע לו אבל ביו״ט שלא נהג אבילותו קודם יו״ט מ״מ גומר את ההלל״.

No brocho is said

2. Although saying *Hallel* at the *Seder* is a mitzvah d'rabonon (see Chapter XIX A 3), no brocho is said (**דש**). At the *Seder, Hallel* is said while seated (**שה**).

Saying Hallel with a מזומן

3. If there are three or more people present at the *Seder*, it is preferable to say the portions of ''הודו לה' וגו''' and ''אנא ה' וגו''' in the same manner as they are said in Shul (**שו**).

Various minhagim for concluding Hallel

4. There are various minhagim for concluding *Hallel* (**שז**). According to *Nusach Ashkenaz*, יהללוך is said after *Hallel*, then ''הלל הגדול'' (the great *Hallel*, with 26 lines concluding ''כי לעולם חסדו'') followed by ישתבח, נשמת, concluding either with ''מלך קל חי העולמים'' or ''מלך מהולל בתשבחות'' (**שח**). According to this minhag, if when saying יהללוך, he in error, concluded with the brocho, ישתבח should be concluded without a brocho (**שט**).

According to *Nusach Sfard*, יהללוך is said as a conclusion for ישתבח (**שי**). If, in error, he concluded ישתבח with its brocho, יהללוך should be said without a concluding brocho (**שיא**).

Drink the fourth cup

5. After *Hallel*, the brocho בורא פרי הגפן is recited and the fourth cup is drunk while reclining (**שיב**). [Some delay drinking the fourth cup until after **כי לא נאה**] (**שיג**). We learned earlier (see Chapter XX E 3) that for the fourth cup one should be certain to drink a רביעית, because the concluding brocho ''על הגפן'' is to be recited here (**שיד**). If one drank this cup without reclining, he is not required to drink it again (**שטו**).

(דש) מ״ב שם ס״ק א׳. **כתב** הרמ״א (ס׳ תע״ז ס״א) „ויקדים עצמו שגם ההלל יקרא קודם חצות״ וכ׳ המ״ב (שם ס״ק ז׳) „שגם ההלל. ר״ל עם ברכתו שמברך לאחריה יאמר לכתחלה קודם חצות״ וע׳ שעה״צ (שם ס״ק ו׳) שכ׳ „ועיין בח״י שמוכח ג״כ שרק לכתחלה יש ליזהר בזה״. ושמעתי שמו״ר הגר״א קוטלר זצ״ל לא הי׳ נזהר בזה.

(שה) מ״ב ס׳ ת״פ שם.

(שו) ע׳ מ״ב ס׳ תע״ט ס״ק ט׳ וגר״ז שם ס״ו. **כתב** המחבר (ס׳ תע״ט) „מצוה לחזור אחר זימון״ וכ׳ המ״ב (שם ס״ק ט׳) דזה קאי על הלל.

(שז) כמו שיתבאר.

(שח) ס׳ ת״פ ס״א וע׳ מ״ב ס״ק ה׳ ולקוטי מהרי״ח (דף כ״ב: ד״ה והנה).

(שט) מ״ב שם.

(שי) ע׳ שו״ע שם ושעה״צ ס״ק ה׳ ולקוטי מהרי״ח שם.

(שיא) גר״ז ס׳ ת״פ ס״א.

(שיב) ס׳ ת״פ ומ״ב שם סק״ו.

(שיג) ע׳ מ״א ס׳ ת״פ ס״ק ב׳ (**והובא במ״ב שם** ס״ק ו׳) ולקוטי מהרי״ח (דף כ״ג. ד״ה **ועיין**).

(שיד) ע׳ מחבר שם ומ״ב ס׳ תע״ב ס״ק ל׳.

(שטו) רמ״א שם ס״ז ומ״ב ס׳ ת״פ ס״ק ט׳.

O. נרצה — THE SEDER IS ACCEPTED

Occupy himself with סיפור יציאת מצרים

1. After the *Seder* is completed, one is required to occupy himself with the halachos of Pesach, and to relate the story of the Exodus describing the miracles and wonders which הקב״ה performed for the Jewish people — until he is overcome by sleep (**שטז**). Some say שיר השירים after the *Seder* (**שיז**).

קריאת שמע על המטה

2. The minhag is not to say the complete *Shma,* which is usually said before retiring (**שיח**). The first *parsha* (שמע) and the brocho המפיל are all that are said (**שיט**).

The reason is that the night of Pesach is ליל שמורים, one of divine protection (**שכ**). In the same manner that הקב״ה guarded us on the night of the Exodus, so will He protect us and lead us to the Redemption.

(שטז) כ׳ המחבר (ס׳ תפ״א ס״ב) „חייב אדם לעסוק בהלכות הפסח וביציאת מצרים ולספר בנסים ובנפלאות שעשה הקב״ה לאבותינו עד שתחטפנו שינה״, וע׳ במקראי קודש (ס׳ מ״ב) אם העיסוק בהלכות פסח הוא בכלל ספור יציאת מצרים. **לענין** אמירת הפיוטים ע׳ מ״ב ס׳ ת״פ ס״ק ו׳.

(שיז) חיי״א (כלל ק״ל ס׳ י״ט אות ט״ז). **כתב** הרמ״א (ס׳ תפ״א ס״ב) „וכל דין ליל ראשון יש ג״כ בליל שני״ וכ׳ בבאה״ט (שם ס״ק ג׳) „ובליל שני מותר לשתות כל שאר משקים אחר הד׳ כוסות לכ״ע עח״י״ וע׳ בכה״ח שם אות ד׳, ה׳.

(שיח) כ׳ הרמ״א שם „ונוהגים שלא לקרות על מטתו רק פרשת שמע ולא שאר דברים שקורין בשאר לילות כדי להגן כי ליל שמורים הוא מן המזיקין״.

(שיט) כ׳ המ״ב (שם ס״ק ד׳) „וצריך לברך ברכת המפיל. ואם קרא ק״ש בבהכ״נ קודם הלילה צריך לקרות כל הק״ש כדי לצאת וכו׳״. **כתב** הגר״ז ס״ס ת״פ דיש מנהג שלא לנעול החדרים וע״ש דבמקומות שמצויין גנבים אין סומכין על הנס (והובא בכה״ח ס׳ תפ״א אות ט״ו.

(שכ) רמ״א וגר״ז שם.

סימנים וסעיפים שבשלחן ערוך המשתייכים לפרק זה

תע״ב:א,ז	**תע״ז:א,ב**
תע״ג:א־ד,ו,ז	**תע״ח:א,ב**
תע״ד:א	**תע״ט:א**
תע״ה:א,ג	**ת״פ:א**
תע״ו:א,ב	**תפ״א:א,ב**

Section Eight
THE FIRST DAYS OF PESACH

A. Halachos Concerning the First Days of Pesach

Chapter XXV   Halachos Concerning the First Days of Pesach

A. THE DAYS OF THE FIFTEENTH AND SIXTEENTH OF NISSAN

Shacharis

1. The Pesach morning Shacharis is similar to that of Shabbos morning (א). That is, all the psalms which are said before [or during] פסוקי דזמרה on Shabbos are said on Yom Tov (ב). ''נשמת'' is said (ג). The minhag on Shabbos is for the *chazan* to begin with ''שוכן עד''; on Yom Tov, the *chazan* begins ''הקל בתעצומות'' (ד). When Yom Tov falls on a weekday, in the brocho of ''יוצר אור'', ''המאיר לארץ'' is said [instead of ''הכל יודוך''—which is said on Shabbos] (ה).

Zman Krias Shma

2. During the time of year in which Pesach occurs, in many localities, the end of *zman krias Shma* (that is, the end of the time period for saying the *Shma*) is early. Therefore, congregations should exercise caution to daven early enough in order to say *Shma* with the brochos before the end of *zman krias Shma*. If one is unable to daven in a Shul where *Shma* and its brochos are said in the proper time, he should at least say the three *parshiyos* of *Shma* by himself [without the brochos] before davening [before the end of *zman krias Shma*] (ו). It is especially important to be conscious of this mitzvah, since he may have been up late for the *Seder*.

The complete Hallel is said

3. On the first day of Pesach in Eretz Yisroel and on the first two days outside of Eretz Yisroel, the complete *Hallel* is said with a brocho (ז). If one came late to Shul and the congregation is about to say *Hallel*, he should join them in saying *Hallel* and daven later, provided it will not cause him to miss the *zman krias Shma* and *zman Tfillah* (the end of the time period for saying *Shmone Esray*) (ח) (see 5).

If one omitted a posuk or word in Hallel

4. Where the halacha requires saying the complete *Hallel** and one forgot a *posuk* or even one word [or even pronounced a word incorrectly—in a way that

*See Note on page 292.

(א) ס' תפ"ח ס"א.

(ב) שם ומ"ב ס"ק א' כ' „וגם מזמור שיר ליום השבת אומרים דיו"ט נמי אקרי שבת".

(ג) מ"ב שם.

(ד) מנהגים.

(ה) מ"ב שם.

(ו) ע' מ"ב ס' נ"ח ס"ק ה' ודוק.

(ז) כ' המחבר (ס' תפ"ח ס"א) „וגומרין ההלל (ומברכין לקרות ההלל)" וע' מ"ב ס"ק ג' ושעה"צ ס"ק ג'.

(ח) מ"ב שם.

alters its meaning (ט)], he is required to begin from that *posuk* and complete *Hallel* from that point (י). The reason it is insufficient to add the word or posuk which he omitted at the point where he recalls is that it is considered "קורא למפרע" (reading in an improper sequence) and he does not fulfill his requirement in this manner (יא).

* Note: This halacha applies only on those days when complete *Hallel* is said. On those days when "half-*Hallel*" is said (e.g. Chol Hamoed and the last days of Pesach, Rosh Chodesh) it is questionable whether he is required to begin from the error or omission and complete the *Hallel* (יב).

One who is in the middle of פסוקי דזמרה and the Shul is up to Hallel

5. On a day when the complete *Hallel* is said*, if one is in the middle of פסוקי דזמרה and the congregation is up to *Hallel*, he should not join them in saying *Hallel* (יג). The reason is that he would then be unable to say the brochos of *Hallel* (יד) [because "ברוך שאמר" before פסוקי דזמרה and "ישתבח" after פסוקי דזמרה would serve in place of the brochos of *Hallel*] (טו). One who is between "ישתבח" and "יוצר אור" and will not have another minyan available to him to say *Hallel* later, should say it with the congregation then (טז).

* Note: This halacha applies only on those days when complete *Hallel* is said, but when the "half-*Hallel*" is said, it is essential to say it together with a minyan (יז). Therefore, even if he is in the midst of פסוקי דזמרה he should say *Hallel* then—relying on "ברוך שאמר" and "ישתבח" in place of the brochos of *Hallel* (יח). Here also (as in 3), *Hallel* should not be said with the congregation, if it would cause him to miss *zman krias Shma* or *zman Tfilah*. [In this case, he may say the "half-*Hallel*" later—by himself—with the brochos] (יט).

Two Sifrei Torah are removed from the ark

6. After *Hallel*, the complete Kaddish is said (כ), the ark is opened, "*Hashem, Hashem*" and "רבונו של עולם" are said on weekdays [but omitted on Shabbos], "בריך שמי" is said, and two Sifrei Torah are removed from the ark (כא).

(ט) מ״ב שם ס״ק ב׳ ושעה״צ ס״ק ב׳.
(י) שם.
(יא) ע׳ שם וס׳ תכ״ב ס״ו ומ״ב ס״ק כ״ו, כ״ז ובב״ה ד״ה למקום.
(יב) ע׳ שעה״צ ס׳ תפ״ח ס״ק ב׳.
(יג) ע׳ מ״ב ס׳ תפ״ח ס״ק ג׳ ושעה״צ ס״ק ד׳ וס׳ תכ״ב במ״ב ס״ק ט״ז.
(יד) שם.
(טו) מ״ב ס׳ תכ״ב שם.
(טז) שעה״צ ס׳ תפ״ח ס״ק ד׳. לא הארכתי כאן לענין דיני הפסקה ושאלת שלום בהלל ע׳ ס׳ תפ״ח ס״א ומ״ב ס״ק ד־ז.
(יז) מ״ב ס׳ תכ״ב שם.
(יח) שם.
(יט) ע׳ מ״ב ס׳ תפ״ח ס״ק ג׳.
(כ) ע׳ כה״ח ס׳ ת״צ אות י״ט.
(כא) ע׳ שערי אפרים (שער י׳ ס״א,ה׳) וס׳ תפ״ח ס״ג.

The Torah reading on the first day

7. On the first day of Pesach we read in *Parshas Bo* "ויקרא משה . . . משכו" (**כב**). On a weekday, the reading is divided into five aliyos; on Shabbos, it is divided into seven aliyos (**כג**). Following the Torah reading, half Kaddish is recited (**כד**).

In the second Sefer Torah, we read the Maftir from *Parshas Pinchas* "ובחדש הראשון" (**כה**). The Haftorah "בעת ההיא" is read from *Yehoshua* (**כו**). Many congregations add the three *psukim* beginning with "ויאמר יהושע" (**כז**) before reading "בעת ההיא" and the posuk "ויהי ה׳ את יהושע" (**כח**) at the conclusion of the Haftorah (**כט**).

The Torah reading on the second day

8. On the second day, we also remove two Sifrei Torah from the ark (**ל**). In the first Sefer Torah, we call five people (**לא**) and we read in *Parshas Emor* "שור או כשב" until "וידבר משה" (**לב**). Half Kaddish is then recited (**לג**).

In the second Torah we read the same Maftir as the first day (**לד**). The Haftorah is read from *Melachim* "וישלח המלך" (**לה**).

After the Torah reading

9. After the Haftorah [on Shabbos "יקום פורקן" and "מי שברך" are said], "קה קלי" is said in many congregations [on a weekday] followed by "אשרי", the Sifrei Torah are returned to the ark (**לו**). When Yom Tov falls on a weekday, the psalm "לדוד מזמור" is said (**לז**) instead of the psalm "מזמור לדוד" which is said on Shabbos (**לח**). In many communities, on the first day of Pesach the *chazan* wears a *Kittel* for Musaf, because he will recite *Tefilas Tal* (Prayer for dew) (**לט**). Half Kaddish is then said with the *niggun* of *Tefilas Tal* (**מ**).

Difference between Nusach Ashkenaz and Nusach Sfard

10. There is a difference between Nusach Ashkenaz and Nusach Sfard concerning the deletion of "משיב הרוח ומוריד הגשם". Nusach Ashkenaz says it

---

(**כב**) שם והוא משמות י״ב:כ״א־נ״א.
(**כג**) ע׳ ס׳ תפ״ח ס״ג וע׳ כה״ח ס׳ תפ״ח אות כ״ה ושערי אפרים (שער ז׳ ס״א).
(**כד**) ס׳ רפ״ב ס״ד.
(**כה**) ס׳ תפ״ח ס״ג והוא מבמדבר כ״ח ט״ז־כ״ה.
(**כו**) מחבר שם והוא מיהושע ה:ב עד ו:א.
(**כז**) ע׳ מ״ב שם ס״ק י׳ דיש מתחילין מ„ויאמר יהושע״ והוא מיהושע ג:ה־ז.
(**כח**) שם ו:כ״ז.
(**כט**) כה״ח ס׳ תפ״ח אות ל״ד מח״י.
(**ל**) ע׳ ס׳ ת״צ ס״א ודומיא לס׳ תפ״ח ס״ג.
(**לא**) שם.
(**לב**) ס׳ ת״צ ס״א ומ״ב ס״ק ב׳ והוא מויקרא כ״ב:כ״ו עד כ״ג:מ״ד.
(**לג**) ס׳ רפ״ב ס״ד.
(**לד**) ס׳ ת״צ ס״א.
(**לה**) שם והוא ממלכים ב׳ כ״ג:א־ט, כ״א־כ״ה.
(**לו**) ע׳ שערי אפרים (שער י׳ ס״מ).
(**לז**) תהלים כ״ד הובא במ״ב ס׳ קל״ד ס״ק י״ד.
(**לח**) מ״ב שם.
(**לט**) מנהגים.
(**מ**) מנהגים.

during the quiet Musaf *Shmone Esray* of the first day of Pesach, but stops saying it afterwards, until the Musaf of Shmini Atzeres (**מא**). Nusach Sfard deletes "משיב הרוח וכו'" even from the quiet *Shmone Esray* of Musaf (**מב**). On Shmini Atzeres, however, both Nusach Ashkenaz and Nusach Sfard begin saying "משיב הרוח וכו'" during the quiet Musaf *Shmone Esray* (**מג**). What is the reason for this difference?

The halacha is that one is not permitted to delete "משיב הרוח ומוריד הגשם" from *Shmone Esray* until it is announced publicly (**מד**) (see B 6 for reason). On Shmini Atzeres, both Nusach Ashkenaz and Nusach Sfard begin saying "משיב הרוח וכו'" during the Musaf *Shmone Esray,* because an announcement can be made before Musaf to begin including it (**מה**).

During the summer, Nusach Sfard substitutes the words "מוריד הטל" in place of "משיב הרוח וכו'"; Nusach Ashkenaz deletes the words "משיב הרוח וכו'" but does not substitute anything in its place (**מו**). Therefore, on the first day of Pesach, in a Shul which davens Sfard, an announcement can be made before Musaf to begin saying "מוריד הטל" (**מז**). In a Shul which davens Ashkenaz, however, an announcement cannot be made to stop saying משיב הרוח וכו'— because it appears that he is protesting *Hashem*'s gift of rain (**מח**). Therefore, Nusach Ashkenaz must wait until the *chazan's* repetition of *Shmone Esray* of Musaf, in which he omits "משיב הרוח וכו'" and says *Tefilas Tal* (the prayer for dew) (**מט**). This serves as the public announcement to cease the saying of "משיב הרוח וכו'" (**נ**).

For the halachos concerning one who said "משיב הרוח וכו'" in error, see B.

Shmone Esray of Musaf

11. Therefore, on the first day of Pesach in the quiet Musaf *Shmone Esray,* Nusach Ashkenaz says "משיב הרוח וכו'" [and deletes it from Mincha—since it is after *Tfilas Tal*] and Nusach Sfard deletes it during *Shmone Esray* and adds "מוריד הטל" (**נא**). After Musaf, "משיב הרוח וכו'" is no longer added to *Shmone Esray* until Musaf of Shmini Atzeres (**נב**).

The minhag is to include in the Musaf of every Yom Tov [after saying "על ידי משה עבדך מפי כבודך כאמור"] the *psukim* which refer to the Musaf offering (**נג**).

(מא) ע' מ"ב ס' קי"ד ס"ק ג'.

(מב) שם. יש כמה קהילות מאשכנז שפוסקים בתפלת מוסף מלומר משיב הרוח (ע' נוהג כצאן יוסף), שמכריזים קודם מוסף „מכלכל חיים בחסד".

(מג) ס' קי"ד ס"א.

(מד) ע' ס' קי"ד ס"ב לענין הזכרת גשם ורמ"א ס"ג לענין פסיקת הש"ץ ומ"ב ס"ק ג'.

(מה) ע' מ"ב שם ס"ק ג'.

(מו) שם ס"ק ג' ושם ס"ג. ע' תענית ג. „בטל וברוחות **לא חייבו חכמים להזכיר ואם בא להזכיר מזכיר" לכן נוסח ספרד אומרים מוריד** הטל בימות החמה ונוסח אשכנז **אין אומרים** (ע' ערה"ש ס' קי"ד ס"ו).

(מז) מ"ב שם.

(מח) שם וערה"ש ס' קי"ד ס"ז מלבוש ומ"א.

(מט) מנהגים.

(נ) ע' מ"ב ס"ק ג'.

(נא) שם.

(נב) ס' קי"ד ס"א.

(נג) רמ"א ס' תפ"ח ס"ג.

If he omitted these *psukim*, he has, nevertheless, fulfilled his requirement (נד). If he erred and said the *psukim* of a different day [or on Sukkos he said the wrong day of Yom Tov, e.g. on the first day of Chol Hamoed he said, ״ביום הרביעי״ instead of ״ביום השני״] if he had not yet completed the brocho, he should return to that point and say the correct *psukim*; if he completed the brocho he is not required to repeat it (נה). [If Yom Tov occurs on Shabbos, the *psukim* referring to the Musaf offering of Shabbos are said prior to the *psukim* of Musaf of Yom Tov, ״ישמחו במלכותך״ is then added].

חזרת הש״ץ

12. In חזרת הש״ץ (the repetition of *Shmone Esray* by the *chazan*) of Musaf of the first day we have learned (see 9, 10) that the *chazan* says *Tefilas Tal* (נו). The *chazan* deletes ״משיב הרוח.״ After ״רצה״, ״ותערב״ is said and after ״נאה להודות״ the Kohanim bless the congregation (נז).

The seudos on Yom Tov

13. On Yom Tov [which falls on a weekday], one is required to eat two *seudos* (meals), one at night and one during the day (נח) [on Shabbos, one is required to eat three *seudos**]. ״יעלה ויבוא״ is added in *Birchas Hamazone* throughout the eight days of Pesach (נט). If one forgot to say ״יעלה ויבוא״ after one of the two required Yom Tov meals, he is required to repeat *Birchas Hamazone* (ס). However, if he ate additional meals and forgot ״יעלה ויבוא,״ he does not repeat *Birchas Hamazone*. Similarly, if he forgot to say ״יעלה ויבוא״ after one of the meals on Chol Hamoed, he does not repeat *Birchas Hamazone* (סא). [When Yom Tov occurs on Shabbos, ״רצה״ is said prior to ״יעלה ויבוא״].

*Note: When the first day of Yom Tov occurs on Shabbos, the third meal may be eaten only until the end of the ninth halachic hour (see 14). For this reason, many people divide the morning *seudah* in two. (See Chapter XXXV A 3 for a discussion of these halachos.)

Please Note: Although when Erev Pesach falls on Shabbos, chometz is permitted until the end of the fourth hour, on Pesach, chometz is prohibited the entire day. Therefore, when the morning *seudah* is divided on Pesach, matzah must be eaten].

(נד) מ״ב שם ס״ק י״ג.

(נה) שם. ע׳ מ״ב ס׳ תכ״ה ס״ק י״ד לענין אמירת „זה קרבן שבת וקרבן היום כאמור״.

(נו) מנהגים.

(נז) ע׳ רמ״א ס׳ קכ״ח ס׳ מ״ד.

(נח) ס׳ תקכ״ט ס״א ומ״ב ס״ק י״ג. ע׳ מ״ב שם ס״ק י״א דאיתא בע״ג דף ה׳ שתקנו להרבות בסעודה ביו״ט הראשון של פסח. וכ׳ **במ״ב ס׳ ת״צ ס״ק ב׳ „וכתבו הספרים דטוב** לעשות ביום ב׳ בסעודה איזה דבר לזכר סעודת אסתר שביום ההוא נתלה המן״.

(נט) ס׳ קפ״ח ס״ה.

(ס) מ״ב שם ס״ק כ״ו. **עיין ת׳ רע״א (ס״א) לענין נשים ששכחו יעלה ויבוא בברהמ״ז.**

(סא) כ׳ המחבר (ס׳ קפ״ח ס״ז) „וחוה״מ דינו כר״ח״ ובמ״ב ס״ק כ״ז פי׳ „לענין שא״צ לחזור״.

Eating matzah from the tenth hour on the first day of Pesach

14. We have learned (see Chapter XVII F 2) that one may not eat foods made from matzah on Erev Pesach from the tenth hour (**סב**). Similarly, one may not eat matzah or matzah products from the tenth hour (approximately 3 P.M.) on the first day of Pesach outside of Eretz Yisroel (**סג**). The reason is that he should be able to eat matzah with an appetite at the second *Seder* (**סד**). For this reason, even those foods which one is permitted to eat after the tenth hour (ibid. 3) should not be eaten in large amounts (**סה**).

B. HALACHOS CONCERNING THE DELETION OF MASHIV HARUACH

If one did not daven Musaf until after Tefilas Tal

1. We have learned (see B 11) that beginning with the first day of Pesach, we delete "משיב הרוח וכו'" (**סו**). We have also learned (see B 10) that the deletion is dependent upon a public announcement (**סז**), and that there is a difference between Nusach Ashkenaz and Nusach Sfard concerning the saying of "משיב הרוח וכו'" during the *Shmone Esray* of Musaf (**סח**).

If one came late to a Shul which davens Ashkenaz or was delayed and did not daven until after the *chazan* reached [and deleted] "משיב הרוח וכו'," he should also delete it in his Musaf *Shmone Esray* (**סט**).

If one is davening a compensatory Shmone Esray at Mincha

2. If one accidentally missed davening Shacharis on the first day of Pesach, he is permitted to daven a second *Shmone Esray* after Mincha as compensation (**ע**). In both *tfilos,* he omits "משיב הרוח וכו'" (**עא**). If, however, he erroneously said "משיב הרוח וכו'" in this compensatory *Shmone Esray,* he is not required to repeat *Shmone Esray* (**עב**).

If there are two Minyanim in the same Shul

3. If an early minyan davened Musaf in a Shul on the first day of Pesach and stopped saying "משיב הרוח וכו'", it is questionable whether a second minyan davening in the same Shul (Nusach Ashkenaz) should say "משיב הרוח וכו'" [or

---

(סב) מ״ב ס׳ תמ״ד ס״ק ח׳ וס׳ תע״א ס״ק כ׳.

(סג) ע׳ רמ״א ס׳ תע״א ס״ב ומ״ב שם ס״ק ט״ז וע׳ מ״א (ס׳ תקכ״ט ס״ק א׳) שכ״כ לגבי כל יו״ט ראשון וע׳ בב״ה ס׳ תקכ״ט ד״ה בעיו״ט.

(סד) שם.

(סה) ע׳ ס׳ תע״א ס״א לענין ע״פ וה״ה לענין יום א׳ כרמ״א שם ס״ב.

(סו) כ׳ המחבר (ס׳ תפ״ח ס״ג) „ומתפללין תפלת מוסף ואין מזכירין גשם מכאן ואילך״.

(סז) ע׳ מ״ב ס׳ קי״ד ס״ק ג׳.

(סח) שם.

(סט) מ״ב ס׳ תפ״ח ס״ק י״א, וע׳ מ״ב ס׳ קי״ד ס״ק ט״ז.

(ע) ע׳ ס׳ ק״ח ס״א.

(עא) מ״ב שם ס״ק ל״ו.

(עב) שם.

should delete it]. Therefore, it is advisable not to have two minyanim in a Shul for Musaf on the first day of Pesach (עג).

If one said "משיב הרוח" but not "מוריד הגשם"

4. If after Musaf of the first day of Pesach, one said "משיב הרוח" but omitted "מוריד הגשם", he is not required to repeat *Shmone Esray* (עה). Similarly, one who davens Nusach Sfard and normally says "מוריד הטל" during the summer, if he omitted it [by saying like Nusach Ashkenaz "רב להושיע מכלכל חיים"], he is not required to repeat *Shmone Esray* (עו).

If one said "מוריד הגשם" erroneously

5. If one erroneously forgot to delete "משיב הרוח ומוריד הגשם" in the Musaf of Pesach—where it was announced (see B 10) or the *chazan* said it erroneously during the repetition of the Musaf *Shmone Esray*, or an individual said it from Mincha of the first day of Pesach and onwards (עז), the following principles apply:

a) If he reminded himself before saying "*Hashem*" of the brocho "מחיה המתים", he returns to "אתה גבור" (עח).

b) If he reminded himself after saying "*Hashem*" but before saying "מחי' המתים", many Poskim hold that he should say the words "למדני חוקיך" [which completes a posuk and serves to cancel out the brocho (עט)] and return to "אתה גבור" (פ).

c) If he said the words "מחיה המתים", he must return to the beginning of *Shmone Esray* (פא).

If one omitted "משיב הרוח וכו'" during Maariv or Shacharis of the first day of Pesach

6. These principles apply from Mincha of the first day of Pesach according to Nusach Ashkenaz and from Musaf according to Nusach Sfard (פב).

(עג) ב"ה ס' קי"ד ס"ב ד"ה לא יקדים. (ומה שכתבנו דהספק הוא רק לנוסח אשכנז היינו משום דמסופק בב"ה שם רק לענין תפלת מוסף ולנוסח ספרד אומרים למוסף מוריד הטל וכנראה דלשחרית אין ספק, והב"ה בעצמו כ' ספקו רק להרמ"א בס"ג שמזכירין משיב הרוח במוסף והיינו לנוסח אשכנז).

(עד) שם.

(עה) ס' קי"ד ס"ג.

(עו) שם ומ"ב ס"ק י"ג.

(עז) ע' מ"ב שם ס"ק י"ז.

(עח) כ' המחבר שם ס"ד „ואם סיים הברכה חוזר לראש התפלה" וכ' במ"ב (ס"ק כ) „עיין בפמ"ג שכתב דהיינו לאחר שאמר בא"י אבל

השע"ת והח"א כתבו דוקא אם סיים לגמרי אבל אם נזכר לאחר השם יסיים למדני חוקיך כדי שלא תהיה לבטלה וא"כ הוא כאילו עומד עדיין באמצע הברכה וחוזר לאתה גבור" (וע' ב"ה ד"ה וחוזר שכ' דעת הגר"א דפסק כהרמב"ם דאף אם לא סיים הברכה חוזר לראש).

(עט) ע' מ"ב שם, ובאג"מ (או"ח ח"ד ס' צ"ג) כ' אדברי הריטב"א דתמוה מאד ע"ש.

(פ) שם.

(פא) מחבר שם וכ' המ"ב (ס"ק כ"א) „והטעם דג' ברכות ראשונות חשובות כחדא וא"צ לחזור ולומר פסוק ד' שפתי תפתח" (ע' ב"ה ס' קי"א ס"ב ד"ה חוזר).

(פב) כמו שנתבאר.

However, if a person erroneously omitted "משיב הרוח וכו׳" during Maariv, Shacharis [or Musaf for Nusach Ashkenaz] of the first day of Pesach, he does not repeat *Shmone Esray* (פג). What is the reason for this difference?

We really should stop saying "משיב הרוח וכו׳" at Maariv of the first day of Pesach. However, since many people are unable to attend Shul for Maariv, it would be confusing; some people who would hear the announcement in Shul would delete "משיב הרוח וכו׳", others who would not be in Shul at night would still be saying it. Therefore, חז״ל set the time for beginning the deletion of "משיב הרוח וכו׳" at Musaf where it can be announced prior to Musaf [for Nusach Sfard] or with *Tefilas Tal* of the *chazan* [for Nusach Ashkenaz]. The reason this is not done during Shacharis, is that an announcement cannot be made just before *Shmone Esray* of Shacharis, because we are not permitted to talk out between "גאל ישראל" and *Shmone Esray* (פד).

If one is in doubt whether he deleted "משיב הרוח וכו׳"

7. If one is in doubt whether he said or deleted "משיב הרוח וכו׳", until thirty days have passed it is assumed that he conducted himself according to his previous custom, and must repeat *Shmone Esray* (פה). After thirty days have elapsed, that is, he davened ninety times correctly, it is assumed that the new practice has become habitual, and he is not required to repeat *Shmone Esray* (פו).

Repeating the phrase ninety times

8. Many Poskim hold that if a person repeated, in the correct manner, from "מחיה מתים אתה" until [and including] "מכלכל חיים" ninety times [not during the davening], afterwards, when he is in doubt whether he said it properly in *Shmone Esray*, he may assume that it was said properly (פז). It is preferable that this practice should be repeated one hundred and one times (פח).

If one is uncertain whether he deleted "משיב הרוח וכו׳"

9. If one was certain that during *Shmone Esray* he intended to omit "משיב הרוח וכו׳," but a long time after the davening doubt developed in his mind

---

(פג) ע׳ מ״ב ס׳ קי״ד ס״ק ג׳.

(פד) ע׳ שם ומ״ב ס״ק ב׳.

(פה) ס׳ קי״ד ס״ח ומ״ב ס״ק ל״ו.

(פו) שם ומ״ב ס״ק ל״ז.

(פז) ס׳ קי״ד ס״ט וע׳ מ״ב ס״ק מ״א שכ׳

מת׳ חת״ס לכתחלה לאומרו מאה פעמים ואחד

„אמנם בדיעבד מי שאמר רק תשעים פעמים

אין בידינו לפסוק שיחזור ויתפלל נגד פסק

השו״ע״.

(פח) שם.

whether, in fact, he said or deleted it, he is not required to repeat *Shmone Esray* (פט). If, however, a doubt developed during *Shmone Esray* (see 7) or even immediately afterwards, he is required to repeat *Shmone Esray* (צ).

(פט)　מ"ב שם ס"ק ל"ח.　　　　　　(צ)　שם.

סימנים וסעיפים שבשלחן ערוך המשתייכים לפרק זה

תפ"ח:א,ג	ק"ח:א
ת"צ:א	קי"ד:א־ד,ח,ט
	תכ"ב:ו

Section Nine
ספירת העומר
A DISCUSSION OF THE HALACHOS AND MINHAGIM
OF SEFIRAS HAOMER

Chapter XXVI Introduction

A. THE MITZVAH OF COUNTING THE OMER

The offering of the omer

1. During the time of the *Beis Hamikdosh,* there was a mitzvah to harvest a measure of barley (three *sa'ah*) on the second night of Pesach (א). On the second day of Pesach, there was a mitzvah to bring a portion of this measure, an *omer,* to the *Beis Hamikdosh* (ב).

Counting the omer

2. The Torah commands us to count seven complete weeks beginning from the night the *omer* was brought, as it says in the Torah "וספרתם לכם ממחרת השבת ... שבע שבתות" "and you shall count for yourselves following the Shabbos* . . . seven weeks" (ג).

It is a mitzvah to count the days and the weeks, as it says "תספרו חמשים יום" "you shall count fifty days" (ד). This mitzvah is known as *Sefiras Haomer* (ה).

*Note: Although the Torah says "ממחרת השבת" "following the Shabbos," our *mesorah* (tradition) tells us that the "Shabbos" the Torah is referring to here is not "Shabbos Beraishis," the Shabbos of creation (the seventh day of the week), but rather the festival of Pesach. This was practiced by the *Neveim* (prophets) and the *Sanhedrin* in every generation; the *omer* was offered on the second day of Pesach—regardless of whether it was a weekday or a Shabbos (ו). This is proven conclusively by the Rambam in *Mishneh Torah* (ז).

During the period of the second *Beis Hamikdosh,* there were deviates who interpreted the Torah literally—without the *mesorah* and the direction of our sages (ח). These deviates claimed that the *omer* must be brought only on a Sunday. For this reason, various procedures were performed at the time of the cutting of the *omer,* to demonstrate that the halacha is according to the *mesorah* and our sages and not according to these fabricators (ט).

(א) ע' רמב"ם (פ"ז מהל' תמידין ומוספין ה"ו) „מצותו להקצר בלילה בליל ששה עשר. בין בחול בין בשבת" ושם (ה' י"א) „וקוצרין שלש סאין שעורין וכו'".

(ב) ע' שם וה' י"ב.

(ג) ויקרא כ"ג: ט"ו.

(ד) שם ט"ז.

(ה) פשוט וכן הוא לשון הברכה כמ"ש הרמב"ם שם ה' כ"ה.

(ו) ע' גמ' (מנחות ס"ה:) „ממחרת השבת ממחרת יו"ט או אינו אלא למחרת שבת בראשית ריב"י אומר הרי הוא אומר תספרו חמשים יום כל ספירות שאתה סופר לא יהו אלא חמשים יום וא"ת ממחרת שבת בראשית פעמים שאתה מוצא חמשים ואחד ופעמים שאתה מוצא נ"ב נ"ג נ"ד נ"ה נ"ו ריב"ב אומר אינו צריך וכו'" ע"ש כל הסוגיא וברמב"ם (פ"ז מתמידין ומוספין ה' י"א) „וכן ראו תמיד הנביאים והסנהדרין בכל דור ודור שהיו מניפין את העומר בט"ז בניסן בין בחול בין בשבת וכו'".

(ז) שם.

(ח) ע' שם.

(ט) ע' רמב"ם שם „וכל כך למה מפני אלו הטועים שיצאו מכלל ישראל בבית שני וכו'".

The mitzvah of counting the omer nowadays

3. Nowadays, we are not fortunate to have a *Beis Hamikdosh,* and no *omer* is harvested or offered. There is, nevertheless, a mitzvah to count the *omer* (**י**). Whether this requirement is a *mitzvah d'oraysa* (a mitzvah required by the Torah) or a *mitzvah d'rabonon* (a mitzvah required by our sages) is a dispute among the *Rishonim* (**יא**).

The Rambam says, "This mitzvah is incumbent upon every adult Jewish male,* in all places and at all times" (**יב**). This view, that *Sefirah* is required by the Torah, is held by some other *Rishonim* as well (**יג**). Most Poskim, however, hold that since there is no *Beis Hamikdosh,* the requirement to count the *omer* nowadays is a *mitzvah d'rabonon* (**יד**).

*Note: Whether women are required to count, see B 2.

This mitzvah is an obligation upon every individual

4. There is a mitzvah upon *Beis Din* to count years for *Shmittah* (the seventh year) and *Yovel* (the fiftieth year), as it says in the Torah "וספרת לך" "and you shall count for yourself" (**טו**).

The mitzvah of *Sefiras Haomer* is unlike the mitzvah of counting years (**טז**). For the mitzvah of counting years is incumbent only upon *Beis Din,* while the mitzvah of *Sefiras Haomer,* as we learned previously (see 3), is an obligation upon every adult Jewish male (**יז**).

The mitzvah is to count days and weeks

5. The Talmud says "מצוה למימני יומי ומצוה למימני שבועי" "there is a mitzvah to count days and there is a mitzvah to count weeks (**יח**). Therefore, on the first day of *Sefirah* (the evening of the sixteenth of Nissan) and through the sixth

---

(י) ע׳ רמב״ם (שם ה׳ כ״ד) „מצוה זו על כל איש מישראל ובכל מקום ובכל זמן״ ועי׳ שו״ע או״ח (ס׳ תפ״ט ס״א).

(יא) כמו שיתבאר.

(יב) רמב״ם שם.

(יג) ס׳ החינוך ובב״ה (ס׳ תפ״ט ס״א ד״ה לספור) הוכיח „שגם דעת רבינו ישעיה כן הוא עיין בשב״ל ריש סימן רל״ד וכן הוא ג״כ דעת ר׳ בנימין שם עיי״ש בסוף הסימן וכן הוא ג״כ דעת ראבי״ה הובא באו״ז סי׳ שכ״ט ומשמע שם דגם האו״ז מודה ליה בדינו ע״ש. וכן מדברי רב יהודאי ורב עמרם ורי״ץ גיאות שהסכים לדבריהם והובא בעיטור וכו׳ משמע לכאורה שהוא מן התורה ולא לזכר בעלמא וכו׳.״

(יד) בב״ה שם כ׳ „אכן דעת הטור וש״ע וכמה פוסקים שאינה בזה״ז אלא זכר למקדש שהקריבו עומר וכן הוא סוגית הפוסקים בסימן זה״ וכ״כ במ״ב (ס״ק י״ד) וכן כ׳ בגר״ז (ס׳ תפ״ט ס״ב) וחיי״א (כלל קל״א ס״א) וכה״ח (ס׳ תפ״ט אות ה׳) אולם הגר״ז מוסיף „ומ״מ כל מה שתקנו חכמים תקנו כעין של תורה ואין חילוק ביניהם אלא בדברים שיתבאר״. [וכמו כן כ׳ בב״ה שם בסוגריים] וע׳ בשו״ת בית הלוי (ח״א סי׳ ל״ט) מה שהביא בשם רבינו ירוחם.

(טו) מנחות ס״ו.

(טז) ס׳ תפ״ט ס״א וחיי״א שם.

(יז) ויקרא כ״ה:ח ורמב״ם פ״י משמיטה ויובל ה״א.

(יח) כמו שיתבאר.

day, a person counts individual days (e.g. "היום יום אחד בעומר*" "today is one day in the *omer*"). On the seventh day he says "היום שבעה ימים שהם שבוע אחד בעומר" "today is seven days which are one week in the *omer*." Similarly, on the eighth day he says "היום שמונה ימים שהם שבוע אחד ויום אחד בעומר" "today is eight days which are one week and one day in the *omer*" (**יט**).

*Note: Whether "בעומר" or "לעומר" is said, see Chapter XXVIII A 5.

When is the omer counted?

6. This count is performed at the beginning of the day (**כ**). Since, according to the Jewish calendar, the night precedes the day, the mitzvah is to count the *omer* in the evening—beginning from the evening of the sixteenth of Nissan (the second evening of Pesach) (**כא**).

The requirement for Tmimos

7. The Torah says "שבע שבתות תמימות תהיינה" "seven complete weeks shall they be" (**כב**). Since the Torah requires complete weeks, some *Rishonim* say that if he omitted counting one complete day (see Chapter XXVII C 2,3) he cannot count further (**כג**). Some *Gaonim* hold that this only applies if he forgot to count the first day, but if he omitted any other day he may count further (**כד**). Many *Rishonim* disagree and hold that each day of counting the *omer* is a separate mitzvah (**כה**). The halacha is that if he omitted counting any *complete* day (see ibid.), he should count the rest of the days without a *brocho* (**כו**).

(יט) ע׳ תוס׳ מנחות (ס״ה: ד״ה וספרתם) וס׳ תפ״ט ס״א „ומצוה על כל אחד לספור לעצמו" וע׳ מש״כ בספר הלכות נדה פ״ד הערה נו.

(כ) רמב״ם פ״ז מתו״מ מגמ׳ מנחות ס״ו. ואיתא שם בגמ׳ „מיום הביאכם תספרו יכול יקצור ויביא ואימתי שירצה יספור ת״ל מהחל חרמש בקמה תחל לספור אי מהחל חרמש תחל לספור יכול יקצור ויספור ואימתי שירצה יביא ת״ל מיום הביאכם אי מיום הביאכם יכול יקצור ויספור ויביא ביום ת״ל שבע שבתות תמימות תהיינה אימתי אתה מוצא שבע שבתות תמימות בזמן שאתה מתחיל לימנות מבערב יכול יקצור ויביא ויספור בלילה ת״ל מיום הביאכם הא כיצד קצירה וספירה בלילה והבאה ביום".

(כא) רמב״ם שם.

(כב) ויקרא כ״ג:ט״ו. בגמרא (שם ס״ו.) מצינו דין „תמימות" רק לענין שמצותה בלילה „יכול יקצור ויספור ויביא ביום ת״ל שבע שבתות תמימות תהיינה אימתי אתה מוצא שבע שבתות תמימות בזמן שאתה מתחיל לימנות מבערב".

(כג) דעת בה״ג הובא בתוס׳ (מנחות ס״ו. ד״ה זכר) [וז״ל „עוד פסק בה״ג שאם הפסיק יום אחד ולא ספר שוב אינו סופר משום דבעיא תמימות"] ובטור (ס׳ תפ״ט) הובא דברי הבה״ג שכ׳ כעין זה שלא יברך בשאר ימים.

(כד) שיטת רב סעדיה (הובא בטור שם) ובב״י (שם ד״ה וכתב) כ׳ כעין זה מהר״ן סוף פ׳ ע״פ בשם מר יהודאי גאון. ע׳ בב״ה (ס׳ תפ״ט ס״ח) שכ׳ מהרי״ץ גיאות בשם רב האי גאון דאם שכח לברך באחד מהימים דמקיים תמימות בשבועי ע״ש ובשו״ת בית הלוי (ח״א ס׳ ל״ט).

(כה) ע׳ ברא״ש בסוף פסחים (הובא בב״י שם) שכ׳ אדברי בה״ג שם דאינו נראה לר״י דכל לילה ולילה מצוה בפני עצמה וכ״כ הטור שדעת רב האי כדעת הר״י, ועי׳ בתוס׳ שם שכ׳ על דברי בה״ג „ותימה גדולה הוא ולא יתכן".

(כו) כ״פ המחבר (ס׳ תפ״ט ס״ח) וגר״ז (שם ס׳ כ״ד) וחיי״א (כלל קל״א ס״ב) וש״פ.

Conduct of mourning during Sefirah

8. We will learn (see Chapter XXIX) that because certain tragedies occurred during the days of the *Sefirah*, some conduct of mourning applies during a portion of this period (**כז**).

B. WHO IS REQUIRED TO COUNT?

Incumbent upon every adult Jewish male

1. We have learned (see A 3,4) that the mitzvah of *Sefiras Haomer*—unlike the mitzvah of counting years for *Shmitta* and *Yovel*—is incumbent upon every adult Jewish male (**כח**).

Are women required to count?

2. Women are exempt from the mitzvah of *Sefiras Haomer*, as they are from other mitzvos dependent upon time (**כט**). There is a view which holds that women have accepted this mitzvah upon themselves, similar to that of *Shofar* and *Lulav* (**ל**). However, most Poskim hold that in our countries the minhag is that women are not required to count the *omer* (**לא**). Those women who desire to count the *omer* may do so, however, some Poskim question whether a *brocho* may be recited (**לב**).

Boys count with a brocho

3. Boys who are not yet Bar Mitzvah [but have reached the age of חינוך], count the *omer* with a *brocho* (**לג**). Therefore, a boy who counted as a קטן

(כז) ע׳ ס׳ תצ״ג ונכתוב בפנים לקמן.

(כח) ע׳ לעיל הערה יב, כא.

(כט) ע׳ רמב״ם בסה״מ (עשה קס״א) „ומצוה זו אין הנשים חייבות בה״. כ׳ במ״ב (ס׳ תפ״ט ס״ק ג׳) „ונשים ועבדים פטורות ממצוה זו דהוי מ״ע שהזמן גרמא וכתב המ״א מיהו כבר שויא עלייהו חובה וכמדומה דבמדינותינו לא נהגי נשי כלל לספור וכתב בספר שולחן שלמה דעכ״פ לא יברכו דהא בודאי יטעו ביום אחד וגם ע״פ רוב אינם יודעים פירוש המילות״ ובשעה״צ (ס״ק ב׳) כ׳ „גם הפר״ח כתב בפשיטות דנשים פטורות ולא הזכיר ממנהגא דנשי בזה וכן הח״א השמיט האי מנהגא ועיין בברכי יוסף מש״כ בזה״ ובברכ״י (אות כ״ב) כ׳ „ול״נ דאי נוהגות בלולב וכיוצא כר״ת גם בספירה ינהגו כי אורחייהו וכ״כ מ״א״ (הובא בכה״ח אות ט׳) וכ״כ בערה״ש ס׳ תפ״ט סס״ד וכ״מ מגר״ז שם ס״ב וע׳ מקראי קדש (ס״ז: ב) ורמב״ן (קדושין ל״ד. ד״ה והוי) ודברי יחזקאל (ס׳ מ״ה) ואבני נזר (ס׳ שפ״ד).

(ל) מ״א שם.

(לא) מ״ב שם.

(לב) ע׳ לעיל הערה כט.

(לג) כ׳ בברכ״י (ס׳ תפ״ט אות כ׳) „קטן שהגדיל תוך ימי העומר וכן גר שנתגייר בתוך ימי העומר וכן אונן לילה ויום שלם שלא נקבר עד אחר צאת הכוכבים בלילה שניה כל הני מונים שאר ימים בלא ברכה. הרב מהר״ם מזרחי בשו״ת פרי הארץ ח״ג כ״י סי׳ ז׳״ הביאו בשע״ת (ס׳ תפ״ט ס״ק כ׳) וכ׳ על זה „ומ״ש בקטן אין זה לדידן שהקטנים שהגיעו לחינוך סופרים ג״כ ומכ״ש מופלא סמוך לאיש ואם לא ספר עד שהגדיל וכבר עברו מימי העומר פשיטא דאינו מברך״ והביאו בכה״ח (שם אות צ״ד).

(minor) and becomes Bar Mitzvah during the days of the *omer*, may continue counting with a *brocho* (**לד**). Although there is a requirement for ״תמימות״ (see A 7), his counting as a minor is considered sufficient a fulfillment to be considered as ״תמימות״ (**לה**).

A Ger who converted during Sefirah

4. A *Ger* (convert to Judaism) who converted during the days of *Sefiras Haomer* must count for the duration of the *Sefirah* period without a *brocho* (**לו**). Even if he would have counted prior to his conversion, this, obviously, is not considered a fulfillment of the mitzvah and is, therefore, lacking in ״תמימות״ (see A 7) (**לז**). However, if he converted on the first day of the *omer*, he should count that day without a *brocho*; the remainder of the days he should count with a *brocho* (**לח**).

An Onen during the days of Sefirah

5. An *Onen* (a mourner from the time of death until interment) who had not counted in the evening, should count during the day after the burial without a *brocho*; he may count the rest of the days of *Sefirah*, with a *brocho* (**לט**). If, however, the burial lasted the entire day so that he was unable to count until nightfall, he must count the remaining days without a *brocho* (**מ**). There is a view which holds that if he sees that he will not have the opportunity to count later and will, thereby, miss an entire day, he should count (even before the burial) without a *brocho*, and then, the rest of the days of *Sefirah*, he may count with a *brocho* (**מא**).

(לד) ע׳ שם.

(לה) כך נראה ביאורו.

(לו) ברכ״י ושע״ת שם והביאו בכה״ח (שם אות צ״ד).

(לז) כך נראה ע״פ הנ״ל.

(לח) שם וכה״ח אות צ״ה.

(לט) ע׳ ב״ה (ס׳ תפ״ט ס״ח ד״ה בלא) וכה״ח (שם אות פ״ה).

(מ) ב״ה שם וברכ״י (הובא לעיל בהערה לג).

(מא) ע׳ ב״ה שם וכה״ח (שם אות פ״ו) מנוב״י (מה״ק ח׳ או״ח ס׳ כ״ז).

סימנים וסעיפים שבשלחן ערוך המשתייכים לפרק זה

תפ״ט:א,ד,ה,ו

Chapter XXVII　Halachos Relating to the Time of the Counting

A. WHEN IS THE OMER COUNTED?

We begin on the second night of Pesach

1. On the second night of Pesach (the sixteenth of Nissan), we begin counting the *omer* (א).

The preferred time for counting

2. The preferred practice is *not* to count until nightfall—which is determined by the appearance of three medium-size stars (ב). There is a view which holds that for this halacha one may consider nightfall at 50 minutes after sunset (in many parts of the United States) (ג). Some Poskim hold that for the halachos of *Sefirah*, one may consider nightfall even earlier (ד). Other Poskim hold that one should wait 72 minutes after sunset before counting the *omer* (ה).

If one counted between sunset and nightfall (בין השמשות, i.e. twilight), although the count is valid—he should, preferably, count again after nightfall without a *brocho* (ו). However, if a person counted erroneously while it was still day (i.e. before sunset), he should count again after nightfall with a *brocho* (ז).

It is preferable to daven *Maariv* and count the *omer* at the very beginning of the evening (ח). (Where a person has a set time for learning and *davening* at night, see B 2). If a person did not count at the beginning of the evening, he may count the entire night with a *brocho* (ט).

(א) ס' תפ"ט ס"א.

(ב) כ' המחבר (ס' תפ"ט ס"ב) „והמדקדקים אינם סופרים עד צאת הכוכבים וכן ראוי לעשות". וכ' במ"ב (ס"ק י"ד) „והמדקדקים. ר"ל דמן הדין היה אפשר להקל לספור משתחשך אף קודם צה"כ דבה"ש הוא ספק לילה ואזלינן לקולא בספק דרבנן בספירה בזה"ז שהוא מדרבנן לרוב פוסקים אלא דמ"מ אינו נכון להכניס עצמו לספק לכתחלה ולהכי המדקדקים ממתינים עד צה"כ שהוא בודאי לילה".

(ג) ע' אג"מ או"ח ח"ד ס' ס"ב. ומו"ר הגר"א קטלר זצ"ל אף שהיה חושב ללילה מחמשים מינוט אחר שקיעה לעניני דרבנן וכן שמעתי מפי קדשו לענין תענית יארצייט, מ"מ היה נוהג להמתין עד ע"ב מינוט אחר שקיעה לענין ספירה.

(ד) ע' מ"ב ואג"מ שם ודוק.

(ה) ע' לעיל הערה ג'.

(ו) כ' במ"ב (שם ס"ק ט"ו) „וכן ראוי לעשות. ר"ל לכתחלה ומ"מ בדיעבד אם בירך ביה"ש יצא וכנ"ל אבל הא"ר מפקפק בזה ומצדד דנכון שיחזור ויספור בצה"כ בלי ברכה" ובשעה"צ (ס"ק כ') באר טעם הא"ר „משום דלהרבה פוסקים ספירה בזה"ז דאורייתא ולהכי אין לסמוך על ספק לילה" וכ' בערה"ש (שם ס"ז) „ואם ספרו אחר השקיעה בבין השמשות יצא" וע' בב"ה (שם ס"ב ד"ה וכן ראוי לעשות) וגר"ז ס' י"ב.

(ז) ע' ס' תפ"ט ס"ב שכ' „חוזרים לספור כשתחשך" וכ' במ"ב (ס"ק י"ג) „לספור כשתחשך. ובברכה כדין". לענין ספירה אחר פלג המנחה ע' שעה"צ (ס"ק י"ז) ובב"ה (ס"ג ד"ה מבעוד יום).

(ח) כה"ח (ס' תפ"ט אות י"א) מלבוש ומ"ב (ס"ק ב') מטעם תמימות.

(ט) „דכל שלא עבר הלילה לא נפיק עדיין מכלל הכתוב תמימות תהיינה" (מ"ב ס"ק ד').

What should one do if the Shul counts earlier?

3. Some Shuls daven *Maariv* before the appearance of three medium-size stars* (י). If a person is in a Shul which davens *Maariv* during twilight and would like to count later during the proper time, he should, nevertheless, count with them (but without a *brocho*), lest he forget to count again later (**יא**). However, he should have in mind the following condition: "If I should remember to count later at night, I don't want to fulfill my requirement for *Sefiras Haomer* with this counting" (**יב**). After nightfall, he may then count again with a *brocho* (**יג**) (see Chapter XXVIII C 4).

This is adequate only if he has express intent *not* to fulfill his mitzvah with the counting of the Shul. However, if one counts with the Shul during twilight—without this express intent—when he counts again after nightfall, a *brocho* is not recited (**יד**).

*Note: When davening *Maariv* before nightfall, one is required to repeat the *Shma* after nightfall (**טו**). Where there is a *minyan* which davens *Maariv* after nightfall, it is preferable to daven with them, especially during the days of *Sefiras Haomer*, because he will, thereby, say *Shma* in its proper time and count *Sefirah* with a *minyan* (**טז**).

Counting on Erev Shabbos

4. This halacha applies also on Friday evening, even if he ushered in the Shabbos and davened with the Shul prior to nightfall (**יז**). That is, if he had this condition in mind when he counted in Shul, he may [and should] count again after nightfall, with a *brocho* (**יח**). This is permissible, since he had intended not to fulfill his requirement with his counting in Shul (**יט**).

Can one count before davening Maariv?

5. We will learn (see 6) that the *omer* should be counted after *Shmone Esray* of *Maariv*. That is, one should preferably *daven Maariv* before counting (**כ**). After nightfall, it is permissible to count, even if one had not yet *davened*

(י) ס' תפ"ט ס"ג ובכ"מ.

(יא) כך באר המ"ב (ס"ק ט"ז) דברי המחבר. **כתב** בב"ה (ס"ג ד"ה מבעוד יום) לענין פלג המנחה „וקאמר דאף מי שהוא ת"ח אם לבו נוקפו שמא יטרד וישכח לספור ביחידות יכול לספור עם הצבור אך לא יברך אז עכ"פ דמעיקר הדין אין זמן ספירה אז אלא שלא מחינן במנהג אותן המקומות וכדי שלא יתבטלו לגמרי ממצוה זו וכשיגיע הזמן בלילה יברך ויספור ואינו ברכה לבטלה דספירה קמייתא לאו כלום הוא מעיקר דינא וכנ"ל".

(יב) מ"ב שם וגר"ז (ס' י"ב) וכ' הגר"ז שם „שאף להאומרים שמצות א"צ כוונה לצאת בהן ידי חובתו מ"מ כשמכוין בפירוש שלא לצאת בהן ידי חובתו בודאי אינו יוצא בע"כ" וע' מ"ב (ס"ק י"ז) ושעה"צ (ס"ק כ"ג).

(יג) מ"ב (ס"ק ט"ז) וגר"ז שם.

(יד) מ"ב (ס"ק י"ז).

(טו) ס' רל"ה ס"א.

(טז) באה"ט (ס' תפ"ט ס"ק כ') בשם השל"ה.

(יז) מ"ב ס' תפ"ט ס"ק י"ח.

(יח) שם.

(יט) שם.

(כ) ע' לקמן הערות כא־כד.

Maariv (**כא**). This halacha applies even on *Motza'ai Shabbos*; because after three medium-size stars appear, it is considered as night for all halachos (**כב**).

When during the davening is the omer counted?

6. The *omer* is counted after *Shmone Esray* (**כג**). Some Poskim explain that the reason we wait until after *Shmone Esray* is that in earlier generations it was customary to *daven Maariv* before nightfall, so that with the conclusion of *Maariv* night began (**כד**). In this way the *omer* would be counted at night (**כה**).

Another explanation offered by the Poskim is that *Shma* and *Shmone Esray* are performed more frequently than *Sefiras Haomer*, and therefore, should be first—in accordance with the principle of "תדיר ושאינו תדיר, תדיר קודם" (that is, in selecting the sequence of two mitzvos, the more frequent takes precedence) (**כו**).

The omer is counted before עלינו

7. The *omer* is counted before עלינו (**כז**). The reason it is not said after עלינו is that since the Torah says "תמימות תהיינה" "they should be complete," we try to count as early as feasible (**כח**). However, if by waiting the few minutes for the saying of עלינו and the *kaddish* nightfall will arrive, it is preferable to wait and count after עלינו and *kaddish* (**כט**).

Counting on Shabbos and Yom Tov

8. Where *kiddush* is recited in Shul on Shabbos (Friday night), the *omer* is counted in Shul after *kiddush** (**ל**). The reason is that we do whatever we can to usher in the *kedusha* of Shabbos earlier (**לא**). The same halacha applies to the last two evenings of Pesach (**לב**); the *omer* is counted on the last two evenings

*See Note on page 312.

(כא) כ' המ"ב שם „כתבו האחרונים דאם יצאו הכוכבים מותר לו לספור אפילו לא התפלל עדיין מעריב ואפילו הוא במו"ש דהא לילה הוא לכל מילי ואפילו לקדש ולהבדיל מותר קודם תפלה אלא שאסור במלאכה עד שיבדיל".

(כב) שם.

(כג) כ' המחבר (ס' תפ"ט ס"א) „בליל שני אחר תפלת ערבית".

(כד) כ' בב"ה שם (ד"ה אחר) „כתב בספר מור וקציעה בטעם דסופרין אחר התפלה משום דבדורות הראשונים היה המנהג להתפלל ערבית קודם הלילה ובסיום המעריב התחילה הלילה ואז היו סופרין כדין בתחלת הלילה אכן בחק יעקב ס"ק ט"ז כתב דמדינא צריך להקדים ק"ש ותפלה שהוא תדיר" וע' באג"מ (או"ח ח"ד ס' צ"ט אות א').

(כה) שם בשם מור וקציעה.

(כו) שם בשם חק יעקב.

(כז) מ"ב שם ס"ק ב'.

(כח) שם.

(כט) כך ראיתי נוהגים דהטעם דסופרין קודם עלינו כ' המ"ב (ס"ק ב') „דכל מה דאפשר לאקדומי מקדמינן כדי שיתקיים יותר מה שכתוב תמימות תהיינה" והכא במה שמאחרים הוא כדי דתתקיים המצוה בזמנה.

(ל) ס' תפ"ט ס"ט.

(לא) מ"ב שם ס"ק ל"ט וגר"ז ס' כ"ו.

(לב) כ' המחבר שם „וליל יום טוב" וצריכים לפרש בלילי יו"ט האחרון דבלילי יו"ט הראשון אין מקדשין בבית הכנסת כמ"ש בס' תפ"ז ס"ב וכתבו המ"ב בס' תפ"ט (ס"ק מ"ב) [ואף דהמחבר הי' בא"י וקאי רק איום שביעי נראה דה"ה בחו"ל בליל אחרון של פסח] וע' מ"ב ס"ק מ"ג.

of Pesach after *kiddush* (**לג**). Concerning the second night of Pesach (the first night of *Sefirah*), most Poskim hold that the *omer* should be counted after *Maariv* (**לד**). There are those who have a minhag to count during the *Seder*, after the *seudah* (**לה**); many Poskim hold that this minhag is questionable (**לו**).

*Note: When counting at home [if after nightfall], he should count before *kiddush*, because we will learn (see B 1) that one may not eat before counting (**לז**).

Counting on Motza'ai Shabbos

9. On *Motza'ai Shabbos* and *Motza'ai Yom Tov* the *omer* is counted in Shul before *havdallah* (**לח**), after the *kaddish* following "ואתה קדוש" (**לט**). The reason is that we attempt to extend the Shabbos, as much possible (**מ**). "ויתן לך," however, is said after *Sefirah* (**מא**).

When the last day of Pesach falls on *Motza'ai Shabbos*, since *havdallah* is part of *kiddush*, the *omer* is counted before *kiddush* (**מב**).

B. ACTIVITIES PROHIBITED WHEN THE TIME OF SEFIRAH ARRIVES

Activities prohibited during the time of Sefirah

1. Once the time for *Sefirah* arrives (nightfall) one may not begin a meal—until he counts (**מג**). Similarly, he may not take a haircut, bathe, or engage in any similar activity (which is prohibited during the time of *Mincha* or *Maariv* until one *davens*) until he counts. This halacha applies even if he said *Shma* and *davened Maariv* (**מד**).

Even if he began these activities, some Poskim hold that he is required to stop and count once the time for *Sefirah* arrives (**מה**). If he began eating *prior* to

---

(לג) שם.
(לד) ס' תפ"ט ס"א ומ"ב ס"ק ב'.
(לה) ע' ברכ"י ס' תפ"ט אות ה' ודע"ת שם ס"ק א' ומקראי קדש ס' ס"ד וע' כה"ח שם אות ר' וערה"ש ס' י"א.
(לו) שם.
(לז) מ"ב ס"ק ל"ט.
(לח) ס' תפ"ט ס"ט.
(לט) מחבר שם ומ"ב ס"ק מ"א.
(מ) „דאפוקי יומא מאחרינן ליה כל מה דאפשר" (מ"ב ס"ק מ').
(מא) מ"ב ס"ק מ"א.
(מב) מחבר שם ומ"ב ס"ק מ"ג.
(מג) כ' הרמ"א (ס' תפ"ט ס"ד) „הגה וכשהגיע הזמן אסורין לאכול עד שיספור" וכ' במ"ב (ס"ק כ"ד) „לאכול. וה"ה שאר מלאכות וכדלעיל בסימן רל"ב ורל"ה" וע' בכה"ח (אות ס"ו) שכ' „וה"ד כשקובע לסעוד אבל טעימה בעלמא שרי וכו'".
(מד) ע' ס' רל"ב ס"ב שכ' „לא ישב אדם להסתפר וכו' ולא יכנס למרחץ וכו'". כ' המ"ב [ס"ק כ"ג אמ"ש הרמ"א (ס' תפ"ט ס"ד) „וכשהגיע הזמן"] „ר"ל צאת הכוכבים ואפילו אם כבר התפללו ק"ש ותפלה דאל"כ בלא"ה אסור משום ק"ש ותפלה".
(מה) כ' הרמ"א (ס' תפ"ט ס"ד) „ואפילו התחיל לאכול פוסק וסופר" ע' מ"ב (ס"ק כ"ה) שכ' „היינו למ"ד ספירה בזה"ז דאורייתא וכדמציין בהג"ה וא"כ לדידן דנקטינן ספירה בזה"ז דרבנן אינו פוסק וכו' ויש מאחרונים שכתבו דלפיכך חשש הרמ"א פה בעניננו להחמיר כאותו דעה שהוא דאורייתא משום דהוא דבר שאין בו טורח כלל להפסיק מעט ולספור".

this time, he may complete his meal and then count (**מו**). This is permitted since he began eating when it was permissible and there will be sufficient time remaining (**מז**).

Not only are these activities prohibited from nightfall, but even during the half-hour period prior to this time one must refrain (**מח**). Since it is questionable when the proper time for *Sefirah* begins (see A 2), one may begin a meal [and perform the other activities mentioned previously] until sunset, and rely on the Poskim who hold that the time for counting the *omer* is later (**מט**).

Where the minhag is to call to Shul

2. These prohibitions of not eating or performing other activities after sunset do not apply where the minhag in that community is to call people to Shul—thereby reminding them to count *Sefirah* (**נ**). Similarly, where one is accustomed to daven in a later *minyan* (e.g. in a yeshivah which davens after the learning *seder*), he may eat and perform other activities during the time for counting the *omer* (**נא**).

The minhag of not engaging in melacha after sunset

3. Some people have a minhag not to engage in work from sunset [until the *Sefirah* is counted] (**נב**). There are two reasons for this minhag:

a) The disciples of Rabbi Akiva (see Chapter XXIX A 1) passed away [during the *Sefirah* period] before sunset and were buried after sunset. Since all activities were suspended during the time of their burial, by our abstinence from work we recall this terrible tragedy (**נג**).

(מו) כ׳ הרמ״א שם „מיהו אם התחיל לאכול קודם שהגיע הזמן א״צ להפסיק אלא גומר אכילתו וסופר אח״כ״ וכ׳ במ״ב (ס״ק כ״ו) „קודם שהגיע הזמן. ולפי מה דכתבנו לעיל [ס״ק כ״ג] דמחצי שעה סמוך לזמן מתחיל האיסור יהיה שייך דינא דרמ״א כשהתחיל לאכול ביותר מחצי שעה קודם הזמן״.

(מז) ע׳ מ״ב ס״ק כ״ז.

(מח) מ״ב ס״ק כ״ג.

(מט) כך נראה דאחר שקיעה הוי ספק זמנו ואף אם אינו זמנו מ״מ י״ל דהוי בתוך החצי שעה קודם זמנו אבל קודם שקיעה יש לסמוך שעדיין לא הגיע החצי שעה ואכמ״ל.

(נ) כ׳ המ״ב (ס״ק כ״ג) „אך במקום שהמנהג שהשמש קורא לספור ספירה אין להחמיר בקודם זמנו״. וע׳ אג״מ (או״ח ח״ד ס׳ צ״ט אות א׳).

(נא) ע׳ שם ובשו״ת רבבות אפרים (או״ח ח״א ס׳ של״ג).

(נב) כ׳ המחבר (ס׳ תצ״ג ס״ד) „נהגו הנשים שלא לעשות מלאכה מפסח ועד עצרת משקיעת החמה ואילך״ וכ׳ המ״ב (ס״ק י״ח) „הנשים וה״ה אנשים״. בכה״ח (אות ד״ן) כ׳ „שלא לעשות מלאכה וכו׳ היינו במלאכה גמורה וארוכה״ וכ׳ בלקוטי מהרי״ח „ועי׳ בס׳ אשל אברהם מהגה״ק מביטשאטש שדברים המתורים בחוה״מ לכ״ע מותר״ וטעמי המנהג יתבארו בפנים בסמוך. ואף שכ׳ המחבר „נהגו הנשים וכו׳״ ע׳ לקמן בהערה נה מש״כ מכה״ח. **מקור המנהג** כ׳ בטור (ס׳ תצ״ג) „מצאתי כתוב מנהג וכו׳״ ובב״י כ׳ „כן כתב רבינו ירוחם בנ״ה ח״ד בשם רבינו האי גאון ז״ל״. [ומשמע ממ״ב (ס״ק י״ט) דרק לפי טעם ב׳ שרי אחר שספר ע״ש ולא הארכנו בזה „כי לא ראיתי נזהרים בזה״ ע׳ לקמן הערה נה].

(נג) בטור שם כ׳ „על כן גזרו שלא לעשות שמחה בינתיים ונהגו הנשים וכו׳״. וכך נראה ביאורו.

b) We count *Sefirah* after sunset, and the Torah says regarding the mitzvah of *Sefirah* "שבע שבתות". Since the Torah associates the word "*Shabbos*" with *Sefirah*, some people have a minhag to abstain from melacha during the time of counting the *omer*—until the *omer* is counted—similar to its prohibition on Shabbos (**נד**). Those who don't have this minhag are not required to conduct themselves in this manner (**נה**).

C. IF A PERSON FORGOT TO COUNT THE OMER

If a person forgot to count at the beginning of the evening

1. We have learned (see A 2) that it is preferable to count at the beginning of the evening (**נו**). If a person did not count at the beginning of the evening, he may count the entire night with a *brocho* (**נז**).

If a person forgot to count at the beginning of the evening, he should not postpone counting until later—lest he forget completely (**נח**). He should count immediately upon recalling (**נט**).

If a person forgot to count the entire night

2. If a person forgot to count the *omer* during the night, he should count during the daytime—but without a *brocho* (**ס**). On subsequent nights, he counts with a *brocho* (**סא**).

Similarly, if one is in doubt during the day whether he counted the previous night, he should count then, during the day, but without a *brocho* (**סב**). On subsequent nights, he counts with a *brocho* (**סג**).

If a person omitted counting an entire day

3. If a person neglected to count the *omer* for an *entire* day and did not recall until the following evening, he is required to count on subsequent days

---

(נד) ע׳ טור שם ומ״ב ס״ק י״ח.

(נה) כ׳ בכה״ח (אות ג״ן) „אמנם ח״י או׳ י״ב כתב על דברי כנה״ג הנז׳ דלא ראיתי נזהרים בזה אף הנשים וכ״כ ב״ד וכו׳ וע״כ כתב דלא יש חיוב כלל בזה ומי שנהג לעשות זכר זה נהג ומי שלא נהג לא נהג וכו׳״ ע״ש.

(נו) כה״ח ס׳ תפ״ט אות י״א מלבוש.

(נז) כ׳ המחבר (ס׳ תפ״ט ס״א) „ואם שכח לספור בתחלת הלילה הולך וסופר כל הלילה״.

(נח) ע׳ כה״ח אות י״ב שכ׳ טעמים אחרים וע׳ ס׳ תל״ה ס״א ומ״ב ס״ק ב׳ ודוק.

(נט) ע׳ כה״ח שם.

(ס) ס׳ תפ״ט ס״ז וכ׳ במ״ב (ס״ק ל״ג) „יספור ביום. כדעת הרבה פוסקים דבדיעבד ספירת יום עולה לספירה״ וע׳ שעה״צ (ס״ק מ״ג). ומ״ש המחבר „בלא ברכה״ כ׳ המ״ב (ס״ק ל״ד) הטעם „דיש לחוש לדעת הפוסקים דאין זמן ספירה אלא בלילה וכשמברך ביום הוא לבטלה מיהו מכאן ולהבא סופר בכל לילה בברכה ולא הוי כדילג יום אחד לגמרי שאינו סופר עוד בברכה וכדלקמיה״ וע׳ בשעה״צ (ס״ק מ״ה).

(סא) שם.

(סב) ב״ה ס״ז ד״ה שכח.

(סג) ע׳ לעיל הערה ס׳ (והכא עדיף דיש צד ספק שספר בלילה) וע׳ במ״ב (ס״ק ל״ח) שכ׳ „וה״ה בכל דבר שדינו לחזור ולספור בלי ברכה מחמת ספק אם לא חזר וסיפר יספור שארי לילות בברכה״ וכ״כ הגר״ז ס׳ כ״ה.

(**סד**)—but without a *brocho* (**סה**). This halacha applies regardless of whether he neglected to count on the first day or on any subsequent day (**סו**).

Similarly, if he reminds himself on the following evening that he counted incorrectly the previous night, he counts the rest of the nights without a *brocho* (**סז**).

Wherever we say that he should count without a *brocho*, it is preferable that he should hear it from the *Chazan* or someone else who is reciting the *brocho* (**סח**). He should answer "אמן" with the intent of fulfilling his requirement for reciting the *brocho*; he should then count the *omer* himself (**סט**).

If a person is not certain that he counted

4. If, however, a person is *not* certain that he skipped the previous day's count, he is permitted to count the remaining days with a *brocho* (**ע**).

If a person counted early

5. We have learned (see A 2) that the preferred time for counting the *omer* is at nightfall, that is, after three medium-size stars are visible (**עא**). If a person (or Shul) counted *before* sunset, he should count again after nightfall—*with* a *brocho* (**עב**).

If he counted *after* sunset [although the count is valid], he should, preferably, count again after nightfall—without a *brocho* (**עג**). If he did not, he may, nevertheless, continue counting on subsequent nights—with a *brocho* (**עד**).

If a person forgot to count and davened Maariv before sunset

6. If a person neglected to count the *omer* for an entire day and did not recall until he had davened *Maariv* the following evening, if it is still before sunset, he should count the previous evening's count [without a *brocho*] and he may count on subsequent evenings with a *brocho* (**עה**). Similarly, if he forgot to count Thursday night but reminded himself Friday afternoon after ushering in the Shabbos and *davening Maariv*, if it is still before sunset, he

---

(סד) ס׳ תפ״ט ס״ח ומ״ב ס״ק ל״ה, ובמ״ב (ס״ק ל״ו) כ׳ הטעם דהוא „כדעת הרבה פוסקים דאין ספירת הימים מעכבין זה את זה וכל יומא ויומא מצוה בפ״ע היא״.

(סה) מחבר שם.

(סו) ע׳ מחבר שם.

(סז) מ״ב ס״ק ל״ה.

(סח) מ״ב ס״ק ל״ז.

(סט) שם.

(ע) מחבר שם מתה״ד והטעם כ׳ המ״ב (ס״ק ל״ח) „דאיכא ספק ספיקא שמא לא דילג כלל ואת״ל שדילג שמא הלכה כאותן פוסקים דכל יום הוא מצוה בפ״ע. וה״ה בכל דבר שדינו לחזור ולספור בלי ברכה׳״ וע׳ חיי״א (ס׳ קל״א ס״ג) ומש״כ שם מנ״א (כלל ה׳ ס״ק ו׳).

(עא) ע׳ לעיל הערה ב׳.

(עב) ע׳ לעיל הערה ה׳.

(עג) ע׳ לעיל הערה ד׳.

(עד) שם.

(עה) ע׳ שע״ת (ס׳ תפ״ט ס״ק כ׳) וכה״ח (אות פ״ב).

should count Thursday evening's *omer* without a *brocho* and resume counting with a *brocho* on Friday night (**עו**).

If a person forgot to count until the following day after sunset

7. If a person forgot to count during the night and the entire day until after sunset, there is a view which holds that if he counted during **בין השמשות** (twilight), he may count the following evening with a *brocho* (**עז**). A Rav should be consulted.

(עו) שם. וע׳ אג״מ (או״ח ח״ד ס׳ צ״ט אות ג׳).

(עז) כ׳ בשע״ת שם „עבה״ט ועיין בבית דוד שכתב אם נזכר בסוף היום בה״ש ומנה אז בלא ברכה ימנה שאר הימים בלא ברכה דליכא ס״ס גמור ובבר״י גמגם בזה קצת ע״ש״ וע׳ אג״מ (או״ח ח״ד ס׳ ס״ב) מש״כ „ולענין הפסק טהרה וכו׳ שלכן בכאן נוא יארק וכדומה הוא רק עד תשעה מינוט מתחלת השקיעה״ ונראה דה״ה כאן. וע׳ בדברינו בספר הלכות נדה (פ״ג הערה יז).

סימנים וסעיפים שבשלחן ערוך המשתייכים לפרק זה

תפט:א־ד,ז,ח

Chapter XXVIII   Procedure for Counting the Omer

A. HOW IS THE OMER COUNTED?

Sefirah is counted after Shmone Esray

1. After completing *Shmone Esray* of *Maariv*, *kaddish* is said (א). Some have a minhag to say ''לשם יחוד'' before reciting the *brocho* (ב). The *brocho* ''על ספירת העומר'' is recited (ג) by the *Chazan*, Rav or another prominent member of the Shul (ד), and he then counts the *omer* (ה). Afterwards, the *brocho* is recited and the *omer* is counted by those present (ו).

The omer is counted while standing

2. The *omer* is counted while standing (ז). One should stand from the beginning of the *brocho* (ח). However, even if he counted while sitting, he has fulfilled the mitzvah (ט).

If a person counted without reciting the brocho

3. If a person counted without reciting the *brocho*, he has fulfilled his requirement (י).

One counts the days and the weeks

4. We have learned (see Chapter XXVI A 2,5) that there is a mitzvah to count the days and the weeks (יא). Therefore, on the eighth day, for example, he would say ''היום שמונה ימים שהם שבוע אחד ויום אחד בעומר'' [''Today is eight days,

---

(א) ע' לעיל (פ' כ"ו הערה כ"ג) שכתבנו ממחבר (ס' תפ"ט ס"א) ,,בליל שני אחר תפלת ערבית'' ומ"ב (שם ס"ק ב') כ' ,,וקודם עלינו'' נמצא דאומר קדיש מקודם וכן נוהגין וכ"מ מב"י (ד"ה כתב ה"ר דוד ב').

(ב) ע' כה"ח (ס' תפ"ט אות ז') ובסדורים שלנו הוא נוסח אחר וע' בנוב"י (מה"ק ח' יו"ד ס' צ"ג).

(ג) ס' תפ"ט ס"א ובכ"מ. והא דמברכין על ספירת העומר ולא על ספירת נדה ע' באה"ט (ס"ק ה') וכה"ח (אות ח"י).

(ד) כ' בכה"ח (אות י"ד) ,,ועיין כנה"ג בהגה"ט שכתב נהגו לברך הקהל תחלה ואח"כ הש"ץ ובקצת מקומות הש"ץ מברך תחלה ואח"כ כל הקהל וכו' ע"ש וכך הוא מנהגנו וכ"מ מרשב"א הובא בב"י (ד"ה כתב ה"ר דוד א').

(ה) ע' שם.

(ו) שם וכ' המחבר שם (ס"א) ,,ומצוה על כל אחד לספור לעצמו'' (וע' לעיל פ' כ"ה הערה יט).

(ז) כ' המחבר שם ,,וצריך לספור מעומד'' והטעם ,,שנאמר בקמה ודרשו חכמים אל תקרא בקמה אלא בקומה'' (ט"ז ס"ק ב' וגר"ז ס"ד) וע' באה"ט (ס"ק ד') שעה"צ (ס"ק ז') וכה"ח (אות ט"ו).

(ח) מ"ב שם (ס"ק ו').

(ט) שם ובאה"ט וגר"ז שם.

(י) כה"ח (שם אות טו"ב) וע' ביאור הגר"א (שם ס"ק ה').

(יא) כ' המחבר (ס' תפ"ט ס"א) ,,וסופר הימים והשבועות'' וכ' במ"ב (ס"ק ז') הטעם ,,דכתיב תספרו חמשים יום וכתיב שבעה שבועות תספר לך'' וכ' בגר"ז (שם ס"ה) ,,מן התורה צריך למנות הימים וגם השבועות וכו''' וע"ש בס"ו.

which are one week and one day in the *omer*"] (**יב**). On the fourteenth day he would say "היום ארבעה עשר יום שהם שני שבועות בעומר" ["Today is fourteen days which are two weeks in the *omer*"] (**יג**). If a person counted days but not weeks or weeks but not days, see 8 and 9.

Is "לעומר" or "בעומר" said?

5. There is a dispute among the Poskim whether one should say "בעומר" or "לעומר" (**יד**). However, whether he says "לעומר" or "בעומר," or omitted both, he fulfills his mitzvah (**טו**).

If he omitted the word "היום"

6. The halacha is different if he omitted the word "היום" ("today is") before the count. Since the primary mitzvah is to say "today is . . .", if he omitted the word "היום" he has not fulfilled his requirement and is required to count again (**טז**).

The brocho "שהחיינו" is not recited

7. The *brocho* "שהחיינו" is not recited upon counting the *omer* for the first time (**יז**).

If a person counted days but not weeks

8. We have learned (see 4 and Chapter XXVI A 2) that it is a mitzvah to count days and weeks. If a person counted only days but not weeks, many Poskim hold that he has fulfilled his requirement (**יח**). Other Poskim hold that

---

(יב) מחבר שם. **כתב** בכה"ח (שם אות ל"א) „היום וכו' ולא יאמר שהיום וכו'" ע"ש.

(יג) במחבר שם כ' „ארבעה עשר ימים" ובגר"ז שם כ' „ארבעה עשר יום" וכ"מ ממ"ב שם ס"ק ט'.

(יד) בס' תפ"ט ס"א הגירסא „בעומר" ומשמע דהוא מרמ"א דבב"י הגירסא „לעומר" ובמ"ב (ס"ק ח') כ' „וברוב פוסקים הנוסח לעומר מיהו עיקר ד"ז אינו אלא לכתחלה כדי לבאר שהוא מונה מיום שהקריבו את העומר והלאה ואם לא אמר אלא היום כך וכך נמי יצא" וע' בבאה"ט (ס"ק ח') שכ' „בעומר. וכ"כ הט"ז. וגירסת האר"י ז"ל לעומר וכ"כ בשל"ה" וע' בכה"ח (אות ל"ב).

(טו) ע' מ"ב שם ובס"ק כ"א כ' „דאע"ג דלא אמר בעומר יצא בדיעבד וכנ"ל בסק"ח" וכ"כ בכה"ח שם (ובאות נ"ו) ובגר"ז (ס"ז). **עיין** במקראי קדש (ס"ד: ב) שכ' טעם מנהג ספרד לומר לעומר לפני מנין השבועות.

(טז) ע' מ"ב (ס"ק כ'), וע' מ"ב (ס"ק ל"ב) שכ' „עוד כתבו וכו'" ודוק וכ' הגר"ז (ס"ז) „אם לא אמר היום וכו' לא יצא י"ח וצריך לחזור ולספור בברכה וכו'".

(יז) כ' הבאה"ט (ס' תפ"ט ס"ק ה') „והא דאין מברכין זמן אספירה לפי שליכא שמחה והנאה בדבר. אחרונים ועי' ח"י" וע' כה"ח (שם אות ג') שכ' ג' טעמים בדבר, א' „לפי שאינו אלא לזכר בעלמא זכר למקדש", ב' „שלא מצינו ברכת זמן אלא בדבר שיש בו שום הנאה וכו'", ג' „והלבוש כתב הטעם משום דהספירה היא משום צורך יו"ט וסמכינן אזמן דרגל וע"ש שכתב עוד טעם אחר וגם עיין באחרונים שכתבו עוד טעמים וכו'" וע' בשו"ת רבבות אפרים (או"ח ח"א ס' שכ"ח) שקבץ י"א טעמים בזה.

(יח) כ' המ"ב (ס"ק ז') „ואם סיפר ימים לחוד ולא הזכיר שבועות י"א שיצא בדיעבד [בשעה"צ כ' „עו"ש ומ"א וח"י"] וי"א שצריך לחזור ולספור ימים ושבועות כדין [בשעה"צ כ' „מהר"ש הלוי ופר"ח וא"ר וכו'" ע"ש] וע"כ חוזר וסופר בלא ברכה [ואם שכח לחזור ולספור מונה שאר ימים בברכה]" וכ"כ בכה"ח (אות כ"ב).

he is required to count again [both days and weeks] properly (יט). Therefore, he should count again without a *brocho** (כ). However, even if he forgot to count again, he, nevertheless, counts the rest of the days of the *omer* with a *brocho* (כא).

*Note: If on the eighth day he said "היום שמונה ימים" but did not conclude with "שהם שבוע אחד והוי" he has fulfilled his requirement, because weeks were mentioned yesterday, on the seventh day [which was the conclusion of a complete week] (כב).

In this case and in similar instances where he deviated from the proper method of counting, although we hold that he fulfilled his requirement, if he should recall at night or during the day, he should count again without a *brocho*.

If a person counted weeks but not days

9. This halacha concerns where he counted days but not weeks. However, if he counted weeks but not days [for example, on the seventh day he said "היום שבוע אחד" but did not say "היום שבעה ימים"] he has not fulfilled his mitzvah and is required to count again* (כג).

*Note: If on the eighth day he said "היום שבוע אחד ויום אחד" but did not say "היום שמונה ימים" he has fulfilled his requirement because he had already mentioned the past days, each at its proper time (כד).

Tfilos said after counting

10. Many have a minhag to say after completing the counting "הרחמן [הוא] יחזיר לנו עבודת בית המקדש וכו'" asking *Hashem* to rebuild the *Beis Hamikdosh* so that we will be able to fulfill the mitzvah of offering the *omer* (כה). Some say afterwards "אנא בכח" and the Psalm "אלקים יחננו" (כו). Some conclude with "רבש"ע" (כז).

(יט) שם.

(כ) שם.

(כא) שם.

(כב) מ"ב (ס"ק ט') וגר"ז (ס"ו). **ומש"כ דאם** זוכר בלילה או ביום שיחזור ויספור אח"כ, ע' לקמן הערה מה מב"ה.

(כג) כ' המ"ב (ס"ק ז') „ואם מנה שבועות ולא ימים כגון שאמר ביום השביעי היום שבוע אחד ולא הזכיר ימים כלל לכו"ע לא יצא" ובשעה"צ (ס"ק י"א) הסביר הענין „דלכו"ע צריך להזכיר ימים וכדכתיב חמשים יום תספור וכן מבואר ביראים ושב"ל ומש"כ מ"א דיצא קאי אלאחר שבעה ימים כגון שאמר היום שבעה ימים ויום אחד ולא אמר מקודם היום שמונה ימים כמנהגנו וכ"כ א"ר וח"י" וע' גר"ז (ס"ו) וכה"ח (אות כ"ג).

(כד) מ"ב ס"ק ט' וגר"ז שם.

(כה) כ' תוס' (מגילה כ: ד"ה כל) „ואחר שבירך על הספירה אומר י"ר שיבנה וכו' משא"כ בתקיעת שופר ולולב והיינו טעמא לפי שאין עתה אלא הזכרה לבנין ביהמ"ק אבל לשופר ולולב יש עשיה" והובא בגר"ז (ס' י"א) ומ"ב (ס"ק י'), ובכה"ח (אות ח') כ' „ואחר הברכה יאמר הרחמן יחזיר עבודת ביהמ"ק למקומה במהרה בימינו" וכן הוא בסדורים שלנו.

(כו) ע' מ"ב וגר"ז וכה"ח שם.

(כז) גר"ז שם.

Some pointers in correct Hebrew grammar for counting

11. The following are some pointers on the correct manner of counting. However, if an error was said, he has fulfilled his requirement (**כח**).

a) "שבוע אחד" and not "אחת" (**כט**).
"שני שבועות" and not "שתי" (**ל**).

b) From two days until ten days "ימים" is said; from the eleventh day "יום" is said (**לא**).

c) When counting a multiple number, the lower number is said first [e.g. "אחד ועשרים יום"] (**לב**).

B. HALACHOS CONCERNING THE COUNTING

Brocho should not be recited unless one knows proper count

1. A person should not recite the *brocho* unless he knows the proper count (**לג**).

If, however, he began the *brocho* intending to count like his neighbor and did not speak between the conclusion of the *brocho* and the correct counting, he has fulfilled his obligation (**לד**).

If he recited the brocho intending to count incorrectly, but counted correctly

2. If a person began the *brocho* by saying "ברוך אתה ה׳ אלקינו מלך העולם" intending to count four days, but at [or after] the conclusion of the *brocho* he realized [or heard from his neighbor] that he is supposed to count five days and counted five days properly, he has fulfilled his requirement (**לה**).

If he recited the brocho intending to count correctly, but counted incorrectly

3. If he began the *brocho* intending to count four days but counted five days in error, if he realized his error immediately (תוך כדי דיבור, that is, within

---

(כח) מ״ב ס״ק ט׳, כה״ח אות ל״ג.

(כט) שם וגר״ז ס״ט וכן שני ימים לשון זכר, שמוֹנָה ימים ולא שמוֹנֶה (ע׳ נחלת שבעה ס״ז).

(ל) שם.

(לא) מ״ב וכה״ח שם וגר״ז ס״ח.

(לב) גר״ז ומ״ב וכה״ח שם.

(לג) כ׳ הט״ז (כ׳ תפ״ט ס״ק ח׳) „לכתחלה לא יברך עד שיהיה לו בירור בשעת הברכה כמה צריך לספור אחר כך" וכ׳ החיי״א (כלל קל״א ס״ח) כלשון הט״ז אלא שהוסיף „ומ״מ בדיעבד אם בירך על דעת שיספור כמו שיאמר חבירו ושתק ושמע וספר, יצא. אבל לכתחלה אסור להפסיק אפי׳ בשתיקה בין הברכה להמצוה יותר מכדי דיבור" וע׳ שעה״צ (ס״ק ל״ז) מה שדייק בזה, ומ״ב ס״ק כ״ט. **לענין** ספירה בספק כגון ספק אם היום ג׳ או ד׳ ע׳ דבר אברהם (ח״א ס׳ ל״ד).

(לד) ס׳ תפ״ט ס״ה ומ״ב שם.

(לה) ס׳ תפ״ט ס״ו. **ומה** שכתב בסיפא ע׳ מ״ב (ס״ק ל״ב) וב״ה (שם ד״ה או) דהאחרונים תמהו על זה ע״ש.

the time a person could say "שלום עליך רבי" (לו) he may correct his count and the *brocho* is valid (לז). If it took him longer than this time period to realize his error, he is required to repeat the *brocho* and count properly (לח).

If he counted improperly but corrected himself immediately

4. This halacha (see 3) applies if while reciting the *brocho* he knew the proper count and recited the *brocho* intending to count properly, but erred and counted incorrectly (לט). Many Poskim, however, hold that even if during the *brocho* he intended to count incorrectly and counted incorrectly but reminded himself of the proper count immediately (see 3 for definition), he should immediately count properly and he fulfills his requirement (מ).

If one corrects himself, is he required to repeat "היום"?

5. If a person incorrectly said "היום ארבעה ימים" ["today is four days"] when he was required to count the fifth day, it is sufficient for him to say "חמשה ימים בעומר" ["five days in the *omer*"] without repeating "היום" (מא). This suffices, if the correction is made immediately (מב) (see 3 for definition).

C. PRECAUTIONS TO PREVENT FULFILLING THE MITZVAH INADVERTENTLY

Caution during time of Sefirah not to say Sefirah number

1. When the time the *omer* can be counted arrives, one should exercise caution not to say [in any language, see D 1] "today is . . .", because he may, thereby, fulfill the mitzvah inadvertently (מג). Therefore, after nightfall [when three medium-size stars are visible] or even after sunset, if a person is asked "what is tonight's count?" he should respond "yesterday was. . . ." The reason is that if he would answer with today's count—even in another language (מד)—he may have fulfilled his requirement for counting that night, and cannot

---

(לו) מ"ב שם.

(לז) שם.

(לח) ע' שם וע' חיי"א (כלל קל"א ס"ט) וכה"ח (אות ע"ז) אם יש להקל בשיעור יותר ארוך.

(לט) מ"ב שם.

(מ) מ"ב שם ובשעה"צ (ס"ק מ"א) כ' מקורו מ„מאמר מרדכי וחק יוסף וכן משמע מהגר"ז ודלא כט"ז" ע"ש.

(מא) מ"ב שם מדה"ח וגר"ז.

(מב) שם.

(מג) כ' המחבר (ס' תפ"ט ס"ד) „מי ששואל אותו חבירו בה"ש כמה ימי הספירה בזה הלילה יאמר לו אתמול היה כך וכך וכו'" במחבר כ' „בין השמשות" וכ' המ"ב (ס"ק י"ט) „נקט בין השמשות משום דבדיעבד אם בירך ביה"ש יצא וכנ"ל וכ"ש אם שאל אותו אחר צה"כ שצריך ליזהר מלהשיב היום כך וכך".

(מד) ע' מחבר שם. וע' במ"ב (ס"ק כ') שכ' „ואפי' בלשון לע"ז".

count again that evening with a *brocho*. He is, however, required to count again without a *brocho* (**מה**).

If he did not say "today is . . ."

2. This halacha applies only if he said "היום" ["today is . . ."]. However, if he said the number but did not precede it with "היום" he has not fulfilled the mitzvah and is required to count again with a *brocho* (**מו**) (see A 6). On the other hand, we have learned (see A 5) that if he said "היום" but did not say "בעומר," he has fulfilled his requirement (see Note after A 8) (**מז**).

If he said "today is . . ." but did not mention weeks

3. There is a view which holds that this halacha (see 1), that if he said, "היום וכו'" he has fulfilled the mitzvah even though he had not intended to, applies only from the first day through the sixth day—that is, until he is required to count weeks (**מח**). However, since there is a requirement to count days and weeks (see A 4 and Chapter XXVI A 2,5), if he said, for example, "today is seven days in the *omer*" without adding "which are one week," he has not fulfilled his requirement and is required to recite the *brocho* and count again (**מט**).

Intending not to fulfill the mitzvah

4. There is a method whereby a person may say the count of the *omer* in the proper time and yet not fulfill his requirement (**נ**). Although there is a dispute among the Poskim whether the mitzvah of *Sefirah* requires "כוונה" specific intention to fulfill the mitzvah (**נא**), there is, however, agreement among the Poskim concerning negative intent (**נב**). That is, if a person performs a mitzvah with the express intent *not* to fulfill the mitzvah, it is considered invalid (**נג**). Therefore, if a person said the count with express intent *not* to fulfill the mitzvah, he has not fulfilled the mitzvah and may count again—with a *brocho* (**נד**).

(מה) כ׳ המחבר שם „אינו יכול לחזור ולמנות בברכה״ וע׳ מ״ב (ס״ק כ״ב) שפי׳ „שכבר יצא בזה ידי ספירה למ״ד מצות א״צ כונה ואף דאנן קי״ל דצריכות כונה וזה הלא לא כוון לצאת בזה ידי מצוה לענין ברכה צריך להחמיר ולחוש להך דעה ולא יברך על הספירה שימנה אח״כ״ וע׳ שעה״צ (ס״ק כ״ו) וע׳ מ״ב (ס׳ ס׳ ס״ק י׳). **כתב** בב״ה (ס״ד ד״ה אינו) „אבל בלא ברכה בודאי צריך לחזור ולמנות״.

(מו) מ״ב ס״ק כ׳ וע׳ שעה״צ ס״ק כ״ה.

(מז) ע׳ לעיל הערה טו וגר״ז (ס׳ י״ד).

(מח) ע׳ מ״ב ס״ק כ״ב ושעה״צ ס״ק כ״ח.

(מט) שם. **עיין** בב״ה (ס״ד ד״ה שאם) מש״כ בזה וכ׳ „ועוד נלענ״ד שאם היה זה בין השמשות והאיש הזה המשיב רגיל תמיד לברך דוקא בצאת הכוכבים מסתברא דבאופן זה הוי כמכוין בהדיא שלא לצאת ומותר לו לחזור אח״כ ולמנות בברכה. ולמעשה צ״ע״.

(נ) כ׳ המ״ב (ס״ק כ״ב) „ויש עוד עצה שיכוין בפירוש שלא לצאת בזה ידי ספירה״ וכ״מ מגר״ז (ס׳ י״ד) וכ״כ הב״י (ס׳ תפ״ט סד״ה כתב ה״ר דוד א׳ ובכ״מ) מהרשב״א „ואע״ג דקי״ל מצות אין צריכות כוונה כתבו רבותינו הצרפתים דדוקא מן הסתם אבל אם אינו רוצה לצאת בו לא ע״כ״ וע׳ שעה״צ (ס״ק כ״ח) מש״כ מהגר״א.

(נא) שם.

(נב) שם.

(נג) שם.

(נד) שם אבל בגר״ז שם כ׳ „ומ״מ יותר טוב לומר אתמול היה כך וכך״.

(נה) ע׳ מחבר שם.

When do these precautions begin?

5. These precautions of not saying "today is . . ." (see 1) begin only from sunset (**נה**). However, if he said the count before sunset [and, according to most Poskim], even after "פלג המנחה" (one and a quarter halachic hours before sunset) (**נו**), and even after having already *davened Maariv*, he may count again that evening with a *brocho* (**נז**).

D. GENERAL HALACHOS CONCERNING THE COUNTING

Counting the omer in English

1. One may count the *omer* in any language—as long as he understands the language (**נח**). Even when counting in Hebrew, one must understand what he is saying (**נט**). If he did not understand what he counted, it is questionable whether he fulfilled his requirement (**ס**). Therefore, he should count again in a language he understands, but without a *brocho* (**סא**).

If one counted by saying "היום יום אל״ף"

2. If one counted, on the first day, by saying the letter "אל״ף" instead of the word "אחד" [that is, he said "היום יום אל״ף בעומר"] or on any other day if he said the abbreviation [e.g. "היום כ״ף בי״ת יום בעומר"] it is questionable whether he fulfilled his requirement (**סב**); he should, therefore, count again without a *brocho* (**סג**). If he did not count again properly, he may, nevertheless, count on subsequent nights with a *brocho* (**סד**). [If one, in error, said "ל״ג בעומר", see 4].

If one said the proper number in a different manner

3. If one said the proper number in a different manner [for example, on the thirty-ninth day he said "היום ארבעים חסר אחת" ("today is forty minus one days") instead of "היום תשעה ושלשים"], he fulfilled his requirement (**סה**).

(נו) במחבר שם כ׳ „אבל קודם בה״ש כיון שאין זמן ספירה אין בכך כלום״ וע׳ ב״ה (ד״ה אינו) שכ׳ „נ״ל פשוט אפילו היה אחר פלג המנחה וכו׳״ וע׳ בגר״ז (ס׳ ט״ו) שכ׳ („ומ״מ לכתחלה טוב ליזהר מפלג המנחה ואילך שלא יאמר היום כך וכך״).

(נז) שם.

(נח) כ׳ המ״א (ס׳ תפ״ט ס״ק ב׳) „ופשוט דמותר לספור בכל לשון ודוקא בלשון שמבין ואם אינו מבין להה״ק וספר בלה״ק לא יצא דהא לא ידע מאי קאמר ואין זה ספירה כנ״ל״ וגר״ז (ס״י) ומ״ב (ס״ק ה׳, כ׳).

(נט) שם.

(ס) ע׳ מ״א וגר״ז ומ״ב שם שכתבו דלא יצא אולם בכה״ח (אות כ׳) כ׳ „מיהו בשאלת יעב״ץ סי׳ קל״ט חלק על דברי מ״א הנז׳ וכתב דאף אם אינו מבין בלה״ק יצא יעו״ש והביאו הברכ״י או׳ א׳ שע״ת או׳ ג׳ וכ״כ הער״ה או׳ ג׳ וע״כ נראה דאם ספר בלה״ק ואינו מבין יש לחזור ולמנות בלשון שמבין בלא ברכה לאפוקי נפשיה מפלוגתא״.

(סא) שם.

(סב) ע׳ שע״ת (ס״ק ו׳) גר״ז (ס״ז) ב״ה (ס״א ד״ה מונה) וכה״ח (אות כ״ד).

(סג) שם.

(סד) כה״ח שם וע׳ גר״ז (ס״ס כ״ה).

(סה) באה״ט (ס״ק ו׳), מ״ב (ס״ק י״א).

On the evening of Lag Baomer one should exercise caution

4. For these reasons (see 2, 3), on the evening of Lag Baomer (the thirty-third day in the omer), one should exercise caution not to say "tonight is *Lamid Gimmel*" before counting, because he may inadvertently fulfill his requirement. [If one said, before counting, "tonight is Lag Baomer," he may count with a *brocho*] (**סו**).

In writing considered like speaking?

5. In some areas of halacha, writing is considered similar to speaking. For example, if one desires to write Torah in the morning upon awakening—although he does not say the words orally, he is, nevertheless, required to recite the ברכת התורה first (**סז**).

Whether one fulfills his mitzvah of *Sefiras Haomer* by writing is questionable (**סח**). Therefore, if one is writing a letter in the evening before counting the *omer*, he should exercise caution not to write the proper date of *Sefirah* (**סט**).

If one forgot to count one complete day, we have learned (see Chapter XXVII C 3) that he is required to count the rest of the days of the *omer* without a *brocho* (**ע**). However, if on a day that he forgot to count, he wrote the correct date of the *omer* [by writing, for example, "היום שמונה ימים בעומר"], it is questionable whether he may count the rest of the days with a *brocho* (**עא**).

הרהור לאו כדיבור, שומע כעונה

6. If one thought in his mind the proper date of the *omer* but did not say it orally, he did *not* fulfill the mitzvah (**עב**). However, it is questionable whether one can fulfill the mitzvah of *Sefiras Haomer* by hearing the count said by someone else even if both intended that he should, thereby, fulfill the mitzvah ("שומע כעונה") (**עג**). This restriction applies only to the actual counting of the

---

(סו) ע״פ הנ״ל וע׳ בכה״ח (אות ל׳).

(סז) ע׳ ס׳ מ״ז ס״ג ונו״כ שם.

(סח) ע׳ שע״ת (ס׳ תפ״ט ס״ק ו׳) וכה״ח שם (אות כ״ז, כ״ח, פ״ד) וע׳ ערה״ש (שם ס״ט), ת׳ רע״א (ס׳ כ״ט־ל״ב) וש״א.

(סט) ע״פ הנ״ל.

(ע) ס׳ תפ״ט ס״ח.

(עא) ע׳ כה״ח (אות פ״ד) ויסוד הגר״ז (ס״ס כ״ה). [אם סוברים מצות צריכות כוונה אף בדרבנן, כיון שהוא בלא כוונה אין למנות שאר ימים בברכה כיון שלא יצא. ואם ס״ל דמצות א״צ כוונה אף בדרבנן מותר למנות שאר ימים. לפ״ז המ״ב (ס״ק כ״ב) פסק דאנן קיי״ל דאף בדרבנן צריכות כוונה רק בברכה אנו מחמירים הכא לא יצא לפיכך אין לברך אח״כ].

(עב) כ׳ בב״ה (ס״א סד״ה מונה) „ודע דעכ״פ אם בירך בלב בודאי לא יצא כלל דהרהור לאו כדבור דמי וכ״כ פר״ח להדיא בס״ז ועיין לעיל סימן ס״ב ס״ד במ״ב ובה״ל שם ודוק״.

(עג) ע׳ מ״ב (ס׳ תפ״ט ס״ק ה׳) ובה״ה (ס״א ד״ה ומצוה) דמסיק „וע״כ לכתחלה בודאי צריך כ״א לספור בעצמו אכן בדיעבד אם שמע מחבירו וכוון לצאת יחזור ויספור בלי ברכה וכ״כ הפמ״ג״ וע׳ כה״ח (אות י״ג) וערה״ש (ס״ד) וש״א.

(עד) שם.

omer, however, one may fulfill his requirement for the *brocho* by listening to the *brocho* being said by someone else* (עד).

The minhag is that each person recites the *brocho* and counts by himself and does not fulfill his requirement by hearing the *brocho* recited by someone else (עה). However, if one is required to count without a *brocho* [e.g. he omitted counting a complete day (עו) (see Chapter XXVII C 3)] or is in doubt whether he should count again with a *brocho*—where feasible—he should listen to the *brocho* recited by someone else and intend to fulfill his requirement with this *brocho* [if he is actually required] (עז).

*Note: One may fulfill his requirement for reciting a *brocho* by hearing the *brocho* recited by someone else if he intends to fulfill his obligation by hearing this *brocho* and the one reciting the *brocho* intends for him to fulfill his requirement (עח). The one hearing the *brocho* should not answer ''ברוך הוא וברוך שמו'', only ''אמן'' (עט). If he, erroneously, said ''ברוך הוא וברוך שמו'' or did not answer ''אמן'', he, nevertheless, fulfilled his requirement, if both had the proper intention (פ).

(עה) כ' המ"ב שם „מיהו מנהג בכל ישראל שכל אחד מברך וסופר לעצמו ואין סומכין על הש"ץ".

(עו) מ"ב ס"ק ל"ז.

(עז) שעה"צ ס"ק ה'.

(עח) סי' רי"ג ס"ג.

(עט) כ' המ"ב (ס' קכ"ד ס"ק כ"א) „וכן אם שמע ברכה שחייב בו והוא מתכוין לצאת ע"י המברך כברכת שופר ומגילה וקידוש וכה"ג אין לענות ב"ה וב"ש דשומע כעונה וכמאן דאמר

בעצמו הברכה דמיא והוי הפסק בברכה". כ' המחבר (שם ס"ו) „ויענו אמן אחר כל ברכה בין אותם שיצאו ידי תפלה בין אותם שלא יצאו וכו'" ובכ"מ.

(פ) כ' המ"ב (ס' קכ"ד ס"ק כ"א) „ועיין בח"א דנשאר בצ"ע לענין דיעבד ונ"ל דבדיעבד אין להחמיר בזה וכו'" וע' באג"מ (או"ח ח"ב ס"ס צ"ח) וערה"ש (או"ח ס' רע"ג ס"ס ו') וספק ברכות להקל. וע' מחבר (ס' רי"ג ס"ב) וח' רע"א (ס' רי"ט ס"ד) ובכ"מ.

סימנים וסעיפים שבשלחן ערוך המשתייכים לפרק זה

תפ"ט:א,ד,ה,ו

Chapter XXIX Conduct During the Sefirah Period

A. INTRODUCTION

The tragedy which occurred during the Sefirah period

1. During the days of *Sefiras Haomer*, a great tragedy befell the Jewish people (א). The 24,000 disciples of Rabbi Akiva perished between Pesach and Shavuos (ב). Therefore, the minhag is to observe some aspects of mourning during this period (ג). Concerning which days of the *Sefirah* these prohibitions apply, see B.

Marriages should not be performed

2. Therefore, marriages should not be performed during this period (ד). This is prohibited even if one has not fulfilled the mitzvah of "פרו ורבו" (procreation) (ה). One who divorced his wife, however, may remarry her during the days of *Sefirah* (ו).

Engagements and social gatherings

3. Engagements and תנאים are permitted, and a *seudah* may be served (ז). Dancing and musical instruments are prohibited (ח).

One may make a meal or social gathering during the *Sefirah* period, as long as there is no dancing or music played (ט).

Dancing and musical instruments

4. We have learned (see 3), that dancing is prohibited even for the purpose of a mitzvah (י). It goes without saying that dancing for pleasure* is prohibited

---

(א) ע׳ גמ׳ (יבמות ס״ב:) „שנים עשר אלף זוגים תלמידים היו לו לר״ע מגבת עד אנטיפרס וכולן מתו בפרק אחד מפני שלא נהגו כבוד זה לזה וכו׳ תנא כולם מתו מפסח ועד עצרת אמר רחב״א ואיתימא רחב״א כולם מתו מיתה רעה מאי היא א״ר נחמן אסכרה״ וס׳ תצ״ג ס״א. כתב בערה״ש (ס׳ תצ״ג ס״א) „ועוד ראינו שעיקרי ימי הגזירות בשנות מאות שעברו בצרפת ואשכנז הוו בימים אלו וכו׳ ויש עוד טעמים על ימים אלו שהם ימי דין (עח״י סק״ג)״.

(ב) שם.

(ג) והנה יש לדקדק מלשון הטור בהל׳ ספירה שכ׳ „שלא להרבות בשמחה״ [ובל״ג בעומר כ׳ הרמ״א „ומרבים בו קצת שמחה״] ובבין המצרים נאמר „ממעטים בשמחה״ בב״ה (ס׳ תצ״ג ס״ג) כ׳ „קבלו ישראל ע״ע קצת אבילות וכו׳״ וכ״כ שאר פוסקים.

(ד) ע׳ ס׳ תצ״ג ס״א.

(ה) מ״ב (ס״ק א׳) וע׳ גר״ז (ס״ג) שכ׳ דאף שמותר „ומ״מ במדינות אלו נהגו להחמיר״. וע׳ שעה״צ (ס״ק א׳) ושע״ת (ס״ק א׳).

(ו) מ״ב שם.

(ז) מ״ב ס״ק ג׳.

(ח) ע׳ שם וערה״ש ס״ב.

(ט) ע׳ מ״ב וערה״ש שם וגר״ז (ס״א) וע׳ אג״מ (אה״ע ח״א ס׳ צ״ח).

(י) מ״ב וערה״ש שם.

during this period (**יא**). Playing or listening to musical instruments is prohibited during the *Sefirah* period (**יב**). Listening to music on a radio or tape recorder is also prohibited during this period (**יג**).

A musician, who earns his living by playing for non-Jews, may play musical instruments in the house of the non-Jew (**יד**). There is a view which holds that one who is learning to play a musical instrument, may practice during this period (**טו**). There is no issur against singing without musical instruments (**טז**).

*Note: Wherever dancing is mentioned, we are not referring to "social dancing"—where men and women dance together. This is prohibited during the entire year, and in many instances is an *issur prohibited by the Torah* (**יז**).

"שהחיינו" for a new garment or fruit

5. During the *Sefirah* period, [unlike the Three Weeks (see A SUMMARY OF HALACHOS OF THE THREE WEEKS, Chapter II A 4)] most Poskim hold that one is not required to refrain from purchasing new garments, fruit and the like and reciting the *brocho* *"שהחיינו"* (**יח**).

Haircuts and Shaving

6. The minhag is to refrain from taking a haircut during this period (**יט**). This issur includes shaving (**כ**). Many Poskim hold that a person who usually shaves daily and is required to do so for reasons of business or financial loss, may do so during this period (**כא**). Trimming the mustache is permissible—if it interferes with one's eating (**כב**). Combing hair is permissible (**כג**).

(יא) כ׳ המ״ב שם „וכ״ש בשאר ריקודין ומחולות של רשות בודאי יש ליזהר״ וגר״ז (ס״א) וערה״ש שם.

(יב) ע׳ ערה״ש שם ואג״מ או״ח (ח״א ס׳ קס״ו וח״ג ס׳ פ״ז) ויו״ד (ח״ב ס׳ קל״ז ד״ה ובדבר שמיעת).

(יג) ע׳ אג״מ או״ח (ח״א) שם לענין אם נשמע ע״י הרדיא כלי זמר ונראה דלפ״ז אף ע״י טייפ ריקארדער.

(יד) לא גרע מבין המצרים דכ׳ בא״א (ס׳ תקנ״א ס״ק י׳) דשרי.

(טו) ע׳ שעהמ״ב (ס׳ קכ״ב ס״ק ב׳) לענין בין המצרים וע׳ אג״מ (או״ח ח״ג ס׳ פ״ז).

(טז) ע׳ אג״מ (או״ח ח״א ס״ס קס״ו).

(יז) ע׳ ב״ה (ס׳ של״ט ס״ג ד״ה להקל) שהאריך בזה וע״ע בשו״ע (ס׳ תקכ״ט ס״ד) ומ״ב ושעה״צ שם.

(יח) כ׳ המ״ב (ס׳ תצ״ג ס״ק ב׳) „ומ״מ אם נזדמן לו איזה ענין שצריך לברך עליו שהחיינו יברך״ וכ״כ בכה״ח (אות ד׳) וכ׳ „וכן מורים בי מדרשא ואין חוששין למ״ש בס׳ מל״ח סי׳ ו׳ או׳ י״ב מנהג טוב שלא לחנך מלבוש וכו׳ בין פסח לל״ג יעו״ש״. וכ׳ בלקוטי מהרי״ח „ועיין בספר הד״ק בשם סודי רזא שאין לברך שהחיינו בימי העומר שהם ימי הדין וכ״כ בספר עקרי הד״ט ע״ש אך בכל ספרי המנהגים שלנו במהרי״ל ובכל בו ובמנהגים ובלבוש ובטור וש״ע אין שום רמז מזה ע״ש.״

(יט) ס׳ תצ״ג ס״ב.

(כ) ע׳ כה״ח (אות י״ג) ואג״מ (או״ח ח״ד ס׳ ק״ב).

(כא) ע׳ שעהמ״ב (ס׳ קכ״ב ס״ק ה׳) לענין בין המצרים וקילא ימי הספירה וע״ש (בס׳ ק״כ אות י״א) וע׳ אג״מ (או״ח ח״ד ס׳ ק״ב).

(כב) ע׳ ס׳ תקנ״א ס׳ י״ג ומ״ב ס״ק פ׳ לענין בין המצרים וכ״ש כאן.

(כג) ע׳ ס׳ תקנ״א במ״ב ס״ק כ׳ ושעה״צ ס״ק כ״ח לענין בין המצרים וכ״ש כאן.

Haircut or shave for reasons of health

7. One who must cut his hair or shave for reasons of health, may do so during the *Sefirah* period (**כד**).

In honor of a Bris

8. During the *Sefirah* period, the *Mohel, Sandek* and father of the infant [but not the *Kvatter*] may cut their hair and shave, in honor of a *bris*(**כה**), because it is their Yom Tov (**כו**). This is permissible, even on the day prior to the *Bris,* in the late afternoon (**כז**).

A Bris on Shabbos or Sunday

9. If the *Bris* occurs on Shabbos, one may take a haircut or shave on Friday—even in the morning (**כח**). Similarly, if the *Bris* is on Sunday, one may cut his hair on Friday (**כט**).

A Chasan for the "Aufruf," during Sheva Brochos

10. A *Chasan* (groom) is permitted to take a haircut and shave on the Friday before his wedding for his *Aufruf* (when he is called to the Torah) (**ל**). Similarly, these activities are permitted during the days of his *Sheva Brochos* (**לא**).

A Haircut for a Bar Mitzvah

11. It is questionable whether a boy who becomes Bar Mitzvah during the days of *Sefirah* may take a haircut for the occasion (**לב**).

Men and Women

12. Both men and women are included in this halacha of haircuts (**לג**). If a woman has excess hair around her temples, it may be permissible for her to

---

(כד) כ׳ בערה״ש (ס׳ תצ״ג ס״ג) „ופשוט הוא דאם צריך לבריאותו להסתפר דמותר״ וכ״כ בכה״ח (אות ט״ו) אבל כ׳ „וטוב היה לעשות התרה״.

(כה) כ׳ הרמ״א (ס׳ תצ״ג ס״ב) „ומי שהוא בעל ברית או מל בנו מותר להסתפר בספירה לכבוד המילה״ וע׳ מ״ב (ס״ק י״ב) וש״פ. וע׳ בשע״ת ס״ק ח׳ שלפי מנהג האר״י ז״ל אין להסתפר וכ״כ בכה״ח (אות י״ג).

(כו) ערה״ש שם ס״ג.

(כז) ע׳ מ״ב (ס״ק י״ג) וערה״ש שם וכה״ח (אות ל״ה) מד״מ (ס״ק ג׳).

(כח) כ׳ המ״ב (ס״ק י״ג) „ואם חל המילה בשבת מותרים להסתפר בע״ש אפילו קודם חצות״.

(כט) פ״ת ס׳ תצ״ג ס״ק ב׳ וע׳ בכה״ח (אות ל״ז) שהביא מחלוקת בזה.

(ל) ע׳ דגול מרבבה ס׳ תצ״ג ס״ג.

(לא) נראה דחתן בתוך שבעה עדיף משפי״ן האל״ץ הנ״ל ע׳ רא״ש כתובות (פ״ק סימן ו׳) דחתן עדיף מרגל דרגל עולה לשלשים אבל חתן לא כיון דאינו מגלח ברגל עולה אבל בז׳ ימי המשתה מותר בתספורת משום מלך ביפיו תחזינה עיניך ואכמ״ל.

(לב) ע׳ שו״ת רבבות אפרים או״ח ח״א ס׳ של״ז.

(לג) ע׳ אג״מ (יו״ד ח״ב ס׳ קל״ז ד״ה ובדבר תספורת) שכ׳ דאף שהיה מסתבר להתיר לנשים „אבל מ״מ נראה הדין שראוי להחמיר אם אינו נחוץ כל כך״.

remove it (**לד**). A married woman or one of marriageable age may shave her legs during this period (**לה**).

Cutting nails

13. Cutting nails during the *Sefirah* period is permissible (**לו**).

One who violated this minhag

14. Although the minhag is not to marry during this period, if one violated this minhag, he was not penalized—since he performed a mitzvah. However, one who cut his hair in violation of the minhag was penalized (**לז**).

B. THE DIFFERENT MINHAGIM FOR THE MOURNING PERIOD

Four minhagim for the mourning period

1. There are four principle minhagim concerning which days of *Sefirah* these restrictions apply.

a) The first minhag assumes that the disciples of Rabbi Akiva died from the second day of Pesach until 15 days before Shavuos (**לח**). Since there are 49 days from the second day of Pesach until Shavuos, therefore, they perished during the first 34 days of the *Sefirah* (**לט**). According to this minhag, the entire 34 day period should be prohibited (**מ**). However, there is a halacha [when dealing with the halachos of mourning] of "מקצת היום ככולו", that is, on the concluding day of mourning, part of the day is considered like a complete day (**מא**). Therefore, this minhag holds that haircuts [and the other restrictions discussed in A*] are permissible from the morning of the 34th day until Shavuos (**מב**). This is the view of the מחבר (**מג**).

*Note: Even according to those who hold that the taking of haircuts is permissible until Rosh Chodesh Iyar or after Lag Baomer, it is questionable whether dancing for pleasure is permissible (**מד**).

b) There is a second variation of this minhag (**מה**). This view holds that the disciples of the Rabbi Akiva perished from the second day of Pesach until the 33rd day of the *omer* (**מו**). Since, by the halachos of mourning we apply the

---

(לד) ע׳ מ״ב ס׳ תקנ״א ס״ק ע״ט לענין בין המצרים וכ״ש כאן.

(לה) שמעתי מפי הגרמ״פ שליט״א דאף מר״ח אב שרי ונראה דכ״ש כאן.

(לו) כה״ח ס׳ תצ״ג אות ט״ז.

(לז) ע׳ מחבר (ס״א) „מי שקפץ וכנס" ומ״ב (ס״ק ד׳) וגר״ז שם ס״ב.

(לח) ע׳ ב״ה (ס׳ תצ״ג ס״ג ד״ה יש) שכ׳ בזה „ביאור הענין דיש בזה שלש שיטות וכו׳" ובאג״מ (או״ח ח״א ס׳ קנ״ט) כ׳ בזה ו׳ מנהגים.

(לט) ב״ה שם.

(מ) ע׳ שם.

(מא) ע׳ פסחים ד. ויו״ד ס׳ שצ״ה ס״א וע׳ בגר״א (ס׳ תצ״ג ס״ק ו׳) וב״ה שם ומ״ב (ס״ק ו׳) וש״פ.

(מב) מחבר ס׳ תצ״ג ס״ב כמו שביארו במ״ב (ס״ק ו׳, ז׳) ובב״ה שם.

(מג) שם.

(מד) ע׳ שעה״צ (ס״ק ד׳), ומש״כ במ״ב סס״ק ט״ו.

(מה) ע׳ ב״ה שם.

(מו) ב״ה שם ומ״ב (ס״ק ח׳).

principle of "מקצת היום ככולו" (see a), therefore, according to this view, the minhag is that haircuts [and the other restrictions discussed in A*) are prohibited from Pesach until the 33rd day of the *omer* (Lag Baomer) in the morning (**מז**). From Lag Baomer until Shavuos, they are permissible (**מח**). This is the view of the רמ"א (**מט**).

*See Note after a.

c) The third view holds that the disciples of Rabbi Akiva died during 33 complete days (**נ**). However, this view holds that they died only on days that "תחנון" is said (**נא**). Therefore, if we subtract the days that "תחנון" is not said, 33 days remain (**נב**). [The 16 days "תחנון" is omitted are: the seven days of Pesach (beginning from the first day of *Sefirah*), six days of Shabbos, two days of Rosh Chodesh Iyar and one day of Rosh Chodesh Sivan (**נג**)]. Although they perished until Shavuos, according to this view, the Jewish people accepted upon themselves the mourning restrictions for 33 days (**נד**). On one of these days, the principle of "מקצת היום ככולו" applies; Lag Baomer was chosen for this partial day of mourning (**נה**). Therefore, this minhag holds that if we deduct the first 16 days of *Sefirah* (from the second day of Pesach until the second day of Rosh Chodesh Iyar) 33 days remain, during which time the restrictions apply (**נו**).

According to this minhag, the restrictions apply from the second day of the month of Iyar until Erev Shavuos, (except for part of the day of Lag Baomer, as we learned previously) (**נז**).

There is a variation of this minhag which begins the restrictions from the first day of Rosh Chodesh Iyar until the morning of the first day of "שלשת ימי הגבלה" (the three days prior to Shavuos) (**נח**).

We can see from the above explanation, that those who permit haircuts [and the other restrictions discussed in A] both from Lag Baomer and also on Rosh Chodesh Iyar are in error (**נט**).

d) Some have a minhag not to take haircuts during the entire *Sefirah* period—from Pesach until Erev Shavuos (**ס**).

How should one conduct himself?

2. One should conduct himself according to the minhag of his community (**סא**). In one community, it is essential that all should conduct themselves according to one minhag (**סב**). If one portion of a community would observe

---

(מז) ב"ה שם.
(מח) שם.
(מט) שם.
(נ) ב"ה שם „מה שאומרים בשם התוספות".
(נא) שם.
(נב) שם.
(נג) שם ובא"י (דהא מתו בא"י) אפשר חשבינן אסרו חג.
(נד) שם.
(נה) ע' שם שכ' „(אלא שיום אחד מהן יש להקל במקצת יום דהוא ככולו ובחרו ביום ל"ג בעומר ואולי מאיזה טעם. פמ"ג)".
(נו) שם ומש"כ „לענין ספירה ונשואין" צ"ל „תספורת ונשואין".
(נז) ע' שם ומ"ב (ס"ק י"ד).
(נח) מ"ב ס"ק ט"ו וע"ש לענין ב' ימים של ר"ח אייר.
(נט) ס' תצ"ג ס"ג ומ"ב ס"ק י"ד וב"ה שם.
(ס) ע' שע"ת (ס' תצ"ג ס"ק ח') בשם האר"י ז"ל.
(סא) כ' המ"ב (ס"ק ט"ו) „ובענינים אלו יתפוס כ"א כפי מנהג מקומו".
(סב) כ' הרמ"א (ס' תצ"ג ס"ג) „ולא ינהגו בעיר אחת מקצת מנהג זה ומקצת מנהג זה משום לא תתגודדו וכ"ש שאין לנהוג היתר בשתיהן".

one minhag and another portion a different minhag, it would appear that the Jewish people observe two Torahs (סג); this is prohibited (סד).

Nowadays, however, in large Jewish communities there has been a gathering of people from different communities of the world, and each group is required to continue to conduct itself according to its minhagim (סה). This is permissible, because it is considered like two courts of Jewish law in one city, each of which is permitted to rule according to its decisions (סו).

Conducting oneself according to two minhagim

3. One who is unaware of his minhag, may accept any of them (סז). One who, because of doubt, desires to conduct himself according to the restrictions of more than one minhag—[e.g. he restricts himself from Pesach until Erev Shavuos, or until the first day of the שלשת ימי הגבלה (except for Lag Baomer)] (סח)—although this is not required (סט)—is not violating any issur (ע).

However, one who takes the permissible days of two minhagim [e.g. he restricts himself only from Rosh Chodesh Iyar until Lag Baomer] (עא) violates an issur (עב), and is considered a transgressor (עג)—because his conduct [is contradictory, and, therefore,] reflects observance of no minhag (עד).

Can one change his minhag?

4. Some Poskim hold that one may change his minhag of mourning restrictions from one year to another, without "התרת נדרים" (עה). Other Poskim hold that this is permissible in case of necessity, but only with "התרת נדרים" (עו).

Listening to music during Chol Hamoed

5. Some Poskim hold that one who observes the restrictions of *Sefirah* from Pesach (see 1a,b,d), may, nevertheless, listen to music during *Chol Hamoed* (עז).

Attending a wedding during Sefirah

6. One who observes one *Sefirah* period of mourning (e.g. beginning from the second day of Pesach until Lag Baomer) may attend a wedding of someone

---

(סג) ע' רש"י יבמות י"ג: ד"ה לא תעשו.

(סד) שם.

(סה) ע' אג"מ (או"ח ח"א ס' קנ"ט).

(סו) ע' גמ' שם ואג"מ שם.

(סז) מ"ב ס"ק י"ז.

(סח) שם.

(סט) שם וע' שעה"צ (ס"ק י"ד).

(ע) „כיון שעושה כן רק מחמת ספק שאינו ידע איזה מנהג הוא העיקר וכו'".

(עא) כתב הרמ"א שם „וכ"ש שאין לנהוג היתר בשתיהן" וביארו במ"ב (ס"ק י"ז) „דהיינו שינהג היתר עד ר"ח אייר וכו'".

(עב) כמ"ש הגר"א (ס"ק ט"ו) מפ"א דעירובין „מקולי ב"ש ומקולי ב"ה כו'".

(עג) ע' מ"ב שם.

(עד) ע' שם.

(עה) אג"מ או"ח (ח"א ס' קנ"ט).

(עו) כך הורה לי מו"ר הגר"א קטלר זצ"ל וע' פ"ת (ס' תצ"ג ס"ב).

(עז) כך נראה דאין אבילות במועד אולם בכה"ח (אות ט') כ' ממש"ז (או' ב') „וגם בחו"ה דפסח ריקודין ומחולות של רשות יש לאסור".

who observes a different period of mourning (e.g. beginning from Rosh Chodesh Iyar) (**עח**).

Can music be played for Sheva Brochos

7. If a wedding was performed before Rosh Chodesh Iyar or on Lag Baomer, there is a view which holds that music and dancing are permitted during the *Sheva Brochos*—although this takes place during the days of mourning (**עט**).

When Rosh Chodesh Iyar falls on Friday and Shabbos or Sunday and Monday

8. When Rosh Chodesh Iyar falls on Shabbos, haircuts and shaving are permissible on Erev Shabbos according to all minhagim (**פ**). However, if it falls on Sunday [unlike Lag Baomer, see C 4] these restrictions are prohibited on Erev Shabbos [for one who conducts himself according to minhag a and b] (see 1) (**פא**).

When Rosh Chodesh Sivan falls on Sunday

9. When Rosh Chodesh Sivan falls on Sunday, it is questionable whether one may cut his hair for Shabbos (**פב**).

Shavuos begins Sunday night and barbers are closed Sunday

10. When Shavuos begins Sunday night and barbers are closed Sunday, one [who does not cut his hair until Erev Shavuos] may cut his hair on Friday (**פג**).

C. LAG BAOMER

Restrictions do not apply

1. Lag Baomer (the 33rd day of the *omer*) is a partial Yom Tov (see B 1 for the reason), therefore, the restrictions of mourning do not apply. Therefore, haircuts, shaving, weddings and music are permissible (**פד**).

(עח) אג"מ (או"ח ח"א ס' קנ"ט, וח"ב ס' צ"ה וע"ש אם שרי להסתפר).

(עט) אג"מ ח"ב שם.

(פ) כ' המ"ב (ס"ק ה') „ואף להנוהגין איסור גם עד ר"ח אייר מ"מ אם חל ר"ח בשבת כיון שיש כאן תוספת שמחה שבת ור"ח יש להתיר להסתפר בע"ש מפני כבוד השבת וגם לישא אשה בו ביום כיון שעיקר הסעודה יהיה בשבת ור"ח".

(פא) חכמת שלמה ס' תצ"ג וע' פמ"ג בא"א (ס"ק ה').

(פב) ע' חכמת שלמה שם ופמ"ג שם ואף שנראה שאין להקל לגלח בע"ש (דשאני מל"ג בעומר דמשום יו"ט התירו משא"כ בג' ימי

הגבלה שנגמר מספר הימים מא' דר"ח אייר) וכן שמעתי שפסק הגרמ"פ שליט"א, ע' במקראי קדש (ס"ס ס"ז) ובשו"ת רבבות אפרים (או"ח ח"א ס' של"ח).

(פג) ע' כה"ח (אות ל"ג) מלבוש לענין „אם חל ל"ג ביום א' שאין העכו"ם מספרים משום חגם יכולים אז להסתפר ביום ו' „ ונראה דה"ה כאן.

(פד) ע' רמ"א (ס' תצ"ג ס"ב) שכ' „הגה ובמדינות אלו וכו' אלא מסתפרין ביום ל"ג ומרבים בו קצת שמחה וא"א בו תחנון (מהרי"ל ומנהגים) ואין להסתפר עד ל"ג בעצמו ולא מבערב".

"תחנון" is omitted

2. תחנון is not recited (פה). תחנון is also omitted during *Mincha* on the afternoon preceding Lag Baomer (פו).

Weddings on the evening of Lag Baomer

3. It is questionable whether marriages may be performed on the evening of Lag Baomer (see B 1a). However, when Lag Baomer falls on Erev Shabbos, in case of necessity, it may be permitted on Thursday night (פז). According to those who hold that it is permissible, one who will attend a wedding on the evening of Lag Baomer may shave before the wedding—although it is still the 32nd day of the *omer* (פח).

If a wedding began on Lag Baomer, it may continue into the following evening (פט).

When Lag Baomer falls on Sunday

4. When Lag Baomer falls on Sunday, it is permissible to take a haircut or shave on the preceding Erev Shabbos (צ).

D. GENERAL HALACHOS OF THE SEFIRAH PERIOD

"אב הרחמים"

1. Although אב הרחמים is normally omitted on a Shabbos morning when the blessing for Rosh Chodesh is recited (צא), it is included when the blessing for Rosh Chodesh Iyar is said (צב). The reason is that this *tfilah* was written speci-

(פה) רמ"א שם.

(פו) מ"ב ס"ק ט'.

(פז) ע' רמ"א שם וכ' במ"ב (ס"ק י"א) „ולא מבערב. ויש מאחרונים שמקילין להסתפר מבערב [מי"ט וא"ר] וסיים א"ר דמ"מ לענין נשואין לא ראיתי מקילין כ"א ביום ל"ג בעומר בעצמו ולא בלילה שלפניו אכן כשחל ל"ג בעומר בע"ש והוא לו שעת הדחק לעשות ביום אפשר שיש להקל לו לעשות בלילה שלפניו" וע' אג"מ (או"ח ח"א ס' קנ"ט) וע' כה"ח (אות כ"ח, ל) וש"א.

(פח) ע' אג"מ או"ח ח"ב ס' צ"ה ודוק.

(פט) אג"מ אה"ע ח"א ס' צ"ז.

(צ) כ' רמ"א (ס' תצ"ג ס"ב) „מיהו אם חל ביום ראשון נוהגין להסתפר ביום ו' לכבוד שבת".

(צא) כ' הרמ"א (ס' רפ"ד ס"ז) „וג"כ נוהגין לומר אב הרחמים וכו' ויש מקומות שא"א אותו כשמברכין החדש מלבד בימי הספירה והולכים בכל זה אחר המנהג" וכ' המ"ב (ס"ק י"ח) „בימי הספירה. משום שהיו הגזרות באותו זמן ואפילו חל מילה בשבתות ההם דאיכא תרתי לטיבותא אפ"ה אומרים דהא אומרים אותו בימי חדש ניסן כשמברכין חדש אייר דאית ביה נמי תרתי לטיבותא [וה"ה אם יש מילה בניסן דאיכא ג' לטיבותא ג"כ אומרים אותו דאין חילוק בין תרתי לטיבותא ובין ג' לטיבותא] אבל כשחל ר"ח אייר בשבת אין אומרים אותו וכו' אבל אה"ר אומרים בו כיון שהוא בימי הספירה".

(צב) שם.

fically to recall the tragedies which occurred during this period (**צג**). Some communities say "אב הרחמים" on the Shabbos when the blessing is recited for Rosh Chodesh Sivan (**צד**). Each community should conduct itself according to its own established minhag (**צה**).

"אב הרחמים" during the "שלשת ימי הגבלה", A Bris during Sefirah

2. If Shabbos is one of the days of the "שלשת ימי הגבלה" (the three days before Shavuos) it is questionable whether אב הרחמים is omitted (**צו**).

If a *Bris* occurs on a Shabbos during *Sefirah*, אב הרחמים is said (**צז**).

Reason for restrictions during this period

3. The Talmud relates that the disciples of Rabbi Akiva perished for not treating each other with the proper respect (**צח**). Therefore, the purpose of the restrictions during the *Sefirah* period is for one to reflect upon his *middos* (ethical behavior) and improve his relations with others (**צט**). This is a proper preparation for Shavuos, the Yom Tov of *Kabolas HaTorah*.

(צג) ע׳ במחה״ש (ס׳ רפ״ד ס״ק ח׳) אמ״ש המ״א „בימי הספירה. משום שהיו הגזירות באותו זמן״ שכ׳ „היינו גזרת תתנ״ו״ וע׳ ערה״ש (ס׳ תצ״ג ס״א).

(צד) ע׳ גשר החיים (פ׳ ל״א ס״ג) וכה״ח (ס׳ רפ״ד ס״ק מ״ה).

(צה) ע׳ ערה״ש (ס׳ רפ״ד ס״ס ט״ו) ובש״פ שכ׳ „כל מקום ומקום לפי מנהגו״.

(צו) גשר החיים שם שכ׳ שאומרים „גם בשבת שבתוך שלשת ימי הגבלה״ וכ״מ ממהרי״ל וכ״כ בלוח של הגרי״א הענקין זצ״ל וכן משמע מא״ר (ס׳ רפ״ד ס״ק י״ג) כמו שדייק בפתחי שערים וע״ש שכ׳ „וצ״ע אם נוהגים כן״.

(צז) ע׳ מ״ב (ס׳ רפ״ד ס״ק י״ח) שכ׳ שאומרים אב הרחמים וכ״כ במ״א (ס׳ רפ״ד ס״ק ח׳).

(צח) ע׳ יבמות ס״ב:

(צט) כתב בכה״ח (ס׳ תצ״ג אות ה׳) לענין הנהגת אבלות בימי הספירה „וכ״ז שעושין זכר כדי להתרחק מהשנאה והקנאה והתאוה והגאוה והכבוד ולקנות מדת האהבה והענוה והשלום ולכן כתב בשער הכוו׳ דף א׳ ע״ג להזהיר מאד בענין אהבת החברים העוסקים בתורה ביחד יעו״ש״.

סימנים וסעיפים שבשלחן ערוך המשתייכים לפרק זה

רפ״ד:ז **תצ״ג:א־ג**

Section Ten
CHOL HAMOED AND THE LAST DAYS OF PESACH

Chapter Thirty — Halachos Concerning Chol Hamoed
and the Last Days of Pesach

A. Motza'ai Yom Tov
B. "ותן ברכה"
C. Tfilos and Torah Readings on Chol Hamoed
D. Shabbos Chol Hamoed
E. The Last Days of Pesach

Chapter XXX Halachos Concerning Chol Hamoed and the Last Days of Pesach

A. MOTZA'AI YOM TOV

Maariv

1. On Motza'ai Yom Tov of the [first day of Pesach in Eretz Yisroel and the] second day of Pesach [outside of Eretz Yisroel], that is, on the first evening of Chol Hamoed, we daven Maariv like on a regular Motza'ai Shabbos or Yom Tov, including "אתה חוננתנו" in *Shmone Esray* (א).

Beginning with this *Shmone Esray*, in ברך עלינו we delete "ותן טל ומטר" and substitute it with "ותן ברכה"* (ב). [The halachos concerning "ותן ברכה" are discussed in B]. "יעלה ויבוא" is said in *Shmone Esray* (ג). If one forgot "יעלה ויבוא", but reminded himself before completing *Shmone Esray*, he should return to the beginning of "רצה" (ד). If he completed *Shmone Esray*, even if he had not yet separated his feet, he is required to repeat *Shmone Esray* (ה).

After *Shmone Esray*, "ויהי נועם וכו'" and "ויתן לך" are not said and the complete Kaddish is said; we count the *omer* and say עלינו (ו).

> * Note: It is recommended that the congregants be informed before Maariv to begin saying "ותן ברכה." This can be accomplished by notifying them orally or by posting a sign which was prepared before Yom Tov.

Havdallah

2. *Havdallah* is recited over a cup of wine (ז) similar to Motza'ai Shabbos—with the following differences. On Motza'ai Shabbos, *Havdallah* consists of four brochos (סימן: יבנ"ה) (ח), they are: a) over the wine—"בורא פרי הגפן," b) over spices—"בורא מיני בשמים," c) over a candle—"בורא מאורי האש," and d) the brocho "המבדיל" (ט). When Yom Tov falls on a weekday, *Havdallah* consists of only two brochos: a) "בורא פרי הגפן," and b) the brocho "המבדיל" (י). We do not

---

(א) ע' ס' תצ"א ס"א.

(ב) ס' תפ"ח ס"ג ומ"ב ס"ק י"ב.

(ג) ס' ת"צ ס"ב.

(ד) כ' המחבר שם „ואם לא אמרו מחזירין אותו", וע' מ"ב ס"ק ג'.

(ה) ע' מ"ב שם וס' קי"ז ס"ה ומ"ב שם ס"ק י"ח ובה"ה ד"ה כעקורים.

(ו) כ' המחבר (ס' תפ"ט ס"א) „בליל שני אחר תפלת ערבית" וכ' המ"ב (שם ס"ק ב') „וקודם עלינו" נמצא דאומר קדיש מקודם וכן נוהגין וכ"מ מב"י (שם ד"ה כתב ה"ר דוד ב'). ומ"ש שא"א ויהי נועם וכו' ע' ס' רצ"ה בהגה, ולענין ויתן לך ע' ערה"ש ס' רצ"ה ס"ג וכה"ח ס' תצ"א אות ו' ולקוטי מהרי"ח (סדר תפלת ערבית במו"ש). ומש"כ להזכיר לציבור להתחיל לומר ותן ברכה ע' מ"ב ס' תפ"ח ס"ק י"ב ושעה"צ ס"ק י"ב.

(ז) כ' המחבר (ס' תצ"א ס"א לפי תיקונו של המ"ב ס"ק א' בשם הגר"א) „ומבדיל על הכוס כמו במו"ש אלא שאינו מברך לא על הנר ולא על הבשמים".

(ח) ע' ס' רצ"ו ס"א.

(ט) ע' שם וס' רצ"ז ס"א וס' רצ"ח ס"א.

(י) ע' ס' תצ"א ס"א.

recite the brocho over the candle (**יא**), nor do we recite the brocho over the spices (**יב**).

When Yom Tov falls on Motza'ai Shabbos, although the brocho over the candle is said (**יג**), the brocho over the spices is deleted (**יד**). [On Motza'ai Shabbos of Chol Hamoed the brocho over the spices is said.]

B. "ותן ברכה"

If one erroneously said "ותן טל ומטר"

1. We have learned (see A 1) that beginning with Maariv of Motza'ai Yom Tov, that is, the evening which begins Chol Hamoed, we stop saying "ותן טל ומטר" and substitute "ותן ברכה" (**טו**).

If a person erroneously said "ותן טל ומטר", the following principles apply:

a) If he reminded himself while he was still in the middle of "ברך עלינו" that is, he did not yet say "ברוך אתה ה'," he goes back to the beginning of "ברך עלינו" (**טז**). If he said "ברוך אתה ה'," many Poskim hold that he should say the words "למדני חוקיך" and then return to the beginning of "ברך עלינו" (**יז**). If instead of returning to the beginning of "ברך עלינו" he incorrectly began with the words "ותן ברכה," he has, nevertheless, fulfilled his requirement (**יח**).

b) If he reminded himself after he finished the brocho "מברך השנים" but was still in the middle of *Shmone Esray,* he returns to the beginning of "ברך עלינו" (**יט**).

c) If he completed *Shmone Esray,* even if he had not yet separated his feet, he is required to repeat *Shmone Esray* (**כ**).

(יא) שם. וכ' במ"ב (ס"ק ב') הטעם „שאין מברכין על הנר אלא במו"ש ובמוצאי יוה"כ שנאסר אור כל היום ועכשיו חוזר להתירו כמו שנתבאר בסימן רצ"ח אבל ביו"ט לא נאסר האור מעולם לצורך יו"ט".

(יב) מחבר שם. וכ' במ"ב (ס"ק ג') הטעם „דענין הבשמים הוא כדי להשיב את הנפש שכואבת על הנשמה היתירה שניטלה ממנו אחר שבת וביו"ט ליכא נשמה יתירה. וכתבו הפוסקים דה"ה ביו"ט שחל במו"ש אין מברכין על הבשמים והטעם לפי שיש מאכלים טובים מיישבים דעתו כמו בשמים". נוהגים שלא לומר פסוקי „הנה קל ישועתי" בחוה"מ ע' לקוטי מהרי"ח (סדר הבדלה במו"ש).

(יג) ע' ס' תע"ג ס"א ומ"ב ס"ק ג'.

(יד) מ"ב ס' תצ"א ס"ק ג' וס' תצ"ג ס"ק ג'.

(טו) ע' לעיל הערה ב'.

(טז) מ"ב ס' קי"ז ס"ק י"ד. כתב בנ"א (כלל כ"ד ס"ק א') „בימות החמה טעה ואמר טל ומטר ובתוך כדי דיבור נזכר ואמר ותן ברכה וגמר הברכה, נ"ל דלכתחלה היה לו להתחיל מתחלת הברכה וכו' לכן נ"ל דלכתחלה יחזור לראש הברכה, ובדיעבד נ"ל דדי בכך מה שחזר תוך כדי דיבור וכו'. וכ"ז לרווחא דמלתא וכו' וא"כ ה"ה ברכת השנים אם לא אמר רק ותן ברכה כו' וברך שנתינו כו' נמי יצא, וכדאיתא בס' ק"ד אם יוכל לקצר וא"כ לא מבעיא אם חזר בו תכ"ד אלא אפילו לאחר כ"ד וכו'".

(יז) ע' מ"ב שם וס"ק ל"ב וחיי"א כלל כ"ד ס' י"ד (וע' לעיל פ"ג הערה קמ,קמא).

(יח) ב"ה ס' קי"ז ס"ג ד"ה אם שאל ונ"א (הובא לעיל הערה טז).

(יט) מ"ב שם.

(כ) ס' קי"ז ס"ג ומ"ב ס"ק י"ג. כ' החיי"א (כלל כ"ד ס' ט"ו) „כל מקום שנכתב עקר רגליו, י"א דתיכף כשמסיים יהיו לרצון ואין דעתו לומר תחנונים עוד, הוי כעקירת רגליו (מ"א בסי' תכ"ט). ול"נ דעקירת רגליו, ר"ל עקירת רגליו ממש" (וע' לעיל פ"ג הערה יז שכתבנו דהב"ה וערה"ש דחו דברי החיי"א).

If the entire state is in need of rain

2. If one's entire state is in need of rain due to a drought (כא) and he erroneously said "ותן טל ומטר," although this is not proper, nevertheless, he is not required to repeat *Shmone Esray* (כב).

If one erroneously said a weekday Shmone Esray on Yom Tov

3. If one erroneously davened a weekday *Shmone Esray* on Shabbos or Yom Tov and reminded himself in the middle of a brocho, the halacha is that he is required to complete that brocho (כג). Therefore, from the first night of Pesach if one erroneously did so and reminded himself after beginning "ברך עלינו," since the congregation has already stopped saying "ותן טל ומטר" he says "ותן ברכה" (כד).

If one is in doubt whether he said "ותן ברכה"

4. If one is in doubt whether he said "ותן ברכה" or erroneously said "ותן טל ומטר," the halacha is similar to "משיב הרוח" (see Chapter XXV B 7). That is, for thirty days we assume that he conducted himself according to his previous custom and said "ותן טל ומטר," and is required to repeat *Shmone Esray* (כה). After thirty days have elapsed, we presume that he davened correctly (כו). [See Chapter XXV B 8,9 which also apply here] (כז).

C. TFILOS AND TORAH READING ON CHOL HAMOED

Wearing Tefillin on Chol Hamoed

1. Concerning the wearing of Tefillin on Chol Hamoed, there are differences of opinion among the Poskim and divergent minhagim (כח). Some Poskim hold that one does not put on Tefillin on Chol Hamoed—similar to Shabbos and Yom Tov (כט). Some Poskim hold that they are put on, but the brocho is not recited aloud in Shul—as one ordinarily would during the rest of

---

(כא) ע׳ ס׳ קי״ז ס״ב וכ׳ שם „ואפי׳ עיר גדולה כננוה וכו׳ ומיהו אם בארץ אחת כולה וכו׳״ ומ״ב ס״ק י״א וב״ה ד״ה ומיהו.

(כב) ע׳ מחבר שם לענין תפלת נדבה וע׳ בחיי״א כלל כ״ד ס׳ י״ד וגר״ז ס׳ קי״ז ס״ס א׳.

(כג) ע׳ ס׳ רס״ח ס״ב.

(כד) ב״ה ס׳ קי״ז ס״א ד״ה עד.

(כה) ע׳ ס׳ קי״ד ס״ח ומ״ב ס״ק ל״ו,ל״ז ושעה״צ ס״ק כ״ח, וע׳ ב״ה שם ד״ה עד ל׳ אם מצטרפים ב׳ ימים ראשונים של פסח. וע״ש לענין אם לא התפלל יום אחד.

(כו) שם.

(כז) ע׳ ס׳ קי״ד ס״ט ומ״ב ס״ק ל״ח,מ׳,מ״א.

(כח) ע׳ ס׳ ל״א ס״ב דהמחבר כתב „בחוה״מ גם כן אסור להניח תפילין מהטעם הזה בעצמו שימי חול המועד גם הם אות״ והרמ״א כ׳ „וי״א שח״ה חייב בתפילין (ב״י בשם הרא״ש) וכן נוהגין בכל גלילות אלו להניחם במועד ולברך עליהם אלא שאין מברכים עליהם בקול רם בבהכנ״ס כמו שאר ימות השנה״.

(כט) מחבר שם, וכ׳ החיי״א (כלל י״ד ס׳ ט״ז) „והגר״א נהג שלא להניחן בחול המועד״.

the year (ל). Other Poskim hold that Tefillin are worn, but no brochos are recited on them (לא). One should conduct himself according to his minhag (לב).*

* Note: It is not proper that in one Shul some people should wear Tefillin while others do not. Where this situation exists, where feasible, two minyanim should be formed in different locations, one where the congregants wear Tefillin and the other where they do not.

Mizmor Lesodah

2. We daven a regular weekday Shacharis during Chol Hamoed (לג). We have learned (see Chapter 1 D 3) that "מזמור לתודה" is omitted on Erev Pesach [see ibid. Note for reason], it is similarly omitted on Chol Hamoed (לד).

Shacharis during Chol Hamoed

3. In *Shmone Esray,* "יעלה ויבוא" is said (לה). After "חזרת הש"ץ," "half-Hallel" is said (לו). Concerning those who wear Tefillin on Chol Hamoed (see 1), there are different minhagim when they are removed. Some remove them before Hallel (לז), some remove them before the reading of the Torah (לח). The complete Kaddish is said and two Sifrei Torah are removed from the ark on each day of Chol Hamoed (לט).

(ל) רמ"א שם.

(לא) מ"ב ס"ק ח' בשם הט"ז וכ' „והאחרונים הסכימו לדעת הט"ז". כתב במ"ב שם „גם קודם ההנחה יחשוב בדעתו אם אני מחוייב אני מניחן לשם מצוה ואם לאו אין אני מניחן לשם מצוה וכו'" ע"ש וכ' שם „ותפילין דר"ת אין להניחם בחוה"מ".

(לב) ע' מ"ב שם שכ' „עוד כתבו האחרונים [והובאו בארה"ח ע"ש] דאין נכון שבהכ"נ אחת קצתם יניחו תפילין וקצתם לא יניחו משום לא תתגודדו. ומי שאין מניח תפילין בחוה"מ שמתפלל בבה"מ שמניחין תפילין יש לו ג"כ להניחן ובלי ברכה וצבור שנהגו להניח תפילין אין להם לשנות מנהגם". וע' ערה"ש ס' ל"א ס"ד שכ' „כל אחד יחזיק במנהגו".

(לג) ס' ת"צ ס"ב.

(לד) ע' רמ"א ס' נ"א ס"ט וס' תכ"ט ס"ב.

(לה) ס' ת"צ ס"ב וכ' המחבר שם „ואם לא אמרו מחזירין אותו".

(לו) ס' ת"צ ס"ד וכ' במ"ב (ס"ק ז') הטעם „מפני שביום שביעי של פסח נטבעו המצרים אמר הקב"ה מעשי ידי טובעין בים ואתם אומרים שירה לפני וכיון שבז' אין אומרים אותו ע"כ בחוה"מ ג"כ אין אומרים אותו שלא יהיה עדיף מיו"ט אחרון", וע' מ"ב ס' תרמ"ד ס"ק ד' וכה"ח ס' ת"צ אות טו"ב עוד טעמים לזה. כתב במ"ב (ס' קל"א ס"ק כ') לענין „אם קבר את מתו ברגל אפילו אם מתפללין בבית האבל אומרים הלל כיון שאין בו אבילות".

(לז) מ"ב ס' ל"א ס"ק ז'.

(לח) ע' רמ"א ס' תרנ"א ס"ז ומ"ב ס"ק ל"ה,ל"ו וערה"ש שם ס"ב ודוק (וע' שו"ת הרמ"ע מפאנו ס' ק"ח). יש והגים ביום ראשון דחוה"מ פסח שלא לחלוץ התפילין עד אחר קרה"ת כיון שקוראים „קדש לי כל בכור" דכתוב בו ושמרת את החקה הזאת, ע' לקוטי מהרי"ח (סדר חוה"מ פסח).

(לט) לענין קדיש ע' כה"ח ס' ת"צ אות י"ט. לענין ב' ספרים ע' ס' ת"צ ס"ו ושערי אפרים (שער ז' ס' י"ט).

The Torah reading on the first day of Chol Hamoed

4. In the first Sefer Torah we read "קדש לי כל בכור" (מ). The reading is divided into three Aliyos (מא). An exception to this is when the first day of Pesach falls on Thursday, since the first day of Chol Hamoed falls on Shabbos, we read instead "ראה אתה אומר אלי" [which is divided into seven Aliyos (מב). This reading speaks about Shabbos and includes "פסל לך"—which is usually read on the fifth day of Pesach (מג)].

In the second Sefer Torah we read "והקרבתם" for the fourth Aliyah (מד). חצי קדיש is said after the fourth Aliyah (מה) (see 5). [On Shabbos, חצי קדיש is said after the seventh Aliyah—before reading "והקרבתם" (מו)].

The reading on the second day of Chol Hamoed

5. On the second day of Chol Hamoed, in the first Sefer Torah we call to the Torah three people and read "אם כסף תלוה את עמי" (מז). In the second Sefer Torah we read "והקרבתם" for the fourth Aliyah (מח). Following the fourth Aliyah, the first Sefer Torah is not returned to the *Shulchan* and חצי קדיש is said on the second Sefer Torah by itself (מט).

The reading on the third day of Chol Hamoed

6. On the third day of Chol Hamoed, three people are called to the first Sefer Torah and we read "פסל לך" (נ). In the second Sefer Torah we read "והקרבתם" for the fourth Aliyah, followed by חצי קדיש (נא).

The reading on the fourth day of Chol Hamoed

7. On the fourth day of Chol Hamoed, in the first Sefer Torah we call to the Torah three people and read "במדבר סיני" (נב). In the second Sefer Torah we read

---

(מ) ס׳ ת״צ ס״ה והוא משמות י״ג:א׳־ט״ז. כ׳ בכה״ח (ס׳ ת״צ אות כ״א) „וד׳ פרשיות חוה״מ כולם יש בהם יציאת מצרים וקורין כסדר שכתובים בתורה״.

(מא) ע׳ משנה מגילה כ״א. וס׳ ת״צ ס״ו וס׳ תרס״ג ס״א, וע׳ גר״ז ס׳ ת״צ ס״י,י״א.

(מב) ע׳ ס׳ ת״צ ס״ה לענין קריאת ראה אתה אומר אלי והוא משמות ל״ג:ב׳—ל״ד:כ״ו, וכ׳ שם „וביום א׳ ב׳ ג׳ קורין קדש בכספא במדברא״. וקורין ז׳ הוא בס׳ רפ״ב ס״א. וע׳ גר״ז (ס׳ ת״צ ס״ח) שכתב בביאור הענין „וזה הסדר לא ישתנה מחמת השבת של חוש״מ כ״א כשחל פסח ביום ה׳ וכו׳ אבל כשחל פסח ביום ג׳ הרי קורין פ׳ פסל ביומה דהיינו ביום ג׳ של חוה״מ שהוא שבת וכשחל פסח ביום ז׳ או ביום א׳ אין שם שבת כלל בחולו של מועד וביום בד״ו אין פסח כלל כמש״נ שם בסי׳ תכ״ח״ וע״ש בס״ט.

(מג) ע׳ גר״ז ס׳ ת״צ ס״ח ומ״ב ס״ק ט׳.

(מד) ס׳ ת״צ ס״ו והוא מבמדבר כ״ח:י״ט־כ״ה.

(מה) מ״ב שם ס״ק י׳ וכ׳ שם הטעם „שנשלם מנין הקרואים משא״כ בשבת ויו״ט ויוה״כ נשלם מנין הקרואים קודם שקורא מפטיר וע״כ אומרים תיכף קדיש״.

(מו) שם.

(מז) ס׳ ת״צ ס״ה והוא משמות כ״ב:כ״ד—כ״ג:י״ט.

(מח) ע׳ לעיל הערה מד.

(מט) ע׳ לעיל הערה מה. וע׳ מ״א ס׳ קמ״ז ס״ק י״ב ושערי אפרים (שער י׳,י״א,י״ב).

(נ) ס׳ ת״צ ס״ה והוא משמות ל״ד:א־כ״ו.

(נא) ע׳ לעיל הערות מד,מה.

(נב) ע׳ ס׳ ת״צ ס״ה והוא מבמדבר ט:א־י״ד.

"והקרבתם" for the fourth Aliyah (**נג**). Following the fourth Aliyah, **חצי קדיש** is said (**נד**).

Error in the reading

8. If one erroneously substituted the reading of one day of Chol Hamoed Pesach with another (e.g. on the first day of Chol Hamoed he read "**אם כסף**" instead of reading "קדש"), on the following day he substitutes the reading which was missed (**נה**).

Mussaf on Chol Hamoed

9. After the Torah reading, Nusach Ashkenaz returns the Sifrei Torah to the ark and then says **אשרי**, **ובא לציון**, [Nusach Sfard returns the Sifrei Torah after **ובא לציון**] and **חצי קדיש**. We then daven the Musaf of Yom Tov (**נו**). When he reaches "**על ידי משה עבדך מפי כבודך כאמור**" he adds "**והקרבתם**" (**נז**). During **חזרת הש"ץ**, Nusach Ashkenaz says the *Kedusha* as is recited for a weekday *Shmone Esray* (**נח**). Nusach Sfard starts *Kedusha* with "**כתר**," but beginning with "**קדוש**" continues like on a regular weekday (**נט**).

Birchas Hamazone

10. On Chol Hamoed, "**יעלה ויבוא**" is recited *in Birchas Hamazone* (**ס**). If one omitted "**יעלה ויבוא**," he is not required to repeat *Birchas Hamazone* (**סא**). In the "**הרחמן**" on Chol Hamoed we do not add "**הרחמן הוא ינחלנו יום שכולו טוב**" as is added on Yom Tov (**סב**).

Work on Chol Hamoed

11. We have learned (see Chapter XVII E 2) that on Chol Hamoed certain types of work are prohibited (**סג**). Generally speaking, any work which is

---

(נג) ע' לעיל הערה מד.

(נד) ע' לעיל הערה מה.

(נה) ב"ה ס' ת"צ ס"ה ד"ה סימן מפמ"ג בשם פר"ח, וע"ש מש"כ „ונסתפק הפמ"ג וכו'". ע' כה"ח בס' ת"צ (מאות כ"ב עד אות ג"ן) שהאריך לענין טעותים בקריאה דחוה"מ וכן ע' בשערי אפרים (שער ח' ס"א־כ"ח).

(נו) ס' ת"צ ס"ב. מש"כ המחבר שם ס"ג „נוהגים שביו"ט אומר את יו"ט מקרא קדש הזה ובחוש"מ אומר את יום מקרא קודש הזה. וכ' בהגה „ואנו אין נוהגין לומר מקרא קדש כלל לא ביו"ט ולא בחוה"מ" וכ' במ"ב (ס"ק ו') „וכתבו האחרונים דמנהגנו לומר מקרא קודש בין ביו"ט ובין בחוש"מ ואין אומרים את יו"ט אפילו ביו"ט". מי שספק לו אם התפלל מוסף בחוה"מ ע' ב"ה (ס' קכ"ד ס"א ד"ה ויוצא) דאף שאין לו תקנה בתפלת נדבה (כמ"ש בס' ק"ז ס"א ומ"ב ס"ק ה') מ"מ יש לו תקנה שיכול להיות ש"ץ וחוזר התפלה ועי"ז יוצא ידי ספיקו.

(נז) רמ"א ס' ת"צ ס"ב.

(נח) מנהגים.

(נט) ע' כה"ח ס' קכ"ה אות א'.

(ס) ס' ת"צ ס"ב.

(סא) שם וע' במ"ב שם ס"ק ג'. וע' ס' קפ"ח ס"ז ומ"ב ס"ק כ"ז.

(סב) מ"ב שם ס"ק ה' ממ"א וש"א דחוה"מ לא מקרי יו"ט וע' בבית מאיר ס' ת"צ שדעתו דאיקרי יו"ט וצריך לומר הרחמן וכו' ומסיק דתלוי במנהג הנחת תפילין ע"ש.

(סג) ס' תק"ל ס"א.

essential to the preparation of food for Yom Tov or Chol Hamoed is permissible (צרכי המועד) (סד). Similarly, any work which will prevent sustaining a loss is permissible (דבר האבד) (סה). Certain forms of work which are needed for the community (e.g. repairing a Mikvah) may be performed on Chol Hamoed (צרכי רבים) (סו). If a worker lacks food to eat if he would not perform this melacha, it is permissible (פועל שאין לו מה לאכול) (סז).

There are, however, many factors which may affect the permissibility or manner in which the melacha may be performed (סח). These halachos are complex and the specifics are beyond the scope of this work on Hilchos Pesach. Therefore, in case of any question or doubt, a Rav should be consulted.*

Great care should be taken not to perform any work which is prohibited on Chol Hamoed. חז"ל say "כל המבזה את המועדות כאילו עובד עבודה זרה," "whoever profanes the festivals is considered as though he had worshipped idols" (סט).

* Note: These halachos are discussed (in English) in detail in CHOL HAMOED, by Rabbi Dovid Zucker and Rabbi Moshe Francis.

D. SHABBOS CHOL HAMOED

Kabolas Shabbos, Maariv

1. Candles are lit as on every Erev Shabbos; the brocho is "להדליק נר של שבת," "שהחיינו" is not recited.

We have learned that on Chol Hamoed the regular *Kabolas Shabbos* is replaced by a shortened version (see Chapter XVIII A 1). We daven Maariv similar to Shabbos and other Yomim Tovim. We conclude "השכיבנו" with "ופרוש" (ע). We say "ושמרו" but not "וידבר משה" (עא). This is followed by חצי קדיש.

Shmone Esray of Maariv

2. The regular Maariv *Shmone Esray* of Shabbos is said with the addition of "יעלה ויבוא" (עב).

After *Shmone Esray*, "ויכולו," "מגן אבות" and the complete Kaddish are then said (עג). Those who are accustomed to say *Kiddush* in Shul, recite it here (עד). *Sefiras Haomer* is said, followed by "עלינו" (עה).

(סד) ע' ס' תקל"ג ס"א.

(סה) ס' תקל"ז ס"א.

(סו) ס' תקמ"ד ס"א.

(סז) ס' תקמ"ב ס"ב.

(סח) כגון לא כיון מלאכתו בס' תקל"ז ס' ט"ז, אם עושין בצינעא בס' תקל"ג ס"ה, אם ליכא טירחא יתירה בס' תקל"ז ס"ב, מעשה הדיוט בס' תקמ"א ס"ה ובכ"מ.

(סט) פסחים קי"ח.

(ע) ע' לעיל פ' כט הערה ו'.

(עא) ע' שם.

(עב) ס' ת"צ ס"ט.

(עג) ע' ס' רס"ח ס"ז,ח'.

(עד) ע' מ"ב ס' רס"ט ס"ק ה' וע' מ"ב ס' ת"צ ס"ק י"ב ודוק.

(עה) ע' לעיל הערה ו'.

Shacharis

3. The regular Shabbos Shacharis is said with the addition of ״יעלה ויבוא״ in *Shmone Esray* (**עו**). After ״חזרת הש״ץ,״ the ״half-Hallel״ is said (**עז**)—followed by the complete Kaddish (**עח**). In many communities, ״שיר השירים״ is read* (**עט**). Two Sifrei Torah are removed from the ark (**פ**), *״Hashem Hashem״* is not recited (**פא**).

* Note: When there is no Shabbos Chol Hamoed, ״שיר השירים״ is read on the Shabbos of the last days of Pesach (**פב**).

The Torah reading

4. In the first Sefer Torah, seven people are called up and the Torah reading is ״ראה אתה אומר אלי״ (**פג**) [which is the same as ״פסל לך,״ except that it begins earlier in order to allow for seven Aliyos (**פד**)]. חצי קדיש is recited (**פה**), and in the second Sefer Torah we read the Maftir ״והקרבתם״ in *Parshas Pinchas* (**פו**). The Haftorah is in *Yechezkel* ״היתה עלי יד ה׳״ (**פז**). Pesach is not mentioned in the brochos of the Haftorah (**פח**) and the brochos conclude ״מקדש השבת״ (**פט**). ״יקום פורקן״ is said, followed by ״אשרי,״ ״יהללו״ and ״חצי קדיש״ (**צ**). [״קה קלי״ is not said].

(עו) ס׳ ת״צ ס״ט. כ׳ בב״ה (שם ד״ה מתפלל) מברכ״י בשם מהר״י מולכו „אם חתם בשחרית שבת וחוה״מ מקדש השבת וישראל והזמנים א״צ לחזור ואם חתם ישראל והזמנים ולא הזכיר שבת לא יצא ואם תכ״ד חזר ואמר מקדש השבת יצא וכתב בר״י שאם בסדר מוסף התפלל מוסף שבת לחוד לא יצא״, וע׳ אג״מ או״ח ח״ד ס׳ כ״א אות ג׳.

(עז) ע׳ ס׳ ת״צ ס״ד.

(עח) ע׳ לעיל הערה לט.

(עט) רמ״א ס׳ ת״צ ס״ט וכ׳ במ״ב (ס״ק י״ז) הטעם „מפני שמפורש בו ענין יציאת מצרים״, וע׳ רמ״א שם ומ״ב ס״ק י״ט לענין ברכה.

(פ) ס׳ ת״צ ס״ו.

(פא) שערי אפרים (שער י׳ אות ה׳).

(פב) רמ״א ס׳ ת״צ ס״ט וגר״ז ס׳ ת״צ ס׳ י״ח.

(פג) ע׳ ס׳ רפ״ב ס״א וס׳ ת״צ ס״ה והוא משמות ל״ג:י״ב—ל״ד:כ״ו.

(פד) כ׳ בגר״ז (ס׳ ת״צ ס״ח) „פ׳ ראה אתה שהיא פסל״ וע״ש שכ׳ „לפי שבפ׳ זו יש בה ג״כ מענין שבת וגם מענין חוש״מ וכו׳ אלא שבשבת מתחילין מן ראה אתה אומר אלי כדי שיוכלו לקרות ז׳ קרואים״.

(פה) ע׳ מ״ב ס׳ ת״צ ס״ק י׳.

(פו) ס׳ ת״צ ס״ו.

(פז) ס׳ ת״צ ס״ט והוא מיחזקאל ל״ז:א־י״ד, וכ׳ במ״ב (שם ס״ק י״ד) „והטעם כי תחית המתים יהא בניסן וגוג ומגוג בתשרי ע״כ מפטירין בניסן העצמות היבשות ובתשרי בוא גוג [טור]״.

(פח) רמ״א שם והטעם כ׳ במ״ב (ס״ק ט״ו) „דבשבת שחל בחוה״מ פסח אין הפטרה באה אלא בשביל שבת בלבד שהרי אין מפטירין בנביא בשאר ימי חוה״מ לפיכך אומרים ברכת הפטרה כמו בשאר שבתות השנה״ וכ׳ במ״ב (ס״ק ט״ז) „וכתבו האחרונים דבשבת חוה״מ סוכות מסיים מקדש השבת וישראל והזמנים וכן מזכיר של סוכות באמצע הברכה כמו ביו״ט ראשון של סוכות והטעם שכל יום ויום מחוה״מ סוכות הוא כמועד בפ״ע משום דחלוקין בקרבנות המוספין״ וכ״כ בס׳ תרס״ג ס״ק ט׳.

(פט) שם ומ״ב ס״ק ט״ז.

(צ) ע׳ שערי אפרים (שער י׳ אות כ״ו,מ׳).

Musaf

5. The regular Musaf of Yom Tov is said (**צא**), except that both Shabbos and Yom Tov are mentioned (**צב**). Therefore, both "וביום השבת" and "והקרבתם" are added (**צג**).

Mincha

6. For Mincha, "אשרי" and "ובא לציון" are said followed by "ואני תפלתי" (**צד**). Three people are called to the Torah and we read the beginning of the Parsha of the following week (**צה**). *Shmone Esray* of Shabbos is said with "יעלה ויבוא" (**צו**). "צדקתך" is omitted (**צז**). The complete Kaddish is said followed by "עלינו."

Motza'ai Shabbos

7. We daven Maariv as we do on a normal Motza'ai Shabbos with the addition of "אתה חוננתנו" and "יעלה ויבוא" (**צח**). "ויהי נועם" and "ויתן לך" are deleted (**צט**), *Sefiras Haomer* and *Havdallah* are said (**ק**) (see A 1,2).

E. THE LAST DAYS OF PESACH

Candle lighting

1. Candles are lit as on the first days (see Chapter XVIII A 14), except that "שהחיינו" is not recited (**קא**).

Maariv on the seventh day

2. Maariv on the seventh day of Yom Tov is similar to that of the first day [see Chapter XVIII A 1,2, except that even those who recite Hallel then, don't recite it here] (**קב**). The *omer* is then counted. Unlike the *Seder* nights, those whose minhag is to recite *Kiddush* in Shul *do* recite it on the last nights of Pesach (**קג**) [see ibid. 12 for reason). "שהחיינו" is not recited on the last days of Pesach for candle lighting or for *Kiddush*—in contrast to Shmini Atzeres (**קד**).

(צא) ס׳ ת״צ ס״ט.

(צב) שם.

(צג) ע׳ שם.

(צד) ע׳ מחבר שם ומ״ב ס״ק י״ט לענין יו״ט שחל בשבת וכן נוהגים בשבת שחל בחוה״מ.

(צה) ע׳ מ״ב שם לענין יו״ט שחל בשבת וה״ה כאן.

(צו) ס׳ ת״צ ס״ט.

(צז) ס׳ תכ״ט ס״ב.

(צח) ע׳ ס׳ תצ״א ס״א.

(צט) ע׳ ס׳ רצ״ה דא״א ויהי נועם ע׳ מ״ב ס״ק ד׳ הטעם ומש״כ שם „אבל אומרים ויתן לך״ היינו לא בחוה״מ ע׳ ערה״ש ס׳ רצ״ה ס״ג. (ולעיל הערה ו׳) וע׳ פמ״ג (ס׳ תצ״א בא״א ס״ק א׳) לענין אמירת פסוקי אליהו הנביא במו״ש לחוה״מ.

(ק) ע׳ לעיל הערה ו׳.

(קא) ע׳ לעיל פ״ג הערה נו לענין הדלקת הנרות, וע׳ ס׳ ת״צ ס״ז דאין אומרים זמן.

(קב) דרק בליל א׳ וב׳ יש נוהגים כן ע׳ ס׳ תפ״ז ס״ד.

(קג) ס׳ ת״צ ס״ז.

(קד) ע׳ ס׳ ת״צ ס״ז, וכ׳ במ״ב (ס״ק י״ג) הטעם „שאינו רגל בפני עצמו כמו שמיני עצרת של חג״. [ולענין שמיני עצרת ע׳ ס׳ תרס״ח ס״א ושמחת תורה בס׳ תרס״ט ס״א].

Shacharis

3. We daven Shacharis similar to the first days of Pesach (see ibid. B 1–6). When the seventh day falls on Shabbos, those communities who recite *piyutim* after "ברכו," say the *piyutim* of Shabbos Chol Haomed—because they are based on "שיר השירים" which is recited then (**קה**). When the last day of Pesach falls on Shabbos, the *piyutim* said after "ברכו" are those of Shabbos Chol Hamoed, but in "חזרת הש"ץ" the *piyutim* of the seventh day are said (**קו**).

A Bris on the seventh or eighth day of Pesach

4. When a Bris occurs on the seventh or eighth day of Pesach, some communities add "יום ליבשה" before "גאל ישראל" (**קז**). However, if the seventh or eighth day falls on Shabbos, it is said before "שירה חדשה," because the *piyut* "ברח דודי" is said before "גאל ישראל" (**קח**).

Hallel

5. "Half-Hallel" is said followed by the complete Kaddish (**קט**). When the seventh or eighth day is on Shabbos, "שיר השירים" is said (**קי**). If it occurs on a weekday, *"Hashem Hashem"* is said upon opening the ark (**קיא**). Two Sifrei Torah are removed from the ark (**קיב**).

Torah reading on the seventh day

6. On the seventh day, the Torah reading is "ויהי בשלח פרעה" (**קיג**). When the seventh day falls on a weekday, the reading is divided into five Aliyos; when it falls on Shabbos, it is divided into seven Aliyos (**קיד**). In the second Sefer Torah, we read "והקרבתם" (**קטו**). The Haftorah is from *Shmuel* "וידבר דוד" (**קטז**). When the seventh day of Pesach falls on Shabbos, "יקום פורקן" is said followed by "אשרי," the Sifrei Torah are returned to the ark, **חצי קדיש** is said and we daven Musaf (**קיז**) (see Chapter XXV A 11).

The last night of Pesach

7. On the last night of Pesach, candles are lit after nightfall (**קיח**) (see 1 and Chapter XVIII A 10 Note and ibid. 14). We daven Maariv as on the seventh

---

(קה) מ"ב שם.
(קו) שם.
(קז) שם.
(קח) שם.
(קט) ע' ס' ת"צ ס"ד וכה"ח אות י"ט.
(קי) רמ"א שם ס"ט.
(קיא) ע' שערי אפרים (שער י' אות ה').
(קיב) ע' ס' ת"צ ס"ו ושערי אפרים (שער ח' ס' כ"ו).
(קיג) שם ס"ה והוא משמות י"ג:י"ז—ט"ו:כ"ו.
(קיד) שערי אפרים שם.
(קטו) שם וס' ת"צ ס"ו והוא מבמדבר כ"ח:י"ט־כ"ה.
(קטז) ס' ת"צ ס"ח והוא משמואל ב' כ"ב:א־נ"א.
(קיז) שערי אפרים (שער י' ס' כ"ו,מ').
(קיח) ע' לעיל הערה קא לענין הדלקת נרות ושאין אומרים שהחיינו וע' לעיל פ' כט הערה מח.

day (see 2). If the seventh day was Shabbos, on Motza'ai Shabbos "ותודיענו" is said (see Chapter XVIII A 11 for the halachos of when Yom Tov falls on Motza'ai Shabbos).

The last day of Pesach

8. Shacharis is similar to that of the seventh day (see 3–5). Two Sifrei Torah are removed from the ark (קיט). In the first Sefer Torah we read "כל הבכור" (קכ). If it occurs on a weekday, five people are called up (קכא); if it falls on Shabbos we begin with "עשר תעשר" (קכב), and the reading is divided into seven Aliyos (קכג). The Maftir is "והקרבתם" (קכד). The Haftorah is from *Yeshayahu* "עוד היום בנוב" (קכה). After the Haftorah [on Shabbos, we say "יקום פורקן" then] Yizkor is said (קכו) followed by "אב הרחמים" [even not on Shabbos] (קכז) and we daven Musaf (see Chapter XXV B 11).

Mincha

9. For Mincha, "אשרי" and "ובא לציון" are said. [On Shabbos, this is followed by "ואני תפלתי"] (קכח), three people are called to the Torah and we read the beginning of the Parsha of the following week (קכט)]. *Shmone Esray* of Yom Tov is said [if on Shabbos add references to Shabbos]. "צדקתך" is omitted (קל).

(קיט) ע' ס' ת"צ ס"ו ושערי אפרים (שער ח' ס' כ"ח).

(קכ) ס' ת"צ ס"ה ושערי אפרים שם והוא מדברים ט"ו:י"ט—ט"ז:י"ז.

(קכא) שם.

(קכב) שערי אפרים שם והוא מדברים י"ד:כ"ב—ט"ז:י"ז [וע"ש לענין אם טעה ולא קרא כל הפרשה רק עד שמור את חדש האביב].

(קכג) שערי אפרים שם.

(קכד) ס' ת"צ ס"ו והוא מבמדבר כ"ח:י"ט־כ"ה.

(קכה) ס' ת"צ ס"ח והוא מישעיה י:ל"ב—י"ב:ו.

(קכו) מ"ב ס' תצ"ד ס"ק י"ז ושערי אפרים (שער י' ס' כ"ו).

(קכז) ע' מ"ב שם ושערי אפרים (שם ס' כ"ח כ"ט).

(קכח) ע' מ"ב ס' ת"צ ס"ק י"ט.

(קכט) שם.

(קל) ע' ס' תפ"ז ס"א וס' תכ"ט ס"ב.

סימנים וסעיפים שבשלחן ערוך המשתייכים לפרק זה

ל"א:ב	תפ"ט:א
קי"ז:א־ג	ת"צ:ב,ד־ט
רפ"ב:א	תצ"א:א
תע"ג:א	תרנ"א:ז
תפ"ז:ד	

Section Eleven
AFTER PESACH

Chapter Thirty One — Halachos Concerning After Pesach

A. After Pesach

Chapter XXXI　Halachos Concerning After Pesach

A. AFTER PESACH

Maariv on Motza'ai Yom Tov

1. In Maariv on Motza'ai Yom Tov, we say ''אתה חוננתנו'' (א). *Havdallah* is recited over a cup of wine (ב); some have a minhag to use beer specifically on Motza'ai Pesach (ג) (see 3). *Havdallah* consists only of the brochos ''בורא פרי הגפן'' and ''המבדיל''; [''הנה קל ישועתי'' is omitted] and no spices or candle are used unless it is Motza'ai Shabbos (ד).

Although the halacha is that one who did not recite *Havdallah* on Motza'ai Shabbos may recite it until and including Tuesday (ה), one who did not recite it on Motza'ai Yom Tov may only recite it the following day (ו).

If he is in the middle of eating, can he eat chometz?

2. One who began eating on the last day of Pesach while it was still day and the *seudah* extended until after צאת הכוכבים (when three medium-size stars appear), although he had not yet davened Maariv and recited אתה חוננתנו, nor has he recited *Havdallah*, he is permitted to eat chometz (ז). The reason this is permissible is that since three medium-size stars are visible it is considered as night for all halachos, except that חז"ל prohibited doing melacha until one recited אתה חוננתנו in *Shmone Esray* (ח) [or said ברוך המבדיל, see Chapter XVIII A 10).

Although this is the halacha, its application is dubious. The reason is that if he had not yet recited *Birchas Hamazone*, he would not be permitted to eat chometz (ט); since his meal began while it was still Pesach, he would be required to say ''יעלה ויבוא'' in *Birchas Hamazone* (י)—and this would appear as a

---

(א)　ע' ס' תצ"א ס"א.

(ב)　ס' תצ"א ס"א וכתיקונו של המ"ב ס"ק א' בשם הגר"א.

(ג)　רמ"א ס' רצ"ו ס"ב וכ' שם ,,דחביב עליו'' וכ' המ"ב (שם ס"ק י"ג) הטעם ,,שלא שתהו כל ימי הפסח'' וע"ש בס"ק י"ב דדוקא אם הוא חמר מדינה.

(ד)　ס' תצ"א ס"א.

(ה)　ס' רצ"ט ס"ו.

(ו)　כך מצדד הגרע"א הובא במ"ב ס' רצ"ט ס"ק ט"ז.

(ז)　מ"ב ס' תצ"א ס"ק א' וגר"ז ס' תצ"א ס"ג [במ"ב כ' ,,ועדיין לא התפלל והבדיל'' ובגר"ז כ' ,,אף שעדיין לא התפלל ערבית ולא הבדיל

כלל'' אבל בערה"ש (שם ס"א) כ' ,,והבדיל וכו' אע"פ שעדיין לא התפלל ערבית'' וע' כה"ח שם אות ז',ח' וע' לקמן הערה קמב].

(ח)　שם וכ' הגר"ז שם ,,לפי שאיסור חמץ אינו תלוי בהבדלה כלל דכיון שחשכה הוא לילה לכל דבר וכבר הלכה ממנו קדושת י"ט וכו' (ואף להוסיף מחול על הקדש א"צ כ"א לענין שביתת יו"ט ממלאכה וכו')''.

(ט)　מ"ב שם ,,דהרי יצטרך לומר יעלה ויבוא משום דאזלינן בתר התחלת הסעודה כדאיתא לעיל בסוף סימן קפ"ח וא"כ יהיה תרתי דסתרי''.

(י)　שם.

paradox (**יא**). On the other hand, if he had recited *Birchas Hamazone*, he would not be permitted to eat until he recited *Havdallah* (**יב**).

Deriving benefit from a Jew's chometz after Pesach

3. One may not eat or derive any benefit from chometz which has been in the possession of a Jew during Pesach (**יג**) (i.e. it was not sold to a gentile, see Chapter II D 7). Even if many months or even years have passed, it is prohibited (**יד**). Therefore, after Pesach one must exercise caution not to purchase chometz or mixtures containing chometz from a Jew who had chometz in his possession during Pesach [and did not sell it to a gentile before Pesach], unless we can reasonably assume that this chometz was not in his possession during Pesach (**טו**). If there is any question, a Rav should be consulted.

פרקי אבות

4. After Pesach, it is a minhag to begin saying פרקי אבות on Shabbos after Mincha (**טז**).

Tefilos after Pesach

5. We have learned (see Chapter I A 3, D 1 Note) that because of the greatness and significance of the month of Nissan, the entire month is considered holy (**יז**). Therefore, תחנון and certain *tfilos* are omitted, and fasting and eulogies are not permitted (**יח**).

Most Poskim hold that although אב הרחמים was not said during the month of Nissan before Pesach, it is said after Pesach—since it is during the *Sefirah*

(יא) שם.

(יב) ע׳ ס׳ רצ״ט ס״א. [ע׳ לעיל הערה ז. ולכאורה משכחת ציור דמותר לאכול חמץ אף שלא התפלל ערבית ולא הבדיל ושרי לאכול ולא יהי תרתי דסתרי. ע׳ מ״ב ס׳ רצ״ט ס״ק א׳ דמי שלא אכל סעודה שלישית בשבת „צריך לאכול אפילו אחר שקיעה ואפילו שאר אכילה אם הוא תאב לאכול ולשתות ג״כ אין להחמיר עד חצי שעה שקודם צה״כ״ וע׳ מ״ב ס׳ קפ״ח ס״ק ל״ב שכ׳ „וכיון שהתחלת הסעודה היה מבעוד יום כבר נתחייב להזכיר מעין המאורע״ אם התחיל לאכול סמוך לחצי שעה קודם צה״כ (דהיה שבת ולא אכל עדיין סעודה שלישית או הוא תאב לאכול) היה נראה דאין להזכיר מעין המאורע ושרי לאכול א״כ ליכא תרתי דסתרי ושרי לאכול חמץ, אבל זה אינו, דאם שרי לאכול דינו כהתחיל בשבת וחייב להזכיר מעין המאורע וכן נוהגים. אבל נראה דמשכחת ציור דשרי לאכול וליכא תרתי דסתרי באונן ר״ל דאינו מברך ואינו מבדיל, א״כ שרי לאכול וליכא תרתי דסתרי.].

(יג) ס׳ תמ״ח ס״ג.

(יד) פשוט.

(טו) ע׳ ס׳ תמ״ט ומ״ב ס״ק ג׳,ה׳.

(טז) כ׳ הרמ״א (ס׳ רצ״ב ס״ב) ונהגו שלא לקבוע מדרש בין מנחה למעריב אבל אומרים פרקי אבות בקיץ ושיר המעלות בחורף וכ״מ לפי מנהגו״ וע׳ במ״ב (שם סק״ח,ט). כתב במ״ב (ס׳ תצ״ד ס״ק י״ז) „כשחל שבועות ביום וי״ו זיי״ן אין אומרים פרקים וכשחל שבועות במו״ש אומרים פרקים במנחה בשבת.״ **כתב** בליקוטי מהרי״ח (דף מג: ד״ה שבת) „ועי׳ בספר אוהב ישראל עה״ת שמנהג ישראל בשבת הראשון אחר הפסח שמנקדין החלות במפתח וכתב טעמים ע״ז עפ״י דרכי בקודש ע״ש.״

(יז) ס׳ תכ״ט מ״ב ס״ק ז׳ וגר״ז ס״ט.

(יח) ע׳ לעיל פ״א.

period (**יט**). Each community should conduct itself according to its own established minhag (**כ**).

We have learned (ibid.) that the month of Nissan is destined to be the month of the forthcoming redemption, as it says ''בניסן נגאלו בניסן עתידים ליגאל'' ''in Nissan they were redeemed, in Nissan they are destined to be redeemed'' (**כא**). The third *Beis Hamikdosh* will be established during the month of Nissan (**כב**). We should be worthy to merit this in the near future.

(**יט**) לענין אמירת אב הרחמים אחר פסח ע' שערי אפרים (שער י' ס' כ"ח כ"ט) שכ' ''ובשבתות שאין מזכירין נשמות כמו שנתבאר אין אומרים א"ה ג"כ רק בימי הספירה דהיינו מן אחר הפסח עד חג השבועות שאומרים אב הרחמים בכל השבתות שבינתים אפי' בשבתות שמברכין בהם חודש אייר וחודש סיון ואפילו אם יש מילה או חתונה בשבתות אלו אומרים

אב הרחמים'' וע' רמ"א ס"ס רפ"ד ומ"ב ס"ק י"ח וכבר כ' בזה הרמ"א שם ,,והולכים בכל זה אחר המנהג''. השמטנו תענית בה"ב בס' תצ"ב דממתינים עד שיעבור חדש ניסן.

(**כ**) רמ"א שם.

(**כא**) ר"ה י"א:.

(**כב**) ערה"ש ס' תכ"ט ס"ג מפ' בתרא דמס' סופרים.

סימנים וסעיפים שבשלחן ערוך המשתייכים לפרק זה

רצ"ט:ו	רצ"ב:ב
תצ"א:א	רצ"ו:ב

CHAPTER XXXII The Shabbos Hagadol Drosho and Fast of the First-Born

A. THE SHABBOS HAGADOL DROSHO

Introduction

1. When Erev Pesach (the fourteenth of Nissan) occurs on Shabbos, there are numerous halachos and minhagim which differ from other years.

The Shabbos Hagadol Drosho

2. We have learned (see Chapter I B 2) that the Shabbos before Pesach is called *Shabbos Hagadol* (the Great Shabbos) (**א**). The minhag on this Shabbos is for the Rav to deliver a *drosho* (discourse) (**ב**). The primary purpose of this *drosho* is to review with the congregation the basic halachos of Pesach* (**ג**) (e.g. *kashering, biyur chometz,* baking matzos etc.) (**ד**).

When Erev Pesach falls on Shabbos, most Poskim hold that the *drosho* is delivered on the previous Shabbos (**ה**) (the seventh of Nissan).

*Note: Many Poskim hold that there is an obligation to begin learning Hilchos Pesach thirty days before Pesach and also to learn it on Pesach itself (**ו**).

(**א**) תוס׳ שבת פ״ז: ד״ה ואותו וכו׳ ומחבר ס׳ ת״ל. **הרבה** טעמים נאמרו למה נקרא שבת שלפני פסח שבת הגדול ע׳ תוס׳ שם וטור וב״י ס׳ ת״ל, וכ׳ המחבר שם „מפני הנס שנעשה בו״ וע׳ בב״ח בס׳ ת״ל, ובס׳ תכ״ט (ד״ה כתב ב״י) כ׳ „לזה נקרא שבת הגדול לחד טעמא לפי שמתקבצות קהילות גדולות לשמוע הלכות גדולות״ וע׳ כה״ח (ס׳ ת״ל אות א׳) עוד טעמים ובש״א ואכמ״ל.

(**ב**) ע׳ ב״ח שם ורש״י (בכורות ס. ד״ה בריגלא) כ׳ „בשבת שלפני הרגל שבו דורשים הלכות הרגל״ וע׳ מ״א ס׳ תכ״ט ס״ק א׳.

(**ג**) כ׳ במ״ב (ס׳ תכ״ט ס״ק ב׳) „והעיקר להורות לעם דרכי ה׳ ללמד המעשה אשר יעשון דהיינו דיני הגעלה וביעור חמץ ואפיית המצה ושאר הלכות פסח וכו׳ אבל אם יהיה הדרשה רק בפלפול או דרוש בעלמא אין יוצאין בזה ידי חובתן״ והגר״ז (ס׳ תכ״ט ס״ב) הוסיף „ולא כמו שנוהגין עכשיו״. וע׳ כה״ח (ס׳ ת״ל אות ד׳), ובערה״ש (ס׳ תכ״ט ס״ו) כ׳ „ויש לדרוש מעניינא ולהלהיב את העם לתורה וליראה אבל בענייני שאלות של פסח לא שייך דכל אחד שואל מה שנסתפק לו אם לא דברים כלליים וכל אחד דורש לפי כחו״.

(**ד**) מ״ב שם.

(**ה**) כ׳ במ״ב (ס׳ תכ״ט ס״ק ב׳) „ועכשיו נוהגין לדרוש בשבת הגדול [כשאין ע״פ חל בו דאז צריך להקדים בשבת הקודם]״ וכ״מ מהגר״ז (ס׳ תכ״ט ס״ב), וכה״ח (אות ד׳) ממהרי״ל א״ר וח״י, אבל בערה״ש (ס׳ ת״ל ס״ה) כ׳ „ויש שכתבו שכשחל ע״פ בשבת שדורשין בשבת הקודם (ח״י) וזהו לדידהו שהיו אומרים דיני פסח בדרשה והיו צריכים להודיע להם קודם הפסח מה יעשו אבל לדידן שכל מי שיש לו שאלה שואל מהרב ודרשתינו הוי בעניינים אחרים אנו דורשים בשבת ע״פ״ (וזהו לשיטתו בס׳ תכ״ט ס״ו הובא לעיל בהערה ג׳) בחק ישראל (ס״א אחר שהביא דברי ערה״ש) כ׳ „אבל לדידן אין המנהג כן רק כשחל ע״פ בשבת דורשים בשבת הקודם וכו׳״.

(**ו**) כ׳ המחבר (ס׳ תכ״ט ס״א) „שואלין בהלכות הפסח קודם לפסח שלשים יום״ וע״ במ״ב (ס״ק א׳) ובב״ה ד״ה שואלין, בגר״ז (ס׳ תכ״ט ס״ג) כ׳ „ובדורות הללו שאין החכם שונה לתלמידיו הלכות (לפי שהכל כתוב בספר) מצוה על כאו״א שילמוד הלכות הרגל קודם הרגל עד שיהיה בקי בהם וידע המעשה אשר יעשה״ וע״ש ס״ד שכ׳ „ועכשיו אין נוהגין לדרוש

B. THE FAST OF THE FIRST-BORN

When do the first-born fast in other years?

1. Normally, in other years, first-born (בכורים), either from the father or mother, are required to fast on Erev Pesach (ז) (תענית בכורים).

When Erev Pesach falls on Shabbos

2. When Erev Pesach falls on Shabbos, the minhag is for the first-born to fast on Thursday (the twelfth of Nissan) (ח). The reason they don't fast on Friday is to avoid entering the Shabbos while fasting (ט).

We will learn (see Chapter XXXIII A 2) that *bedikas chometz* is performed on Thursday night. If one finds that fasting until after *bedikas chometz* is too difficult, he may partake of some food (טעימה—a snack) before beginning the *bedikah*, or appoint a representative to search for him (י). [Which food is considered a snack, see Chapter VI B 2].

Siyum Bechorim

3. The halacha is that the first-born may eat at a *seudas mitzvah* (e.g. *Bris Milah, Pidyon Haben*) (יא). The minhag in many communities is that a first-born who makes or attends a *Siyum* (the completion of a *mesechta* of the Talmud or of a *seder* of the Mishna) may partake of the refreshments served,

---

הלכות בחג עצמו (לפי שהכל כתוב בספר) אלא דורשין באגדה מענינו של יום וכו׳". ובב"י כ׳ „והא דתניא ששואלין בהלכות פסח בפסח והלכות חג בחג היינו לדרוש בטעמים שבעבורם נצטוינו במועד ההיא וג"כ לדרוש בדברים שאסור ומותר לעשות בי"ט" וע׳ ב"ח.

(ז) ס׳ ת"ע ס"א, ובמ"ב (ס"ק א׳) כ׳ הטעם „זכר לנס שניצולו ממכת בכורות".

(ח) כ׳ המחבר (שם ס"ב) „אם חל ערב פסח בשבת יש אומרים שמתענים הבכורות ביום ה׳ וי"א שאינם מתענים כלל" וכ׳ הרמ"א „אבל יש לנהוג כסברא הראשונה". וכ׳ בסדר ערב פסח שחל בשבת להגרי"ח זאננענפעלד זצ"ל „ומקילים אז בהתענית יותר מבכל שנה מפני שהוא מוקדם, ולכן אם יש לו לבכור איזה מיחוש לא יתענה, ונלע"ד שבכל אופן יכולים לפדות זה התענית בממון שיתן לפי ערכו לצדקה מאחר שאינו בזמנו וגם מעיקרא אינו תענית צבור".

(ט) ערה"ש ס׳ ת"ע ס"ד.

(י) מ"ב שם ס"ק ו׳ וערה"ש שם ממ"א. **כתב** בסדר ע"פ להגרי"ח זצ"ל „ואפילו הבכורים שהתענו ביום אסורים לאכול קודם הבדיקה, אבל יכולים לאכול מיני מזונות עד כביצה ושאר מאכלים ומשקין אפי׳ יותר מכביצה קודם הבדיקה שזה לא נקרא רק טעימה, חוץ מיין שלא ישתו אז כלל שמא תטרף דעתו עליו ולא יוכל לבדוק כהוגן וכו׳".

(יא) ע׳ ערה"ש שם ס"ה ומ"ב ס"ק י׳ וגר"ז ס"ח.

since this is a *seudas mitzvah* (יב). These halachos were discussed in more detail previously (see Chapter XVII B). [For the halachos of a *Siyum*, see A SUMMARY OF HALACHOS OF THE THREE WEEKS, Chapter III C 6,7].

(יב) כ׳ המ״ב שם „ויש מקומות שנהגו הבכורים להקל ולאכול בסעודת מצוה וכן נוהגין כהיום בכמה מקומות במדינתנו להקל ולאכול אף בסעודת סיום מסכת ואף שהבכורים בעצמן לא למדו את המסכת מ״מ כיון שאצל המסיים הוא סעודת מצוה מצטרפים לסעודתו והמנהג שמתקבצים להמסיים קודם שסיים ומסיים לפניהם המסכת ושומעים ומצטרפים עמו בסיומו ואח״כ עושין סעודה״ ובערה״ש שם תמה „ואינו ידוע מאין להם להקל כל כך אם לא שנאמר דמפאת חלישות הדור והטורח רב בע״פ ואכילת המרור ג״כ אינו יפה לבריאות ולכן יחשבו א״ע כאינם יכולים להתענות ולפי שבגמ׳ לא נזכר כלל מזה וגם בירושלמי המסקנא דא״צ להתענות ואינו אלא מנהג ע״פ מס׳ סופרים לכן לא מיחו חכמי הדור בזה וצ״ע״ וע׳ בחק ישראל (ס״ק ח׳) שהאריך בזה ואכמ״ל. וע׳ לעיל פי״ז הערה מח מש״כ מת׳ הגרי״א הענקין זצ״ל.

סימנים וסעיפים שבשלחן ערוך המשתייכים לפרק זה

Chapter XXXIII Thursday Evening and Friday

A. BEDIKAS CHOMETZ

When are Bedikas Chometz and Biyur Chometz normally conducted?

1. *Bedikas chometz* (the search for chometz) is normally conducted on the evening of the fourteenth of Nissan (see Chapter VI A 1), and *biyur chometz* (destruction of the chometz) on the morning of the fourteenth (ibid., Chapter X B 2).

Bedikas Chometz when Erev Pesach falls on Shabbos

2. When the fourteenth of Nissan falls on Shabbos, *bedikas chometz* is performed on Thursday evening (the evening of the thirteenth of Nissan) (**א**).

The reason the *bedikah* is not performed on Friday night (the evening of the fourteenth) is that a candle is required for the *bedikah* (see Chapter VII D), and a candle cannot be [lit nor] moved on Shabbos (**ב**). The reason the *bedikah* is not performed on Friday by day is that since חז״ל ordained that the search for chometz must be performed by candlelight, the mitzvah should be performed at night, when candlelight offers greater illumination (**ג**).

Normally, wherever one is required to search for chometz before the fourteenth, no brocho is recited (**ד**) (see Chapter VIII A 11). In our case, although it is the thirteenth, a brocho *is* recited (**ה**).

The reason for this difference is that, normally, when the *bedikah* is performed before the fourteenth, after the *bedikah* he does not destroy the chometz, but continues using it. Since with the *bedikah* he merely removes the chometz from his property—but does *not* plan to destroy it—he cannot recite the brocho of ״על ביעור חמץ״ ("upon the destruction of chometz"). Here, however, since the *bedikah* is the beginning of the *biyur* (destruction of the chometz)—the found chometz will be burned the following morning, the brocho ״על ביעור חמץ״ is recited (**ו**).

(**א**) ס׳ תמ״ד ס״א.

(**ב**) ב״י (ס׳ תמ״ד ד״ה ומ״ש רבינו שבודקין) ולבוש הובא בגר״ז ס״א וכה״ח אות א׳.

(**ג**) ע׳ מ״ב ס׳ תמ״ד ס״ק ב׳ שכ׳ „שלמחר בע״ש א״א לבדוק דאין בודקין לאור החמה וכנ״ל״ ובכה״ח שם כ׳ „וביום י״ג א״א לבדוק משום דאסור לבדוק ביום לכתחלה וכו׳״ וע׳ מ״ב ס׳ תל״א ס״ק ג׳ וס׳ תל״ג ס״ק א׳. **אם** שכח או נאנס ולא בדק בי״ג אסור לבדוק בשבת אפילו אם העכו״ם יטלטל נר הדלוק (חק ישראל ס׳ כ״ג וע״ש בס״ק כ״ב).

(**ד**) רמ״א ס׳ תל״ו ס״א וע׳ ב״ה שם ד״ה ולא יברך.

(**ה**) מ״ב ס׳ תמ״ד ס״ק א׳.

(**ו**) כך נראה ע״פ הרא״ש הובא בב״י (ס׳ תל״ב ד״ה ומ״ש רַבינו) ומ״ב ס׳ תל״ו ס״ק ד׳.

The time for the bedikah

3. *Bedikas chometz* on the evening of the thirteenth should commence in the very beginning of the evening—similar to every other year (**ז**) (ibid., Chapter VI A 3). The procedure for the *bedikah* is similar to that of other years (**ח**) (ibid., Chapter VII).

Activities prohibited during time of bedikah

4. Whatever activities are prohibited in other years during the time of the *bedikah* (e.g. engaging in work, eating, drinking, ibid., Chapter VI B) are also prohibited when the *bedikah* is performed on the thirteenth (**ט**).

Place remaining chometz in secure location

5. After the *bedikah* is completed, all remaining chometz—whether it is to be eaten that night, in the morning, or on Shabbos (see Chapter XXXV, XXXVI), or whether it is to be sold to a gentile, or burned in the morning (see B 2,4)—must be placed in a secure location and not moved around without extreme caution (**י**). Care should be taken not to place the chometz where children, pets, rodents, or others can carry it away (**יא**).

Bitul chometz

6. Following the *bedikah,* one is required to nullify the chometz as in other years (**יב**) (see Chapter IX B 1).

If one forgets to perform the *bedikah* at night, he should perform it on Friday, as soon as he recalls (ibid., Chapter VI E 1).

B. FRIDAY MORNING

מזמור לתודה

1. Normally, מזמור לתודה and למנצח are omitted on Erev Pesach (**יג**). This

---

(**ז**) אע״ג דלא מצאתי זה מפורש בפוסקים לענין בדיקה אור לי״ג נראה דתקנו דומיא דאור לי״ד, וכ״מ מגר״א ס׳ תמ״ד ס״ק א׳ ודוק. וע׳ ט״ז ס׳ תל״א ס״ק א׳, ועוד „כדי שלא יבאו לטעות בשאר שנים״ כמ״ש הטור והמרדכי והמחבר ס׳ תמ״ד ס״ב בשם רש״י לענין הביעור וכ״מ מח״י (ס׳ תמ״ד ס״ק ד׳) וש״א לענין שאר חילוקים בשנה זו.

(**ח**) שם.

(**ט**) שם וע׳ מ״ב ס׳ תל״א ס״ק ה׳ וס׳ תל״ג ס״ק ה׳ לענין בדיקת שחרית ונראה דה״ה כאן.

(**י**) ע׳ ס׳ תל״ד ס״א ומ״ב ס״ק ב׳ וס׳ תמ״ד ס״א ומ״ב ס״ק ג׳. **מש״כ** המחבר שם „ומשיירין מזון ב׳ סעודות לצורך השבת וכו׳״ כ׳ בב״ה (שם ד״ה ומשיירין) „נקט שתי משום דמדינא אינו מחוייב לבערו עד סמוך לשבת וא״כ אינו מניח בשעת הביעור רק שתי סעודות לצורך השבת ולפי מנהגינו בס״ב דמבער הכל קודם חצות כמו בשאר השנים יכול להניח יותר משתי סעודות אם רוצה לאכול עוד קודם הלילה וכן ברמב״ם כתב סתם ומניח מן החמץ כדי לאכול ממנו עד ארבע שעות ביום השבת וכ״כ המאמר מרדכי״ וכן בערה״ש (ס׳ תמ״ד ס״ד) כ׳ „ומשייר לאכילת לילה ולאכילת ע״ש וגם לשתי סעודות של שבת וכו׳״. לענין סעודה שלישית נכ׳ לקמן בס״ד בפרק ל״ה.

(**יא**) ע׳ ס׳ תל״ד ס״א ומ״ב ס״ק ב׳.

(**יב**) גר״ז ס׳ תמ״ד ס״א ומ״ב ס״ק **א׳**.

(**יג**) רמ״א ס׳ תכ״ט ס״ב וע׳ כה״ח אות ל״ט.

(**יד**) ע׳ חק ישראל ס״ו.

year, however, on Friday morning, since it is *not* Erev Pesach, מזמור לתודה and למנצח *are* said (יד).

Note: The reason מזמור לתודה is omitted on Erev Pesach is that the *Korbon Todah* (the thanksgiving offering) consisted, in part, of chometz (i.e. the *Todah* consisted of forty loaves, thirty of matzah, ten of chometz—aside from the animal offering). The time for consuming the offering was the day it was brought and the following night. If the offering would be brought on Erev Pesach, there would be insufficient time to complete the consumption before chometz becomes prohibited. This would cause the offering to become נותר (leftover of an offering, which must be burned). Any action which will create נותר is prohibited. Nowadays, since there is no *Beis Hamikdosh*, our saying מזמור לתודה is in place of offering the *Todah*. Since the *Korbon Todah* was not offered on Erev Pesach, we do not say מזמור לתודה on Erev Pesach (טו). However, on Erev Shabbos, which is not Erev Pesach, there is no reason to omit מזמור לתודה.

Biyur Chometz

2. Normally, during the morning of Erev Pesach, we are permitted to eat chometz until the end of the fourth hour*. During the fifth hour we are permitted to derive benefit from it (see Chapter II D 3). We are required to destroy the chometz (*biyur chometz*) before the end of the fifth hour, and then nullify the chometz (*bitul chometz*) by saying "כל חמירא" (טז) (see 3).

When Erev Pesach falls on Shabbos, since we are unable to burn the chometz on Shabbos, it is burned instead on Friday morning (יז). It is preferable to burn it during the fifth hour [which begins approximately 10:30 A.M. in the New York metropolitan area]—in order to avoid confusion in future years (יח).

What should be burned? Any leftover chometz which is not needed for Friday or Shabbos and chometz which was found during the bedikah at night should be burned (יט).

*Note: The length of a halachic hour is determined by dividing the total of minutes from עלות השחר (halachic dawn) until צאת הכוכבים (when the stars are visible) or according to some Poskim from sunrise until sunset, into twelve portions.

(טו) מ״א ס׳ תכ״ט ס״ק ז׳ ומחה״ש שם.

(טז) ס׳ תמ״ג ס״א, רמ״א ס׳ תל״ד ס״ב ומ״ב ס״ק י״ב.

(יז) במחבר (ס׳ תמ״ד ס״ב) כ׳ „טוב לבער בע״ש קודם חצות כדי שלא יבואו לטעות בשאר שנים לבער אחר חצות" וכ״כ בגר״ז ס״ה, אבל ע׳ במ״ב (ס״ק ט׳) שכ׳ „קודם חצות לאו דוקא

ור״ל בתחלת שעה ששית כמו בשאר שנים" וע׳ מ״ב (ס׳ תל״ד ס״ק י״ב ובשעה״צ ס״ק כ׳) דכ׳ דצריך לשרפו קודם שיותחל שעה ששית ע״ש וכ״כ בכה״ח ס׳ תמ״ד אות כ״ב.

(יח) מחבר שם.

(יט) כה״ח שם אות כ׳.

No Bitul Chometz on Friday

3. Normally, one is required to nullify his chometz (*bitul chometz*) during the morning of Erev Pesach following the burning (Chapter IX B 9).

When Erev Pesach falls on Shabbos, however, the morning *bitul* is not performed following the burning on Friday—but is performed on Shabbos morning instead* (**כ**). (see Chapter XXXVI D 12).

The reason there is no need to perform the *bitul* on Friday is that even if he would nullify the chometz on Erev Shabbos, he would be required to nullify it again on Shabbos (**כא**). This is required, since he leaves over chometz for use on Shabbos he thereby acquires it again, and we are afraid that some of this chometz will remain (**כב**).

*Note: One who removes all chometz from his domain at the time of the burning on Friday and intends not to eat or possess any further chometz (e.g. he will eat egg matzos on Shabbos, see Chapter XXXV A 3 b) may perform the *bitul* following the burning (**כג**). Even under such conditions, it is advisable to perform the *bitul* again Shabbos morning (see Chapter XXXVI D 12).

Mechiras Chometz

4. The selling of chometz to the gentile (*mechiras chometz*) normally must be completed before the sixth hour (see Chapter XI A 1).

When Erev Pesach falls on Shabbos, he should preferably complete the sale on Friday before the sixth hour (**כד**). One who forgot or was unable to complete the sale before the sixth hour may sell it afterwards (**כה**). A Rav, however, must be consulted immediately to determine the proper procedure (**כו**) (see Chapter XXXVI D 7–10).

(**כ**) רמ״א ס׳ תמ״ד ס״ב ומחבר ס״ו וע׳ מ״א ס״ק ג׳ וח״י ס״ק ד׳.

(**כא**) מ״ב ס״ק י׳.

(**כב**) שם.

(**כג**) כ״מ מגר״ז ס״ו.

(**כד**) כ׳ בחק ישראל (ס״ט) „מכירת חמץ לעכו״ם וכו׳ צריך ג״כ למכור החמץ קודם חצות בזמן שמוכרין בשאר שנים כדי שלא יטעה בשאר שנים״ [ולפי מש״כ לעיל בהערה יז ממ״ב היינו קודם שיותחל שעה ששית נראה דה״ה כאן אבל בלוח של עזרת תורה מפסקי הגרי״א הענקין זצ״ל כ׳ „עד חצות״ ושמעתי מפי הגרמ״פ שליט״א דלכתחילה ימכור קודם שעה ששית אבל בדיעבד יכול למכור אח״כ] וע״ש לענין שעת הדחק. עוד כ׳ שם (ס״ק י״ג) „מי שרוצה להשתמש מהחמץ הנמכר בעש״ק ובשבת עד זמן איסור יש להתנות עם העכו״ם הקונה בע״ש ולכתוב בשטר שמוכר לו מעכשיו מה שישאר בשבת ויחול הקנין משעה ה׳ [מעדני שמואל בשם הגאון מבערזאן זצ״ל]״ ושמעתי מפי הגרמ״פ שליט״א שיתנה שמעשה הקנין יחול מעכשיו קודם שבת ואם יקח מן החמץ אח״כ יעשה חשבון אחר פסח, וע׳ יסודי ישרון (ח״ו דף צז־צח). **כתב** בסדר ע״פ להגרי״ח זצ״ל „וגם יזהרו אז כשמוכרין את החמץ לפרש המכירה על יום אחד יותר משאר השנים כפי הנהוג בשטרי מכירה״.

(**כה**) שם.

(**כו**) שמעתי מפי הגרמ״פ שליט״א דאף שימכור את החמץ לעכו״ם בזמנו מ״מ יזמין את העכו״ם לבא קודם השבת אם צריך למכור עוד פעם בשביל אלו ששכחו למכור בזמנו. **אם** שכח למכור חמצו בע״ש האם יש עצה בשבת ע׳ כה״ח ס׳ תמ״ד אות ל״ח ומ״ב ס״ק כ׳ (וכתבנו בפנים בפ׳ ל״ו מהערות נג עד סה).

Baking chaleh

5. Baking chaleh on Friday is permissible. However, care should be taken to separate chaleh (הפרשת חלה) and to burn it immediately. It is crucial to check before Shabbos whether chaleh was separated and burned. If chaleh was not separated or burned before Shabbos, a Rav must be consulted (**כז**). [It goes without saying that the oven which was used for baking chaleh must be *kashered,* in order to be used for Pesach].

Eating matzah on Erev Shabbos

6. On Erev Pesach it is prohibited to eat matzah which one can use to fulfill the mitzvah of eating matzah at the *Seder* (**כח**). This issur applies during the entire day of Erev Pesach (**כט**). Some communities have a minhag not to eat matzah from Rosh Chodesh Nissan (**ל**).

When Erev Pesach falls on Shabbos, can one eat matzah on Friday? Although most Poskim hold that it is permissible [for those who don't have the above minhag], there is a view which holds that one should abstain—except in case of necessity (**לא**).

This applies only to matzah made of flour and water [which is suitable for use on Pesach]. Egg matzos and the like, however, may be eaten even on Erev Pesach, until the end of the fourth hour (**לב**). Whether they may be eaten after the fourth hour will be discussed later (see Chapter XXXV A 3 b).

(**כז**) בחק ישראל (אות י"ט) כ' „בע"ש הזה מחוייב כל איש ואיש טרם ילך לבית הכנסת לקבל שבת לשאול בני ביתו אם הפרישו חלה מן החלות שנאפות לשבת דאם ישכחו ליקח חלה כמעט אין תקנה להלחם ובדיעבד יעשה שאלת חכם ובאחרונים כתבו תקנה לזה" בערה"ש (ס' תמ"ד ס"י) כ' ממ"א (ס' תק"ו ס"ק ח') „דאם שכח ליטול חלה אסור לאכול הפת" אבל כ' „וי"א כיון שאין תקנה לזה יכול לשייר מקצת חלה במחשבה לחלה ובלא ברכה ולקרא לכֹהן קטן שלא ראה קרי ולאוכלה (ש"ת בשם פמ"א ויעב"ץ ע"ש) ובהכרח לסמוך על זה כיון שאין תקנה אחרת" וכ"כ בב"ה (ס' תמ"ד ס"א ד"ה לצורך שבת) „ואף שהרבה אחרונים העתיקו דברי המ"א להלכה [עיין בא"ר ובח"י ובח"מ והגר"ז ודה"ח וח"א] מ"מ יש לסמוך על הגדולים הנ"ל להקל כשאין לו פת אחר לאכול ושלא לבטל עונג שבת דחיובו בפת" וכ"כ במ"ב (ס' תק"ו ס"ק כ"ג) לענין חלת חו"ל וע' ב"ה שם (ד"ה ולמחר). [שמעתי עוד עצה לזה (ע"פ יו"ד ס' של"א ס' ל"ג) דקטן שהגיע לעונת נדרים אם תרם תרומתו תרומה ודעת הרשב"א דקטן לצרכו ספינן בידים דבר שהוא אסור מדרבנן ע' ב"ה ס' שמ"ג ד"ה מד"ס ודוק].

(**כח**) רמ"א ס' תע"א ס"ב וכ' במ"ב (ס"ק י"א) „אסורים לאכול מדרבנן כדי שיהיה היכר לאכילתה בערב (רמב"ם)". „וכל האוכל מצה בע"פ כבא על ארוסתו בבית חמיו וכו'" (כה"ח שם אות י"ט מירושלמי).

(**כט**) כ' במ"ב (שם ס"ק י"ב) „היינו מעמוד השחר".

(**ל**) ח"י ס' תע"א ס"ק ז' ומ"ב שם.

(**לא**) חק ישראל ס"י משו"ת פרי השדה.

(**לב**) ע' ס' תע"א ס"ב וכה"ח אות כ"ג וע' לקמן פ' ל"ה הערה לד.

C. FRIDAY AFTERNOON

Is melacha prohibited in the afternoon?

1. On Erev Pesach after noon, one is not permitted to engage in certain forms of work (לג). The type of melacha which is prohibited is similar to that which is restricted on Chol Hamoed (לד). What is the reason for this restriction?

Most Poskim hold like the Talmud Yerushalmi that the reason is related to the offering of the *Korbon Pesach* (the Passover sacrifice), which was brought on Erev Pesach after noon. The day a person offered a sacrifice was a personal holiday—certain forms of work were prohibited. Nowadays, although there is no *Beis Hamikdosh* and we cannot bring the *Korbon Pesach*, the restriction, nevertheless, remains (לה).

Some Poskim explain that the reason is that if a person would be permitted to engage in his own work, he may forget to destroy his chometz, slaughter his *Korbon Pesach*, or prepare his matzah for the night (לו).

The difference between these two views expresses itself when Erev Pesach falls on Shabbos. Can melacha be performed on Friday afternoon—which is not Erev Pesach? According to the first view, since the *Korbon Pesach* was offered on Shabbos, melacha is permissible on Friday afternoon. According to the second view, we are still concerned with destroying his chometz and preparing his matzah for *Motza'ai Shabbos*. The halacha is according to the first view (לז).

Therefore, when Erev Pesach falls on Shabbos, melacha is permissible on Friday similar to every Friday afternoon (לח). However, one who conducts himself according to the latter view and abstains from melacha on Friday afternoon is praiseworthy (לט).

Baking "Matzos Mitzvah"

2. It is a proper minhag to knead and bake *matzos mitzvah* (the matzos used at the *Sedorim* to fulfill the mitzvah of eating matzah) after noon on Erev Pesach (מ). When Erev Pesach falls on Shabbos, since kneading and baking on

---

(לג) ס' תס"ח ס"א.

(לד) ע' מ"ב שם ס"ק ו', ז', ובשעה"צ (ס"ק ז') כ' „דקיל מחוה"מ".

(לה) מ"ב שם ס"ק א' וכה"ח אות א'. ולענין האיסור בזמן הבית אם הוא מדאורייתא או מדרבנן ע' כה"ח אות ב'.

(לו) פי' רש"י פסחים נ. ד"ה שלא לעשות.

(לז) ע' ב"ה (ס' תס"ח ס"א ד"ה מחצות) שכ' „דרוב הפוסקים תופסין טעם הירושלמי"

[ונראה דמש"כ שם „בע"ש" ט"ס וצ"ל „במ"ש" ודוק].

(לח) שם. והיינו מלאכות המותרים בע"ש מן המנחה ולמעלה, דכ' המחבר (ס' רנ"א ס"א) „העושה מלאכה בע"ש מן המנחה ולמעלה אינו רואה סימן ברכה וכו'" וע"ש במ"ב וש"א.

(לט) מסקנת כה"ח ס' תס"ח אות ג'.

(מ) ע' ס' תנ"ח ס"א ומ"ב ס"ק א"ג.

Shabbos are prohibited, they are kneaded and baked on Friday afternoon—as a reminder for other years (מא).

Note: Many Poskim hold that *matzos mitzvah* may not be moved on Shabbos, because they are *muktzah*. Other matzos which are not set aside specifically for the *Seder* may be moved, because one would feed them to children and pets (מב).

Purchasing chometz

3. Although it is permissible to prepare, purchase and sell chometz the entire Friday, it is advisable to prepare less chometz for this Shabbos than for other Shabbosos—in order not to have anything remaining after the time chometz becomes prohibited on Shabbos (מג).

Application: A bakery may bake chometz on Friday for Shabbos. However, they should bake less than on other weeks.

(**מא**) מחבר שם ומ״ב ס״ק ו׳. וע׳ בחק ישראל ס׳ י״ב לענין אמירת הלל.

(**מב**) חק ישראל ס׳ כ״ט מפר״ח ופמ״ג ס׳ תמ״ד א״א ס״ק א׳ וס׳ תע״א סס״ק ח׳. [וצ״ע בזה דהא מותר ליתן לקטן שאינו יודע מה שמספרין בלילה מיציאת מצרים כבהגה ס׳ תע״א ס״ב. ואין לומר דהוי מוקצה מחמת חסרון כיס דכ׳ באור שמח (פ׳ כ״ה דהל׳ שבת ה״ט) „דעל האוכל ל״ש מוקצה מחמת חסרון כיס״. וע׳ בא״א מבוטשאטש (ה׳ שבת ס׳ ש״ח) שחולק על הפמ״ג ודעתו שאין ע״ז איסור מוקצה, אלא שנכון להחמיר שלא לטלטלם]. **אם מותר ליקח בע״פ שחל בשבת מצה לצרפה ללחם משנה** ע׳ חק ישראל (ס״ק ל״ב) ושעהמ״ב (ס׳ קט״ו ס״ק ו׳).

(מג) פשוט וכ״נ דיש לדייק מברייתא (י״ג.) ושו״ע ס׳ תמ״ד ס״א ומשיירין מזון ב׳ סעודות וכו׳״.

סימנים וסעיפים שבשלחן ערוך המשתייכים לפרק זה

תל״ד:א	**תנ״ח:א**
תמ״ד:א,ב	**תע״א:ב**

Chapter XXXIV   Preparation For Shabbos And Pesach

A. INTRODUCTION

When Erev Pesach occurs on a weekday

1. We have learned (see Chapter XXXIII B 2) that when Erev Pesach occurs on a weekday, one may eat chometz until the end of the fourth hour and derive benefit from it until the end of the fifth hour.

If one desires to eat bread until the end of the fourth hour, he may do so; if he doesn't want to eat bread, he is *not* required to. There is no requirement of how many meals he should eat, nor how the food should be served or prepared. If he wants to eat hot food or cold food, he may do so; if he doesn't want to eat at all, he is not required to (א).

Pots, dishes, silverware and the like which were used for chometz [and one is unable to or does not want to *kasher*] should be cleaned thoroughly and put away in a concealed location until after Pesach (ב) (see Chapter XV F 1,2). Utensils which may be *kashered*, can be *kashered* on Erev Pesach—preferably before the beginning of the fifth hour (ג) (Chapter XII C 1). The stove and oven may be used for hot chometz and then *kashered* (ד). One may eat chometz on the table, then clean it, tear paper, cardboard, tape and the like, and cover it (ibid., Chapter XIII A 8, XVI C 1). Any remaining chometz may be taken outside into the street and burned, or given or sold to a gentile (ה).

When Erev Pesach falls on Shabbos—the problem

2. When Erev Pesach falls on Shabbos the situation is different. On Shabbos, one is *required* to eat three meals (שלש סעודות); the first two meals must include bread (ו). [Although the third meal *should* also consist of bread, we will learn (see Chapter XXXV A 2,3) that there are Poskim who hold that one can

---

(א) ובלבד שלא יתענה דמנהגינו כרמ"א ס' תכ"ט ס"ב „שאין מתענין בו תענית כלל אפילו יום שמת בו אביו או אמו וכו'" חוץ מתענית חלום ובכור המתענה תענית בכורים.

(ב) ס' תנ"א ס"א.

(ג) ע' ס' תנ"א ס"ט וס' תנ"ב ס"א.

(ד) דכיון דצריך ליבון לא בעינן אינו ב"י דהטעם דבעינן אינו ב"י בהגעלה הוא כדי שלא יהא נ"ט בר נ"ט דאיסורא (ע' ב"ה ריש ס' תנ"ב וש"א), אבל ליבון אינו מפליט האיסור אלא שורפו ולכן לא שייך טעם זה (ע' ט"ז יו"ד ס' קכ"א ס"ק ז' וש"ך ס"ק י"ז וא"א ס' תנ"א ס"ק ל' ואכמ"ל).

(ה) ע' ס' תמ"ה ס"ב.

(ו) ע' ס' רצ"א ס"א „יהא זהיר מאד לקיים

סעודה שלישית" ובמ"ב (ס"ק א') „וכדאיתא בגמרא חייב אדם לאכול ג' סעודות בשבת וכו'" וע' בס"ה שכ' המחבר „צריך לעשותה בפת וי"א שיכול לעשותה בכל מאכל העשוי מאחד מחמשת מיני דגן וי"א שיכול לעשותה בדברים שמלפתים בהם הפת כבשר ודגים אבל לא בפירות וי"א דאפילו בפירות יכול לעשותה וסברא ראשונה עיקר שצריך לעשותה בפת אא"כ הוא שבע ביותר" וכ' הרמ"א „או במקום שא"א לו לאכול פת כגון בערב פסח שחל להיות בשבת שאסור לו לאכול פת לאחר מנחה וכו'" והיינו לענין סעודה שלישית אבל לענין סעודת הלילה וסעודת שחרית כ' המחבר (ס' רע"ד ס"ד) „סעודה זו ושל שחרית א"א לעשותה בלא פת" וע' מ"ב ס"ק ט'.

fulfill this requirement by eating other foods as well (ז)]. One of these *seudos* (meals) must be eaten at night, the other two must be eaten during the day, with the third meal eaten in the afternoon (ח). There is a requirement to recite the brocho המוציא on לחם משנה (two loaves of bread or matzah) at each *seudah* of Shabbos (ט), yet one may *not* eat bread after the end of the fourth hour (י). [We have learned (see Chapter XXXIII B 6) that one cannot eat matzah on Erev Pesach] (יא).

There is a mitzvah to eat hot food on Shabbos (יב) [this is the basis for the minhag of eating chulent on Shabbos], and normally these foods contain chometz. Possessing chometz after the fifth hour on Erev Pesach, however, is prohibited—even when clinging to utensils (יג). The problem is that pots, dishes and silverware which are no longer needed for Shabbos may *not* be washed (יד). Even should washing articles be permissible, the sink would have to be *kashered* for Pesach before Shabbos—because one may not *kasher* on Shabbos (טו). Although one may clear any chometz from the table on this Shabbos, one may not tear paper, cardboard, tape and the like on Shabbos, in order to cover the table (טז). If paper, cardboard, or the like are cut to size before Shabbos, they may be placed on the table, but they may not be taped to the table on Shabbos (יז).

Chometz which remains after the meal can *not* be burned (יח). One may *not* give chometz or any other article to a gentile and instruct him to carry it into a public domain (יט)—even if it is for the gentile's benefit (כ).

When Erev Pesach falls on Shabbos—the solution

3. When Erev Pesach falls on Shabbos, we will learn (see B 1,2) that all *kashering* must be completed before Shabbos. Therefore, the stove, oven, sink, and all counters which must be *kashered* for Pesach, must be *kashered* before Shabbos (כא).

(ז) ס' רצ"א ס"ה.

(ח) ע' ס' רע"ד ס"ד ומ"ב ס"ק ט', וס' רפ"ט ס"א ובכ"מ לענין ב' סעודות ראשונות, ולענין סעודה שלישית ע' ס' רצ"א ס"ב שכ' המחבר "זמנה משיגיע זמן המנחה דהיינו משש שעות ומחצה ולמעלה ואם עשאה קודם לכן לא קיים מצות סעודה שלישית".

(ט) ע' ס' רע"ד ס"א וס' רפ"ט ס"א וס' רצ"א ס"ד.

(י) ס' תמ"ג ס"א.

(יא) ע' לעיל פ' ל"ג הערה כח.

(יב) רמ"א ס"ס רנ"ז.

(יג) ע' ס' תנ"א ס"א שכ' "משפשפן היטב וכו'" ובגר"ז (ס' תנ"א ס"א) הוסיף "קודם שעה ששית בע"פ".

(יד) ס' שכ"ג ס"ו ומ"ב ס"ק כ"ח וע' בספר הלכות שבת פ"ב הערה מב.

(טו) ע' ס' תק"ט ס"ה לענין יו"ט דהוי כמתקן, וה"ה לענין שבת כמבואר מדברי המ"ב (ס' שכ"ג ס"ק ל"ז) וש"א. וכל זה אם יש לו מים רותחין והכלי יבש, אבל אם מבשל המים בשבת חייב, וכן אסור לערות על כלי לח שמבשל המים שע"ג הכלי.

(טז) ע' ס' תמ"ד ס"ד שכ' "ינער המפה וכו'", ולענין איסור קורע ע' ס' ש"מ ס' י"ג.

(יז) משום תופר ע' ס' ש"מ ס' י"ד וב"ה ד"ה ה"ז.

(יח) ע' ס' תמ"ד ס"ה שכ' "מבטלו וכו'" דלשרפו אסור.

(יט) שם ס"ד ומ"ב ס"ק י"ז, ונכתוב עוד מזה לקמן פ"ה הערה מד, מה.

(כ) ע' ס' ש"ז ס' כ"א וס' שכ"ה ס"א.

(כא) ע' לעיל הערה טו.

For this Shabbos, one may not cook any dish containing flour, noodles, barley or any other chometz which clings to the pot (כב). The reason is that he will be forced to wash these pots after eating, and we learned (see 2) that one may not wash any article which is no longer needed for Shabbos (כג). Therefore, soup, chulent, kugel and the like containing chometz cannot be cooked (כד). [If one did cook such a dish, see 7].

The preferred procedure is to prepare all foods, which are to be served hot, in Pesach vessels (כה). Therefore, it goes without saying, that all ingredients and utensils used in their preparation must be kosher for Pesach (כו).

[The method of serving will be discussed in 4. Concerning the problem of bread needed for the meals, see Chapter XXXV A 2,3].

Practical suggestions: Cook soup not containing chometz (e.g. chicken soup without noodles) in Pesach pots. Prepare a chulent of meat and potatoes [no barley—which is chometz; for Ashkenazim—no beans—which are *kitniyos* (כז) (see Chapter IV A 1,2). Sefardim, who are permitted to use legumes, may also cook them for Shabbos in Pesach pots (כח)]. The kugel may *not* contain flour or noodles (כט), a potato kugel can be prepared.

Serving food on Shabbos

4. Some Poskim hold that one may pour hot soup or other food which was prepared in Pesach pots into chometz vessels, and still use the Pesach pot on Pesach—as long as food or liquid which was in the chometz vessel did not

---

(כב) כ׳ המחבר (ס׳ תמ״ד ס״ג) „אין מבשלין לשבת זה דייסא וכיוצא בזה ואין עושין בו פת הצנומה בקערה״ וע׳ גר״ז (שם ס״ח) וחיי״א כלל קכ״ט ס״י וש״פ.

(כג) ס׳ שכ״ג ס״ו וגר״ז ס׳ שכ״ג ס״ו וס׳ תמ״ד שם ומ״ב ס׳ תמ״ד ס״ק י״א וס׳ שכ״ג ס״ק כ״ח.

(כד) ע״פ מחבר וגר״ז ס׳ תמ״ד שם.

(כה) כ׳ המ״ב (שם ס״ק י״ד) „כתבו הפוסקים שטוב שיבשלו בכלים חדשים המוכנים לפסח״ והוא ממ״א ובאה״ט בשם מהרי״ו. וכתבנו אוכלים הנאכלים חם כי הנאכל צונן כגון הפת או דג ממולא אין חשש כ״כ לדבוק בקדירה.

(כו) פשוט.

(כז) ע׳ רמ״א ס׳ תנ״ג ס״א לענין מנהג אשכנז שלא לאכול קטניות בפסח. **לענין אכילת קטניות** בע״פ ע׳ בא״א ס׳ תמ״ד סס״ק ב׳ שמתיר ובח״י ס׳ תע״א ס״ק ב׳ כ׳ דאנו נוהגין איסור בזה (וכ״מ מסדר ע״פ שחל בשבת להגרי״ח זצ״ל ודוק) והיינו אחר זמן איסור חמץ, **ואם** רוצים להשתמש בפסח בקדירה שבשלו קטניות ע׳ כה״ח ס׳ תנ״ג אות כ״ז.

(כח) ע׳ מחבר ס׳ תנ״ג ס״א וע׳ כה״ח אות י׳ לענין אכילת אורז בפסח לספרדים וע׳ בס׳ יסו״י דף ת״ח־ת״ט.

(כט) ע׳ מחבר ס׳ תמ״ד ס״ג ומ״ב ס״ק י״א. **לענין אכילת מצה מבושלת** ע׳ מ״ב שם ס״ק ח׳ ושעה״צ ס״ק א׳ וערה״ש ס״ח. **אלו הנוהגים** שלא לאכול געבראק״ט בפסח האם יכולים לאכול בע״פ, ע׳ באה״ט ס׳ ת״ס ס״ק י׳ ושע״ת שם ס״ק י׳ שיש מחמירים שלא לאכול שום מצה שרויה בפסח ובכה״ג ס׳ תס״א ובשו״ת בסוף שו״ע הגר״ז ס״ו שכתבו טעם לחומרא זו, וע׳ בכה״ח ס׳ תס״א אות ל״א וס׳ תס״ג אות כ״א. ונראה דלאלו הנוהגים בחומרא זו הוא מטעם חשש למשהו ובע״פ עד הלילה אין חשש למשהו כמ״ש המחבר ס׳ תמ״ז ס״ב, אבל מ״מ יש חוששים מחמת הכלים.

splash back into the Pesach pot (**ל**). Therefore, one must exercise caution in the transferring of food or liquid (**לא**). Most Poskim hold that this is permissible only if the temperature of the food is less than יד סולדת בו (see HALACHOS OF SHABBOS, Chapter XIV A 3 Note on page 243). However, if it is above יד סולדת בו, in order to be permitted to use the Pesach pot on Pesach, one must first pour into a Pesach vessel and then transfer it to a chometz vessel, or use a Pesach ladle to remove the food from the pot (**לב**). In case food or liquid which was in the chometz vessel did make contact with the Pesach vessel, a Rav must be consulted (**לג**).

Practical suggestions for serving

5. Because of the difficulties in transferring from the Pesach pot to the chometz vessel, a practical suggestion for this Shabbos is to use clean, unused, disposable* (e.g. paper, plastic) plates and silverware (**לד**). One should pour or use a Pesach ladle, spoon or fork [or a disposable one] to transfer from the Pesach pot to the disposable plate (**לה**).

Concerning the table upon which one will eat this Shabbos, the preferred solution, where feasible, is to eat on a table which will not be needed for eating or serving food on Pesach (**לו**). One should preferably eat over a floor which can be cleaned easily from crumbs (**לז**) (see Chapter XXXVI D 5)—preferably not over a carpet or rug (**לח**). [If one only has a carpeted floor, it is advisable to cover the portion under and around the table with paper or plastic. After eating, one should shake out the crumbs in the toilet].

(**ל**) כ״מ מערה״ש (ס׳ תמ״ד ס״ח) שכ׳ „וטומנין בקדרות חדשים הראוים לפסח ומערין לקערות של חמץ״ וכן בסדר ע״פ שחל בשבת (ע״פ הג׳ רי״ח זאננענפעלד זצ״ל) „ויש נוהגין לבשל ולהטמין גם לסעודת שחרית תבשילין של פסח בתוך כלי פסח ואח״כ בשבת שופכין אותו לתוך כלי חמץ, אמנם בזה צריך ליזהר מאד לשפוך בנחת שלא יתיז מן הרוטב שכבר בא לתוך הכלי חמץ ויחזור לתוך הכלי פסח. ובמאכלים אחדים יש לחוש לנגיעה ג״כ כידוע, ואם לא נזהר והתיז או נגע צריך שאלת חכם על הכלי של פסח אם להתיר אותו לפסח״, אבל ע׳ בשעה״צ (ס׳ תמ״ד ס״ק ד׳) שכ׳ „ואין לערות רותח לתוך כלי חמץ מכלי פסח אם לא שרוצה שלא לשמש בקדירה זו שעירה מתוכה עד לאחר פסח [פמ״ג ודה״ח]״ וע׳ כה״ח ס׳ תמ״ד אות כ״ה וארחות חיים ס׳ תמ״ד אות ה׳ מא״ר ס״ק ג׳ שכ׳ „ואין לערות התבשיל מהקדירה לקערה של חמץ כשהיס״ב בתבשיל אלא יערה לכ״ש של פסח ומשם יערה לקערות של חמץ וכו׳״ ע״ש.

(**לא**) סדר ע״פ שחל בשבת שם.

(**לב**) א״ר שם וא״א ס׳ תמ״ד ס״ק ד׳, ופר״ח אות ג׳ כ׳ „אני נוהג בביתי לבשל בקדירות חדשות ומוכנות לפסח ובכף חדשה מוציאין התבשיל מן הקדירה ומניחים בקערות של חמץ וכו׳ וכן נכון לעשות״.

(**לג**) סדר ע״פ שחל בשבת שם.

(**לד**) כ״כ בלוח עזרת תורה עם פסקי הגרי״א הנקין זצ״ל.

(**לה**) ע״פ סדר ע״פ שחל בשבת שם ופר״ח שם.

(**לו**) פשוט.

(**לז**) דכ׳ במ״ב ס׳ תמ״ד ס״ק ט״ו „ומ״מ טוב שיכבד הבית אח״כ ע״י עכו״ם ואם אין לו עכו״ם יכבד בעצמו ע״י שינוי בבגד [אחרונים]״ וברצפה כזו קל לנקות.

(**לח**) דקשה לנקות רצפה כזו מהפרורים בשבת.

If such a table is not available, one should prepare the table for Pesach before Shabbos (i.e. wash it thoroughly and then cover it with cardboard, paper, plastic and the like) (לט) and then cover this covering in such a manner that chometz cannot make contact with it (e.g. place cardboards over it and then place a plastic tablecloth on them) (מ).

Note: This suggestion of using disposable plates and silverware applies regardless of whether one has an Eruv which allows him to remove them, after use, from his house or not (מא). Since no chometz is involved, there is no need to remove them from his house on Shabbos.

Other suggestions for this Shabbos

6. Since the sink must be *kashered* before Shabbos (see 3), where chometz dishes or silverware need to be washed on Shabbos (e.g. Friday night) (מב), it is advisable to wash them in a sink which will not be used for Pesach food or dishes (e.g. bathroom sink) (מג).

Perishable chometz, which is needed for the Shabbos meals, may be placed in the refrigerator. However, in order not to mix this food with food intended for use on Pesach, a special covered area should be set aside for it—preferably on the bottom shelf of the refrigerator (מד).

Note: Where chometz is placed in the refrigerator, one should exercise caution to examine the refrigerator Shabbos morning after eating (during the fifth hour) to remove any remaining chometz (מה).

If one did cook dishes containing chometz

7. We have learned (see 3) that for this Shabbos one may not cook any dish containing chometz which clings to the pot. If one violated this restriction [either intentionally or inadvertently] (מו), whatever chometz he can remove by rubbing it off with his fingers [or paper towels or napkins] (מז) should be removed, but the vessel should not be washed (מח). However, if this will not clean it sufficiently, it may be washed slightly with cold water (see HALACHOS OF SHABBOS, Chapter XIV H 15), but only as little washing as is required to remove

---

(לט) ע׳ ס׳ תנ״א ס״כ וע׳ מ״ב ס״ק קי״ד, קט״ו וכתבנו הנהוג עלמא וכך שמעתי מפי הגרמ״פ שליט״א.

(מ) פשוט.

(מא) פשוט.

(מב) ס׳ שכ״ג ס״ו ומ״ב ס״ק כ״ח וע׳ בס׳ הלכות שבת פ״ב הערה מב.

(מג) כך נראה.

(מד) פשוט.

(מה) ע׳ מ״ב ס׳ תל״ג ס״ק מ״ז ודוק.

(מו) כ׳ הרמ״א (ס׳ תמ״ד ס״ג) „הגה ואם עבר ובשל וכו׳״ ונראה דכ״ש אם טעה בשוגג.

(מז) כ׳ הרמ״א שם „והמאכל דבוק בקדירה וא״א לקנחו וכו׳״ וע׳ ס׳ תמ״ד ס״ד וחיי״א כלל קכ״ט ס״י לענין לקנחו באצבע ונראה דה״ה ע״י ניר, ויזרוק את הניר בביה״כ.

(מח) כ׳ הרמ״א שם „וא״א לקנחו יש להדיחו מעט להעביר החמץ״ וכ׳ במ״ב (ס״ק י״ג) „וא״א לקנחו. דאם אפשר בקינוח לבד אסור להדיח שלא לצורך״. ובס״ק י״ד כ׳ „יש להדיחו מעט. ר״ל רק בכדי שיעבור החמץ וכדמסיים ואע״ג שהוא שלא לצורך שבת שרינן בדיעבד משום איסור חמץ״ וע׳ בגר״ז שם ס״ח ביתר ביאור.

the chometz clinging to the utensil (**מט**). It is advisable to wash it in the bathroom sink [and then clean the sink, so that no chometz remains] (**נ**) (see 6). Where it is impossible to remove the chometz by rubbing and it must be washed, it is preferable that it be done by a gentile (**נא**).

B. KASHERING AND CANDLE LIGHTING

Until when may one kasher on Erev Shabbos?

1. Normally, *kashering* for Pesach should preferably be completed before the beginning of the fifth hour of Erev Pesach, that is, as long as chometz may still be eaten (**נב**) (see Chapter XII C 1). When Erev Pesach falls on Shabbos, since chometz may be eaten the entire Friday, one may *kasher* the entire day (**נג**).

All kashering must be completed before Shabbos

2. All *kashering* must be completed before Shabbos, because, as we learned, no *kashering* may take place on Shabbos (**נד**).

Chometz vessels which will not be kashered

3. Those chometz vessels which are not needed for Shabbos should be cleaned thoroughly and placed, before Shabbos, in a concealed location—one which is not entered during Pesach (**נה**).

Cut all covering material before Shabbos

4. All cardboard, paper, foil, plastic and other material needed to cover chometz counters, and other areas should be cut to size before Shabbos (**נו**).

Candle lighting

5. Care should be taken *not* to light Shabbos candles on the tablecloth upon which chometz is eaten. The reason is that he will be required to shake off the tablecloth after completing the chometz (**נז**) (see Chapter XXXVI D 1); since

---

(**מט**) שם.
(**נ**) כך נראה.
(**נא**) מ״ב שם ס״ק י״ד.
(**נב**) ע׳ ס׳ תנ״א ס״ט וס׳ תנ״ב ס״א.
(**נג**) חק ישראל ס׳ ט״ו [ונראה דהטעם דשרי לכתחילה עד הלילה ולא דמי לביעור ומכירה דאתי לאחלופי בשאר שנים, דהגעלה אחר זמן איסורו שרי באינן ב״י ויש ס׳ במים שמגעילין בהם (ע׳ ס׳ תנ״ב ס״א ומ״ב ס״ק י״ג ודוק)].
(**נד**) ע׳ לעיל הערה טו.
(**נה**) „ומנקין קודם השבת הכלים של חמץ שאין צריכין להן לשבת ומצניעין אותם במקום שלא יכנס שם בפסח מקודם השבת״ (סדר ע״פ שחל בשבת ע״פ הגרי״ח זצ״ל).
(**נו**) דשייך בהו מלאכת קורע ע׳ ס׳ ש״מ ס׳ י״ג, ובמקפיד על המדה חייב משום מחתך ע׳ מ״ב שם ס״ק מ״א וס׳ שכ״א סס״ק מ״ה וס׳ שכ״ב ס״ק י״ח.
(**נז**) ס׳ תמ״ד ס״ד.

the candlesticks are *muktzah*, he would not be able to move them (נח). If the candlesticks were left on the chometz tablecloth in error, they may be moved by a gentile, in order to shake off the chometz (נט).

C. PREPARATION FOR THE SEDER

Introduction

1. When Erev Pesach falls on Shabbos certain *Seder* preparations must be completed before Shabbos, in order not to violate the prohibitions of Shabbos and Yom Tov (ס). Even activities which do not involve melacha on Shabbos may not be performed for Yom Tov, because preparation from Shabbos for Yom Tov is prohibited (סא).

There is another reason why *Seder* preparations should be performed before Shabbos and not on the evening of the *Seder*—so that beginning the *Seder* should not be delayed (סב), it should be started promptly upon returning home from Shul (סג) (Chapter XXIII A 1, XXIV A 1). Therefore, wherever feasible, the *Seder* table should be prepared before Shabbos (סד).

Roasting the זרוע and egg

2. The זרוע (shankbone) must be roasted before Shabbos. The reason it should not be roasted on the *Seder* night is that on Yom Tov one may only roast food which will be eaten on [that day of] Yom Tov (סה). Since the minhag is not to eat roasted meat on the night of the *Seder* (Chapter XXIV K 4), this roasting is not for the purpose of Yom Tov (סו). However, if he forgot to roast it before Shabbos, he may roast it on *Motza'ai Shabbos*—if he intends to eat it on the first day of Yom Tov (סז). [Similarly, he may roast it Sunday night—if he intends to eat it on the second day of Yom Tov].

(נח) ס' רע"ט ס"א, ב'.

(נט) ע' ס' רע"ט ס"ד ומ"ב ס"ק י"ד ודוק, וע' במ"ב ס' רע"ז ס"ק י"ח לענין ניעור.

(ס) כמו שיתבאר.

(סא) ע' ס' תט"ז ס"ב ומ"א ס' תרס"ז סס"ק ג' ובכ"מ.

(סב) ע' סדר ע"פ שחל בשבת ע"פ הגרי"ח זצ"ל שכ' ,,ומי שאפשר לו יכין מערב שבת שולחן מיוחד לסדר של פסח ומטות מוצעות להסבה והקערה ומי מלח וכל מה שצריך לסדר ליל פסח בבית מיוחד כדי שלא ימשך בליל מו"ש בהכנת הסדר, או יאכל במקום אחר בשבת ויכין בביתו כל זה מע"ש".

(סג) ע' ס' תע"ב ס"א ומ"ב ס"ק א'.

(סד) ע"פ הנ"ל.

(סה) כ' בחק ישראל (ס"כ) ,,יזהר לצלות הזרוע (גם הביצה לאותן הנוהגים ליקח על הסדר ביצה צלוי' ולא מבושלת) בע"ש, כי במוצאי שבת (היינו בליל יו"ט א') אסור לצלות משום דהוו שלא לצורך יו"ט כיון שאסור לאכול צלי בליל פסח, רק אם שכח לצלות בערב שבת יצלה במוצאי שבת ויאכל אותו ליום א' של פסח [עמג"א תע"ג ובשע"ת ואור"ח] וכן בלילה ב' יעשה כן [והבשר והביצה אם יבשלם יחלקם תיכף בלילה] וכן החרוסת צריך להכין מע"ש ובליל יו"ט צריך שינוי וכן אסור לעשות הרבה שיהי' גם לצורך ליל יו"ט ב'".

(סו) שם.

(סז) ע' שם, ומ"ב ס' תע"ג ס"ק ל"ב. וע' ס' תק"ג מ"ב ס"ק ה' עצה איך לעשות ביו"ט.

Although the egg may either be roasted or cooked (**סח**), the minhag is to roast it too (**סט**) (Chapter XXIII B 9). If one forgot to roast it before Shabbos, he may roast it on *Motza'ai Shabbos*—if he expects to eat it at the *Seder* (**ע**) (ibid., K 3) or on Yom Tov by day.

Grinding the horseradish

3. If one intends to use ground horseradish for *Marror*, some Poskim hold that it should be grated before Shabbos, covered [and refrigerated] until the *Seder* (**עא**). According to the Vilna Gaon, however, the horseradish should not be grated until returning home from Shul on the night of the *Seder* and it should then be kept covered until beginning the *Seder*—when it should be spread on a plate to weaken its strength (**עב**). When grating the horseradish on Yom Tov, a slight deviation should be used (e.g. turn the grater upside down or grate onto pieces of paper rather than onto a plate) (**עג**) (Chapter XXIII C 3).

Selecting leaves of lettuce

4. If using lettuce or romaine lettuce for *Marror*, one should preferably select the leaves and examine them before Yom Tov, because examining the leaves for insects (Chapter XXI B 4, XXIII C 4) is a tedious and time-consuming process. We have learned (see 1) that beginning the *Seder* should not be delayed (**עד**). The leaves may not be soaked in water over Shabbos (**עה**).

Charoses

5. The *Charoses*, which is ground or chopped and then mixed with wine or vinegar,* should be prepared before Shabbos (**עו**). If one forgot, he should prepare it on Yom Tov with a deviation in the grinding (see 3); no deviation is required in the mixing—the wine may be added and it may be mixed normally (**עז**). When preparing *Charoses* on Yom Tov, one should only prepare an

---

(סח) ס׳ תע״ג ס״ד.
(סט) רמ״א שם.
(ע) ע׳ רמ״א ס׳ תע״ו ס״ב.
(עא) ע׳ בסדר ע״פ (הובא בהערה סב) שכ׳ „וכל מה שצריך לסדר ליל פסח״ וע׳ מ״ב ס׳ תע״ג ס״ק ל״ו ודוק.
(עב) מ״ב שם.
(עג) ע׳ ספר הלכות שבת פ׳ י״ב הערה קעו.
(עד) ע׳ לעיל הערה סב, סג.
(עה) ע׳ ס׳ תע״ג ס״ה ומ״ב ס״ק ל״ח.
(עו) חק ישראל ס״כ.
(עז) דלישה שרי ביו״ט ע׳ ס׳ תק״ו וחיי״א כלל פ״ה ס״א [ומש״כ בחק ישראל שם „ובליל יו״ט צריך שינוי״ נראה דהיינו לענין טחינה].

amount sufficient for that *Seder*—because preparation from one day of Yom Tov for the next is prohibited (עח).

*Note: It goes without saying that the vinegar must be suitable for Passover use. We have learned (see Chapter III B 4) that vinegar is usually made from grain. Passover vinegar is prepared from other sources.

Prepare salt water

6. It is preferable to prepare the salt water before Shabbos (עט). However, if it was not prepared before Shabbos, it may be prepared on Yom Tov (פ).

(עח) חק ישראל שם.

(עט) סדר ע״פ (הובא לעיל בהערה סב).

(פ) דבמ״ב (ס׳ תע״ג ס״ק כ״א) הוצרך לתת

עצה רק אם חל ליל פסח בשבת ומשמע דאין
איסור עשיית מי מלח ביו״ט וע׳ מחבר ס׳
שכ״א ס״א ומ״ב ס״ק ט׳, י״א וצ״ל וצ״ל.

סימנים וסעיפים שבשלחן ערוך המשתייכים לפרק זה

רע״ד:א,ד   רצ״א:א   תמ״ד:ג,ד,ה

Chapter XXXV The Three Seudos of Shabbos

A. HOW TO FULFILL THE MITZVAH OF "SHALOSH SEUDOS"

The three required meals on Shabbos

1. We have learned (see Chapter XXXIV A 2) that on Shabbos one is required to eat three meals (שלש סעודות) (א). This halacha applies equally for men and women (ב). One of these *seudos* (meals) must be eaten at night, the other two must be eaten during the day. Most Poskim hold that the third meal (*Seudah Shlishis*) must be eaten in the afternoon, that is, after six and one-half halachic hours of the day [approximately 12:30 P.M. in the New York metropolitan area] (see Note on Chapter XXXIII B 2), and if eaten before one does not fulfill his requirement (ג).

Note: All times presented in Chapters XXXV and XXXVI are for the New York metropolitan area and were prepared for the year 5741–1981. For the times in others areas and for other years a Rav should be consulted.

The problem

2. We have also learned (ibid.) that the first two of these *seudos* must contain bread. That is, one is required to eat bread or matzah at each *seudah*, with the minimum volume of a little more than an egg [or at least the volume of an olive] of bread (ד).

Although most Poskim hold that the third meal must also consist of bread or matzah, some Poskim hold that one can fulfill this requirement by eating other foods (e.g. cake, fruit, meat or fish) (ה).

We are, therefore, faced with the following problem.

In order to fulfill the mitzvah of *Seudah Shlishis* properly, one must eat this meal in the afternoon. However, one may not eat bread after the end of the fourth hour (ibid.), and one may not eat matzah throughout the entire day of Erev Pesach (ו) (see Chapter XXXIII B 6).

The solution

3. There are two approaches to handle this situation.

(א) ע׳ לעיל פ׳ ל״ד הערה ו׳.

(ב) ס׳ רצ״א ס״ו ובמ״ב (ס״ק כ״ו) כ׳ „דלכל מילי דשבת איש ואשה שוין וכו׳״.

(ג) ס׳ רצ״א ס״ב.

(ד) ע׳ ס׳ רע״ד ס״ד ומ״ב ס״ק ט׳ וס׳ רפ״ט ס״א וע׳ ס׳ רצ״א ס״א ומ״ב ס״ק ב׳ שכ׳ „בכביצה. לאו דוקא אלא מעט יותר מכביצה דכביצה מקרי עדיין אכילת ארעי כמ״ש ס״ס רל״ב ולא חשיב סעודה [מ״א] וי״א שאפילו בכזית יוצא ידי הסעודה ונכון להחמיר לכתחלה אם אפשר לו״.

(ה) ס׳ רצ״א ס״ה (הובא לעיל פ׳ ל״ד הערה ו׳).

(ו) ע׳ לעיל פ׳ ל״ג הערה כח, כט.

a) The preferred approach is to eat chaleh at the Friday night *seudah* (ז). On Shabbos morning, we will learn (see Chapter XXXVI B 1) that the davening must begin and end earlier than every Shabbos, since eating chometz must be completed before the end of the fourth hour (ח) [approximately 9:15 A.M. in the New York metropolitan area].

The morning *seudah*, preferably, should be divided (ט). That is, after *kiddush*, one should wash, eat [as a minimum] a little more than the volume of an egg of chaleh [and other cold food if desired (e.g. gefilte fish, chopped liver), even if prepared with chometz ingredients]. He may eat hot Pesach food, if desired, as long as one is careful not to use chometz utensils (see Chapter XXXIV A 3–5) (י). One should then recite *Birchas Hamazone* [leave the table] and wait a short while (יא). During this interval, he should make a definite interruption in eating—by learning, taking a short walk or the like (יב).

He should then, preferably, wash again, eat [as a minimum] a little more than the volume of an egg of chaleh (יג). He must finish eating chometz before the end of the fourth hour (יד), clear the house of any remaining chometz (טו)

(ז) ע׳ בגמ׳ י״ג. ומחבר ס׳ תמ״ד ס״א „ומשיירין מזון ב׳ סעודות וכו׳״ וברמב״ם (פ״ג דחו״מ ה״ג) כ׳ „ומניח מן החמץ וכו׳״.

(ח) ע׳ מ״ב ס׳ תמ״ד ס״ק ד׳ וקש״ע ס׳ קט״ו ס״ד.

[כתבנו זמני היום לפי חשבון ע״ב מינוט מעלות השחר עד הנץ החמה ומשקיעה עד צה״כ שהיא דעת המ״א וכפי ששמעתי בשם מו״ר הגר״א קוטלר זצ״ל שכן יש לחשוב זמני היום לפי דעה זו].

(ט) כתבו בתוס׳ (שבת קי״ח. ד״ה במנחה) „מכאן משמע דזמן אכילה שלישית בשבת היא מן המנחה ולמעלה דלא כאותם שמחלקין סעודת שחרית ומברכין בינתים וכו׳ ועוד אומר ר״י שיש כאן איסור ברכה שאינה צריכה וכו׳״ וע׳ בת׳ הרא״ש (כ״ב:ד) שחולק וכ׳ „וכשהוא מפסיק מן המנחה בסעודתו ומברך המוציא אין כאן משום מרבה ברכות שלא לצורך כיון שהוא מפסיק מפני כבוד השבת לקיים סעודה שלישית וכו׳״ [וע׳ רמ״א (יו״ד ס׳ פ״ט ס״א) שכ׳ „וי״א דאין לברך ברהמ״ז על מנת לאכול גבינה. אבל אין נזהרין בזה וכו׳״ בבכור שור (חולין ק״ה.) תלה במח׳ ר״י והרא״ש הנ״ל]. וע׳ בטור (ס׳ רצ״א) שכ׳ „וכן היה עושה א״א הרא״ש ז״ל היה מברך ברהמ״ז והיה נוטל ידיו ומברך עליהם ומברך המוציא וכו׳״ והיינו אחר שש שעות ומחצה אבל „אותם שמפסיקין מסעודת שחרית לחלק לשנים ועדיין לא הגיע זמן המנחה אינן מקיימין מצות ג׳ סעודות״. ואע״ג דכ׳ הב״ח (ס׳ תמ״ד ד״ה ומה) **דדעת רוב הפוסקים דסעודה ג׳ זמנה אחר המנחה** מ״מ כ׳ מס׳ יראים לחלק סעודת שחרית לב׳ ופי׳ „נראה דס״ל דאע״ג דבפ׳ כל כתבי **משמע** דסעודה ג׳ במנחה היא היינו לכתחלה **היכא** דאפשר אבל בע״פ דלא אפשר **ליכא ראיה דלא** יצא בדיעבד קודם מנחה וכ״כ המרדכי פ״ק והג״מ פ״ג דחמץ על שם הרא״מ גם הרוקח בס׳ רס״ז כתב שכך א״ל הרא״ם **משמע דכך** הורה לו למעשה״ וכ״כ המ״א (ס׳ תמ״ד ס״ק א׳) ומ״ב (ס״ק ח׳) וקש״ע שם **וחק ישראל** ס׳ כ״ז.

(י) ע׳ ס׳ רצ״א ס״א ומ״ב ס״ק ב׳ **לענין מצות** אכילת שיעור כביצה. **ומש״כ אוכלין צוננים** ע׳ לעיל פ׳ ל״ד הערות כב, כה. וע׳ מ״ב ס׳ תמ״ד ס״ק י״ד „וכהיום נהגו וכו׳״.

(יא) כ׳ הב״ח (ס׳ רצ״א ד״ה וכן) „כתב מהרש״ל וז״ל ובמרדכי כתב **שטוב להפסיק** מעט ביניהם שלא ליטול ידיו מיד **אחר ברכת** המזון וכן ראיתי נוהגין להפסיק מעט בד״ת **או** בטיול קצת״ וכ״כ במ״ב **וחק ישראל שם. ומש״כ** שיעזוב את השלחן ע׳ מ״ב ס׳ **רצ״א** ס״ק י״ד.

(יב) שם.

(יג) שם.

(יד) ע׳ רמב״ם הל׳ חו״מ פ״ג ה״ג וש״פ.

(see Chapter XXXVI D), and then recite "כל חמירא" to nullify the chometz—before the end of the fifth hour (**טז**). [He may then complete his meal, using only Pesach food] (**יז**).

With this approach one fulfills the mitzvah of *Shalosh Seudos* with bread, according to the view of those Poskim who hold that one can eat the third meal on Shabbos morning (**יח**).

Note: It goes without saying that the eating of bread for the Shabbos meals or the mitzvah of *Seudah Shlishis* does not take precedence over the prohibitions against eating or possessing chometz (**יט**). Therefore, if one was delayed and the time when chometz becomes prohibited arrives, eating or possessing chometz is prohibited (**כ**). This is especially true, since one can fulfill the mitzvah of *Seudah Shlishis* according to many Poskim with other foods (**כא**). He should rather eat one meal with bread before the end of the fourth hour [or a meal without bread if he was delayed beyond the fourth hour] and fulfill the mitzvah of *Seudah Shlishis* in the afternoon with other foods, than to risk the possibility of eating or possessing chometz after it becomes prohibited (**כב**).

In the afternoon, he should, nevertheless, eat something for *Seudah Shlishis* (e.g. meat, fish, Pesach chulent, or eggs) (**כג**). Those who eat *gebrukt* (see Chapter IV B) may eat cooked food made from Pesach matzah meal (e.g. kneidlach) [but not baked foods (e.g. cakes, cookies)] (**כד**); this, however, may

---

(**טו**) ע' ס' תמ"ד ס"ד.

(**טז**) שם ס"ו ומ"ב ס"ק כ"ב.

(**יז**) כך נראה. **יש** לעיין אם בכגון זה חשיב כמושך ידו מן הפת בס' קע"ז ס"ב (וע' ב"ה ד"ה שאין). והנה מה שיש נוהגים בשבת זו לאכול פת במקום אחד שלא על השלחן והולכים לשלחן לאכול הסעודה בלא פת [אם אינם אוכלים מצה עשירה ע' לקמן הערה לד] נראה דמסתמא חשיב כסלוק שלחן בב"ה שם דצריך ברכה דאין דעתם לאכות שום פת בכל הסעודה.

(**יח**) ע' לעיל הערה ט'.

(**יט**) דאף דאיתא בגמרא חייב אדם לאכול ג' סעודות בשבת ואסמכוהו אקרא (ע' מ"ב ס' רצ"א ס"ק א') ואין לבטל עונג שבת דחיובו בפת (כמ"ש בב"ה ס' תמ"ד ס"א סד"ה לצורך) ודאי דלא דחי איסור אכילה והנאה דחמץ אף בשעות דרבנן כמבואר בפוסקים.

(**כ**) ע"פ הנ"ל.

(**כא**) ע' ס' רצ"א ס"ה ולקמן בהערה כג.

(**כב**) דבגמ' ומחבר (ס' תמ"ד ס"א) איתא „ומשיירין מזון ב' סעודות לצורך השבת דסעודה ג' זמנה אחר המנחה וכו'" ולשון המ"ב (ס"ק ח') וש"א „דטוב ג"כ שיחלק וכו'".

(**כג**) כ' רמ"א (ס' תמ"ד ס"א) „יקיים סעודה ג' במיני פירות או בשר ודגים כדלעיל סי' רצ"א ס"ה (כצ"ל) בהגה" (הובא לעיל בפ' ל"ד הערה ו') [ע' ר"ן פ' כל כתבי שכ' „ואיכא נמי דאמר דמשלים להו בפירי ובמיני תרגימא וכו' ומיני תרגימא היינו פירות וכו'" וכן פרש"י (סוכה כ"ז.) „במיני תרגימא וכו' כגון פירות וכסנין וקפלוטות מבושלות". אבל תוס' (שם ד"ה במיני) כ' „ומיני תרגימא הוו כגון בשר ודגים ושאר דברים שמלפתין בהן את הפת. ואין ללמוד מכאן שיועילו מיני תרגימא להשלים שלש סעודות של שבת דשאני התם דיל' מדכתיב תלתא היום גבי מן שהוא במקום פת" והרא"ש (סוכה כ"ו.) כ' „ומשמע דמיני תרגימא היינו מאכל שעשוי מחמשת המינים ואפשר שהוא חשוב יותר מבשר וגבינה" ובב"י הביא מכמה ראשונים דיוצאים בפירות] וע' במ"ב ס' תמ"ד ס"ק ח' וחק ישראל ס' כ"ז, ל"ו.

(**כד**) ע' מ"ב שם (וע' שעה"צ ס"ק א' לענין חרעמזלי"ך) ומ"ב ס' תע"א ס"ק כ' וס' רצ"א ס"ק כ"ה, וחק ישראל ס"ק ל"ז. **עוגה** שנעשה ממצה מעה"ל אסור לאכול בע"פ ע' רמ"א ס' תע"א ס"ב ומ"ב ס"ק י"ט.

be eaten only until the end of the ninth halachic hour* [approximately 3 P.M. in the New York metropolitan area] (**כה**) (see Note on Chapter XXXIII B 2).

The reason for eating something in the afternoon is that, thereby, one fulfills the mitzvah of *Seudah Shlishis* in the afternoon—according to the Poskim who hold that one can fulfill this mitzvah with other food, aside from bread (**כו**). By dividing his meal in the morning and eating something in the afternoon he fulfills the mitzvah of *Seudah Shlishis* in the best manner possible (**כז**).

*Note: The reason one cannot eat cooked food made from matzah meal from the tenth hour is that any food made from the five types of grain [wheat, barley, oats, rye, or spelt] cannot be eaten after the tenth hour (**כח**). This halacha applies to matzah and matzah products which one can *not* use to fulfill the mitzvah of matzah at the *Seder* (**כט**). [For the halacha of egg matzah, see b; we learned previously (see Chapter XXXIII B 6) that one may not eat matzah the entire day of Erev Pesach (**ל**)]. The reason is that he should be able to eat matzah with an appetite at the *Seder* (**לא**). For this reason, even those foods which one is permitted to eat after the tenth hour, should not be eaten in large amounts (**לב**).

b) Some people may not want to leave any chometz in the home for Shabbos (e.g. they have small children who may move it around and they can't place the chometz in a secure location) (**לג**). Some Poskim hold that they should substitute egg matzah for chaleh (**לד**) and they may eat it as long as actual chometz

---

(**כה**) מ״ב ס׳ תמ״ד ס״ק ח׳ וס׳ תע״א ס״ק כ׳.

(**כו**) ע׳ ס׳ תמ״ד ס״א.

(**כז**) ע׳ שם ובהערה ט׳.

(**כח**) ע׳ ס׳ תע״א ס״א ומ״ב ס״ק ג׳ ושעה״צ ס״ק כ״א ובכ״מ.

(**כט**) שם ס״ב.

(**ל**) שם ברמ״א.

(**לא**) שם ס״א.

(**לב**) כ׳ המחבר שם „מעט פירות או ירקות אבל לא ימלא כריסו מהם (ואם הוא איסטניס שאפילו אוכל מעט מזיק באכילתו הכל אסור)״.

(**לג**) פשוט.

(**לד**) ע׳ רה״מ פ״ג דחו״מ ה״ג, ומחבר ס׳ תמ״ד ס״א לענין סעודה שלישית במצה עשירה אבל ברמ״א שם כ׳ „ובמדינות אלו שאין נוהגין לאכול מצה עשירה כדלקמן סי׳ תס״ב ס״ד בהגה יקיים סעודה ג׳ במיני פירות או בשר ודגים כדלעיל סי׳ רצ״א (ס״ו) [ס״ה כצ״ל] בהגה״. וע׳ ח״י (סס״ק א׳) דאף דדעתו משמע דרק בפסח מחמירין ולא בע״פ מ״מ הביא בשם מהרי״ל ובהג״ה סמ״ק דגם בע״פ אין לאכול מצה עשירה. בנוב״י (מה״ק ס״ס כ״א הובא בשע״ת) כ׳ „ואלמלא שכבר הורה ראש המורים שהוא רמ״א לאיסור אפי׳ בע״פ הייתי מתיר מצה עשירה כל היום בע״פ, ועכ״פ אני מורה דעד חצות היום אפילו לרמ״א מותר מצה עשירה וכו׳ והמורה להתיר כל היום לא הפסיד באם הוא לצורך קצת אפי׳ אינו צורך חולה וזקן״. וכ״מ דעת ערה״ש (ס׳ תמ״ד ס״ה) „ונראה שאין הכוונה דגם בע״פ אין לאכול מצה עשירה לפי המנהג דאין שום טעם בזה אלא הכוונה כיון שאין מנהגינו לאכול בפסח מצה עשירה ממילא דאין מכינין אצלינו מצה עשירה ולהכין רק על סעודה שלישית אין דרך בנ״א וכו׳״ (וכ״מ מח״י שם) וע׳ אג״מ (או״ח ח״א ס״ס קנ״ה) שכ׳ באלו שאין רצונם להשאיר חמץ לסעודת שבת יאכלו שתי הסעודות במצה עשירה „ולאוכלם רק בזמן היתר אכילת חמץ״ וכ״כ בגר״ז (ס׳ תמ״ד ס״ג) „ובמדינות אלו שאין נוהגין כלל לאכול מצה עשירה בע״פ משעה ה׳ ואילך וכו׳״. [וע׳ באג״מ שם דאיירי לענין ב׳ סעודות שבת כלשון המחבר ס׳ תמ״ד ס״א ונראה דה״ה לענין סעודה שלישית בבקר למי שמחלק סעודת שחרית].

may be eaten (לה). There is a view which holds that one may even eat egg matzah until the end of the sixth hour (לו).

Note: Normally, the brocho on egg matzah is *mezonos* (לז), since egg matzah is considered as **פת הבאה בכיסנין** (bread offered as a snack) (לח). However, the halacha is that if one uses **פת הבאה בכיסנין** as a bread or meal substitute (קובע סעודה) (לט), he washes, recites **המוציא** and afterwards *Birchas Hamazone* (מ).

How much egg matzah must one eat to be considered as קובע סעודה? If he eats it with other food, the same amount of egg matzah as one would eat of other matzah or bread, is considered as קובע סעודה (מא). If he eats the egg matzah by itself, however, one who eats more than the volume of four eggs of egg matzah (approximately 3 whole matzos) may be considered as קובע סעודה (מב).

(לה) גר״ז ואג״מ שם.

(לו) נוב״י שם.

(לז) ע׳ ס׳ קס״ח ס״ו, ז׳, וע׳ כה״ח ס׳ תמ״ד אות י״א ובכ״מ.

(לח) שם.

(לט) ס׳ קס״ח שם.

(מ) שם ומ״ב ס״ק כ״ה, וע׳ שע״ת ס׳ רע״ד ס״ק ב׳.

(מא) ע׳ מחבר שם ומ״ב ס״ק כ״ד ואג״מ או״ח ח״ג ס׳ ל״ב.

(מב) ע׳ מ״ב שם. בדברי המ״א (ס׳ תמ״ד ס״ק ב׳) שרשב״י היה עוסק בתורה במקום סעודה שלישית, ע׳ ערה״ש ס׳ תמ״ד ס״ו.

סימנים וסעיפים שבשלחן ערוך המשתייכים לפרק זה

Chapter XXXVI The Procedure on This Shabbos

A. FRIDAY NIGHT

The seudah at night

1. On Friday night, a *seudah* is served, as on every Shabbos (**א**). We learned (see Chapter XXXIV A 2) that there is a requirement to recite the brocho המוציא on two loaves (**ב**) and to eat as a minimum a little more than the volume of an egg of bread (**ג**) or, according to some Poskim, egg matzos (**ד**) (see Chapter XXXV A 3).

The foods which may be served and the method of serving were discussed previously (Chapter XXXIV A 3, 4). One must exercise caution not to move chometz around the house (**ה**) [or another *bedikah* would be required (**ו**)] nor should it be placed on surfaces (e.g. tables, countertops) already prepared for Pesach (**ז**). [If no other table is available, one already prepared for Pesach may be used, if prepared properly (see ibid. A 5)].

Washing dishes and silverware

2. Although we will learn (see D 2) that chometz dishes and silverware may not be washed on Shabbos after the *seudah* [except where the chometz cannot be removed by wiping] (**ח**), those needed for the morning *seudah* may be washed on Friday night or Shabbos morning (**ט**). [However, these should be washed in the bathroom sink (see ibid. A 7)].

B. SHABBOS MORNING

Begin davening earlier

1. On this Shabbos morning the davening should begin earlier and should end early enough to allow sufficient time to complete the eating of chometz before the end of the fourth hour [approximately 9:15 A.M. in the New York metropolitan area] (**י**). This is especially crucial when there is a *simcha* (e.g. Bar Mitzvah, Aufruf, Bris) in Shul that Shabbos (**יא**) (see 4).

(**א**) דבגמ׳ ושו״ע כ׳ „ומשיירין מזון ב׳ סעודות לצורך השבת וכו׳״ ע״ש.

(**ב**) ס׳ רע״ד ס״א.

(**ג**) ע׳ ס׳ רצ״א ס״א ומ״ב ס״ק ב׳.

(**ד**) ע׳ לעיל פ׳ ל״ד הערה לד.

(**ה**) ע׳ ס׳ תל״ד ס״א.

(**ו**) שם.

(**ז**) כך נראה, ולענין דיעבד צריך לנקות היטב כדי שלא ישאר אפילו פירורין, דאם ישים אוכלים שם בפסח וידבק בהם אוסר במשהו, אבל אינו אוסר בנגיעה בעלמא דאף אם נגע ככר חמץ בככר מצה לא נאסרה רק כששניהם חמין שהיס״ב כמ״ש בס׳ תמ״ז ס״א ומ״ב ס״ק ז׳ ובכ״מ.

(**ח**) ע׳ ס׳ תמ״ד ס״ד ורמ״א שם ס״ג.

(**ט**) ס׳ שכ״ג ס״ו.

(**י**) ע׳ מ״ב ס׳ תמ״ד ס״ק ד׳. כ׳ בחק ישראל (ס׳ כ״ד) „בשבת שחרית ממהרים להתפלל מאד בהשכמה [המנהגים] ויש להזהיר למזמר ולחזן שלא יאריכו בתפלה ושיאמרו אותה קצת במרוצה ובפרט אם יש שמחה כדי שלא יבואו לידי חשש איסור חמץ [פר״ח סי׳ תמ״ד]״ וגר״ז ס״ז.

(**יא**) חק ישראל שם ובס״ק כ״ד.

The Piyutim of Shabbos Hagadol

2. Concerning the special *piyutim* which are normally added on *Shabbos Hagadol,* there is a dispute among the Poskim whether they are said on this Shabbos (**יב**). One should conduct himself according to his minhag (**יג**).

The Haftorah on this Shabbos

3. Similarly, there is a dispute among the Poskim whether the Haftorah which is normally read on *Shabbos Hagadol* (''וערבה לה'") or the Haftorah of the *sedrah* of the week (**יד**) is read on this Shabbos (**טו**). One should conduct himself according to his minhag (**טז**).

Bris or Bar Mitzvah

4. If there is a Bris or Bar Mitzvah on this Shabbos and a meal is served (**יז**), care should be taken to complete all chometz before the end of the fourth hour (**יח**).

C. EATING THE SEUDOS

The first morning seudah

1. One should recite *kiddush,* wash, eat [as a minimum] a little more than the volume of an egg of chaleh [and, if desired, other food, see Chapter XXXV A 3 a], recite *Birchas Hamazone* and leave the table. He should then wait a short while (e.g. learn, take a short walk) (**יט**) (ibid.).

The second morning seudah

2. Preferably, he should then wash again, eat [as a minimum] a little more than the volume of an egg of chaleh and complete eating chometz before the

---

(**יב**) כ׳ בחק ישראל (ס׳ כ״ה) „בשבת הגדול אף כשחל בערב פסח אומרים הפיוטים של שבת הגדול [פרמ״ג מ״ז סק״א סי׳ ת״ל]״ ובסדר ע״פ שחל בשבת להגרי״ח זצ״ל כ׳ „ואין אומרים פיוטים בשבת זו, כדי למהר סעודת שחרית, שאחר שליש היום אסור לאכול חמץ (והיום נחשב לענין זה מעמוד השחר)״.

(**יג**) כך נראה.

(**יד**) כ׳ בגר״ז (ס׳ ת״ל ס״ג) „נוהגין במדינות אלו כששבת הגדול הוא ע״פ מפטירין בו במלאכי וערבה וגו׳ לפי שבאותו פרשה כתוב הביאו המעשה אל בית האוצר וגו׳ והרי זה מעין המאורע שבע״פ הוא זמן הביעור דהיינו שבע״פ של שנה הרביעית שבשמיטה ובע״פ של שנה שביעית שבשמיטה חייב כל אדם להוציא מביתו כל המעשרות שהפריש מתבואתו כל הג׳ שנים שעברו מהשמיטה והיו המעשרות שהפריש מונחים בביתו ובע״פ זה מחויב להביאן לבית הלוי (ואע״פ שי״א שזמן הביעור אינו בעי״ט הראשון של פסח אלא בעי״ט האחרון של פסח וכן עיקר כמ״ש בי״ד סי׳ של״א מ״מ נתפשט המנהג ע״פ סברא ראשונה)״ וכ״כ בחק ישראל (ס׳ כ״ו) וע״ש בס״ק כ״ו. ובערה״ש (ס׳ ת״ל ס״ה) כ׳ ב׳ דעות בזה וכ׳ „וכן המנהג אצלינו להפטיר בכל שה״ג וערבה ולא כשחל ע״פ בשבת דאז מפטירין ההפטרה של הסדרה״ ובסדר ע״פ להגרי״ח זצ״ל הביא ב׳ המנהגים.

(**טו**) שם.

(**טז**) כ״מ מסדר ע״פ להגרי״ח זצ״ל.

(**יז**) ע״פ חק ישראל ס״ק כ״ד.

(**יח**) פשוט.

(**יט**) ע׳ לעיל פ׳ ל״ה הערות ט, יא, יב.

end of the fourth hour [approximately 9:15 A.M. in the New York metropolitan area] (כ). He should then clear the house of any chometz (see D), and recite "כל חמירא" to nullify the chometz before the end of the fifth hour [approximately 10:30 A.M. in the New York metropolitan area] (כא) (see Note on page 383).

D. AFTER THE MEALS

Shake out tablecloth

1. After completing the meals—before the fifth hour—one should shake out the tablecloth which was used for chometz into the toilet (כב).

Disposing of the dishes and silverware

2. The pots and dishes which were used for chometz should be cleaned thoroughly by wiping them with his fingers or with [pre-cut] paper towels or napkins (כג). They should not be washed unless the chometz can *not* be removed by wiping (כד). After cleaning these utensils, they should be put away with the other chometz utensils* (כה).

If paper or other disposable dishes were used, they should be discarded. If no chometz which clings to the plate was used, shake out the chometz into the toilet and throw the plate into the garbage [in his house]. If chometz which clings to the plate was used, if his property [or community] is enclosed by a fence or valid Eruv (צורת הפתח) [which extends onto the sidewalk beyond his property], the preferred method is to place them in garbage bags off his property [or at least at the edge of his property] within the Eruv [where garbage is placed to be removed] (כו). It should not be placed in garbage cans if these belong to a Jew (כז) (see Chapter X B 8). If his property is not enclosed by an Eruv, the garbage should be removed by a gentile (כח) (see 7,8).

*Note: We have learned (see Chapter XV F 2) that where locking these utensils in a separate room or closet is not feasible, he could seal the door with tape. Taping

---

(כ) ע' שם הערות יג, יד.

(כא) ס' תמ"ד ס"ו ומ"ב ס"ק כ"ב.

(כב) מחבר ס' תמ"ד ס"ד וגר"ז ס"ט ומ"ב ס"ק כ"א.

(כג) כ' המחבר שם „באצבעו" ונראה דה"ה בניר כיון שיכול להשליכו לביה"כ.

(כד) ע' רמ"א שם ס"ג.

(כה) מחבר שם ס"ד.

(כו) ע' מ"ב ס' תל"ג ס"ק כ"ח „דלחצר שלו או של שותפין אסור לזרוק חמץ וכו' אבל למקום מופקר לרבים כגון רחוב מותר להשליך שם חמצו ולהפקירו קודם זמן איסורו וכו'" ואם משליכו חוץ לחצירו עדיף טפי אם הוא בתוך צוה"פ [דמותר לעשות הצוה"פ לרחוב שהיא

כרמלית ולא חיישינן לעוברים ושבים שאינם דיורין לאסור עליו, וכן שמעתי מפי הגרמ"פ שליט"א]. ואם משליכו במקום בסוף חצירו דנראה לכל שמפקיר החמץ והכלי כגון בצדי רה"ר קודם שעה ו' באם אין צה"פ מגיע עד הרחוב נראה דיש לסמוך אמ"א ס' תמ"ה ס"ק ז' אף שהרבה אחרונים חולקים עליו (ע' שעה"צ ס' תל"ג ס"ק ל"ו) וע' גר"ז ס' תל"ג ס' כ"ח ודוק. ובפרט דמסתמא איירי בפרורין.

(כז) ע' אג"מ או"ח ח"ג ס' נ"ז ושעהמ"ב ס' קי"א ס"ק י"ד.

(כח) נראה דיש לסמוך בזה על דעת הפוסקים בס' שמ"ה דעיירות שלנו כרמלית הן וא"כ הוי שבות דשבות במקום מצוה.

or tying the door with a rope is not permitted on Shabbos. Ties which are twisted [such as those used to close plastic garbage bags] may be used, where practicable (כט).

Disposing of small pieces of bread

3. If small pieces of bread or other chometz remain, [they should not be thrown in the garbage] they should be flushed down the toilet (ל). Large pieces may be crumbled and then thrown into the toilet (לא). [For a discussion of methods for disposing of large quantities of chometz, see 7–10].

Sweeping the floor

4. Although one need not be concerned about small crumbs which fall on the floor and are trampled, it is preferable that the house should be swept (לב). [Concerning which brooms may be used on Shabbos, see HALACHOS OF SHABBOS, Chapter IV D 2]. Even where sweeping on Shabbos is prohibited, it may be done by a gentile (לג). If a gentile is not available, this should be done with a deviation (e.g. with a cloth instead of a broom) (לד). After sweeping, one should shake out the chometz crumbs from the broom into the toilet. One should also check pockets of garments which were worn after the *bedikah* while one ate or handled chometz (see Chapter VI D 4).

Rinsing mouth

5. After completing the eating of chometz, before the fifth hour, one should rinse his mouth thoroughly to remove any remaining chometz (לה). A dry toothbrush [toothpick or pre-cut dental floss] may be used to dislodge any particles of chometz between the teeth (לו). [The toothbrush must then be put away with the chometz vessels] (לז). Mouthwash may be used (לח). Toothpaste or a wet toothbrush, however, may not be used on Shabbos (לט).

(כט) לדבק אסור ע׳ ס׳ ש״מ ס׳ י״ד ולקשור אסור ע׳ ס׳ שי״ז ס״א ואף בעניבה ע״ג קשר כ׳ במ״ב שם ס״ק כ״ט דאסור אם הוא לקיימא על איזה זמן ע״ש, אבל עניבה ע״ג עניבה או קשרי שקית פלאסטיק שכתבנו בפנים שרי.

(ל) ע׳ מ״ב ס׳ תמ״ד ס״ק כ״א וספר הלכות שבת (פ״ט הערה ס״ג). וע׳ חזו״א (או״ח ס׳ קט״ז ס״ק ט״ז ד״ה במ״ב ובס׳ קי״ח ס״ק ג׳), ונראה דביה״כ שלנו עדיפא דהוה כהטלה בים ודוק.

(לא) ע׳ ספר הלכות שבת (פ׳ י״ב הערה כט, ובפנים אצל הערה קכז).

(לב) ע׳ מ״ב ס׳ תמ״ד ס״ק ט״ו.

(לג) שם וע׳ בס׳ הלכות שבת פ״ד הערה קיז.

(לד) שם. וע׳ בסדר ע״פ להגרי״ח זצ״ל שכ׳ „וכ״ז אם הרצפה קשה כמו רצפת אבנים וכיוצא אבל אם הרצפה היא של עפר אסור לכבד גם בבגד אלא ע״י נכרי״.

(לה) כך נראה.

(לו) ע׳ אג״מ או״ח ח״א ס׳ קי״ב.

(לז) כך נראה. וע׳ אג״מ שם שכ׳ „ואחר הניקוי לא ירחץ את הבראש אף שלא בשפשוף שאין שם סחיטה משום שאין לו צורך שוב היום וכו׳״. ונראה דאם יש חמץ דבוק שם דינו כמאכל הדבוק בכלי דכ׳ הרמ״א (ס׳ תמ״ד ס״ג) „וא״א לקנחו יש להדיחו מעט להעביר החמץ״ ויזהר שלא יסחוט.

(לח) כך נראה.

(לט) אג״מ שם.

False teeth, dental apparatus

6. One who wears false teeth should not eat hot chometz this Shabbos (**מ**). Similarly, partial dentures, retainers, bite plates and other dental apparatus which can be removed, should not be used for hot chometz this Shabbos (**מא**). These must be kashered before Shabbos (**מב**) (see Chapter XVI C 11). On Shabbos, after eating cold chometz, they must be cleaned thoroughly with cold water and must be scrubbed during the cleansing to remove any possible chometz clinging to the apparatus. They must then be rinsed again thoroughly with cold water (הדחה ושפשוף) (**מג**).

Large quantities of chometz which cannot be disposed of

7. Large quantities of chometz which one is unable to flush down the toilet may be given to a gentile as a gift* (**מד**). However, where this necessitates the gentile carrying the chometz out to an actual רשות הרבים (Public domain, see HALACHOS OF THE ERUV, Chapter I A 2), the gentile may *not* be instructed to remove it from the property (**מה**), but must do so on his own (**מו**). Therefore, he may only be given a small amount of the chometz (**מז**) (i.e. sufficient for one meal) (**מח**), because by presenting to him a large amount it appears that he is instructing him to remove it [rather than eat it in the Jew's house]. This procedure (i.e. of giving him a small amount and not instructing him to remove it) may be repeated numerous times (**מט**). Preferably, one should not hand the chometz to the gentile, but should place it in front of him to take (**נ**).

*See Note following 9.

The gentile carrying the chometz into a כרמלית

8. If the gentile would *not* be carrying the chometz into an actual public domain but into a כרמלית (ibid., I A 3), it is permissible even to *instruct* the gentile to remove all the chometz—even if it consists of large amounts (**נא**). If one is in doubt as to whether the street is a public domain or כרמלית, a Rav should be consulted (**נב**).

(**מ**) היינו יס"ב דמבליע בתוכו.

(**מא**) ע"פ הנ"ל.

(**מב**) ע' לעיל פ' ל"ד הערה טו.

(**מג**) כך נראה וע' יו"ד ס' קכ"א ס"א.

(**מד**) כ' המחבר (ס' תמ"ד ס"ד) „ואם נשאר פת יכול ליתנו לא"י על מנת שלא לצאת בו לרשות הרבים דרך הערמה ודבר מועט" וכ' במ"ב (ס"ק ט"ז) „יכול ליתנו וכו'. במתנה גמורה ושרינן זה בשבת לצורך מצוה כדי שלא יהיה החמץ ברשותו וכמו שנתבאר בס' ש"ו".

(**מה**) ע' מ"ב ס"ק י"ז, י"ח.

(**מו**) שם.

(**מז**) מחבר שם.

(**מח**) מ"ב ס"ק כ'.

(**מט**) שם.

(**נ**) משום הוצאה ע' ס' שכ"ה מ"ב ס"ק ג' ובה"ל ס"א ד"ה לפניו.

(**נא**) מ"ב ס"ק י"ח, כ'.

(**נב**) ע' מ"ב ס"ק י"ח ומש"כ לעיל בהערה כח.

Chometz in a special room

9. These halachos apply where the chometz can be removed. However, if a person possesses a great deal of chometz in a special room and forgot to sell it before Shabbos, he must give it to a gentile as a gift* (**נג**). He may even give it to a gentile who is his acquaintance, knowing that he will return it to him after Pesach (**נד**). The gentile, however, must acquire the chometz with an effective קנין (**נה**), (an act which makes an agreement binding). Therefore, the gentile must pick up the chometz (הגבהה) or pull it to his domain (משיכה) (**נו**). If the chometz is too bulky to move, he should transfer it to the gentile by giving him the room as a gift and thereby the chometz (אגב), and also giving him the key to the room in which the chometz is found (**נז**).

*Note: Although giving a gift on Shabbos is, normally, prohibited [unless it is expressly needed for Shabbos] (**נח**), here it is permissible (**נט**). The reason is that since this is done to remove chometz from his domain, it is considered for the purpose of a mitzvah, and it is permissible to present a gift on Shabbos for the purpose of a mitzvah (**ס**).

Selling chometz to a gentile on Shabbos

10. If he is afraid to give the chometz to a gentile as a gift, because he may not return it to him after Pesach, there is a view which holds that he may instead sell it to him, even on Shabbos (**סא**). This view holds that it is not considered as מקח וממכר (business)—which is prohibited on Shabbos—since it is

---

(**נג**) כ׳ במ״ב (ס׳ תמ״ד ס״ק כ׳) „אם יש לו חמץ הרבה בחדר מיוחד ושכח למכור אותו בע״ש צריך ליתנו במתנה לנכרי ויכול ליתנו לנכרי מכירו ומיודעו שיודע בו שיחזיר לו אחר הפסח רק דצריך להקנות לו בקנין המועיל דהיינו בהגבהה או במשיכה שימשכנו העכו״ם לרשותו ואם החמץ רב שא״א למושכו יקנה לו במסירת המפתח ואף שאסור ליתן מתנה בשבת לצורך מצוה מותר״.

(**נד**) שם.

(**נה**) שם.

(**נו**) שם.

(**נז**) אף שכתב במ״ב שם „יקנה לו במסירת המפתח״ נראה דצ״ע דמסירת מפתח גרידא אינה קנין, דכל הראשונים חולקים ארש״י (פסחים ד. ד״ה מסירת מפתח) דס״ל דהוא קנין השכירות. וע׳ חו״מ ס׳ קצ״ב ס״ב דנועל ופותח הוי קנין חזקה אבל מסירת מפתח (שם ס״א) הוי כאומר לו לך חזק וקני. וע׳ שם בס׳ קצ״ד ס״א דעכו״ם אינו קונה בחזקה גרידא. וכן ע׳ מ״ב (ס׳ תל״ז ס״ק ב׳) דבעינן תרתי מסירת מפתח וקנין. ונראה דמקור המ״ב הוא מח״י (ס׳ תמ״ד ס״ק ח׳) וכ׳ שם „צריך לתת בשבת במתנה לעובד גלולים החדר עם מסירת המפתח וכו׳״ ולכן כתבנו כן בפנים.

(**נח**) גר״ז ס׳ תמ״ד ס״ט מס׳ ש״ו.

(**נט**) גר״ז ומ״ב שם.

(**ס**) שם ומ״ב ס״ק ט״ז וע׳ מ״ב ס׳ תמ״ו ס״ק ז׳ כעין זה.

(**סא**) כ׳ המ״ב (ס׳ תמ״ד ס״ק כ׳) „ואם ירא ליתן במתנה שמא לא יחזירו לו יש מהאחרונים שמצדדים דיכול גם למכור לעכו״ם ולא מיקרי מקח וממכר בשבת כיון שאינו עושה אלא להנצל מאיסור חמץ אבל כמה אחרונים חולקים ע״ז ודעתם דמכירה אסור בכל גווני אפילו אינו לוקח מעות ממנו כלל אלא קוצץ עמו סכום המקח או מוכרו לו כשער שבשוק בלי קציצת סכום המקח ומקנה לו החמץ באחד מדרכי הקניה אע״פ שמכירה זו היא לצורך מצות ביעור חמץ לא התירו חכמים בשבת מקח וממכר גמור אפילו לצורך מצוה וכמו שנתבאר בסימן ש״ו סעיף ו׳ עיי״ש במ״ב״.

done specifically to prevent him from violating the issur of chometz (סב). Other Poskim disagree and hold that it is prohibited on Shabbos (סג), even if only a price is agreed upon without exchange of money. Furthermore, it is prohibited even if no specific amount is mentioned, but it is agreed to use the normal market price, and a קנין is made (סד). Although this sale is done specifically for the purpose of disposing of chometz, it is prohibited, because חז״ל did not permit an actual business transaction on Shabbos—even for the purpose of a mitzvah (סה).

When does chometz become Muktzah?

11. If chometz remains after eating, it is permissible to move it to give it to a gentile or animal, or to throw it in the toilet—until the end of the fifth hour (סו). That is, chometz is not considered *muktzah* until the end of the fifth hour (סז).

If he was delayed until the sixth hour—when deriving benefit from chometz is prohibited—it may *not* be moved by a Jew (סח). It may, however, be removed by a gentile to throw it into a river or a toilet (סט). If no gentile is available, he should cover it until Monday night—when he should then burn it (ע).

However, chometz vessels, tables and the like may be moved and even removed from the house [where there is no problem of carrying on Shabbos, e.g. there is an Eruv] (עא). We will learn later (see E 4) that preparations for the *Seder* may not be made by a Jew on Shabbos (עב).

Bitul chometz

12. Although, to one's knowledge, no chometz remains in his house after the meal, he is still required—before the end of the fifth hour—to nullify all chometz in his domain—as is done every year (עג). This is required, even if he nullified it on Erev Shabbos (עד). The halachos of *bitul chometz* and the declaration were discussed in Chapter IX.

(סב) שם.

(סג) שם.

(סד) שם.

(סה) שם.

(סו) מ״ב ס׳ תמ״ד ס״ק כ״א.

(סז) ע׳ מ״ב שם ורמ״א ס׳ תמ״ו ס״א ומ״ב ס״ק ה׳ ובה״ה שם ד״ה שלא.

(סח) מ״ב ס׳ תמ״ד ס״ק כ״א. וע׳ מ״ב (ס׳ תמ״ו ס״ק ו׳) שכ׳ „והנה מסתימת השו״ע משמע דאפילו בחמץ שלא ביטלו כגון שנתחמץ ביו״ט דא״א לבטלו ועובר על בל יראה אפ״ה אין תקנה רק בכפיית כלי אבל הרבה פוסקים סוברים דדוקא בחמץ שביטלו קודם יו״ט דאינו עובר בב״י רק מדרבנן צריך ביעור כדי שלא יבוא לאכול סגי בכפיית כלי אבל בחמץ שלא ביטל אתי לאו דבל יראה ודחי עכ״פ טלטול דרבנן וע״כ מותר לטלטלו ולהשליכו לנהר או לבית הכסא או לפררו ולזרוק לרוח וכו׳ וכתבו האחרונים שנהגו העולם כדעה הראשונה וכסתימת השו״ע ובכל גווני כופין עליו כלי מ״מ היכי דנהוג כסברא האחרונה נהוג ואין להם לבטל מנהגם וכו׳״. וע׳ חק ישראל ס׳ ל״ד.

(סט) מ״ב ס׳ תמ״ד ס״ק כ״א.

(ע) ס׳ תמ״ד ס״ה.

(עא) ע׳ חק ישראל ס״מ [ופשוט דאיירי התם לענין איסור טלטול ולא לענין איסור הוצאה].

(עב) שם.

(עג) כ׳ המחבר (ס׳ תמ״ד ס״ו) „אעפ״י שלא ישאר החמץ בבית אחר סעודת שחרית צריך לבטל החמץ כדרך שהוא מבטל בשאר שנים״.

(עד) מ״ב ס״ק כ״ב.

E. SHABBOS AFTERNOON

Seudah Shlishis

1. We have learned (see Chapter XXXV A 3) that in the afternoon [after six and a half halachic hours] (**עה**) [approximately 12:30 P.M. in the New York metropolitan area] one should eat something to fulfill the mitzvah of *Seudah Shlishis* (**עו**). The afternoon meal may consist of meat, fish, fruits and the like (**עז**). We have also learned (ibid.) that those who eat *gebrukt* may eat cooked food made from matzah meal (e.g. kneidlach) [but not baked foods (e.g. cake, cookies)] before the beginning of the tenth hour (**עח**)[approximately 3 P.M. in the New York metropolitan area]. One may eat cakes and macaroons made from potato starch (i.e. for which the brocho is ״שהכל״) the entire Shabbos—as long as he does not eat so much that it will disturb his appetite for matzah at the *Seder* (**עט**).

Daven Mincha

2. It is advisable, where feasible, to daven Mincha before the afternoon meal (**פ**).

צדקתך, ברכי נפשי, Saying the Haggadah

3. ״צדקתך צדק״ is not said during Mincha, nor is ״ברכי נפשי״ (**פא**). In some communities it is a minhag to say the Haggadah from ״עבדים היינו״ until ״לכפר על כל עונותינו״ (**פב**).

Drinking of wine

4. Concerning the drinking of wine on this Shabbos one may not drink an amount of wine which would spoil his appetite for matzah at the *Seder* (**פג**).

(**עה**) כ׳ המחבר (ס׳ רצ״א ס״ב) „זמנה משיגיע זמן המנחה דהיינו משש שעות ומחצה ולמעלה וכו׳״, וע׳ בס׳ תמ״ד ס״א.

(**עו**) ברמ״א שם כ׳ „ובמדינות אלו וכו׳ יקיים סעודה ג׳ במיני פירות או בשר ודגים כדלעיל סי׳ רצ״א (ס״ו) [ס״ה כצ״ל] בהגה״ וע׳ לעיל בפ׳ ל״ה הערה כג ובחק ישראל ס׳ ל״ו.

(**עז**) שם.

(**עח**) ע׳ מ״ב ס׳ תמ״ד ס״ק ח׳ ולעיל בפ׳ ל״ה הערה כג, כד.

(**עט**) שם וס׳ תע״א ס״א.

(**פ**) ע׳ רמ״א ס׳ רצ״א ס״ב ובסדר ע״פ להגרי״ח זצ״ל כ׳ „כשהגיע חצי שעה אחר חצי היום מתפללין מנחה בכל בתי כנסיות ואין מאחרין יותר כדי למהר לאכול סעודה שלישית קודם סוף שעה תשיעית על היום (כדי שיאכל בלילה לתיאבון)״.

(**פא**) ע׳ ס׳ תכ״ט ס״ב לענין צדקתך, וכ׳ בחק ישראל (ס׳ טל) „למנחה נוהגין שאין אומרים ברכי נפשי אלא עבדים היינו וכו׳ עד לכפר על כל עונותינו ואפילו בשבת זו [אחרונים]״ וכ״כ בגר״ז (ס׳ ת״ל ס״ב) וכה״ח שם אות ז׳. ובסדר ע״פ להגרי״ח זצ״ל כ׳ „(וא״א אז עבדים היינו)״.

(**פב**) שם ומ״ב ס׳ ת״ל ס״ק ב׳.

(**פג**) ע׳ ס׳ תע״א ס״א ובמסקנת הב״ה (ד״ה ויין) שכ׳ „וכן מסתברא שתלוי הכל לפי טבע אותו האדם לפי מה שהוא מרגיש בנפשו דבר שגורר לבו לתאות המאכל או להיפך״ אבל ע׳ בסדר ע״פ להגרי״ח זצ״ל שסתם „וכן יין אסור לשתות אז״ ובהגה שם.

Preparation for the Seder

5. No preparations may be made for the *Seder* by a Jew on Shabbos (**פד**). Even bringing wine for use at the *Seder* is prohibited (**פה**). Similarly, setting up the table, chairs and the like for Yom Tov is prohibited for a Jew (**פו**). In case of necessity (e.g. Yeshiva, hotel), setting up and other preparations *which do not involve actual melacha* may be performed by a gentile for Yom Tov (**פז**).

Children should be sent to sleep in the afternoon

6. Children should be sent to sleep in the afternoon on this Shabbos—[and on every Erev Pesach as well, see a Chapter XIX C 4 Note] so that they should be able to stay awake at the *Seder* (**פח**). One should not, however, say "I am going to sleep in order to be awake at the *Seder*" (**פט**).

F. MOTZA'AI SHABBOS—THE FIRST NIGHT OF PESACH

"לדוד ברוך"

1. Those who have a minhag to say the Psalms "לדוד ברוך" (תהלים קמ״ד) and "יחננו אלקים" (שם ס״ז) on *Motza'ai Shabbos* before Maariv, do *not* say it if a Yom Tov occurs on *Motza'ai Shabbos* (**צ**).

"ברוך המבדיל"

2. On *Motza'ai Shabbos* [which is the first night of *Yom Tov*] after three medium-size stars appear, women should say "ברוך המבדיל בין קודש לקודש" [without שם ומלכות] (**צא**). They may then light the *Yom Tov* candles and say, "להדליק נר של יום טוב" and "שהחיינו" (**צב**), and may begin cooking and preparing for *Yom Tov* (**צג**).

(**פד**) כ׳ בחק ישראל (ס״מ) „אבל לסדר השלחנות שרוצה לאכול עליהם בלילה לא וכן אין לסדר המצות והכלים לכבוד יו״ט עד הלילה דאין שבת מכין ליו״ט פרמ״ג שם וסי׳ תרס״ז ועסי׳ תע״א ובאר״ח שם ועפרמ״ג רסי׳ תק״ג דהכנה ע״י עכו״ם כיון שהוא דבר שאינו מלאכה י״ל דשרי ע״י עכו״ם ובהג״ה מהרש״ם הנ״ל דמסתבר להקל ע״י עכו״ם עיי״ש״ ועי׳ חיי״א קנ״ג:ו וש״א, ועי׳ בספר הלכות שבת פ״י הערה לב.

(**פה**) שם וחק ישראל ס׳ מ״ג, ומ״א ס׳ תרס״ז סס״ק ג׳.

(**פו**) שם.

(**פז**) שם.

(**פח**) ע׳ רש״י פסחים ק״ט. ד״ה חוץ.

(**פט**) חק ישראל ס׳ ל״ה מבאה״ט ס׳ ר״צ ס״ק א׳ בשם ס״ח. והובא גם במ״א ס׳ ש״ז ס״ק א׳ וע׳ מחה״ש שם ושע״ת שם ס״ק א׳.

(**צ**) חק ישראל ס׳ מ״א.

(**צא**) כ׳ בסדר ע״פ להגרי״ח זצ״ל „בליל מוצאי שבת שהוא ליל א׳ של פסח אחר שהגיע צאת הכוכבים הנשים אומרות (בלא שו״מ) ברוך המבדיל בין קדש לחול וכו׳ ומסיימות ברוך המבדיל בין קודש לקודש, ומדליקות הנרות של יו״ט עם הברכות ומתחילין לבשל התבשילין של יו״ט״. ומנהגינו לומר רק „ברוך המבדיל בין קודש לקודש״.

(**צב**) ע׳ שם.

(**צג**) שם.

"ותודיענו"

3. In *Shmone Esray* during Maariv "ותודיענו" is said (**צד**).

Kiddush on Motza'ai Shabbos

4. The first cup at the *Seder* is that of *Kiddush* (**צה**). On *Motza'ai Shabbos, Havdallah* is included (**צו**). For a discussion of these halachos, see Chapter XXIV B 7,8.

The brocho "אשר גאלנו"

5. When the *Seder* occurs on *Motza'ai Shabbos,* some substitute in the brocho "אשר גאלנו" the words "מן הפסחים ומן הזבחים" because the *Chagigah* sacrifice was not offered on Shabbos in the *Beis Hamikdosh* (**צז**).

תושלב"ע

(צד) שם.

(צה) ס' תע"ג ס"א.

(צו) שם.

(צז) כ' במ"א (ס' תע"ג ס"ק ל') „כשחל פסח במ"ש יאמר מן הפסחים ומן הזבחים שלא הקריבו חגיגה שאין חגיגה דוחה שבת (ב"ח מהרי"ו) ועיין בטור" וע' בשעה"צ (ס"ק פ') מתש' כנ"י „מה שפירש שם שאין מדקדקין בכך שהרי אנו מבקשים שיגיענו ה' למועדים הבאים ששים בעבודתו ושם נאכל לשנה הבאה כשלא יהיה פסח במו"ש מן הזבחים דהיינו חגיגה ואח"כ מן הפסחים". ויהי רצון שנזכה לראות בקרוב בנין בית המקדש ושישיב את העבודה לדביר ביתו ושנאכל מן הזבחים ומן הפסחים.

סימנים וסעיפים שבשלחן ערוך המשתייכים לפרק זה

רע"ד:א	תמ"ד:ד,ה,ו
רצ"א:ב	תע"א:א

Appendix

לוח ראשי תיבות

מפתח ענינים ומונחים בלשה״ק

מפתח ענינים בהערות ומראה מקומות

Index

לעילוי נשמת
האי גברא רבא ויקירא
ירא ושלם רודף צדקה וחסד
בעל מדות תרומיות
יעץ וריבץ תורה והשפיע על אלפים
להמשיך בתפארת דרך אבותיו ורבותיו
הרה"ג מוהר"ר יחיאל ארי' הכהן מונק זצ"ל
היה מסור בכל לבו להעמיד ולחנך
דור ישרים מבורך
אוהב את הבריות ומקרבן לתורה
נפ' מוצאי חנוכה ג' טבת תשמ"ה
תנצב"ה

לז"נ איש רב פעלים ורודף צדקה
ר' יעקב משה ב"ר שמעון גדלי' ע"ה גאלדינג
נפ' כ"ז שבט תשל"ד
ולז"נ האשה החשובה חנה בת ר' אהרן שלמה ע"ה
נפ' ב' מנחם אב תשד"מ
תנצב"ה

לכבוד האשת חיל
גיטל בת ר' משה גרעבענאו שתחי'
מאת משפחתה

לזכר נשמת
ר' אברהם בן ר' אליהו ע"ה ענגלארד
נפטר בשם טוב י"ט תמוז תשל"ט
תנצב"ה

לוח ראשי תיבות

א

א"א, אדוני אבי, אי אפשר, אמר אברהם, אשל אברהם
אג"מ, אגרות משה
אג"ק, אגב קרקע
או"ה, איסור והיתר
או"ח, אורח חיים
או"ז, אור זרוע
אור"ח, א"ח, אורחות חיים
אח"כ, אחר כך
אח"פ, אחר פסח
א"י, אינו יהודי, ארץ ישראל
א"כ, אם כן
אכמ"ל, אין כאן מקום להאריך
א"ל, אמר לו
אל"כ, אם לא כן
א"ע, את עצמם
אע"ג, אף על גב
אע"פ, אף על פי
א"פ, אכילת פרס
אפ"ה, אפילו הכי
א"צ, אין צריך
א"ר, אליהו רבה
ארנב"י, אמר רב נחמן בר יצחק
את"ל, אם תמצא לומר

ב

בא"ד, באמצע הדיבור
באה"ט, באר היטב
בא"י, בארץ ישראל
ב"ב, בני ביתו
בד"ת, בדברי תורה
ב"ה, ביאור הלכה
בה"ג, בעל הלכות גדולות
בהגה"ט, בהגהות הטור
בהכ"נ, ביהכ"נ, בית הכנסת
בהמ"ד, בית המדרש
בהמ"ז, ברהמ"ז, ברכת המזון
בה"ש, ביה"ש, בין השמשות
בזה"ז, בזמן הזה
בזה"ל, בזה הלשון
ב"ח, בית חדש, בני חורין
בחו"ל, בחוץ לארץ
ב"י, בית יוסף, בל יראה, בל ימצא, בן יומו
ביה"כ, בית הכסא
בכא"פ, בכדי אכילת פרס
בכ"מ, בכמה מקומות
בל"א, בלשון אשכנז
בלא"ה, בלאו הכי
בלה"ק, בלשון הקודש
ב"מ, בבא מציעא, בתי מדרשות
במו"ש, במוצ"ש, במוצאי שבת
בס"ד, בסייעתא דשמיא
בעה"מ, בעל המאור
בעוה"ר, בעוונותינו הרבים
בע"פ, בערב פסח
בע"ש, בערב שבת
בפה"ג, בורא פרי הגפן
בקגא"ס, בקנין גמור אגב סודר
ברכ"י, ברכי יוסף

ג

גז"ש, גזירה שוה
ג"ט, ג' טפחים
ג"כ, גם כן
ג"ע, גן עדן
גר"ז, הגאון ר' זלמן (שו"ע הרב)

ד

ד"א, דבר אחר
דאל"ה, דאי לאו הכי
דב"ח, דבר חריף, דברי חיים
ד"ה, דיבור המתחיל
דה"ה, דהוא הדין
דה"ח, דרך החיים
ד"ז, דבר זה
דלכו"ע, דלכולי עלמא
ד"מ, דרכי משה
דע"ק, דעת קדושים
דע"ת, דעת תורה
דר"נ, דרבי נתן
דר"ת, דרכי תשובה
דשיל"מ, דבר שיש לו מתירין

ה

ה', הלכה
הגמ"י, הגהות מיימוניות
הגה"מ, הגהות מיימונית
הגר"א, הגאון ר' אליהו, הגאון ר' אהרן
הגר"ח, הגאון ר' חיים
הגר"י, הגאון ר' יעקב
הגרי"א, הגאון ר' יוסף אליהו
הגרי"ח, הגאון ר' יוסף חיים
הגרמ"פ, הגאון ר' משה פיינשטיין
הגרצ"פ, הגאון ר' צבי פסח
ה"ה, הוא הדין
הה"ד, הדא הוא דכתיב
הו"ל, הוה ליה
ה"מ, הנ"מ, הני מילי
הנ"ל, הנזכר לעיל
הפ"מ, הפסד מרובה

ו

וא"ת, ואם תאמר, ואי תימא
ובכ"מ, ובכמה מקומות
וב"ש, וברוך שמו
וה"ד, והובא דבריו, והיינו דוקא
וז"ל, וזה לשונו
וכ"ז, וכל זה, וכל זמן
ומ"מ, ומכל מקום

ז

זצ"ל, זכר צדיק לברכה

ח

ח', חלק
ח"ה, חו"ה, חוה"מ, חול המועד
חו"ל, חוץ לארץ
חו"מ, חמץ ומצה, חושן משפט
חוש"מ, חולו של מועד
חזו"א, חזון איש
ח"י, חק יעקב
חידו"ת, חידושי תורה
חיי"א, חיי אדם
חכ"צ, חכם צבי
ח"ס, חת"ס, חתם סופר
ח"ש, חצי שיעור

ט

ט"ז, טורי זהב
טכע"ק, טעם כעיקר
ט"ס, טעות סופר

י

י"א, יש אומרים
יבדל"ח, יבדל לחיים
יב"ח, י"ב חדש
יו"ד, יורה דעה
יוה"כ, יום הכפורים
יו"ט, י"ט, יום טוב
י"ח, ידי חובתו
יי"ש, יין שרף
יס"ב, יד סולדת בו
יסו"י, יסודי ישורון
יצ"מ, יציאת מצרים
י"ש, ירא שמים

כ

כ"א, כי אם, כל אחד
כאו"א, כל אחד ואחד
כא"פ, כדי אכילת פרס
כ"ב, כל בו
כ"ד, כדי דיבור
כה"ג, כי האי גוונא, כנסת הגדולה
כה"ח, כף החיים
כו"ע, כולי עלמא
כ"ז, כל זה, כל זמן
כ"י, כתב יד
כ"כ, כך כתב, כל כך
כ"מ, כסף משנה, כן משמע, כן מוכח

כמ"ש, כמו שכתב, כמו שכתבנו
כמש"נ, כמו שנתבאר
כ"נ, כך נראה
כנה"ג, כנסת הגדולה
כצ"ל, כך צריך להיות
כ"ר, כלי ראשון
כ"ש, כל שכן, כלי שני

ל

ל"ד, לאו דוקא
לכו"ע, לכ"ע, לכולי עלמא
לכ"נ, לכך נראה
ל"נ, לי נראה
לע"ד, לענ"ד, לעניות דעתי
לפ"ז, לפי זה
לה"ק, לשה"ק, לשון הקדש

מ

מ"א, מג"א, מגן אברהם
מאכ"א, מאכלות אסורות
מ"ב, משנה ברורה
מגה"א, מגן האלף
מדל"ק, מדלא קאמר
מה"ק, מהדורא קמא
מה"ת, מהדורא תנינא, מן התורה
מוצ"ש, מו"ש, מוצאי שבת
מו"ר, מורי ורבי
מ"ז, משבצות זהב
מחה"ש, מחצית השקל
מחו"ל, מחוץ לארץ
מחוה"מ, מחול המועד
מט"מ, מטה משה
מ"כ, מצאתי כתוב
מכ"א, מכל אחד
מל"מ, משנה למלך
מ"מ, מכל מקום
מנ"ח, מנחת חינוך
מ"ע, מצות עשה
מעד"ש, מעדני שמואל
מעל"ע, מעת לעת
מ"פ, מי פירות
מקו"ח, מקור חיים
משא"כ, מה שאין כן
מש"ה, משום הכי
מש"כ, מה שכתב, מה שכתבנו
משל"מ, משנה למלך

נ

נ"א, נשמת אדם
נוב"י, נודע ביהודה
נו"כ, נושאי כלים
נ"ט, נותן טעם
נטל"פ, נותן טעם לפגם
נ"כ, נשיאת כפים
נ"ל, נראה לי
נ"מ, נפקא מינה

ס

ס', סימן, סעיף
סד"ה, סוף דיבור המתחיל
סדה"י, סדר היום
סה"מ, ספר המצוות
ס"ח, ספר חסידים
ס"ל, סבירא להו
ס"ס, סוף סימן, ספק ספיקא
סס"ק, סוף סעיף קטן
ס"ק, סעיף קטן

ע

ע', עיין
עב"ח, על ביעור חמץ
ע"ז, עבודה זרה
עי"ז, על ידי זה
ע"כ, על כן, על כרחך
עכו"ם, עובד כוכבים
עכ"פ, על כל פנים
ע"מ, על מנת
ע"פ, ערב פסח, על פי
ערה"ש, ערוך השלחן
ער"ח, ערב ראש חדש
ע"ש, ערב שבת, עיין שם
עש"ק, ערב שבת קודש

פ

פ', פרק
פ"ח, פר"ח, פרי חדש
פ"י, פני יהושע
פיהמ"ש, פירוש המשניות
פמ"א, פנים מאירות
פמ"ג, פרי מגדים
פרה"ג, פרי הגפן
פת"ת, פתחי תשובה

צ

צה"כ, צאת הכוכבים
צ"מ, צנטרמיטר
צ"ע, צריך עיון

ק

קו"א, קונטרס אחרון
קוה"פ, קודם הפסח
קו"פ, קודם פסח
קיי"ל, קי"ל, קיימא לן
ק"ל, קל להבין
קמ"ל, קא משמע לן
ק"ע, קרבן העדה
ק"פ, קרבן פסח
קצ"ע, קצת צריך עיון
ק"ק, קהילות קדושות
קש"ע, קיצור שלחן ערוך

ר

רא"מ, רבי אליהו מזרחי
ר"ה, ראש השנה
רה"מ, רב המגיד
ר"ח, ראש חדש
רי"ו, רבינו ירוחם
רי"ח, ר' יוסף חיים
ר"ל, רחמנא לצלן, רצה לומר
רנב"י, רב נחמן בר יצחק
ר"פ, רב פפא
רע"א, רבי עקיבא איגר
ר"ת, רבינו תם

ש

ש"א, שאר אחרונים
שא"א, שאי אפשר
שאג"א, שאגת אריה
שא"ר, שאינה ראוי'
שד"ח, שדי חמד
שה"א, שר האלף
שה"ג, שבת הגדול
שהז"ג, שהזמן גרמא
שה"ל, שבלי הלקט
שו"מ, שואל ומשיב, שם ומלכות
שו"ע, שלחן ערוך
שו"ת, שאלות ותשובות
שיל"מ, שיש לו מתירין
ש"ך, שפתי כהן
של"ה, שני לוחות הברית
שכה"ג, שיירי כנסת הגדולה
שע"ג, שעל גבי
שעהמ"ב, שערים המצויינים בהלכה
שעה"צ, שער הציון
שעי"ז, שעל ידי זה
שע"ת, ש"ת, שערי תשובה
ש"פ, שאר פוסקים

ת

ת', תשובת, תשובות
ת"ה, תה"ד, תרומת הדשן
תוה"פ, תוך הפסח
תוה"ק, תורתינו הקדושה
תו"מ, תורה ומצוות, תמידין ומוספין
ת"ח, תלמיד חכם
תכ"ד, תוך כדי דיבור
ת"ל, תלמוד לומר
תע"ב, תבא עליו ברכה
תפ"י, תפארת ישראל

מפתח ענינים ומונחים בלשה"ק

מפתח ענינים בהערות ומראה מקומות

ח

חבילות בי דואר, ח:קנ

חוזר וניעור, ג:פה, פח

חוט החשמל, צריכים לנקות, טז:צט

חירות, בעניין בד' כוסות, כ:לו

כמה דברים עושים בשביל, כב:א

חכם צבי, שיטתו בישון י"ב חדש, יג:יג

חלב מבהמה שאוכלת חמץ, ד:מב

חלה, המנהג שמנקדין במפתח, לא:טז

חלודה, צריך להסיר להגעלה, יד:ג-ו, ח, יג, טו

לליבון א"צ להסיר, יד:ג, יב

חלון של זכוכית, לבדוק כנגד, ז:סד

חמצו של ישראל אחר ברשותו, ח:קלו

חמץ משש שעות ולמעלה, ב:קלב, קלה, ג:כד, לו, מ, פא, ה:יז

חמץ נוקשה, ב:כח, ל, לב, לג, לז, נג

שנפל לתוך מאכל, ב:קמט

תוך הפסח אם אסור במשהו, ג:כז, מא

חצובה, טז:קו, קכג

חצות, אכילת חמץ בע"פ אחר, ב:ו

חצי שיעור אסור מן התורה, ב:כה

חרדל, ד:ב

חרכו קודם זמנו, ב:נח, סב

חתן ביום חופתו, להתענות בחודש ניסן, א:סא, סג

ט

טבליות, שנפסלים מאכילה, ג:צט

טוב"ק שנשרה בשכר, ב:צד

טוטפייסט, ע"ע משחת שיניים

טיגון, מתי נחשב, טז:ו

טעפלאן, כלים העשוים מן, יג:לב

י

יוצא ונכנס, אלו הסומכים בהכשרים על, ג:קו

ישון י"ב חדש, יג:יג

כ

כדי אכילת פרס, מתחיל מעת הבליעה, כא:קט

שיעורו ג:ז

תערובת חמץ שיש בו כזית בשיעור, ג:ה, יא

פחות משיעור זה ה"ל כאילו אכל חצי זית היום וחצי זית למחר, ב:יח

כורך, האם בעניין כריכה, כד:רב

כיבוד אינו כבדיקה, ח:סו

כלי זכוכית, יג:יז, יח

כעפרא "דארעא", למה צריך לומר, ט:יב

ל

לא יניחו העיסה בלא עסק, ב:יט, כא

לא יראה ולא ימצא, החילוק ביניהם, ב:יד

ליבון, פעולתו, טז:ג

לינת לילה אי פוגמת, יב:מא

לנעול החדרים, המנהג שלא, כד:שיט

מ

מומר שנכנס לרשות ישראל עם חמצו בידו, ח:קכג

מושך ידו מן הפת, לה:יז

מחיצה, חיובה לחמץ, ו:סז

מי ביצים, ע"ע מצה הנילוש במי פירות

מייקרו וייו, אופן בישולו, טז:קנו

מילוי ועירוי לכיל ב"י, טו:קל

מיל, שיעורו, ב:יט

מיני תרגימא, יקיים סעודה שלישית, לה:כג

מכירת חמץ, לאלו ששכחו, יא:מ

כשערב פסח חל בשבת, לג:כד, כו

לחמץ ששכורה בידו, יא:סח

ערב קבלן, יא:סא

מלא לוגמיו, שיעורו, כ:קלד

מסירת מפתח, לעניין קניין שכירות, לו:נז

מעות חטים, מי צריך לתרום לזה, א:לד

נותנין זה אף למי שיש לו מזון י"ד סעודות, א:מט

עיני עניים נשואות לזה, א:מד

מעת לעת, אי בעינן מעת השתמש חמץ או מעת שהשתמש בחמין, טו:יב

מצה, א"צ לכפול לב' זיתים, כא:קח

מצה גזולה, כא:קכט

ביו"ט שני, כא:קלא

מצה הנילוש במי פירות, ב:מ, מג, מו, מח, מט

אכילתה לסעודות שבת, כשערב פסח חל בשבת, לה:לד

מצה מעה"ל, עוגה הנעשה מן, אסור לאכלו בע"פ, לה:כד

מצה שרויה, ד:יז, יט

"מקדש השבת וישראל והזמנים", למה מסיים בחוה"מ סוכות, ל:פח

מקרר או פריזר, הכנתם לפסח, טז:מט

מרור, אי יוצא בפחות מכזית, כא:טו

אין חילוק בין מרור שמברך עליו למרור שכורך, כד:רב

גזול, כא:קלב

משחת שיניים, ב:קח, טז:עה

משכיר בית, האם חזקתו בדוק, ח:קי

מי מחוייב לבדוק, ח:צו

מת בע"פ ולא ביטל חמצו, ו:קיד

נ

נבילה שאינה ראויה לגר, ב:נה

נוקשה, ע"ע חמץ נוקשה

נותן טעם לפגם, יב:מא, יג:יג

נייר, קערות העשוים, ג:קכ

ניסן, למה נקרא ראש חדשים, א:ב

נכרית שמנקה הבית, לסמוך על נקיון במקום בדיקה, ו:מג

נפסל מאכילת כלב, הטעם דבעניין בחמץ, ב:נה

היכא שיכול לתקנו, ב:עב

נשיאים, פרשת, א:נה

INDEX

לעילוי נשמת

האשה הכבודה רבת החסד

מרת שפיקה בת שאול ע״ה

אשכנזי

נלב״ע כ״א שבט תשד״מ

אשת חיל

„צופיה הליכות ביתה״

תנצב״ה

Dedicated in the Blessed Memory of

Sofia Ashkenazi ע״ה

"She anticipates the way of her household"

by her son **Ely Ashkenazi** *and his sons*

לכבוד

ר׳ **שרגא פייוועל** בן ר׳ **יוסף** נ״י

והאשה **אסתר בילע** בת ר׳ **ישעיה** נ״י

Balitsky

מוקדש לזכרו הטהור
של האי גברא רבא ויקירא
איש האשכולות, אציל הרוח ורב פעלים
הר״ר מוהר״ר שלום זצ״ל
בן הגה״צ הר״ר אברהם שמואל זצללה״ה סקלאר
נפטר י״ב אייר תשמ״ג לפ״ק

אשר כל ימיו רדף צדקה וחסד,
ומסר נפשו לתורה ותעודה,
ומוקיר רבנן בכל לבו,
לב ער חם ורגיש לכל קדשי ישראל,
וביראתו הקודמת לחכמתו זכה וזיכה את הרבים,
אוהב את הבריות ומקרבן לתורה,
וזכה להקים דור ישרים מבורך
אשר בדרכיו ממשיכים.
תנצב״ה

מוקדש ע״י רעיתו הרבנית צפורה שתחי׳
בת ר׳ אהרן הכהן הקדוש זצ״ל

לעילוי נשמת
ר׳ חיים ב״ר ישראל הכהן ע״ה
In memory of
Herman Koenigsberg ע״ה
תנצב״ה

ברכה לראש משביר

לכל המתנדבים להוצאת חלק זה של **ספר הלכות פסח**
יתברכו בברכת „ברוך אשר יקים את דברי התורה הזאת"

יזכור ה' לטובה לנפשות הקדושות הנזכרות פה
בעבור שקרוביהם שיחיו סייעו בנדיבות לבם להדפסת הספר הזה

לעילוי נשמת
ר' **יונה** בן ר' **אהרן יוסף הכהן** ע"ה
נפטר א' אלול תשמ"א
תנצב"ה

לזכר נשמת
האשה **ליבא** בת ר' **אברהם** ע"ה
זיידנפלד
נפ' כ"ז טבת תשמ"ג
תנצב"ה

לזכר נשמת
האשה **רבקה** בת ר' **יהודה אריה** ע"ה
קאצבורג
נפ' כ"ד אייר תשד"מ
תנצב"ה

לעילוי נשמת הורינו היקרים
ר' **דוב** ב"ר **יצחק מנחם ביגילאייזן** זללה"ה
נפטר כ"ד תשרי תשכ"ו
וזוגתו מרת **שרה מירל** בת ר' **גרשון** זללה"ה
נפטרה כ"ג אדר תשל"ב
תנצב"ה

בית הכנסת בני תורה
טאראנטא, קנדה

הוקדש ע"י
ר' **יוסף זאב** בן ר' **מרדכי אליעזר** נ"י
ואשתו **בתי'** בת ר' **משה חיים** שתחי'
נלקין

לכבוד הורינו היקרים
ר' **יעקב יצחק** גענס נ"י
ורעיתו **חי' מערא** תחי'
ור' **יוסף מתתיהו** באלסעם נ"י
ורעיתו **בלומא** תחי'
מאת ר' **יחזקאל** ו**ליבא לאה** גענס, סקראנטאן

לעילוי נשמות הורינו היקרים
הרב שלמה ב"ר **שאול יחזקאל** ע"ה פערלשטיין
נפ' ח"י אלול תשכ"ז
וזוגתו האשה **ראכעל** בת ר' **צבי** ע"ה
נפטרה יום א' דחג הפסח תשל"ה
תנצב"ה

לזכר נשמת
ר' **אברהם** ב"ר **משה** ע"ה
תנצב"ה

לזכר נשמת
האשה **חנה סאשא** בת ר' **דוד מרדכי** ע"ה
תנצב"ה

לזכר נשמת
ר' **אליעזר** ב"ר **ישראל** ע"ה
נפ' ו' אייר תשכ"ז
והאשה **הינדא** בת ר' **שמואל** ע"ה
נפ' ט' תמוז תשד"מ
תנצב"ה

לז"נ אמי מורתי
יוכבד בת ר' **ישראל הלוי** ע"ה
ריינער
תנצב"ה

לזכר נשמת
ר' **שלמה זעליג** בן ר' **ישעיה** ע"ה
קערצנער
נפ' כ"ד אב תשכ"ח
תנצב"ה

לזכר נשמת
ר' **דוב** בן ר' **דוד הכהן** ע"ה
נפ' י' סיון תשמ"ג
והאשה **אסתר לאה** בת ר' **יוסף** ע"ה
ווייס
נפ' ח' אייר תשמ"ג
תנצב"ה

ברכה לראש משביר

לכל המתנדבים להוצאת חלק זה של ספר הלכות פסח
יתברכו בברכת „ברוך אשר יקים את דברי התורה הזאת"

יזכור ה' לטובה לנפשות הקדושות הנזכרות פה
בעבור שקרוביהם שיחיו סייעו בנדיבות לבם להדפסת הספר הזה

לעילוי נשמת
חמי היקר
ר' **יחזקאל שרגא** בן ר' **חיים** ע"ה
לייבעל
שעלתה נשמתו היקרה השמימה
יום א' דחג הסוכות תשל"ז
תנצב"ה

לז"נ איש רב פעלים ורודף צדקה
ר' **יעקב משה** ב"ר **שמעון גדלי'** ע"ה **גאלדינג**
נפ' כ"ז שבט תשל"ד
ולז"נ האשה החשובה **חנה** בת ר' **אהרן שלמה** ע"ה
נפ' ב' מנחם אב תשד"מ
תנצב"ה

לזכר נשמות
אבינו מורינו ר' **צבי** ב"ר **דוד** ע"ה
נפ' י"ט אדר תשמ"ג
ואמינו מורתינו האשה **פייגע** בת ר' **משה** ע"ה
נפ' כ"ז מרחשון תשכ"ח
תנצב"ה
הוקדש ע"י האחים **הערים**, סקרענטאן פען.

לעילוי נשמת
ר' **משה מרדכי** ע"ה בן ר' **חיים צבי סטבסקי** נ"י
שעלתה נשמתו היקרה השמימה
יום א' דחוה"מ סוכות תשל"ג
תנצב"ה

לזכר נשמות
ר' **מאיר יעקב קאפל** בן ר' **ירוחם פישל פעפער** ע"ה
נפ' ג' אדר תשי"ד
חנה אסתר בת ר' **יצחק הלוי פעפער** ע"ה
נפ' כ"ה מרחשון תשל"ה
ר' **יהודה ליב** בן ר' **יעקב אונגער** ע"ה
נפ' ד' תמוז תש"ל
תנצב"ה

לעילוי נשמת ידידינו היקר
ר' **שמעון** ב"ר **יצחק** ע"ה **פרידברג**
נפטר ו' טבת תשמ"ג
מאת חבריו שהשתתפו עמו בשיעור
ותמיד הוא בלבנו
תנצב"ה

לזכר נשמת
ר' **אברהם** בן ר' **אליהו** ע"ה **ענגלארד**
נפטר בשם טוב י"ט תמוז תשל"ט
תנצב"ה

לזכר נשמת
ר' **ישראל** בן ר' **נחום** ע"ה
שטילרמן
נפ' ד' תשרי תשכ"ח
תנצב"ה

לזכר נשמת
אמי מורתי האשה **שרה** בת ר' **מתתיהו הלוי**
ע"ה
נפ' ט"ז כסלו תשמ"ג
הוקדש ע"י ר' **שמעון יעקב הלוי** הולנד
סקרענטאן, פען.

לז"ז תפארת ראשינו הורינו היקרים
רבי **חייא** בן החכם **רפאל** ז"ל
כ"ד מנחם אב תשל"ה
וזוגתו האשה מלכה בת ר' **אליהו** ע"ה
י"ח טבת תשל"ה
למשפחת אריה
תנצב"ה

לזכר נשמת
אבי מורי ר' **מנחם מענדל** ב"ר **משה** ע"ה
נפ' ראש חדש ניסן תשכ"ה
ואמי מורתי **רבקה** בת ר' **צבי הכהן** ע"ה
נפ' י"ז אייר תש"כ
תנצב"ה
מאת ר' **יעקב יצחק גענס**, סקרענטאן פען.

לזכר נשמת זקני היקר
ר' **מרדכי** ב"ר **דוד** ע"ה
ואשתו מרת **פייגע** בת ר' **חנוך העניך** ע"ה
תנצב"ה
מאת נכדם
ר' **יעקב מנחם** דאמבראף ומשפחתו

לזכר נשמת
אבי מורי ר' **משה דוד** בן ר' **פסח צבי** ע"ה
נפ' כ"ג כסלו תשכ"ו
הוקדש ע"י בנו ר' פסח צבי גאנז ומשפחתו
סקרענטאן, פען.

לזכר נשמת
ר' **אהרן אליעזר** בן ר' **הלל** ע"ה **תנצב"ה**

ברכה לראש משביר

לכל המתנדבים להוצאת חלק זה של **ספר הלכות פסח**
יתברכו בברכת „ברוך אשר יקים את דברי התורה הזאת"

יזכור ה' לטובה לנפשות הקדושות הנזכרות פה
בעבור שקרוביהם שיחיו סייעו בנדיבות לבם להדפסת הספר הזה

לעילוי נשמת
הרבנית **רחל** בת ר' **יצחק משה** ע"ה ווילליגער
נפ' י"א אלול תשל"ט
ולעילוי נשמת
בתה האשה הח' **חנה ליפשא** בת ר' **משה דוד** ע"ה, שידלוב
נפ' י"א אלול תשל"ט
תנצב"ה

לזכר נשמת
ר' **יהודה ארי'** ב"ר **משה צבי** ע"ה
נפ' ה' אלול תש"ט
והאשה **שרה גיטל** בת ר' **יעקב זאב** ע"ה
נפ' ט' אייר תשי"א
תנצב"ה

לזכר נשמת
ר' **משה** ב"ר **יואל** ע"ה שרייבער־סופר
נפ' ה' טבת תרצ"ז
ולזכר נשמת
האשה **חי'** בת ר' **אהרן יוחנן** ע"ה
נפ' ב' טבת תש"ב
תנצב"ה

לזכר נשמת
ר' **קהת** בן ר' **יוסף** טענען ע"ה
ע"י ר' חיים משה ב"ר יצחק גרין נ"י
והאשה יהודית בת ר' קהת גרין נ"י

לז"נ
האשה חנה בת ר' **צבי הערש הלוי** ע"ה
נפ' כ"ט תמוז תשכ"ו
תנצב"ה

הוקדש ע"י
ק"ק בית אברהם יעקב
טאראנטא, קנדה
הרב **ברוך הכהן טאוב** שליט"א
מרא דאתרא

לזכר נשמת
ר' **אשר** בן ר' **אורי שרגא** ע"ה
והאשה שרה בת ר' צבי ע"ה
תנצב"ה

לזכר נשמת
ר' **דוד בנימין** ב"ר **חיים מאיר** ע"ה
והאשה **הענע ריבא** בת ר' **משה** ע"ה
תנצב"ה

לזכר נשמת
ר' **יצחק בן נסים**
תנצב"ה

לעילוי נשמת
ר' **יוסף** ב"ר **ברוך** ע"ה
שהלך לעולמו
ב' אייר תשד"מ
תנצב"ה

לזכר נשמת
ר' **חיים יהושע** ב"ר **אברהם הלוי** ע"ה
והאשה **פעשע** בת ר' **נחום** ע"ה
והרב **שרגא פייטיל** בן הרב **מרדכי הכהן** ע"ה
תנצב"ה

לזכר נשמת
ר' **אהרן יוסף** ב"ר **מרדכי יהודה הכהן** ע"ה
ושרה בת ר' **זאב** ע"ה
ושמעון ב"ר **איסר** ע"ה
וזיסל בת ר' **אייזיק** ע"ה
תנצב"ה

נדבת ר' **חיים וטובי פולאק** נ"י
באלטימאר מד.

לז"נ אבי מורי
ר' **שמחה בן בלימע אסתר ע"ה**
שנהרג על קידוש השם
ואמי מורתי האשה **יאכעט** בת ר' **אברהם** ע"ה
נפ' כ' כסלו תר"פ
מאת בנם ר' אליהו פנחס קליין נ"י

ברכה לראש משביר

לכל המתנדבים להוצאת חלק זה של ספר הלכות פסח
יתברכו בברכת „ברוך אשר יקים את דברי התורה הזאת"

יזכור ה' לטובה לנפשות הקדושות הנזכרות פה
בעבור שקרוביהם שיחיו סייעו בנדיבות לבם להדפסת הספר הזה

לעילוי נשמת
הבחור **שמואל** ע"ה בן ר' **יחיאל** שליט"א
נפ' ר' אדר תשל"ה
תנצב"ה

לזכר נשמת
ר' **מאיר מנחם** ב"ר **משה יוסף** ע"ה
קייזר
נפ' כ"ז ניסן תשל"ז
תנצב"ה

לזכר נשמת
ר' **שלמה** ב"ר **ישראל** ע"ה
טעננבוים
נפ' כ"א טבת תשל"ט
תנצב"ה

לזכר נשמת
ר' **אברהם אבא** ב"ר **מרדכי** **ביללעט** ע"ה
נפ' בשם טוב כ"ג סיון תשכ"ט
תנצב"ה

לזכר נשמת
אבינו מורינו ר' **אליהו** ב"ר **יעקב צבי** ע"ה
נפ' ט' סיון תשכ"ה
ואמנו מורתנו **יוטא** בת ר' **יעקב מרדכי** ע"ה
נפ' כ"ה אייר תשכ"ה
ואחינו הרב **משה אהרן** ב"ר **אליהו** ע"ה
נפ' ה' תשרי תשל"ד
מאת ר' **דוד פינק** ומשפחתו, סקרענטאן

לזכר נשמת
האשה **בלומא גיסא** בת ר' **אהרן** ע"ה
נפ' ב' אדר ב' תשד"מ
תנצב"ה

לזכר נשמת
האשה **גיטל** בת ר' **אברהם** ע"ה
נפ' כ"ד ניסן תשל"ו
תנצב"ה

לעילוי נשמת
אבי מורי ר' **דוד ארי'** ב"ר **יוסף הכהן** ז"ל
בענטש
נפ' י"א ניסן תשכ"ו
תנצב"ה

לכבוד האשת חיל
גיטל בת ר' **משה גרעבענאו** שתחי'
מאת משפחתה

לכבוד הורינו היקרים
ר' **יעקב יצחק** געגס נ"י
ורעיתו **חי' מערא** תחי'
ור' **יוסף מתתיהו** באלסעם נ"י
ורעיתו **בלומא** תחי'
מאת ר' **יחזקאל וליבא לאה** געגס, סקראנטאן

לז"נ ר' **אשר זעליג** ב"ר **יהודה** ע"ה שטאלער
נפ' כ"ט אייר תש"י
והאשה **חי'** בת ר' **צבי הכהן** ע"ה
נפ' ב' סוכות תשל"ו
ור' **יהודה** ב"ר **אשר זעליג** ע"ה
נפ' ט"ז טבת תשמ"ג, תנצב"ה

לזכר נשמת
ר' **משה** ב"ר **יוסף אברהם** ע"ה
דאקס
נפ' ב' סיון תשל"ז
תנצב"ה

לזכר נשמת
האשה **מיכלא** בת ר' **מרדכי הכהן** ע"ה
נפ' ר"ח ניסן תשמ"ב
תנצב"ה

לזכר נשמת
ר' **שלמה יעקב** ב"ר **משה** ע"ה ויסברגר
נפ' ח' אייר תשמ"א
האשה **יהודית** בת ר' **מנחם צבי** ע"ה ויסברגר
נפ' כ"ג מנחם אב תשמ"ג
מאת משפחת שטאלער, סקרענטאן, פען.

ברכה לראש משביר

לכל המתנדבים להוצאת חלק זה של **ספר הלכות פסח**
יתברכו בברכת „ברוך אשר יקים את דברי התורה הזאת"

יזכור ה' לטובה לנפשות הקדושות הנזכרות פה
בעבור שקרוביהם שיחיו סייעו בנדיבות לבם להדפסת הספר הזה

לזכר נשמת
ר' **חיים יחיאל** ב"ר **משה** ע"ה
ור' **אפרים** ב"ר **יחיאל** ע"ה
והאשה חי' **רחל** בת ר' **אברהם יהודה ליב** ע"ה
תנצב"ה

בית הכנסת שערי תפלה
טאראנטא, קנדה
הרב ר' **משה שטערן** שליט"א
מרא דאתרא

לזכר נשמת
הרב ר' **יצחק צבי וואלברג** ע"ה
מלפנים רב דק"ק שומרי אמונה
דבארא פארק
נפ' ר"ח אדר א' תשד"מ
תנצב"ה

הוקדש ע"י
בית הכנסת
ישראל הצעיר דסטאטען איילנד
הרב **יעקב מרקוס** שליט"א
מרא דאתרא

הוקדש ע"י
בית הכנסת
ישראל הצעיר דנוא רושעל
הרב **ראובן פינק** שליט"א
מרא דאתרא

לזכר נשמת
אבי מורי ר' **זאב** ב"ר **אהרן** ע"ה
תנצב"ה
מאת בנו ר' **אהרן סטייר** ומשפחתו

לעילוי נשמת
ר' **יוסף** מיכל בן ר' **חיים יצחק** וויינער ע"ה
תנצב"ה

לעילוי נשמת
ר' **יעקב** ב"ר **יוסף צבי** ע"ה
ור' **יהודה ארי'** בן ר' **אברהם חיים** ע"ה
ור' **יואל** ור' **אלתר** ב"ר **יהודה לייב** ע"ה
והאשה מרים **נחמה** בת ר' **יוסף** ע"ה
תנצב"ה

מוקדש ע"י
ר' **שמואל** ורחל **ראשקינד**

לכבוד הרב המחבר
מאת תלמידי השיעור

לעילוי נשמת האשה כשרה
רחל בת ר' **יצחק צבי** ע"ה
והאיש כשר ר' **חיים** ב"ר **משה** ע"ה
תנצב"ה

ברכה לראש משביר

לכל המתנדבים להוצאת חלק זה של **ספר הלכות פסח**

יתברכו בברכת „ברוך אשר יקים את דברי התורה הזאת"

יזכור ה׳ לטובה לנפשות הקדושות הנזכרות פה

בעבור שקרוביהם שיחיו סייעו בנדיבות לבם להדפסת הספר הזה

לזכר נשמת
הרב ר׳ **חיים מאיר** ב״ר **מנחם** ז״ל לעווי
נפטר כ״ד מרחשון תשכ״ט
ולזכר נשמת
האשה **שושנה** בת ר׳ **יחזקאל גרשון** ע״ה לעווי
נפטרה י״ג כסלו תשל״ט
תנצב״ה

לזכר נשמת
ר׳ **נפתלי הערצקע** בן ר׳ **דוד** ע״ה
נפ׳ אסרו חג הפסח תש״מ
והאשה **לאה** בת ר׳ **ישראל יעקב** ע״ה
נפ׳ כ״ז שבט תשכ״ד
תנצב״ה

לזכר נשמת
האשה **פעסל** בת ר׳ **יצחק ארי׳**
שטיינהרטר
נפ׳ י״ז אייר תשל״ז
תנצב״ה

לזכר נשמת
ר׳ **צבי דוד** בן ר׳ **זאב דוב** ע״ה
קריימער
נפ׳ כ״ז שבט תשכ״ו
תנצב״ה

לעילוי נשמת
ר׳ **יעקב יוסף** ב״ר **שמעון איידער** ז״ל
שנפטר בשם טוב
ועלתה נשמתו העדינה למרום
ביום כ״ח סיון תשי״ז
תנצב״ה

לעילוי נשמת
ר׳ **אברהם** יהושע ב״ר מרדכי ע״ה
נפ׳ י״ד אייר תשל״ד
ואשתו **גיטל פעסל** בת ר׳ **יעקב** ע״ה
נפ׳ י׳ אדר א׳ תשד״מ
תנצב״ה

הוקדש ע״י
בית הכנסת
ישראל הצעיר דוואודמיר
הרב **יצחק צביביללעט** שליט״א
מרא דאתרא

לזכר נשמת
ר׳ **דוד** ב״ר **אברהם** אדלר ע״ה
נפ׳ כ״ז אלול תשד״מ
תנצב״ה
מאת משפחת הירש